LA NUEVA ERA

El origen y
la naturaleza
de su filosofía
y los perjuicios
de sus contenidos
para la salud física,
mental y espiritual

Abraham Dastferrez

LA NUEVA ERA

El origen y la naturaleza de su filosofía y los perjuicios de sus contenidos para la salud física, mental y espiritual

Calidad en Literatura Evangélica

editorial clie

Editorial CLIE
Galvani, 113
08224 TERRASSA (Barcelona)

LA NUEVA ERA
"El origen y la naturaleza de su filosifía y los perjuicios
de sus contenidos para la salud física, mental y espiritual"
© por Abraham Dastferrez 2000

Depósito legal: B- 49.159-2000
ISBN: 84-8267-191-X

Impreso en los talleres gráficos de la M.C.E. Horeb,
E.R. n° 2.910 SE – Polígono industrial Can Trias
C/ Ramon Llull, 20 – 08232 VILADECAVALLS (Barcelona)

Printed in Spain

Referencia: **22.42.93**
C.T.C. 03-18-1200-04
Clasifíquese: 1200 SECTAS DE ORIGEN CRSTIANO: Nueva Era

Índice

SECCIÓN INTRODUCTORIA
La Incompatibilidad de los contenidos de la
Nueva Era y la Revelación Bíblica

SECCIÓN PRIMERA
Una respuesta a la New Age respecto a su origen
y a sus contenidos esenciales

SECCIÓN SEGUNDA
Descripción, análisis y crítica de los contenidos ideológicos
principales de la Nueva Era

SECCIÓN CONCLUSIVA
Conclusiones y valoraciones finales

Prólogo

La *"New Age"* o Nueva Era es un movimiento espiritualista que surge a partir de la década del 60 en Estados Unidos, reuniendo toda una serie de posiciones ideológicas dentro de un abanico de posibilidades que va desde el más puro animismo hasta lo más científico y agnóstico, pasando por el antiguo y moderno Espiritismo, junto a la fenomenología parasicológica, extraterrestre, de los Ovnis, de la práctica del Yoga y de la Astrología hundiendo sus raíces en el Budismo actual y en la ideología babilónica de los comienzos de la historia humana, matizada ésta, por todo lo que se fue recogiendo y ampliando.

Se ha escrito mucho sobre la Nueva Era. Hemos podido comprobar que los estudios realizados hasta ahora se refieren a una crítica global, y de ciertos aspectos de su ideología, y limitada a su comportamiento y actitudes. Nos hemos propuesto en este trabajo abarcar todo aquello que configura a la Nueva Era. Para ello hemos profundizado en su origen e investigado en sus proyecciones en la historia. Nuestro análisis pone al descubierto que la sociedad actual occidental, incluso enmarcada dentro de un Catolicismo Romano orientador, hunde sus raíces en Babilonia. Esta confluencia entre Nueva Era y una Cristiandad reconducida por el Catolicismo Romano se diferencia en el tiempo y en el prototipo escogido como mezcla, y en el modo de llevar a cabo dicha combinación. En efecto tendremos oportunidad de comprobar cómo el Catolicismo Romano es el resultado de fusionar la ideología babilónica que se transmite desde Babilonia a través de los imperios universales, con lo que estos aportan hasta Roma, y lo que se utiliza de concepción cristiana adaptada a ese nexo de unión provocando la matización correspondiente. Mientras que la Nueva Era siendo el mismo resultado escoge, en esta época, como modelo de fusión el Budismo y toda una ciencia que se ve libre de la injerencia de postulados religiosos dogmáticos. Por otra parte considera a todo aquello que ha sobrevivido desde Babilonia como válido sin verse obligada a rechazar ni a matizar.

Otro de nuestros objetivos es dejar bien claro la incompatibilidad entre cristianismo genuino y Nueva Era. Uno de los postulados que la Nueva Era defiende es que cualquier ideología religiosa es buena en sí misma, y que cualquier cosa errónea partiría del propio individuo, y que con tal de corregir ciertos modos de pensar o de acercarse a la verdad que se encuentra en uno mismo sería suficiente. A fin de comprender este asunto estudiaremos y criticaremos las concepciones y posiciones más importantes que la Nueva Era sostiene, y comprobaremos que de ningún modo puede concordar cristianismo basado en la Revelación bíblica y la llamada Nueva Era en cualquiera de sus muchas vertientes o manifestaciones. Y que el optimismo simplista y charlatán que supone el creer en la bondad original del ser humano, y como siendo la fuente de la verdad y del poder, es insostenible, respondiendo a la más grosera quimera.

Veremos los inconvenientes de la práctica del Yoga sea cual fuese éste, y los fallos de sus contenidos y de la filosofía que lo mantiene y promueve. Los peligros de la fenomenología parasicológica y los errores en los que se basa, junto a la práctica nociva de la astrología y de la adivinación. Profundizaremos en el tema del Espiritismo con lo que conlleva, probando sus fraudes, práctica e ideología errónea. Analizaremos los desatinos y disparates de la medicina holística y los riesgos de su puesta en práctica. Junto a esto trataremos la problemática Ovnis y extraterrestre, por su concomitancia con la Nueva Era, y teniendo en cuenta el uso que de ello realiza, propondremos una alternativa que coincide con el contexto que la Revelación bíblica expone.

Dadas las coordenadas que proyecta la "*New Age*" desde el punto de vista social y político con la pretensión de unificar al mundo con su criterio y valores, y dada la coincidencia que, desde su origen y como consecuencia de sus propios genes, el Catolicismo Romano posee respecto a la unidad del género humano, con su orientación ideológica predeterminada, nos veremos obligados a presentar el papel a jugar por parte de la Nueva Era en el Nuevo Ordenamiento Mundial. Al mismo tiempo observaremos cómo entronca el Catolicismo Romano con lo que éste abarca e implica desde el punto de vista de una *cristiandad ecuménica*, de naturaleza *babilónica*, con una Nueva Era, que aunque *babilónica* también pretendería mantenerse independiente.

SECCIÓN INTRODUCTORIA

La Incompatibilidad de los contenidos de La Nueva Era y la Revelación Bíblica

Capítulo I

Bases y Conexiones de la Nueva Era

A. ¿Qué es el Movimiento del Potencial Humano con relación a la *New Age*?

El **Movimiento del Potencial Humano** se originaría en 1961 en ocasión de la apertura del Instituto Esalem en Big Sur (California) fundado por Michael Murphy y Richard Price con la colaboración de George Leonard. Se trataría de un modelo sociocultural alternativo frente a la doctrinas y estructuras de las Iglesias tradicionales, con la finalidad "de favorecer una auténtica liberación del espíritu, una nueva era del amor, y una mayor expansión de la conciencia".[1]

Dicho Movimiento estaría convirtiéndose en un centro organizativo y de referencia respecto a un despertar decisivo y definitivo de la *antigua religión* denominada ahora "*New Age*".[2]

Respecto al Movimiento del potencial humano, haremos en su momento un análisis crítico y apologético. Su objetivo es el intento de emplear al máximo lo que ellos denominan *potencial humano* a través de todas las técnicas que tanto Oriente como Occidente les pone a su disposición. Una especie de amalgama de los **opuestos**, y de la **igualdad de lo diferente** que según ellos daría como resultado el equilibrio de la mente y su *ilimitado potencial*. Con la inspiración de Sri Aurobindo (un místico hindue), la psicología que Murphi aprendió en la Universidad de Stanford, su estudio de la

---

[1] Raúl Berzosa, *New Age y Cristianismo*, en la revista de los Padres Agustinos, Religión y Cultura (Enero-Marzo, Madrid 1994), op. c., p. 22.

[2] Según M. Ferguson, *La conspiración del Acuario*, ed. Kairós, Barcelona 1985, pp. 147-159. La autora de este libro que se cita es una dirigente y abanderada de la *New Age*.

filosofía oriental y su experiencia en la India, llega, entre otras cosas a la siguiente conclusión:

«A Michel también le gustaba derrumbar fronteras, descubrir posibles alianzas donde otros sólo ven diferencias irreconciliables –entre la mente y el cuerpo, entre lo negro y lo blanco, entre la física y el misticismo, (...) entre los deportes occidentales y el yoga oriental (...) Esta predilección por la convergencia y la síntesis en sí misma ha ayudado a conformar la visión del potencial humano y muchos de los programas que la visión ha inspirado».[3]

---

[3] En "Más Allá del año 2000" nº 8 (Abril 1994) op. c., p. 40.

Nadie sabe todos los que están practicando como miembros oficialmente consignados o no en la **Nueva Era** (*New Age*), pero si tenemos en cuenta que cualquiera que no pertenece a una religión organizada cristiana, judía o musulmana, puede ser considerado como si fuera de ella, tendríamos un porcentaje elevado. Al poder agrupar en su seno todo un cúmulo de experiencias y de ideas desde un ateísmo espiritual hasta cierto catolicismo brasileño pasando por todas las formas espiritistas y del movimiento de lo oculto, ovnis, fenomenología parasicológica, científicos preocupados por una humanidad que amenaza en desaparecer, tendríamos un número incalculable. Si a esto añadimos las religiones orientales como el Budismo y el Hinduismo, y la multitud que se denomina católica o protestante pero que no se le exige tener que dejar su organización religiosa pudiendo simultáneamente compartir su tiempo, dinero, experiencia y creencia con la Nueva Era, todavía la cantidad se multiplicaría. Si junto a esto adicionamos, las religiones animistas que simplemente precisarían el conocimiento de poder contactar y de saber relacionarse con otros grupos afines, los millones seguirían en aumento. Ahora habría que agregar las sociedades secretas y otras más visibles (aunque a veces se vea solo la punta del iceberg):

1) Las logias masónicas .

Ver número monográfico "*Más Allá*" *¿Quién mueve los hilos del mundo*" (Junio 1993). En dicho monográfico se documenta sobre la existencia de un Gobierno Invisible (ver pp. 12-19), en el que las logias masónicas estarían teniendo un papel importante. Sobre esto ver también publicado por edic. Martínez Roca, *El Legado Mesiánico* (M.Baigent-R. Leigh-H. Lincoln, Barcelona 1987).

Sobre la actuación y conexión de la Francmasonería con la Nueva Era ver a Juan María Argudo, *Nueva Era conspiración final*, vol. I, ed. CLIE, Terrassa 1992, op. c., p. 57.

Los Masones del Sur (en USA) editaban en 1900 un Boletín con el nombre de *New Age* Magazine (Raúl Berzosa Martinez, en *New Age y Cristianismo*, op. c., p. 21).

2) Los Mormones

Esta ampliamente demostrado el cómo la religión mormona tiene unas bases totalmente ocultistas, ceremonias especiales secretas para iniciáticos, de naturaleza masónica en algunos aspectos. El libro del Mormón enseña la armonía de los opuestos del bien y del mal (2ª Neph. 2: 11, 15, 22, 23-25). Citado por Ernest Steed, Dos = Uno, ed. CLIE, Terrassa 1981, op. c., p. 96.

Ver sobre esto el libro *Los Fabricantes de Dioses* de Ed Decker y Dave Hunt, de Betania, Minneapolis-USA 1987, y el Vídeo del mismo título de Jeremías Film, debidamente documentado donde se prueba fehacientemente no solamente su carácter ocultista sino además contenidos idénticos que los que sostiene la *New Age* (Nueva Era).

3) El Movimiento del Potencial Humano (ver nota 1 y más adelante)

4) El Neopaganismo

El Neopaganismo está asociado de forma fundamental con el movimiento *New Age* (ver "*Más Allá* nº 8, op. c., p. 9). Se trata del resurgimiento, sin limitaciones ni tapaderas de ninguna clase, de la brujería, denominada la religión antigua pagana: "la adoración de lo divino, personificado en una Diosa y en un Dios que tienen muchas formas y muchos nombres" (Vivianne Crowley, *La Antigua Religión en la Nueva Era. La brujería a examen*, editores Arias Montano, Madrid 1990, p. 13). Esta puesta al día del renacimiento del neopaganismo corre a cargo de una gran sacerdotisa de la norteamericana Vivienne Crowley que ha fundado su organización neopagana, que abarca diferentes grupos de la brujería moderna, bajo el nombre de Wicca (ver el análisis acertado de Juan Antonio Monroy en *Cuadernos Alternativa 2000*, El Neopaganismo (nº 25, Marzo-Abril, Madrid 1994), op. c., p. VI.

5) La Iglesia de la Cienciología

La Iglesia de la Cienciología, ha publicado recientemente una obra de carácter monumental marcadamente proselitista e identificada con el movimiento de la *New Age* (*¿Qué es la Cienciología*? Nueva Era Publications International APS, Copenhague K, Dinamarca 1993). Fundada por Ronald Hubbard, ha concentrado toda la experiencia y saber de la Nueva Era en el organigrama de una Iglesia, y canalizar de ese modo los contenidos y objetivos de la *New Age*. Actúa por medio de organizaciones paralelas como Dianética, Camino de la Felicidad, Nueva Era y Narconón.

La Iglesia de la Cienciología ha tenido muy mala prensa en Europa. Todos recordarán la detención de sus máximos dirigentes en España. Recibiendo enormes críticas por su actitud comercial a través del organismo paralelo de la *Dianética* y de sus centros de tratamiento de la drogadicción.

6) La Iglesia de la Unificación de Moon

La Iglesia de la Unificación de Moon aparece en un cuadro de organizaciones con sus conexiones mundiales como relacionada con la *New Age*. Esta referencia ha sido facilitada por Pepe Rodríguez en su libro sobre la *Conspiración MOON* (edic. B, serie Reporter del Grupo Zeta, Barcelona 1988, p. 20, 21).

Su interpretación sobre Dios y Jesucristo, junto a su creencia en la reencarnación, además de estar provisto de una organización político-religiosa de primera línea (recuérdese toda la labor efectuada en contra del comunismo), le confiere un lugar dentro de la Red de la Nueva Era.

El libro sobre Los Principios Divinos de Young Whi Kim (del Movimiento Moon) Madrid 1974, es un intento de querer destruir conceptos básicos cristianos. Una refutación amplia de su doctrina incluida en dicho libro puede verse en *El Espíritu de Sun Myung Moon*, ed. Clie, Terrassa-Barcelona 1978, de Zola Levitt.

7) Grupos con una actividad proselitista imposible de medir pero que crecen en proporciones increíbles y que abonan el terreno para la "Nueva Era": Gnosis.

Toda la base de la Nueva Era, tanto de su experiencia como de su "conocimiento" es claramente *gnóstica* (C. Díaz, *Gnosis y fragmento en el multiverso para religioso*, en *Communio* 13 (1991), p. 220). Se trataría de un conocimiento que procede de cualquier sitio: de las estrellas, de maestros, gurus, de extraterrestres, médium, y de la propia introspección de uno, junto al conocimiento acumulado de todos los que nos han precedido. Es pues una **revelación** recibida, en cada mente individual, a través de diferentes canales. Nada sería contradictorio sino todo complementario y aprovechable por cada uno y por todos. Pero ¿qué decir de la **revelación escrita** que se contraponga de un modo meridiano a esa *otra revelación basada en la gnosis*? ¿A cuál habría que hacer caso? ¿a la disgregada en multitud de mensajes contradictorios y confusos y sincretista, de acuerdo a un conocimiento personalista y cósmicamente perceptible por aquellos que se prestan a un entreguismo vergonzoso? ¿o aquella **Revelación escrita**, que independientemente de diferentes posibles interpretaciones, posee avisos y mensajes claramente expuestos para beneficio de la naturaleza humana?

8) Organizaciones teosóficas y afines

Manuel Figueroa en *"Más Allá"* (monográfico nº 8, op. c., p. 6):

«Pero el matiz básico de la Nueva Era proviene de la Teosofía».

Helena Petrovna Blavatsky funda en Nueva York en 1875 la conocida Sociedad Teosófica, caracterizada por una doctrina fruto de la mezcla de elementos importantes de la religión budista e hinduísta, del hermetismo egipcio y del esoterismo de los lamas del Himalaya. Con la mediumnidad que ya practicaba se dedicará con aquellos componentes citados a lo que ella llama conocimiento profundo de la divinidad a través de la meditación y la *iluminación interior*.

En 1851 dará a luz un escrito en varios volúmenes titulado La Doctrina Secreta, inspirada por su Maestro protector perteneciente a una "Hermandad Esotérica Ocultista" tibetana, considerado como una entidad sobrehumana. Este es un punto de partida que permitió el traspaso de la ideología orientalista en Occidente y comenzó a forjar en este lugar occidental lo que más tarde se conocería como Nueva Era. Pero serían especialmente Alice Bailey con su sociedad teosófica, y el espiritismo de Allan Kardec, quienes junto a otros (Paul le Cour por ejemplo) aportaron los paradigmas creativos de la *New Age* (ver sobre esto a Jean Vernette, *le Nouvel Age, A L'aube de l'ere du Verseau*, Pierre Tequi, París 1990, pp. 51-77).

El católico P. Le Cour imbuido como muchos hoy de lo esotérico publicó un libro en 1937 titulado *La Era del Acuario*, o la llegada de Gaminades profetizando para el año 2000 la reencarnación de Cristo influyendo en la gestación y desarrollo de la *New Age* (ver sobre esto a Raúl Berzosa Martinez, op. c., p. 21).

Alice Bailey es mencionada por todos los estudiosos sobre la *New Age* (se puede consultar Jean Vernette ya citado, p. 23; Juan María Argudo, op. c., p. 53; *Más Allá* nº 8, p. 6, etc.) compaginó sus actividades teosóficas con la meta de ser la impulsora del movimiento que tomaría forma definitiva en la década del 60 y 70. Ocultista de origen inglés se casó de segundas nupcias con Foster Bailey, a la sazón Secretario Nacional de la Sociedad Teosófica de los EE. UU. Canalizadora del llamado Maestro de Sabiduría conocido por el Tibetano, se dedicó a expandir las enseñanzas de los mensajes que a través, según ella, del espíritu del personaje mencionado recibía. Una obra de veintitrés volúmenes, y en especial *El discipulado de la Nueva Era* fue el resultado del *channeling* con El Tibetano.

Con la fundación de la Escuela Arcana creó y propagó un movimiento con un triple objetivo: **nuevo orden mundial; nuevo gobierno mundial; nueva religión mundial**. Esto concuerda con el principal objetivo socio político de la *New Age*, a decir de Raúl Berzosa Martinez (op. c., p. 22), es decir el propósito primario de la Nueva Era de alcanzar el control global mundial.

La asociación **Buena Voluntad Mundial** que funda en 1932 era la forma de evidenciar a dónde se dirigía su blanco: hacia una nueva humanidad gracias al esfuerzo de cada individuo, desarrollando, según se piensa, el enorme caudal que su mente le proporcionaría, y gracias al "instructor mundial" que se revela. Este proyecto le llevó a introducir la oración llamada *la gran invocación* que según ella en 1945 Cristo le había inspirado (ver a C. Sarrias, *La Nueva Era ¿nueva religión?*, PPC, Madrid 1993, p. 9).

Bailey fue todavía más lejos generando un método de *auto salvación* pretendiendo establecer un *puente de luz* entre la conciencia que el individuo tiene de sí mismo y lo que realmente puede encontrar hurgando en lo que se considera como verdadero: la propia divinidad del individuo en contacto con otros seres espirituales.

9) "Curso de milagros"

"Un Curso de Milagros" (informe recogido de la Pura Verdad, septiembre-octubre de 1993, pp. 14-18) es el título de un libro cuyo contenido fue transmitido por el fenómeno de la canalización (*channnelling*=comunicación de espíritus de seres muertos o de extraterrestres, o de ciertos ángeles) a una siquiatra de Nueva York en 1965, llevándole siete años el dictado cósmico proveniente de una *Voz*. Marianne Williamson, es una Guru de la *New Age* basando sus enseñanzas en el libro "Un Curso de Milagros". Ha escrito a su vez otro libro *A Return to Love* (Regreso al Amor), que resulta ser un análisis del mencionado libro.

Cientos de grupos se están abriendo en diferentes lugares propagándose los principios fundamentales de la Nueva Era. En la terapia basada en ese Curso de Milagros se dicen cosas como estas: "Desde este momento en adelante, renuncio a mi opinión e interpretación de todo"; el pecado no existe aunque es preciso *utilizar el perdón*; nuestros cuerpos son mera ilusión. Se utilizan expresiones bíblicas como Cristo, Espíritu Santo, oración, expiación pero dando un enfoque y valor distintos a lo que la Biblia nos dice.

10) Creation Spirituality

Organización afín y conectada a la *New Age* fundada por el sacerdote católico dominico Matthew Fox. Compagina (a pesar de estar disciplinado por Roma) el Catolicismo Romano con los contenidos esenciales de la Nueva Era.

11) Círculos espiritistas e iglesias espiritistas de origen protestante y católico

Si la teosofía tiene mucho que ver con la organización moderna de la antigua religión llamada ahora *New Age*, el **Espiritismo** que ha sido adaptado a la *era del acuario* tiene tanto o más, siendo su técnica de comunicación con los espíritus de los *muertos* la reina de las empleadas por la *New Age*.

La teosofía surge matizada, a partir de un origen puramente *espiritista*. El Espiritismo se remonta a los momentos más ancestrales de la humanidad como teniendo un origen, de acuerdo al informe bíblico que en su momento analizaremos, ajeno totalmente al Dios verdadero.

12) Práctica del Yoga

La práctica del Yoga se ha introducido en Occidente con la aquiescencia de las mayoría de las denominaciones llamadas cristianas. Con una mente ecuménica y pluralista equivocada se ha estado permitiendo que en las parroquias tanto protestantes como católicas se haya realizado esa técnica orientalista pensando que simplemente era una gimnasia física que no repercutía negativamente a nivel síquico, moral y espiritual. Millones de personas en Occidente están hoy familiarizadas con esa "técnica" que crea desequilibrios mentales aun cuando a los interesados se les hace creer que su situación es la normal, la del equilibrio. Estudiáremos este asunto en concreto puesto que tenemos en nuestro tratamiento pastoral y evangelístico una experiencia enriquecedora respecto a personas practicantes del Yoga con enormes conflictos personales y de higiene mental.

La *New Age* pretende llenar el vacío humano con el Yoga. Dicha concepción coincide con la filosofía de la Nueva Era puesto que ésta ha asumido la ideología y actitud Yogui en su programa de transformación de la persona.

La palabra Yoga significa unión. Y se concibe como que junta el espíritu o alma personal con *Dios*, pero téngase en cuenta que "el hombre es un microcosmos, según el yogui, y tiene una órbita cósmica positiva y negativa (bien y mal)" (Ernest H.J. Steed, *Dos=Uno*, op. c., p. 63), y que Dios es la energía cósmica que abarca al macrocosmos, y como dice Krishna de sí mismo en el Gita de que Dios "es una personificación de todo el bien y de todo el mal (*El Gita segun Gandhi*, Ahmedabad, Shantilal Press, 1970, Discurso X, pp. 282, 288. Citando por Ernest Steed, op. c., p. 66).

La experiencia del Yoga va a consistir, como en otro lugar veremos con más detenimiento, una unión para conseguir la unidad, una conjunción de opuestos (negativo y positivo, bien y mal) hacia el estado no-dual. En efecto para clarificar esa órbita cósmica y alcanzar el equilibrio entre lo positivo y negativo sería preciso despertar la fuerza-energía escondida en la base del cuerpo. De ahí que el primer paso en ese proceso de unión sea, mediante la práctica del Hatha-Yoga (ejercicios físicos-respiratorios, con repercusiones en el estado mental y moral) la unión de los opuestos integrados en el microcosmos que es el hombre, según esta teoría, y de este modo poder entrar en contacto con el macrocosmos, donde lo positivo y negativo, el bien el mal ya se han conjuntado.

13) La Meditación trascendental

La Meditación trascendental "es simplemente una variante de Yoga" (Ernest Steed, op. c., p. 65).

14) La rama educativa alcanzando a la universidad, a la escuela y al trabajo

Puede verse el capítulo que Elliot Miller (en *Le Mouvement du Nouvel Age*, op. c., pp. 103-124) dedica a la actividad misionera de la *New Age*, a lo que asignaremos unas páginas críticas, para colocar en su debido lugar el valor y carácter de los programas y métodos principales (la transformación personal, la salud y medicina holística, la curación paranormal, la meditación, la educación humanista y transpersonal, el aprendizaje con el cerebro derecho, los valores, el potencial humano y el lugar del trabajo y el misticismo en el comercio) que utiliza en su pretensión de querer solucionar los problemas humanos.

15) Los cursos de salud y medicina holística

Id. En su lugar estudiáremos los errores graves de la medicina holística y sus proyecciones negativas para la salud, y expondremos los principios que debe cumplir una actitud y conducta adecuada que repercuta positivamente tanto en los aspectos físicos como mentales en relación a una temperancia correcta.

16) Curación paranormal

Se han hecho estudios de los fraudes, y de las curaciones llamadas paranormales que han resultado ser o irrelevantes o perjudiciales para la salud del individuo. Para ello hemos consultado, entre otros, el *Curso General de Parapsicología INAPP*, Madrid 1977 (Primer ciclo, 2º Fascículo, pp. 33-85), de base estrictamente científica que ha analizado y ha realizado seguimiento de las pretensiones curativas paranormales que una propaganda indolente, aveces desaprensiva, expone. Esto no quiere decir que no puedan haber curaciones inexplicables. Conforme el tiempo transcurra podremos ser testigos de prodigios que hasta la propia ciencia certificará su realización. Esto será la intromisión de las fuerzas espirituales supranormales que la Revelación bíblica identifica con **Angeles caídos** que se revelaron contra Dios, y que hay un plan establecido por Dios para su fin.

17) Astrología

La Astrología es muy importante para la *New Age*. Podríamos decir que una de las motivaciones principales que encuentra la *New Age* está en el esquema astrológico inventado, como casi toda la ideología que sostiene la Nueva Era, por la *civilización babilónica*, y que en base a ese bosquejo se obtienen *profecías* o adivinaciones, que las hacen encajar forzando los sucesos que naturalmente ocurren en el sistema solar, y en las fechas que previamente han previsto; o se hacen interpretaciones fuera de lugar, sin base, de eventos históricos que resultarían ser **no** como consecuencia de todo un proceso socio político, o sociocultural que dura decenas de años *sino por la conjunción de ciertos astros en el cielo*.

El propio origen de la llamada Era del Acuario como fruto de una interpretación astrológica es fruto de la bobada más simplona que uno se puede echar a la cara, y se repite en cualquier escrito crítico que se efectúa sobre la *New Age* como si se sobrentendiera como plausible. Daremos cuenta de este asunto en otro lugar.

18) Organizaciones no gubernamentales que están siendo influidas y reguladas por la Nueva Era: Club de Roma, Greenpeace. Varias organizaciones como las citadas, la Fundación Rockefeller, la Fundación Ford, la Francmasonería, etc. (ver para esta información a Campbell-Brennan *en Guía de la Era de Acuario*, ed. Robinbook, Barcelona 1996; también a Juan María Argudo, op. c., p. 57).

19) Infiltraciones en los gobiernos más representativos de esta tierra y en la propia ONU

El secretario General adjunto y Secretario de Consejo Económico y Social Sr. Robert Muller "es un activo militante de la línea Nueva Era" (Juan María Argudo, op. c., p. 57). No hay que olvidar tampoco a diferentes personalidades que integran a la Unesco, sobre todo en el Fondo Internacional de las Naciones Unidas para los niños (ver íd.).

20) Conexiones a través del "Parlamento de las Religiones" con todo el mundo religioso: el Consejo Mundial de las Iglesias (ver a Juan María Argudo, op. c., p. 57).

Se podría catalogar como una especie de conspiración, tal como lo denomina, creo que acertadamente, una de las líderes de este movimiento M. Ferguson en *La Conspiración del Acuario*, Kairós, Barcelona 1985, pp. 24, 25:

«Los conspiradores del Acuario se alinean a lo largo y a lo ancho de todos los niveles de renta y educación (...) Hay maestros y oficinistas, científicos de renombre, políticos, legisladores, artistas y millonarios (...) primeras figuras en el campo de la medicina, la educación, el derecho, la psicología (...) Hay legiones de conspiradores. Los hay en corporaciones, en universidades y en hospitales, entre el profesorado escolar, en fábricas y en consultorios médicos, en instituciones estatales y federales, entre concejales de ayuntamiento y miembros de la Casa Blanca, en las cámaras legislativas (...) y prácticamente en todos los centros de toma de decisiones (...)».

Lo nuevo no está en los contenidos propiamente dichos sino en ejercer una direccionalidad concreta de acuerdo a una inspiración que ha estado tejiendo durante siglos este momento oportuno.

Muchos siguen entreteniéndose en el estudio de las fuentes contemporáneas de la *New Age*, y hablan de las humanísticas: de la filosofía empírica de William James, del psicoanálisis de Jung, de la psicología de Maslow y Carl Rogers, de las obras literarias de Huxley, de la visión histórica de Toynbee, y de la antropología de Margarita Mead, pero no estaremos desenmascarando nada y es preciso que el mundo sepa a lo que se está exponiendo si cede a esta *conspiración*.

Podemos, en un alarde de intelectualismo recurrir a las fuentes científicas de la *New Age* y traer a colación, entre otros, al físico Fritjof Capra, al biólogo Salk y al neurofisiólogo Pribram, pero estaremos perdiendo el tiempo, y es imprescindible que los habitantes de esta tierra maltrecha conozca lo que esconde el Ocultismo, lo que la *New Age* es en realidad, lo que está programado en su propia constitución, sin que muchos de sus adherentes lo hayan siquiera vislumbrado.

Y aun los estudiosos aludirán al semillero que supuso, y sigue siéndolo, el espiritismo y la teosofía, e incluso remitirse al pensamiento de Teilhard du Chardin como la mejor síntesis, para la *New Age*, de las fuentes filosófico humanísticas, místico religiosa y científica.

B. El Paradigma de la *New Age*[4]
El Movimiento del Potencial Humano dentro del Paradigma de la New Age

1. La Idea Original que sustenta a la Filosofía de la *New Age*: la Unidad de los contrarios y la Igualdad de lo que es distinto

Cuando uno descubre, dándole la debida importancia, lo que realmente da fundamento a la *New Age*, comprende lo que tiene delante. La idea principal consiste en el legado, que de un origen inminentemente posterior al comienzo de la Revelación bíblica, transmitió la cultura babilónica pasando a todo el Oriente, fijándose como la concepción por excelencia: Se trata de la capacidad

---

Con nada de esto aportaremos a las gentes lo que auténticamente necesitan respecto de una angustia existencial, que por mucho que diga la *New Age* no ha podido ni puede solucionar.

Y aun cuando se diga que la *New Age* se origina en el Diablo, se deberá explicar adecuadamente lo que se quiere decir porque se corre el peligro de ser tildado de fanático.

En los contenidos modernos de la *New Age* se descubre un sello que es preciso destapar, y comprobar que contiene una clave histórica que nos ayuda a comprender el Nuevo Orden Mundial que se está gestando y que tiene que ver con un sentido de la historia que se ha proyectado desde los orígenes de la humanidad.

No hay nada nuevo, a no ser una labor de síntesis y de sincretismo para acumular todo un saber que se remonta, con las diferentes aportaciones a través de la historia, a Babilonia (y ésta lo recoge de un tiempo todavía anterior), y acoplarlo debidamente a una situación crítica y caótica de la humanidad actual, en una especie de desespero, y en un intento de prolongar la agonía de un planeta que su solución no está en las estrellas.

[4] Cuando ahora parece que todo el mundo se quiere volver hacia algún tipo de religión, y ante la pretensión de la *New Age* de estar representando una ideología socio-religiosa que incluye diferentes prácticas y experiencias místicas y espiritualistas dando cabida a la filosofía religiosa orientalista con todas sus formas y técnicas, es preciso que recalquemos que no podemos entregarnos sin más a lo que la *New Age* nos afirma, a través de lo más representativo que la define, **de que lo suyo**, lo que predica, enseña y ejecuta por medio de sus métodos, filosofía y espiritualidad **es lo verdadero**. Tampoco podemos aparcar este dogma provisionalmente cuando se nos dice más o menos "que si no nos lo creemos que probemos lo que se nos propone". No debería de servirnos este tipo de razonamiento, porque podría experimentarse, en efecto, si se deja arrastrar, una situación nueva que podría traducirse, en una primera etapa como *beneficiosa*, o *transformadora*, tomando como punto de referencia la condición anterior de necesidad. Más tarde se vería involucrado en un proceso de promesas incumplidas pero que no se interpreta como tal, por cuanto la gran promesa de la meta está en seguir, en continuar la marcha estipulada por las pautas marcadas por la *New Age*, y al final, se insiste, se logrará. Es ese objetivo inalcanzable pero que se asegura que se percibirá y disfrutará, lo que impide una vez más un raciocinio suficientemente sincero y objetivo sobre si las fases más cortas han cumplido su cometido. Es prácticamente imposible para alguien que no fue capaz de analizar sobre el contenido de la propuesta antes de experimentar, de descolgarse de semejante empeño y volver sobre sus pasos, puesto que esa forma de actuar determina una estructura que manifiesta dejarse llevar por las emociones y sentimientos. Y es verdad que a ese nivel se podrán *experimentar* sensaciones que confunden todavía más al individuo sobre la realidad o no de lo experimentado, y sobre la validez de las cláusulas propuestas.

Por todo esto volvamos de nuevo a la afirmación global de la *New Age* como siendo la solución, tanto a nivel ideológico como práctico, y como representante de la verdad que viene a sustituir a todo y a todos (Ver, sobre la pretensión de ser la auténtica verdad que el mundo necesita a M. Ferguson, *La Conspiración del Acuario*, op. c., pp. 19, 23, 31-49, 76, 77, 80-91, 96-102, 128, 129, 132-159, 160-210, 211-273; también a otro de los adeptos de la *New Age*, a D. Splanger en "Emergencia". *El renacimiento de lo sagrado*, Plaza y Janés, Barcelona 1991, pp. 15 ss., 23, 26, 49, 50-84, 89-92). La Nueva Era según este autor (op. c., pp. 94-96), ofrece "**una imagen positiva del futuro**, una concepción del mundo holística (intercomunicación de todo, es decir del bien y del mal, de lo positivo y negativo), andrógina (transcender el sexo), mística (una experiencia sagrada en todo), planetaria, y de autorrealización de uno mismo. Un **nuevo** espíritu colectivo de humanidad que se convertirá en un nivel nuevo de identidad y creatividad, de integración con la tierra, y de un estado más profundo de comunión con Dios" (tal como lo parafrasea Raúl Berzosa, op. c., p. 35, de Splanger).

No podemos fiarnos de las palabras, tenemos que comprobar hasta donde sea posible que las afirmaciones grandilocuentes de la *New Age* corresponden a una realidad verdadera.

Necesidad de una Normativa que comporte seguridad y anule la confusión

Nos encontramos con un primer problema de entrada ¿cómo podemos saber que lo que dice, propone y obra la *New Age* es la *verdad que el mundo necesita*, sin un baremo que nos sirva como norma? ¿o es suficiente con la hipótesis, la teoría no confirmada, los sentimientos, lo especulativo, los resultados de unas técnicas aleatorias y lo que se experimenta? ¿nos conformaríamos con algo etéreo como eso? ¿o precisamos de algo más consistente?

¿Pero quién decide, en última instancia ese canon? puesto que como cristiano presentaré como referencia lo que yo considero la Palabra de Dios, las Sagradas Escrituras: la Biblia ¿pero estarían ellos dispuestos a aceptarme esa Revelación como auténtica?

La conspiradora Ferguson dirá del movimiento *New Age* "que son antiguas y profundas sus raíces en la historia humana" (En *La Conspiración del Acuario*, op. c., p. 16, edición francesa, *Les Enfants du Versau*, ed. Calmann-Lévy, París 1990). Pero Shirley Maclaine, adepta y maestra de la Nueva Era era mucho más clara:

«Es una compilación de numerosos conceptos ancestrales, relativos a la fe, a la naturaleza de la realidad, a la práctica de la vida, al ritual en la verdad. Son originarios de culturas esencialmente extrañas a Occidente. Si uno descarta estas teorías bajo pretexto que ellas son ocultas, osadas, si por reacción o pánico uno las estima satánicas, se confiesa su profunda ignorancia de las culturas altamente desarrolladas del Próximo Oriente, del Medio Oriente y del Extremo Oriente» (En *Le Voyage Intérieur: à la recherche de l'harmonie*, ed. Michel Lafon, París 1990, p. 37).

Según esta declaración la Nueva Era estaría fundada en una metafísica y ética extraña a nuestro Occidente judeocristiano; se inspiraría en un sincretismo de ideas y prácticas religiosas tomadas de las culturas paganas antiguas que van desde lo ancestral pasando por el Próximo, Medio hasta el Extremo Oriente; y que solamente por la ignorancia no deberían reputarse esa teorías ocultas como satánicas.

Si se estimaran como tales no sería por ninguna clase de ignorancia señora Maclaine sino por todo lo contrario como veremos un poco más adelante. Pero podría estarle ocurriendo a usted lo que insinúa que les pasa a los que rechazan su planteamiento: que por desconocer realmente el origen y naturaleza de los presupuestos orientales no puede identificarlos con una ideología satánica, aun cuando ésta lo fuera.

Allan Kardec, y otros espiritistas, que forman parte de ese conglomerado de formación y desarrollo de la *New Age* tanto de origen católico como protestante, reconocen en la Biblia una cierta Autoridad Revelada, al menos hasta donde coincide con las opiniones espiritistas. Ver sobre esto a Allan Kardec en *Obras* (se mencionarán cuando se citen en otro lugar) publicadas por ed. Kier, Buenos Aires).

Otro importante de la *New Age*, J. White (En *La experiencia mística y los estadios de la conciencia*, Kairós, Barcelona 1980, pp. 9-38. Citado por Raúl Berzosa, op. c., p. 22) considera a la Biblia como un punto de referencia, aun cuando maltrate a ésta diciendo que hay que hacer una nueva exégesis de Éxodo 3:14, en el sentido de que el Dios supremo es él mismo y cada persona.

Leonard Orr y Sondra Ray (En *Renacer a la Nueva Era*, Rebirthing LC, p. 239. Citado por Juan María Argudo, *Nueva Era, la conspiración del Acuario*, op. c., p. 44) aluden a los diez mandamientos con una interpretación tan ridícula que no merece mas que demos la referencia.

Pero estos ejemplos y otros nos muestran que la Biblia es reconocida *como una más de las muchas revelaciones* que según la *New Age* se han estado dando a lo largo de la historia. En este contexto Jesucristo es reconocido como un Guru o Maestro universal que tuvo un mensaje para la gente. El mismo Dalai Lama, jefe espiritual del Budismo, y del que la *New Age* acepta como contribuyendo filosófica y activamente en la gestación y expansión de la Nueva Era, reconoce al cristianismo (como fruto de su propia *revelación*) dentro de una variedad de religiones. Ver *Conocer*, Enero 1994, p. 25; entrevista de *El País* al Dalai Lama (3-6-1990, p. 11; entrevista de *ByN*, 28-11-1993, p. 8 y ss.).

Esta obligatoriedad a tener que aceptar al cristianismo como una fe en una Revelación y en una Persona la de Jesucristo, independientemente de los límites que a esto se ponga, y de la interpretación que se haga, nos plantea una pregunta profundamente apologética ¿puede una Revelación, que procede en teoría y según la ideología de la *New Age* de un *mismo lugar del Cosmos* contradecirse con otra? ¿o no hay posibilidad de la contradicción sino simplemente sería algo complementario? ¿o lo que yo considero como distinto es pura imaginación? ¿o no me importa replantearme esta cuestión por cuanto ya he encontrado lo que buscaba? ¿pero qué buscabas? ¿la Verdad?

Tanto la Biblia como la ideología de la *New Age* pretenden estar patrocinadas y sustentadas por revelaciones externas a la dimensión puramente humana

Es muy importante que este asunto lo resolvamos. Si la *New Age* basa, el origen de toda su experiencia y conocimiento como fruto del dictado de un *espíritu guía*, o de un *contacto cósmico*, entre lo que presume la mente humana perteneciente al microcosmos con la *gran mente macrocósmica*, o lo que supondría la inspiración, mediante una fenomenología parasicológica, de un extraterrestre, o de un Guru o Maestro que

de mezclar, unir y armonizar dos opuestos, que aun siendo conflictivos e incompatibles, no se les considera como tal, con lo cual, según este punto de vista, daría lugar a una transformación: el camino hacia la iluminación.[5]

¿Cuales son esos dos opuestos? Partiendo de la existencia de ciertos elementos diferenciados y de la necesidad de su cooperación armoniosa (hombre-mujer; tarde-mañana; luz-oscuridad; macho-hembra; tierra-agua) se pretende proyectar una aplicación unitaria a todo lo que dicha ideología de la *New Age* define como opuesto o contrario: todo lo que puede concebirse como antípoda o inverso se debe unir. De este modo quedan *juntados* **tanto el bien como el mal, lo positivo y lo negativo, lo blanco y lo negro**.

Toda la idea orientalista en la que se basa la *New Age* se rige por esta ideología de la **unidad de los contrarios y de la igualdad de lo que es distinto**.

La cultura pagana Caldea Babilónica al establecer el sistema zodiacal, contribuyó con los signos que inventó a la noción de la conjunción de opuestos o contrarios.[6] Con ello se conseguía una interpretación dualista que tendía a la unificación. El equilibrio (a pesar de lo diverso y antagónico) es la enseñanza esencial que se procura transmitir con cada perfil del zodíaco: la dualidad desaparece mediante la armonización del paralelismo y la unión de los contrarios mostrando que lo que ocurre en el macrocosmos manifestado en ese sistema del zodíaco debe acontecer también en el microcosmos del que forma parte el hombre y su mundo.

Tanto Buda como su ideología aprendieron esta lección que se desprende de lo que se interpreta especulativamente *de las estrellas*: el origen de la vida y su progresión es entendido como "un desplegarse, o iluminación, la idea de unificar lo bueno y lo malo para conseguir la creación y la creatividad".[7]

El budista Tibetano Lama Anagarica Govinda expresa la idea central:

---

presenta mensajes considerados especiales por los adeptos, o lo que resulta de una indagación mística, hurgando en el interior de su persona considerada divina, y que mediante una meditación o cayendo en un cierto trance, con la alteración de la conciencia incluida dice *recibir comunicaciones*, o el haber hecho una *experiencia* catalogada como profundamente subjetiva, **podemos añadir, que el Cristianismo genuino se origina en una Revelación otorgada por el Espíritu Santo, que ha inspirado a ciertas personas ofreciéndoles un mensaje que se denomina de Dios, y que se pone por escrito como testimonio para todos,** y ese mismo Espíritu Santo permanece con todo creyente guiándole a toda Verdad y en la dirección correcta del auténtico conocimiento (cf. Jn. 14:12-16, 26; 16:7-13; 8:31, 32, 17:3).

Por lo tanto, es preciso despejar si la Revelación bíblica dada por un *Extraterrestre* a una serie de personas que constituirán, con otros que llegarán a creer, un núcleo denominado Pueblo escogido de Dios, es *una más* entre todas las revelaciones *que provienen del Cosmos*, y que se complementaría con todas las otras recibidas, o si por el contrario la **Revelación bíblica es única en su especie, conteniendo un paradigma** que define como falso, perjudicial e incompatible lo que propugna la *New Age*.

Nos encontraríamos, de ser así, con dos Revelaciones frente a frente, y que su origen y contenidos tendrían en última instancia la decisión sobre **lo que es realmente verdadero y favorable para el ser humano.**

[5] Ver sobre esto a Ernest H. J. Steed, *"Dos=Uno"*, op. c., pp. 20, 21. Sobre la unidad de todo y su intercomunicación ver al autor de la *New Age*, D. Spangler, en *Emergencia* ... op. c., pp., 94-96; también *Más Allá* n° 8, op. c., p. 19.

[6] En *Dos=Uno*, de Steed, op. c., pp. 25-27.

[7] Id., p. 28.

«El bien y el mal, lo sagrado y lo profano, lo sensual y lo espiritual, lo mundano y lo trascendental, la ignorancia y la iluminación, samsara y nirvana (...) no son contrarios absolutos, o conceptos de categorías enteramente distintas, sino dos aspectos de la misma realidad».[8]

La **unidad** es lo que sobresale. Todo, a pesar de lo distinto y de lo contrapuesto debe encontrar la unidad. Para ello no es preciso eliminar el mal o lo negativo sino armonizarlo y coordinarlo con el bien y lo positivo. Todo Oriente se hará eco de esta filosofía, que como veremos, en su momento, es destructiva.

La noción del Yin y del Yang que los chinos nos explican, expresa la unión del bien o lo positivo (Yang) y del mal o negativo (yin), produciendo, gracias a la **unión**, todas las cosas que existen.[9] La Enciclopedia Británica lo expone de modo claro:

«(...) la totalidad de la vida dentro del círculo de toda existencia que dependía de la mezcla armoniosa del Yin y del Yang. El Yang es lo bueno, la luz, lo positivo; el yin: el mal, lo oscuro (...) negativo ... Esto significa que de la interacción de estas dos fuerzas cósmicas se desarrollaron todas las pautas, ideas y sistemas. El cambio es constante, simple y fácil, y todo lo que procede de él es bueno».[10]

Estos opuestos no son considerados como esencialmente contrarios **sino como partes de un todo** que es preciso **unir** para conseguir **la igualdad.**

Es esa igualdad de lo diferente lo que produce la identidad de cada una de las cosas con el Todo. De ahí que la ecuación **Bien + Mal** produzca una fórmula de **igualdad con Dios**, de armonía, unidad, plenitud e iluminación.

El Taoísmo, por poner un ejemplo más de toda esta filosofía oriental, nos presenta ese dualismo del Yin y del Yang como la ley fundamental del universo queriendo significar "el origen de la vida, la armonía de todas las cosas y la nivelación de todas las distinciones de toda clase".[11] Sería por medio de la **unión** de las fuerzas que se oponen pero que se integran a su vez, y que representan lo bueno y lo malo, lo positivo y negativo que la vida se originaría. El *Tao* no es visto como el bien absoluto sino abarcando dentro de sí **tanto el bien como el mal.**[12]

El propio Yoga, como ya indicamos en otros lugares, es considerado, tanto por budistas como hindúes, como si fuera el yin y el yang, denominándose

---

[8] En *Fundamentos del Misticismo Tibetano*, Rider a. Co. Londres 1973, p. 107. Citado en *Dos=Uno*, op. c., p. 28.

[9] Ver sobre esto a Samuel Yang, editor, *Libro de cambios con referencias bíblicas*, Washington D.C. 1973.

[10] Citado en *Dos=Uno* de Steed, op. c., pp. 29, 30.

[11] Estas ideas pueden encontrarse en Lao Tsu, *El Camino de la Vida* (R. B. Blakney traductor): Lao Te Ching, New American Library, Nueva York 1955, p. 37. Citado en íd., p. 55.

[12] Ver esta idea en Cynthia H. Enleo, Ph. D., *Yin, Yang y Mao*, Nutrition Today, Enero-Febrero, 1974, p. 24. Citado en íd., p. 58.

Yama y Niyama, y en el Tibet Yab y Yum. Según todo este pensar se trataría de **opuestos** "que, si se funden, conducen a la tranquilidad".[13]

2. La implicación consustancial e inmediata de esta filosofía: No hay Dios personal, Todo es Dios (Panteísmo)

Si todo existe por la conexión del Todo con cada Uno, si hay una relación entre macrocosmos y el microcosmos como consecuencia de que todo procede por igual de lo mismo, si todo surge por la conjunción de los opuestos integrados, si todo es *esencialmente* de la misma naturaleza cósmica,[14] según esto, **no** puede haber **diferencia entre** lo que se denomina **creado** con el **creador**. Todo se sitúa a un mismo nivel de igualdad, y por lo tanto **todo es dios.**[15]

La *New Age*, se basa en la llamada "Ciencia Suprema" del hinduismo, la *Lila* o *El Juego Sagrado* que concibe de que "todo, es decir, materia, mente, espacio, tiempo y energía es un juego cósmico" que permite la *creación* de los hombres, las cosas y el mundo de los fenómenos.[16]

El Movimiento del Potencial Humano y su entronque con el concepto de dios panteísta de la New Age y sus implicaciones teológicas paganas

1) Todo es dios

Partiendo de esto el Instituto Esalen, creador del movimiento del Potencial Humano formuló al principio de los años setenta lo que se denomina La Nueva Era (*New Age*) de la Física. Según ellos lo que primero existió fue una especie de *Unidad Mental* impersonal fuera del espacio y del tiempo que dio origen a todo. Nuestro mundo vino a ser mediante el acto denominado

---

[13] Detlef Ingo Lauf, *El Arte Sagrado Tibetano* (Sahmbhala, Berkeley, California, Londres 1976), p. 112. Citado en *Dos=Uno*, de Steed, op. c., p. 56.

[14] Recuérdese aquí que el zodíaco fue hecho semejante a una rueda de la vida (ver Maurice Bessy, *La Magia y lo Sobrenatural*. Spring Books, Nueva York 1970, pp. 60, 61) y que tanto el hindú como el budista el chino o el tibetano visualizan la correspondencia o simpatía entre opuestos, al mismo tiempo que cada órgano y área del cuerpo tenía su relación con un área del zodíaco equivalente.

[15] Ver sobre esto a Frijtoj Capra en el *Tao de la Física* (Madrid 1984).
J. White (AA. VV., en *La Experiencia Mística y los Estadios de la Conciencia*, Kairós, Barcelona 1980, pp. 9-38), habla de la necesidad de convertirse en dios mediante su descubrimiento de lo que es en realidad. E. Koplowitz (en Soy el que existe, Naturaleza y Abstracción 1 [1991]; citado por Raúl Berzosa Martinez (en *Religión y Cultura* vol. XL, op. c., p. 28) comenta que el hombre es el auténtico Ser Supremo que menciona Éxodo 3:14.

[16] Ver *Más Allá.*, n° 8, op. c., p. 53, 54.

«*Negación del vacío*, en el que ciertas "partes" de la *Unidad*, o individuos, negaron su conexión con los demás».[17]

Nuestro mundo surge como consecuencia a que "millones de individuos", negaron "su interconexión en la Unidad Cósmica".[18]

«El mundo (...) en realidad no está hecho de particulas elementales, sino de la negación de la *Unidad Cósmica* por parte de los billones seres sensibles. En un sentido muy real nuestro mundo está hecho no de materia, sino de ignorancia.»[19]

¿Como han llegado a semejante hipótesis? Conseguida por Charles Berner y James Collins mediante una clase de *iluminación*, que la utilizan como si fuera una vía de conocimiento para la física: realizando la práctica de una meditación que llaman *Iluminación Intensiva* (*Enlightenment Intensive*) «en la que se plantean colectivamente la pregunta "*Quién soy yo*", «logran internarse en los predios del *Centro del Alma* y desde allí obtener determinados cambios radicales en su conciencia»[20] adquiriendo la teoría que ya hemos expuesto.

El Hombre es por naturaleza dios: la transformación del hombre de acuerdo a una consciencia divina y las técnicas para alcanzarla

Siguiendo la concepción evolucionista y espiritualista de Teilhard de Chardin y de la ideología orientalista de la conjunción de los opuestos y de la igualdad de lo diferente, y teniendo en cuenta esa fragmentación que según el punto anterior sufrió la humanidad desgajándose del Todo, es imprescindible ahora que el hombre no impida la experiencia de la unificación **de su yo** con el gran **Todo**, y de este modo acceder a su **punto Omega**: encontrarse con su propia deidad.

La *New Age* junto al Movimiento del Potencial Humano que le apoya filosófica y teológicamente concibe, de este modo, a Dios como una fuerza impersonal e inmanente a todo lo que es, y considera que el hombre debe "cooperar con esa energía que constituye el Universo mismo"[21] y provocar una *vibración* interior con el espíritu-conciencia-energía y llegar a descubrir lo que este pensamiento pretende del hombre: su origen y naturaleza plenamente divina. De esta manera se cumple lo que el adepto de la Nueva Era, Terry Colewhittaker dice del hombre:

---

[17] Id., p. 55.
[18] Id.
[19] Id., p. 56.
[20] Id., p. 55.
[21] Shirley MacLaine, *Le Voyage Intérieur* ... op. c., p. 99.

«Vosotros sois Dios, yo soy Dios, nosotros somos todos Dios. Y todos en conjunto con nuestra conciencia, nuestra iluminación, nuestra capacidad de elección, creamos el reino de Dios. Adoraos a vosotros mismos puesto que sois la luz».[22]

Según este pensar es preciso la transformación del nuevo hombre desarrollando la persona en tanto que entidad espiritual, despertando la conciencia a una *percepción planetaria* y la naturaleza divina a un discernimiento interior, restablecer la armonización del pensamiento lógico, intelectivo y racional del *cerebro izquierdo* con el pensamiento intuitivo y emotivo del *cerebro derecho*.

Michael Murphy, el co-creador del llamado Movimiento del Potencial Humano, y perteneciente a la *New Age* (Nueva Era), imbuido por la filosofía hindú publicó en 1993 el libro *The Future of the Body* (El Futuro del Cuerpo).[23] En él explica el papel del cuerpo como lugar de integración cósmica, proponiendo una modalidad del Yoga como práctica transformadora de la vida, y descubridora de los poderes y atributos del cuerpo humano.[24] Los elementos de esa transformación serían, según este pensar: "la visualización de los resultados deseados, la aceptación de la emergencia de nuevos poderes (entiéndase aquí fenomenología parasicológica o lo que él llama *metanormal*) y profundización en la esencia divina".[25]

Las técnicas del despertar del hombre de la Nueva Era (New Age) que pretenden alcanzar el objetivo de la transformación del cerebro y por ende del cuerpo entero, es un verdadero mejunje, de palabras e ideas científicas ligadas entre sí con teorías que no se pueden probar, de misticismo oriental, de ocultismo y de psicología transpersonal, y de parapsicología. ¿Cuáles serían esos métodos y planes?:[26]

1) Los referentes a técnicas de dinámica de grupo y de comunicación interpersonal para despertarle a una mejor conciencia de sí.

2) Los que permiten entregarse a una exploración y desarrollo del potencial del cuerpo y de lo síquico, especialmente del hemisferio del cerebro derecho.

3) Los que utilizan las medicinas paralelas y blandas para una salud total, holística, con lo que pretenden conseguir una persona y un mundo en el que la enfermedad esté ausente, o que ésta sea una mera ilusión.

4) Estrategias coordinadoras y creadoras de asociaciones humanitarias y caritativas para la justicia, la paz, los derechos del hombre, y la repartición de las riquezas.

---

[22] En *The Inner Path from Where You Are to Where You Want to Be*. Ed. Fawcett Crest, New York 1986, p. 39.

[23] Se proporciona algunos de los contenidos de dicho libro en una entrevista al autor en *Más Allá*, nº 8, op. c., pp. 44-52.

[24] Id., p. 48.

[25] Id.

[26] Seguimos las que refiere Marcel Fernández en *Servir* I, 1992, p. 25.

5) Los que se comprometen en grandes cruzadas ecológicas por cuanto pretenden, con el método humano, mejorar y eternizar la existencia de esta Tierra.

6) Todo lo que tiene que ver con las fórmulas místico-espirituales orientalistas como la Meditación Trascendental, el Zen, el Yoga, etc, adaptándolas a la mentalidad occidental, que conspiran por atrapar el endiosamiento del hombre, a lo que especulan como su origen primigenio.

7) Las orientaciones y metodologías implicadas en el *channelling* (la práctica del espiritismo adaptado a la era del Acuario), búsqueda y puesta en práctica de los poderes o atributos paranormales que se supone que el hombre posee, esoterismo, astrología, etc., para ser guiados en el despertar del *interior* humano.

Ya hemos hablado de comunicaciones de espíritus o de extraterrestres, que trasmiten o dictan mensajes a ciertas personas que lo proyectan en libros que consideran inspirados. Se trataría de «la comunicación con maestros no encarnados por intermedio de individuos particularmente sensibles».[27]

a) El proceso de transformación del hombre de la New Age en su encuentro consigo mismo como ser divino

Estamos viendo que son precisos cambios síquicos profundos, y que es necesario provocarlos mediante técnicas que despierten hacia la Conciencia Universal que proveerán, según este pensar, de una mayor *energía*. Esta energía al ser la que corresponde a todo el Universo, a la de la *Unidad Mental* servirá para que el individuo reconozca su propio origen, y de este modo llegar a ser feliz.

Al *abrir los ojos* que había tenido cerrados, resulta en una transformación de la conciencia que permite alcanzar esa Unidad Mental o al dios de la pura energía cósmica. Esto se logra en cuatro etapas.[28] La **primera,** considerada como medio de acceso, es la que permite el descubrimiento de las realidades del *espíritu, del más allá y de lo más cerca*: el mundo de los espíritus, y el propio interior del individuo. Pero esta *realidad* no podría ser si no se consigue la armonización de los dos cerebros que se supone que existen: el derecho y el izquierdo. Sería preciso reconciliar a la razón (lo analítico, lo intelectivo), la que pertenecería al hemisferio izquierdo del cerebro, con lo relativo al corazón (lo emotivo, la síntesis) perteneciente al hemisferio derecho. En definitiva sería ineludible sacar y desarrollar las *potencialidades* del cerebro derecho, puesto que el izquierdo ha sido ya suficiente e incorrectamente usado y desarrollado. En el nuevo paradigma propuesto por la Nueva Era (*New Age*) se destaca el despertar las facultades del cerebro derecho (el sentimiento, la

---

[27] Es así como se definió esta técnica por los organizadores de la primera conferencia internacional de *channelling* o canalizadores de entidades de otro mundo, tenida en los Alpes de Baviera en junio de 1988 (citado por Jean Vernette, *La Nouvelle Age*, op. c., pp. 98, 99.

[28] Marilyn Ferguison, *Les Enfants du Versau*, op. c., pp. 66-70.

intuición, lo subjetivo) que serían las que marcarían el paso a las aptitudes existentes en el cerebro izquierdo. En la **segunda** etapa se supone el haber superado el temor a lo **oculto** y lo que se interpreta como inmovilismo conservador propugnado especialmente por la corriente cristiano-occidental que se opone a la **exploración** de lo que hay envuelto en el *misterio*: el mundo espiritual que invade el universo entero del que la humanidad formaría parte. **Inspeccionar** en lo que se interpreta como el **espíritu** de uno mismo, una especie de **entidad** suelta en nuestro ser que conforma a nuestro **yo** interior y que, si se le desliga de las ataduras de las leyes y juicios morales que han atenazado la espontaneidad, los sentimientos, el arte y el placer, **buscará, por medios** *sicotécnicos* el descubrimiento de sí mismo y en relación a su *Energía cósmica*, ascender hacia lo ininteligible y lo esotérico. En el **tercer** paso se traslada de la situación a la que se ha despertado, a la plena **integración** de su yo espiritual, que se estructura de acuerdo al *nuevo paradigma percibido*: en base al desarrollo de ese cerebro derecho que no precisa el permiso de la razón ni la ética del bien y del mal que el cristianismo distingue y señala, y al contacto con un mundo espiritual que le atrapa y le orienta. En la **cuarta** fase, aparece el **compromiso** del individuo que ha experimentado lo que él interpreta como beneficioso, y se convierte en un **conspirador**: en un *revelador* de lo que él considera ser las verdaderas luces del espíritu y el modo de acceder a ellas.

Jean Vernette,[29] resumirá toda está filosofía diciendo que

«la conversión del hombre de la Nueva Era es una simple transformación del cerebro; la experiencia mística un alargamiento de la conciencia; la oración una modificación de los hemisferios cerebrales; la vida espiritual, un proceso mental; y Dios una forma de energía».

Una Concepción Antropológica permanentemente dualista: el espíritu o el alma es sustancial y conscientemente inmortal siempre mediante el ciclo de las reencarnaciones

Según esta concepción, el espíritu o el alma puede vivir sin el cuerpo.[30] Es una entidad que aunque desaparezca el cuerpo posee consciencia propia, de ahí que se pueda producir la bilocación o proyección astral: la separación temporal del espíritu de una persona de su cuerpo físico, apareciendo en otro lugar; o bien la inmortalidad de ese espíritu o alma que tendrá que encarnarse de nuevo en otros cuerpos de acuerdo a la ley del Karma.

El Karma puede considerarse como la causa-efecto por la cual se regula la reencarnación.

---

[29] En su libro la *Nouvelle Age*, op. c., p. 32.
[30] Respecto a la Reencarnación en la Nueva Era ver *Más Allá*, n° 6, Agosto de 1989, pp. 65-71; *Muy Especial*, n° 4, 1991, pp. 34-43.

Al considerar a la materia como eterna y transportadora de la misma energía cósmica de todo lo que existe y sigue existiendo desde siempre, se ha de seguir de que la muerte no es real sino necesaria para que el principio cósmico de retribución (Karma) establezca lo que los actos buenos o malos han conseguido. Habrá tantas reencarnaciones como sea necesario, hasta alcanzar, por medio de la perfección de las buenas obras, el estado del ser perfecto denominado en la filosofía oriental **nirvana**. La reencarnación supone pues, la existencia, después de la muerte del cuerpo, del individuo-espíritu en otros cuerpos.

Un elemento teológico de Autosalvación

La salvación no es algo exterior al hombre, que le viene de fuera de él. No hay perdón ni gracia por cuanto no existe el pecado. Lo que hay es una experiencia en un despertar hacia la *energía-consciencia*. Lo que se necesita es tomar conciencia del formidable potencial humano que hay en nosotros y de llevarlo a la práctica. El pensamiento positivo y la visualización creativa serán capaces de colocar al hombre en la dirección correcta. Todo aquí cobra un valor excepcional puesto que con las buenas obras que se podrán llevar a cabo con las técnicas de la psicología transpersonal, o con la meditación transcendental, o con la práctica del yoga o del Zen, se podrá obtener un estado de la conciencia que le permitirán al hombre su autosalvación. Las buenas obras son consideradas como tales cuando uno se autorealiza conforme al esquema que la *New Age* propone: fe únicamente en sí mismo como hombre, con el fin de participar de esa energía-consciencia; fe en un potencial propio característico de la fenomenología parapsicológica que le hace entrar al hombre en una dimensión desconocida pero que le pertenece; fe en la comunicación de su espíritu con otros espíritus que han conseguido elevarse por encima de su primer estadio y que han evolucionado hasta la perfección; fe en acciones que persigan un mundo y una tierra que permita desarrollar esta manera de pensar. Estas buenas obras son las que purifican el espíritu y lo acercan a la realidad final. Mientras existan malas obras habrá que reencarnarse por cuanto el Karma así lo exige, y habrá que sufrir **pagando** *su mal Karma*. Las injusticias y desgracias son explicadas a través del karma y de la necesidad de la reencarnación hasta que sea necesario.

El hombre es, de acuerdo a esta filosofía no sólo su propio salvador sino además su creador: puede crear lo que él quiere, y puede crearse como él desee.

Una Concepción Moral en la que el pecado o lo malo no existe en realidad

Aunque puede parecer que exista una cierta confusión, puesto que la necesidad de las reencarnaciones dentro del ciclo que marca el Karma, mostraría que hay deudas por conductas malas que deben ser canceladas mediante el sufrimiento en un proceso de perfeccionamiento «la naturaleza del hombre no es buena ni mala, sino abierta hacia una continua transcendencia».[31]

La posible maldad del hombre es fruto de no haber comprendido o de no querer comprender su necesidad de entablar el contacto definitivo con la Energía cósmica. Es el no desear obtener un estado de conciencia de transcendencia tal (la *moksa*) que te permita advertir la unidad de todas las cosas y acceder a la unión con el Uno (Brahman). Esa liberación o moksa, se experimenta a través de la introspección. Estudiándose el interior de uno mismo se encontrará a Brahman.

Al tener en cuenta la unidad de los contrarios y la igualdad de lo que es distinto, el mal no existiría en realidad, sino que lo que suele llamarse moralmente malo es imprescindible para que lo bueno sea bueno. No es la destrucción de lo que se llama malo o lo que se experimenta como tal, la finalidad, sino el **saber conjugar**, complementar, mezclar de la debida forma, lo que se presenta como opuestos o contrarios, para que surja una neutralización y se produzca lo que, según este pensar, sería beneficioso para el ser humano.

Una Cosmología acogedora de ángeles, espíritus y extraterrestres. Un Cristo Cósmico animando el Universo como una energía sutil

La Nueva Era, no sólo cree en que los espíritus de los muertos que han alcanzado esa perfección necesaria que les evita tenerse que reencarnar pueden contactar con los seres humanos sino que ciertos habitantes de otros planetas, **extraterrestres**, que han evolucionado a estadios mejores que los nuestros, también pueden hacerlo; incluso identifica como ángeles a ciertos guías de los hombres que proceden de otras dimensiones espaciales, pero que actúan de asesores de los humanos al ejemplo de los ángeles bíblicos,[32] en un intento de crear una mayor confusión en ciertas personas poco prevenidas.

La maquinaria propagandística de Hollywood está proyectando continuamente toda la filosofía de la Nueva Era.[33] Hay una larga lista de celebridades dentro de las industrias del cine y de la televisión norteamericano que han aceptado los puntos de vista de la Nueva Era.[34] Dichas corporaciones, por

---

[31] Marilyn Ferguison, *Les Enfants du Versau*, op. c., pp. 23, 24.
Esta idea se explica también con Thorwald Dethlefsen y Rüdiger Dahlke:
«Sabemos que el gran reto supone cuestionar el principio, considerado ortodoxo, de hacer el bien y evitar el mal» (*La Enfermedad como Camino*, Plaza-Janés, Barcelona 1990, p. 53).
«Para ello es necesario cuestionar una y otra vez la rigidez de nuestros sistemas de valoración, reconociendo que (...) el secreto del mal reside en que en realidad no existe» (Id., p. 54).
«La culpa del ser humano es de índole metafísica y no se origina en sus actos» (Id., p. 53).
[32] Ver sobre esto el monográfico de *Más Allá*, nº 8, Abril 1994.
[33] Ver en el libro ¡*Peligro al Acecho*! de Manuel Vasquez, PPPA, Idaho, USA 1994, pp. 39-48.
[34] Shirley MacLaine, Helen Reddy, Lisa Bonet, Tina Turner, Phil Donahue, Oprah Winfrey, Linda Evans, John Denver, Burt Reynolds, Clint Eastwood, Sharon Gless, Steven Spielberg y George Lucas (estos dos últimos como productores), etc.

medio de ciertos directores representativos citados en nota aparte están produciendo toda una gama de películas que trasmiten toda esta concepción que la Nueva Era tiene sobre la vida de ultratumba, la fenomenología parapsicológica, la intromisión de los ángeles guías en las vidas de los hombres, la visita de extraterrestres, la supuesta aparición de los espíritus de los muertos, y lo que pretende ser la comunicación con ellos. Todo este tipo de films influyen poderosamente en la manera de pensar y de concebir el mundo espiritual, y encarnan todo el pensamiento de la *New Age*. Y como quiera que es un hecho real de que **somos cambiados por lo que contemplamos** (cf. 2ª Co. 3:18), se utiliza como instrumento eficaz por los que pretenden inculcar la ideología de la *New Age*.[35]

En todo este conglomerado de extraterrestres, ángeles, espíritus **¿quién es Jesucristo?**

En principio se reconoce que Jesucristo existió como figura histórica[36] pero habría sido un Maestro o Guru Universal, gnóstico, perteneciente a la comunidad de los Esenios.[37]

Pero la referencia histórica que puede traerse como segura, y que afirme la existencia de Jesús es precisamente el Evangelio, el Nuevo Testamento o incluso la profecía mesiánica que se encuentra a lo largo del Antiguo Testamento. Sin embargo, si bien por un lado la Nueva Era no puede prescindir de la persona, obras y palabras de Jesús, y de acuerdo a la documentación que provee dicho acontecimiento histórico, por otro se ve obligada a rechazar el vehículo ideológico y doctrinal con que se presenta a Jesucristo, puesto que ese Jesucristo no coincide con el paradigma que ofrece la *New Age*.

De ahí que hayan aparecido todo un rosario de libros[38] dictados por lo que ellos entienden *espíritus guías* o por reencarnaciones que dicen ser del propio Cristo[39] que transmiten un Cristo Cósmico, o el resultante de una lectura secreta

---

[35] La información que se va almacenando en nuestro subconsciente es incontrolable. Aunque nuestra mente sea capaz de determinar lo que es correcto y lo que no lo es, lo hará precisamente en base a lo que hemos introducido en ella, y la información negativa acumulativa por lo que vemos voluntariamente no es fácilmente desechable. Los temas que la Nueva Era está promocionando mediante el cine y la televisión condicionan sutilmente la mente para aceptar las prácticas y creencias de la Nueva Era. Se presentan los problemas humanos como siendo resueltos precisamente por las técnicas que la Nueva Era promueve, provocando la imitación del espectador. En la lucha contra el mal se emplea la fenomenología parapsicológica para combatirlo y vencerlo. Siendo su práctica como explicaremos en otro lugar muy perjudicial para la salud mental.

La influencia y el cambio se puede experimentar será gradual; al principio imperceptible, hasta que la persona se vea aceptando lo que nunca hubiera imaginado.

[36] Ver *Más Allá*, monográfico nº 7, Diciembre 1993.

[37] Se simpatizan con estas ideas a raíz de una lectura sesgada de los manuscritos de Qunram (ver a M. Baigent y R. Leigh {periodistas metidos a historiadores y teólogos} en *El fraude de los Manuscritos del Mar Muerto*, Círculo de Lectores, Barcelona 1992), y del descubrimiento de los papiros del *Evangelio de Tomás*, hoy ya claramente clasificado como apócrifo gnóstico, que ni es un evangelio ni es del apóstol Tomás (puede consultarse en castellano la versión de *El Evangelio según Tomás*, 7 editores, Barcelona 1981).

[38] Ver varios de ellos en "*Vida y Enseñanzas de Jesús de Nazaret en los modernos libros revelados*" (en *Más Allá*, nº 7, Diciembre 1993, pp. 43-57).

[39] Alice Bailey en *El Discipulado de la Nueva Era*, aludido en *Más Allá*, nº 7, op. c., pp. 244-249, donde se presenta el pensamiento de la autora respecto al valor de Jesucristo como un arquetipo de hombre cósmico al que todos deben acceder.

de la Biblia,[40] o de una manera particular de interpretar a Jesucristo[41] prescindiendo de lo que simple y llanamente nos proclama la Sagrada Escritura.

Este Cristo Cósmico no tiene nada que ver con el Jesucristo del Nuevo Testamento. Se utiliza su nombre por pura excusa y estrategia. Cristo es una especie de arquetipo, puesto que habría sido, según este pensar el vehículo de las energías de la Jerarquía Espiritual que se manifestarían en Jesús de Nazaret. El gran mérito de ese Jesús es haber servido de transmisor de la energía sutil que supone la compasión y el amor. Y equivaldría al Maestro o Guru que se reencarna en cada época zodiacal en maestros espirituales, culminando en Acuario bajo el nombre de Maitreya. Ese *Cristo cósmico* correspondería al Espíritu Crístico Universal que reencarnado en grandes personalidades religiosas (Buda, Krishna, Jesús de Nazaret, Mahoma) ha emanado toda una serie de tradiciones espirituales que ahora se fusionan en una nueva iniciación mística que se recoge por el nuevo evangelio en la Era del Acuario. Esta es la misión de la *New Age* o Nueva Era, fundir esas tradiciones, darlas a conocer y esperar a ese nuevo *Cristo* llamado Maitreya, y que ayudará a la profundización, propagación y establecimiento definitivo de la Nueva Era.

La práctica de una Medicina Holística: Curanderismo, Milagros, y Temperancia refuerza su concepción antropológica

Holístico, viene del griego *holos* que significa **totalidad**. Basada originalmente en la idea de que el universo posee fuerza creativa dispuesta a producir *totalidades* que engloban y superan a las partes que las constituyen.

Este enfoque hipotético, sin puntos de referencia concretos, sirvió a la Nueva Era para crear una *nueva conciencia* en el ámbito de la salud y medicina.

Si esa totalidad se da en el universo que es el gran espejo macrocosmos se ha de ver reflejado en el microcosmos que aparece en el hombre. Se trataría, en lo relativo a la salud y la medicina, de un enfoque distinto al tradicional, considerando a la persona una *totalidad* pero en **conexión** con el universo.

La enfermedad no respondería a lo que se evidencia de un tratamiento funcional y sintomatológico, sino que sería una manifestación de contrariedades causada por desbalances energéticos de una unidad cuerpo-espíritu-mente que se presenta de modo confuso y aparente.

Aunque nos limitamos aquí, a exponer de un modo objetivo, este pensamiento de la Nueva Era sobre la salud, es preciso que puntualicemos bien cierta terminología que emplea la Nueva Era para describir su medicina holística puesto que puede llevar a engaño. En principio digamos que no todo lo que dice la medicina holística es erróneo, pero no podemos aceptar ni reconocer

---

[40] *Operación Jesús de Nazaret –la lectura secreta de la Biblia–*, en *Más Allá*, nº 7, op. c., pp. 112-122.

[41] Ver Los Principios Divinos según la Iglesia de la Unificación (op. c.), inspirados en el punto de vista de Moon que se denominó a sí mismo *El Señor de la Segunda Venida*, donde da su particular interpretación de Jesucristo sin tener en cuenta el texto sagrado.

como verdadero a algo que responde a una mezcla de conceptos correctos con ideas que no sólo no son verdad, sino que pretenden pasar como científicas o como aceptadas por la Ciencia.[42]

Veamos algunas de las concepciones de esta medicina holística:

1) En cuanto a su actitud crítica y metodológica

«La medicina falla por su filosofía o, más exactametne por su falta de filosofía. Hasta ahora la actuación de la medicina responde sólo a criterios de funcionalidad y eficacia (...).

»Muchos síntomas indican que la medicina está enferma. Y tampoco esta "paciente" puede curarse a base de tratar los síntomas (...)

»Los procesos funcionales nunca tiene significado en sí (...)

»Para interpretar una cosa hace falta un marco de referencia que se encuentre fuera del plano en el que se manifiesta lo que se ha de interpretar. Por lo tanto, los procesos de este mundo material de las formas no pueden ser interpretados sin recurrir a un marco de referencia metafísica (...)

»Nosotros abandonamos explícita y deliberadamente el terreno de la medicina científica (...) Nos apartamos deliberadamente del marco científico porque éste se limita precisamente al plano funcional, y por ello, impide que se manifieste el significado».[43]

2) La relacionalidad cuerpo-mente-espíritu o cuerpo-alma-espíritu, en una totalidad integrada traduciría el tipo de enfermedad

Es preciso explicar convenientemente, aunque sea ahora en brevedad. La relacionalidad cuerpo-mente-espíritu **no implica** una **unidad** en el ser. El dualismo sigue existiendo, y esto en detrimento del cuerpo que viene a ser algo sin valor. Nótense con cuidado estas citas de los defensores de esta filosofía:

«Enfermedad y salud son concepts singulares, por cuanto que se refieren

---

[42] Consultar al Dr. Saraví, médico evangélico, que realiza un análisis crítico profundo de la medicina holística y de la falta de veracidad (*Las Trampas de las Medicinas Alternativas*, ed. CLIE, Terrassa-Barcelona 1993)

Es verdad que el mundo científico, en lo que respecta a la medicina y la salud está en un proceso de cambio, y que la influencia de las llamadas medicinas de alternativa reconducidas por el Espiritismo moderno o la filosofía de la Nueva Era están atrayendo la atención hasta el punto, de que en este mundo que camina hacia un Nuevo Orden Mundial, y una Unidad en todo, se provocará, por las injerencias espirituales sobrenaturales negativas, a una identificación con esta manera de pensar que propone la Nueva Era, y obligará al Cristianismo Evangélico genuino a cerrar filas como nunca antes, para dar el debido testimonio de los principios del Reino de Dios.

(Ver sobre este proceso de cambio a William A. McGarey, en *Milagros de Curación–Usando las Energías de su Cuerpo–*, Edaf/Nueva Era, Madrid 1990, pp. 27-49.

La propia OMS desde 1976 está facilitando la utilización de métodos no convencionales, incluyendo en su listado hasta la astrología médica de la India. Aunque dicha inclusión no asegura su validez o efectividad, se prepara el terreno para el momento que sea el oportuno.

[43] Thorwald Dethlefsen y Rüdiger Dahlke, *La Enfermedad como Camino*, op. c., pp. 12-14.

El primero mencionado es psicólogo y el segundo médico. Evidentemente propugnadores de la medicina holística.

a un estado del ser humano y no a órganos y partes del cuerpo (...) El cuerpo nunca está enfermo ni sano, ya que en él sólo se manifiestan las informaciones de la mente. El cuerpo no hace nada por sí mismo (...)

»El cuerpo de una persona viva debe su funcionamiento (...) a estas dos instancias inmateriales que solemos llamar conciencia (alma) y vida (espíritu) (...) Dado que la conciencia representa una cualidad inmaterial y propia, no es producto del cuerpo ni depende de la existencia de éste.

»(...) el espíritu nunca puede enfermar>>

»Por lo tanto es un error afirmar que el cuerpo está enfermo -enfermo sólo puede estarlo el ser humano-, por más que el estado de enfermedad se manifieste en el cuerpo como síntoma».[44]

3) La enfermedad como propósito y mensaje. La verdadera y única causa de la enfermedad: la polaridad y el desbalance energético

En la enfermedad hay un propósito, en cualquiera de ellas aparece un mensaje, y un significado en cada síntoma; a todo lo cual es preciso estar muy atento:

«(...) Con esta óptica, se vería ese segundo aspecto de la enfermedad que, en la habitual consideración unilateral, se pierde por completo: el propósito de la enfermedad y, por consiguiente la significación del hecho.

»La enfermedad no es una excepción. Detrás de un síntoma hay un propósito, un fondo que, para adquirir formas, tiene que utilizar las posibilidades existentes.

»Para nosotros cada síntoma tiene su propio significado y no admitimos excepciones».[45]

La enfermedad que nos hace daño es un proceso en marcha que manifiesta el origen auténtico del problema humano que es del todo ajeno a la propia enfermedad. Esta, simplemente, es el mensaje que le advierte al hombre de su estado sufriente para advertirle de que algo ha perdido y que es preciso recuperar:

«La enfermedad hace curable al ser humano. La enfermedad es el punto de inflexión en el que lo incompleto puede completarse. Para que esto pueda hacerse el ser humano tiene que abandonar la lucha y aprender a oír y ver lo que la enfermedad viene a decirle. El paciente tiene que auscultarse a sí mismo y establecer comunicación con sus síntomas, si quiere enterarse de su mensaje.

»(...) tiene que conseguir hacer superfluo el síntoma reconociendo qué es lo que le falta. La curación siempre está asociada a una ampliación del conocimiento y a una maduración».[46]

---

[44] En *La Enfermedad como Camino*, op. c., pp. 14, 15.
[45] Id., pp. 75, 76.
[46] Id., p. 62.

La única manera de conseguir la salud y erradicar la enfermedad, sería, según este pensar, primero evitando querer encontrar las causas de la enfermedad fijándonos en lo puramente funcional o en el aspecto físico del síntoma:

> «Nosotros empero, consideramos la búsqueda de las causas de la enfermedad el callejón sin salida de la medicina y de la psicología. Desde luego mientras se busquen causas no dejaran de encontrarse, pero la fe en el concepto causal impide ver que las causas halladas sólo son resultado de las propias expectativas.
> »Hasta ahora el método de trabajo de la medicina ha fracasado. La medicina cree que eliminando las causas podrá hacer imposible, sin contar con que la enfermedad es tan flexible que puede buscar y hallar nuevas causas para seguir manifestándose.
> »A nosotros no nos interesan las causas del pasado (...)».[47]

Según la medicina holística, la verdadera y única causa de la enfermedad es la **polaridad**:

> «Pero aun podemos ser más categóricos: enfermedad es polaridad (...)».[48]

¿Pero qué es eso de la polaridad?: el de haber creado una división entre el bien y el mal, el de haberse inclinado hacia la separación de los contrarios o de los opuestos:

> «(...) la Iglesia ha deformado el concepto del pecado e inculcado en el ser humano la idea de que pecar es *obrar el mal* y que *obrando el bien* se evita el pecado (...) (...) el pecado no es evitable (...)».[49]
> «La polarización del "Bien" y el "Mal" como opuestos condujo también a la contraposición (...), de Dios y el diablo como representantes del Bien y del Mal. Al hacer al diablo adversario de Dios, insensiblemente, se hizo entrar a Dios en la polaridad, con lo que Dios pierde su fuerza salvadora.»[50]

La **curación** de la enfermedad va a consistir precisamente en superar la polaridad, **uniendo** en un **Todo** *los opuestos o contrarios*:

> «Sabemos que el gran reto supone cuestionar el principio, considerado ortodoxo, de hacer el bien y evitar el mal».[51]
> «Este dualismo de opuestos irreconciliables verdad-error, bien mal, Dios y demonio, no nos saca de la polaridad sino que nos hunde más en ella.»[52]

---

[47] Id., pp. 74, 75, 76.
[48] Id., p. 22.
[49] Id., p. 51.
[50] Id
[51] Id., p. 53.
[52] Id., p. 37.

«Para ello es necesario cuestionar una y otra vez la rigidez de nuestros sistemas de valoración, reconociendo que (...) el secreto del mal reside en que en realidad no existe».[53]

«La culpa del ser humano es de índole metafísica y no se *origina* en sus actos».[54]

La superación de la polaridad ha de ser eliminando esos opuestos mediante la Unidad de ellos:

«Hemos dicho que por encima de toda polaridad, está la Unidad que llamamos "Dios" o "la luz"».[55]

«La conciencia universal de este paso de la polaridad a la unidad lo encontramos en infinidad de formas de expresión. Ya hemos mencionado la filosofía china del taoísmo, en la que las dos fuerzas universales se llaman Yang y Yin.

»enfermedad es polaridad, curación es superación de la polaridad».[56]

«Como queda expuesto, la enfermedad tiene un propósito y una finalidad que nosotros hemos descrito (...) con el término de curación en el sentido de adquirir la unidad».[57]

¿Qué es realmente esa Unidad y cómo se puede conseguir para obtener la curación?

«El origen de tôdo el Ser es la Nada (...). Es lo único que existe realmente, sin principio ni fin, por toda la eternidad. A esa unidad podemos referirnos pero no podemos imaginarla. La unidad es la antítesis de la polaridad y, por consiguiente, sólo es concebible –incluso, en cierta medida, experimentable– por el ser humano que, por medio de determinados ejercicios o técnicas de meditación, desarrolla la capacidad de aunar, por lo menos transitoriamente, la polaridad de su conocimiento».[58]

William A. McGarey,[59] otro médico representante de la medicina holística, nos explica, basado fundamentalmente en el médium espiritista Edgar Cayce, como el **desbalance energético** era el causante de que el hombre cayera en la enfermedad, y que el único modo de curarse, sería adquiriendo el debido equilibrio *eléctrico*.

Que en el organismo se producen corrientes eléctricas y que aparece energía no hay ninguna duda. Ahora bien ¿a qué clase de energía se refiere la medicina holística?

---

[53] Id., p. 54.
[54] Id., p. 53.
[55] Id., p. 54.
[56] Id., p. 22.
[57] Id., p. 76.
[58] Id., pp. 22, 23.
[59] En *Milagros de Curación*, op. c.

Se trataría de una energía cósmica que está presente en todas las cosas y seres. No se están refiriendo a la energía química que se produce por medio del metabolismo de los alimentos, sino de una entidad supramaterial que aunque diferente de la materia se encuentra presente en ella. Se incorporaría en el ser humano a través de la respiración (de ahí la importancia de ciertos ejercicios y posturas yóguicas), de ciertas meditaciones (de ahí el Zen y del Yoga), del conocimiento (de ahí el Movimiento del Potencial humano o de la Dianética).

La ignorancia sobre el verdadero origen humano, junto a actitudes en su comportamiento que no tienen en cuenta esta relación entre el individuo y su origen y naturaleza Energética produciría, según esta hipótesis *mágica* un bloqueo en la libre circulación de la *energía vital*, o un déficit o un exceso mal equilibrado, provocando una constante continuamente en marcha: la enfermedad.[60]

Edgar Cayce reconocido por la medicina holística como uno de sus precursores más importantes se explica de este modo:

> «¿quien cura todas tus enfermedades? Solo se dará una verdadera curación cuando cualquier parte de la estructura anatómica del ser humano entre en armonía con las influencias divinas que es una parte de la consciencia de una entidad individual. Sin esto, es nula y se vuelve más destructiva que constructiva».[61]
>
> «toda curación de todo tipo es debida al cambio en la vibraciones del cuerpo desde dentro –la sintonización de lo Divino dentro de los tejidos vivos de un cuerpo hacia las Energías Creativas».[62]
>
> «Tanto si se logra por medio de medicamentos, del bisturí o de lo que sea, es la sintonización de la estructura atómica de la fuerza celular viva a su herencia espiritual.
>
> »La electricidad o vibración es esa misma energía, ese mismo poder que llamáis Dios.»[63]

4) *La mente es responsable por las enfermedades*

Si bien la polaridad y la falta del logro de la Unidad de los contrarios es la causa principal y única de la enfermedad; o dicho de otro modo el desequilibrio energético, el no estar adecuadamente sintoniado con la Energía cósmica evidencia una mente que no ha conseguido todavía solucionar ese desarreglo cósmico, produciéndose en ella los conflictos, y ocasionando todo tipo de enfermedades:

> «Infección = un conflicto mental que se hace material».[64]

---

[60] Id., pp. 51-62.
[61] Id., p. 21.
[62] Id., p. 61.
[63] Id.
[64] *La Enfermedad como Camino*, p. 106.

5) Para liberarse de la enfermedad es necesaria una evolución, y ésta requiere una transformación de la conciencia que no tenga inconveniente de acudir al destino de la extinción

Parece increíble pero es realmente cierto. Lo que persigue esta filosofía es una justificación a su concepto de la *Nada eterna*. Se le exige al adepto que alcance, lo que ellos denominan un estado perfecto, consistente en percibir su pertenencia a un Universo que contiene una Energía capaz de proporcionar el equilibrio energético que el individuo necesita para obtener su bienestar.

¿Cuál es ese bienestar? ¿Acaso lo que resultaría de llevar una vida sana?

«Toda tentativa de *hacer vida sana* fomenta la enfermedad.»

«Ya hemos dicho que ni la medicina preventiva ni la "vida sana" tienen posibilidades de éxito como métodos para prevenir la enfermedad.»[65]

Ya habían definido la enfermedad como un estado perpetuo del ser humano como consecuencia de la falta de conocimiento en cuanto a un origen cósmico *impersonalizado*.

Y si el vehículo de manifestación de la enfermedad lo provocan los conflictos mentales que se proyectan a manera de síntomas en el cuerpo, de nada sirve, a tenor de lo que esta hipótesis sostiene, el que uno procure mejorar su dieta, puesto que ésta no va a alterar para nada las situaciones conflictivas mentales, o el estado de su conciencia enferma.

La salud sólo se obtendría, en este caso, mediante la Iluminación que le devolvería a la Unidad cósmica perdida. ¿Cuándo? En el momento en que el individuo es consciente de esa Existencia de Energía metafísica, automáticamente, esa Energía que hace posible la existencia y la perfección del Todo entraría en contacto con la persona.

Prestemos atención a la siguiente cita:

«Los occidentales especialmente suelen reaccionar con desilusión cuando descubren, por ejemplo, que el estado de conciencia que persigue la filosofía budista, el *nirvana* viene a significar *nada* (textualmente: extinción). El ego del ser humano desea tener siempre algo que se encuentre fuera de él y no le agrada la idea de tener que extinguirse para ser *uno con el todo*. En la unidad, Todo y Nada se funden en uno. La *Nada* renuncia a toda manifestación (...)».[66]

Obsérvese a dónde conduce esta conjetura: a la pérdida para siempre de la existencia individual y personal.

Es la forma, como veremos en nuestra posterior refutación, de espiritualizar el más profundo ateísmo.

---

[65] Id., pp. 60, 61.
[66] Id., p. 22.

6) ¿Cómo lograr esa evolución?: mediante el conocimiento. ¿Qué técnicas pueden ayudar?

Esa situación de bienestar último no podrá hacerse más que con la alteración del estado de la conciencia provocado con métodos de meditación como el Yoga, el Zen o la Meditación Trascendental, o con los que nos provee tanto el Movimiento del Potencial Humano como la Dianética de la Cienciología. La Cienciología, o Iglesia de la Cienciología fundada por M. Hubbar es junto al Movimiento del Potencial Humano (de Michael Murphy y George Leonard), los que mejor han sabido utilizar las técnicas y concepciones orientales, sobre todo budistas, para canalizarlas y aplicarlas en el mundo occidental. La *New Age* reconoce a estos dos exponentes ideológicos como los máximos representantes.

Del Movimiento del Potencial Humano ya hemos hablado algo, simplemente repetir que ha sabido comercializar y manipular de un modo muy hábil tanto el Yoga como lo relativo a la fenomenología parapsicológica.

En relación a la Iglesia de la Cienciología y a su rama paralela la Dianética nos explicamos en breve.

La Cienciología pretende ser una filosofía de la existencia que le permitiría teniendo en cuenta el *conocimiento* y una cierta *tecnología* aplicada, operar, según se dice, los cambios necesarios para que la vida de todo hombre sea la deseable.

El hombre dispone desde su origen, según este pensar, una inteligencia capacitada para no cometer errores. Pero existe una especie de dispositivo mental compuesto de dos partes: el analítico y el reactivo. El primero tendría que ver con la percepción y el análisis de los datos de toda experiencia humana; el segundo, a nivel del subconsciente, memorizaría toda emoción "acompañando a los actos de nuestra existencia". Ahora bien, este *reactivo* que supone registros no analizados "falsea y perturba la salud moral, psíquica y física del hombre".[67]

¿Cuál sería el remedio?

La Dianética (que viene a significar *a través {griego "dia"} del pensamiento {griego "nous"}).*

Se trataría de una técnica semejante a la psicoanalítica, por medio de la cual se pretende ayudar a la persona "a liberarse de los falsos datos ofrecidos por el reactivo y a la comprensión corregida de la experiencia a nivel de lo analítico".[68]

---

[67] Ver sobre esto al evangélico Maurice Ray, *Médicines Parallèles: oui ou non?*, Editions Ligue pour la lecture de la Bible, Lausanne 1987, p. 22.

[68] Id., p. 23.
La Cienciología pretende, partiendo de suposiciones, conseguir que el individuo se preste a su proyecto de hacerle creer que el hombre va a llegar a ser *dios*. Mientras tanto cobrará buenos dividendos, de aparatos, de libros y de consultas. Se le engaña al hombre haciéndole creer que en la imaginación reside el poder, y que si bien ha nacido *bueno* ha sufrido desarreglos debido a su *reactivo* que es preciso curar.

7) La muerte no es real sino un paso más en la evolución constante del individuo que le introducirá en el ciclo de las reencarnaciones hasta que haya logrado su identidad con el Todo o el Uno

El Cuerpo no es importante ni tiene nada que ver con la existencia real, consciente y personal. Es el espíritu o el alma lo que sigue existiendo hasta que haya conseguido vencer definitivamente la polaridad. A partir de ahí le espera la Nada, la pérdida de la individualidad y de la existencia personal consciente.

8) Es lo intuitivo, y no lo racional lo que les permite descubrir un paralelismo y una unión entre el microcosmos que sería el hombre y el macrocosmos

Esa coordinación invisible con sus relaciones entre el macrocosmos y el microcosmos, es, lo que hay que intuir y aprovechar, puesto que se conseguiría armonía y salud, ya que al determinar y reconocer esa correspondencia *cósmica* se produciría la Energía que tanto necesita el hombre para obtener equilibrio y salud total.

9) Es a través de nuestras manos o pensamientos que se podría transferir la salud y lograr la curación milagrosa

Esta es una lógica que lleva el planteamiento que estamos utilizando. Si hay algunos que se han *cargado*, tal como dicen, de esa energía cósmica, podrían en condiciones especiales *curar* con la imposición de las manos, o a través del masaje, o de algún otro fenómeno parasicológico.[69]

10) El concepto de Temperancia tiene en cuenta la conjunción de los contrarios

Bukkyo Dendo Kyokai, basado en las enseñanzas de Buda, dice:

> «La gente tiene en alta estima la distinción de pureza e impureza, pero en la naturaleza de las cosas no hay tal distinción, excepto en cuanto a que aparece en su imaginación falsa y absurda. De la misma manera la gente hace una distinción entre bien y mal, pero no hay tal cosa como bien o mal existiendo separadamente».[70]
>
> «lo importante ... es evitar ir a parar a cualquier extremo; esto es, ha de seguir siempre un curso medio».[71]

---

[69] Ver *Milagros de Curación*, op. c., pp. 132, 127-136.
En nuestra refutación analizaremos y profundizaremos el "Curanderismo" y los "milagros" de la *New Age*.
[70] En *Las Enseñanzas de Buda*, Tokio 1970, pp. 59, 60 (citado en *Dos=Uno*, op. c., p. 81.
[71] Id., p. 57 (citado en íd.).

Esto les lleva a una noción de templanza o temperancia en la que el auto-control consiste en lo que se determina como siendo *moderado*; se podría usar de todas las cosas con tal de que no se vaya a un extremo.

La temperancia, sin embargo, consiste realmente en rechazar de modo absoluto aquello que es perjudicial, y ser equilibrado en lo que es beneficioso. Pero para la filosofía de la unión de los contrarios no existen normativas que puedan enseñarte el tener que evitar algo de modo absoluto. Todo se puede hacer o probar con tal de que sea *equilibradamente*. Pero no hay un tal equilibrio cuando se trata de algo en esencia perjudicial para el ser humano ¿Podríamos romper la ley de la gravedad *prudentemente*? o ¿podemos envenenarnos mesuradamente sin que repercuta de modo dañino para nuestra salud? Esto que es tan evidente nos pone en presencia de la existencia de leyes tanto morales como naturales o físicas que si se transgreden aunque sea del modo que se interpreta como ponderado son nocivas para nuestra persona.

Una concepción política tendente a la Unión de todo: los elementos estatales con los valores espirituales. La Unión de todo mediante la Planetización: Un Nuevo Orden Mundial

Elliot Miller en un libro excepcional sobre la *New Age* afirma que hay auténticamente una "Conspiración del Acuario" «es decir un esfuerzo consciente por un amplio movimiento que busca alterar a la sociedad establecida para llevarnos a una "nueva era", donde todo reposará sobre el ocultismo y el misticismo».[72]

El autor nos presenta con gran profusión documental el activismo político a través del progreso del "movimiento verde" y del fenómeno de los múltiples canales, adeptos en diferentes posiciones tanto de la Ciencia como de otros lugares destacados de tendencia humanista agnóstica o simplemente atea, que sin necesidad de una actuación a través de los propios partidos políticos, influye sobre los estados o gobiernos.

La teoría socio-política de la *New Age* consistente en una "orientación holística culminando en una visión de una comunidad mundial unida" no se diferencia demasiado de la política económica y militar que tanto Europa como Estados Unidos han estado imponiendo en el mundo, provocando a la necesidad de un Nuevo Orden Mundial que unifique a la humanidad. El aporte de la *New Age* consiste, fundamentalmente, en la seguridad que le inspira toda su ideología de la Unidad proveniente del Macro-Cosmos. Y recordemos aquí las experiencias espirituales que efectúan sus miembros con extraterrestres o con espíritus de otros lugares que han alcanzado una evolución muy superior a la humana y que les guían a los diferentes miembros de la *New Age* a producir *valores y comportamientos comunes* que generan *preocupaciones sociales* semejantes.

---

[72] En *Le Mouvement de la Nouvelle Age*, op. c., p. 125.

John Vasconcellos, miembro de la Asamblea legislativa de California, y uno de los más activos de la *New Age* predijo que los diez años que seguirían a 1986 «estarían marcados por una lucha política entre los puntos de vista "fundamentalista" y humanista de la naturaleza humana».[73]

Es en esta batalla que se está librando, que nosotros comprobaremos *las puestas a punto* que uno y otro lado realizan hasta que terminen por encajar, después de rechazar ambos lo que les impide conseguir los objetivos que por separado se habían propuesto, y de adoptar y adaptarse el uno al otro en aquello que les permitirá conseguir el objetivo tan deseado: la **Unión**.

La **supervivencia** es, aparentemente, el motor principal que impulsa a la *New Age*. La mayoría de sus pensadores han tenido una formación humanista atea,[74] su conversión a la *New Age* les ha llevado a rechazar ese materialismo sin espiritualidad aceptando a ese **Dios Energía Cósmica o Unidad Mental** intranscendente e impersonal. Como la filosofía de la *New Age* les proporciona una teoría de evolución, *inmortalidad* despersonalizada al cabo de todo el ciclo de la perfección, y previendo que en todo un mundo unido podría implantarse mucho mejor sus teorías del potencial humano y alargar por lo tanto la vida individual sobre el planeta, a la vez que la misma Tierra, sería imprescindible, como suscribe Donald Keys, una seguridad eficaz e internacional mediante la *planetización*.[75]

Es curioso como en 1971 Arnold Toynbee,[76] otro que inspira a la *New Age*, acepta la idea de la necesidad de Unión bajo una ideología o religión que impondrá como mal menor una dictadura que hará posible la supervivencia:

> «Incluso si es por esta razón que la mayoría vacilante acepta esta dictadura, yo pienso que tendría razón de hacerlo porque asegurará de este modo la supervivencia de la raza humana».

La **Unidad** a la que debe tender todo, y la **interdependencia** de unos con otros, y cada uno por igual, de la Energía cósmica, les empuja a los miembros de la *New Age* a anhelar la aparición de un sistema político mundial que sea la expresión socio-política de esa **Unidad e interdependencia**:

> «La creencia en la interdependencia conduce a la de la "búsqueda de la supervivencia mutua, la que las diferentes regiones de la comunidad mundial deben establecer como una relación orgánica funcional si es que se quiere que el planeta sobreviva».[77]

---

[73] Id., p. 133.

[74] Id., p. 134.

[75] En transcripción *A Seminar in Four Parts, All About Planetary Citizens*, Seminar 2 part 1 (citado por Elliot Miller en *Le Mouvemant de la Nouvel Age*, op. c., p. 134, 135).

[76] *Surviving the Future*, Oxford University Press, New York 1971, pp. 113, 114.

[77] Robert E. Cummings en *Global Community Networks: Living Locally/Thinking Globally*, Transnational Perspectives 8, 2.15. Citado por Elliot Miller, op. c., p. 138.

La **autonomía** y la **humanidad** es el *reino de dios* para la *New Age*. El hecho de que para la Nueva Era no haya diferencia sustancial entre el Yo y Dios, y el que no haya nada ni nadie supremo exterior a uno que pueda dictar sus leyes,[78] cada uno se ve obligado a crear su propia realidad y sus propias leyes. Por otra parte todo gira alrededor de un hombre que tiene facultades supranormales y potencialidades espirituales y artísticas extraordinarias. Todo esto se proyecta en una política de autosuficiencia y de autodesarrollo para todo la humanidad, y a "una profunda preocupación por los efectos deshumanizantes de nuestra tecnocracia moderna".

La planetización y el proyecto Gaia (planeta viviente y unido) se convierte en un sistema político-religioso semejante al de una Iglesia, y en la que **no hay posibilidad de separación de Iglesia y Estado**,[79] y en la que toda oposición a la Era del Acuario, como la que puede suponer el concepto genuinamente cristiano de Reino de Dios, "será perseguido como una infracción grave", puesto que con la noción bíblica de Reino de Dios se amenaza a la **Unidad mundial** propugnada, por la *New Age*, como necesaria para la supervivencia de la raza humana.

Todo ha de tender hacia la unión de los opuestos o de los contrarios. El Estado y la Religión que habían permanecido como irreconciliables y por lo tanto separados, en la Nueva Era del Acuario han de encontrar el perfecto equilibrio puesto que esto demanda la unión de los contrarios u opuestos. Con esa Unidad Planetaria se favorecerá al hombre autorrealizarse hacia su destino eterno: el de sus encuentro con el Uno: la Nada.

Una Escatología caracterizada por la espera de una nueva época del mundo, denominada del Acuario, anunciada por la ley de los ciclos cósmicos, y forjadora de una situación feliz dentro de los límites históricos que la sociedad humana presenta y como fruto del esfuerzo humano

La Era del Acuario pretende basarse para su origen en un ciclo astrológico, según el cual cada 2.160 años el sol traspasa una casilla zodiacal. Ahora estaríamos viviendo todavía en Piscis que habría sido inaugurado con la venida del Mesías Jesús de Nazaret, que habría anunciado la llegada de una *nueva era*, la del Cristianismo. De ese mismo modo, cuando haya transcurrido ese período de tiempo se iniciará una Nueva Era, la del Acuario. Es por ello que hoy estamos en el alba de ese momento crucial, de ahí que se hayan suscitado diversos movimientos insuflados por lo que el acontecimiento astrológico implicará. Otros sucesos astrológicos se hicieron notar como preparatorios a

---

[78] Esto es una pura ilusión. Por cuanto la posición que asume respecto al contacto con seres de otros planetas; y la guía que dice recibir de ellos crea una ley y conducta determinada. Esto lo veremos en otro de nuestros capítulos.

[79] Elliot Miller, op. c., p. 143.

esa culminación marcada por el reloj astrológico como el que se presentó el 3 de febrero de 1962 en la constelación de Acuario cuando siete planetas se alinearon en los cielos por primera vez en ochenta años.[80]

¿Qué valor tiene todo esto? ¿Está basado en algo real y consistente o es puro invento sin base de ninguna clase? ¿Acaso los astros pueden influir en la historia, hasta el punto de dirigir a los hombres hacia un comportamiento social o político determinado?

Nosotros tenemos nuestra opinión particular que procuraremos documentarla en un capítulo aparte, pero para la Nueva Era parece ser fundamental.[81]

Paralelamente a esto se está preparando el terreno de la llegada de la nueva reencarnación del Cristo Cósmico: la llamada "segunda Venida de Cristo". Numerosos extraterrestres, ángeles o espíritus, según este pensar, estarían entrando en contacto con los hombres en diferentes lugares para crear una *realidad* (o sicosis) colectiva en cuanto a la invasión, la visita definitiva, que permitirá plenamente y sin obstáculos progresar en el ciclo de que todo vuelva a la normalidad anterior a la disgregación.

Ese nuevo Guru o futuro *Maytreya* nada tiene que ver con el prometido retorno de la persona literal e intransferible de Nuestro Señor Jesucristo que nos presenta las Sagradas Escrituras.[82]

Benjamin Creme en el año 1982, se atrevió a publicar en la mayoría de los principales diarios del mundo:[83] "Que el Cristo está ahora aquí", y hablaba de como poderlo reconocer, lo que predica, y la forma de verlo y oírlo telepáticamente en el propio idioma de uno, a través de una amplia retransmisión por radio y televisión. El fracaso fue rotundo. Esto hizo concebir a Merilyn Ferguison cuando fue entrevistada sobre el particular que el mesianismo era la idea de la conspiración desde un punto de vista colectivo.[84]

Posteriormente Benjamin Creme **cambió** de *él está aquí* al *muy próximamente vendrá*. Las dos ideas de nuevo podían conciliarse, tanto la de Ferguison como la de Benjamín Creme. El mesianismo colectivo podría dejar paso, cuando todo esté maduro al Maestro Universal que sería reconocido por sus palabras y sus obras como el Cristo prometido.

Noten lo manifestado por Benjamin Creme en una de sus obras de 1984:

> «uno de los Maestros que, muy proximamente, volverá para un trabajo en el gran día en el mundo; él tomando el trono de San Pedro en Roma; tentará

---

[80] Ver *Más Allá*, nº 8, op. c., p. 13.

[81] Marilyn Ferguison, *Les Enfants du Verseau*, op. c., pp. 14, 15.

[82] Ver notas nº 63 al 66 y el texto que las motiva.

[83] Me encontraba en la ciudad de Vigo cuando fui sorprendido por toda una portada de *ABC* (25-4-1982, p. 71) donde se afirmaba la segunda venida de un Cristo que el autor lo hacía corresponder con la Segunda Venida de Cristo predicha en la Biblia.

[84] Ver la explicación de Elliot Miller sobre el particular, conteniendo el dato de Ferguson (op. c., pp. 235, 236).

en transformar las iglesias cristianas en la medida que ellas sean suficientemente flexibles para responder correctamente a la nueva realidad que el retorno
de Cristo y los Maestros encadenará».[85]

Una revelación exterior al hombre que le comunica las pautas de la Nueva Era (New Age): Parapsicología y Espiritismo

La *New Age* adquiere su confirmación a su creencia por medio de fenómenos parapsicológicos que, según dicha filosofía, le permitiría entrar en
contacto con otros seres evolucionados de otros planetas, o con espíritus
angélicos de otros mundos, o con espíritus de muertos que se han perfeccio-
nado. Todo a través de la canalización o de poderes supranormales que ca-
pacitan para entrar en contacto *con el más allá*.

Dedicaremos algunos capítulos a estudiar y criticar este asunto.

---

[85] En la *Réapparition du Christ et des Maîtres de la sagesse*, Dourdan: ed. Partage, 1984, p. 44.

Capítulo II

Una Introducción al Paradigma Bíblico y su oposición e incompatibilidad con el contenido fundamental de la Nueva Era

La **antropología** no es algo que se limite al hombre. El hombre en sus relaciones recoge y proyecta un resultado antropológico fruto precisamente de esas relaciones. Los *dioses* que desde la cultura babilónica hacen posible la existencia del hombre, le imprimen la marca con que se ha de caracterizar ese hombre.

La naturaleza del hombre se circunscribe a lo que dimana ese dios de donde ha salido. Si la **causa primera** *es una materia eterna* que hace posible tanto la existencia de los dioses como la del propio hombre tracrá unas consecuencias tanto antropológicas como político-religiosas determinadas por la concepción ideológica que se tiene de dios y del origen.

Cuando los dioses entran en contacto con el hombre describen y proyectan un orden y comportamiento que influye en la manera de ser del hombre, y por lo tanto muestran nociones antropológicas concretas.

La *noción* de **Creación** que la Biblia nos presenta es irreconciliable con este tipo de teología y antropología, cuando se toman en serio sus presupuestos.

El Dios personal Creador y trascendente que crea la existencia por el poder de su Palabra engendra un tipo de teología y antropología totalmente distinto a lo que hasta ahora venimos estudiando.

Es preciso *tomarse en serio* la Creación del Dios que se revela, porque cuando se admite terminológicamente la noción de *creación* pero no se suscribe el *cómo* de esa *creación,* no se acepta coherentemente la naturaleza del hombre tal como se indica en la revelación del Dios Creador, se está negando de algún modo la noción auténtica de creación. Y las consecuencias llegan a ser contrarias al plan de Dios. De ahí que sea imprescindible el saber cómo se describe al hombre, cuáles son los elementos antropológicos que se emplean, y con qué sentido y finalidad.

En otro lugar hemos realizado un estudio antropológico de acuerdo al paradigma bíblico.[1] Vamos a tener en cuenta dos aspectos fundamentales que como vamos a ver incluyen varios más: A) La historia del hombre; B) y un análisis apologético respecto a la contradicción e incompatibilidad de la filosofía antropológica ajena al paradigma bíblico.

A. ¿Qué queremos decir con la frase *historia del hombre* y qué tiene que ver con la Antropología?

En **principio** digamos que el hombre bíblico inicia su historia con su creación por el Dios que se revela en la historia en Jesucristo (Gn. 1:1, 26, 27; 2:7 cf. Jn. 1:1-3, 14, 18).

Ya hemos profundizado en el significado de la creación y las diferencias esenciales con lo que implica una filosofía panteísta. Lo que nos interesa saber son las repercusiones que tiene el poseer semejante raíz y origen.

El hombre está abocado, por razón de su origen y creación al Dios verdadero cuando no insiste en su rechazo de la trascendencia divina. Esto lo notamos incluso cuando se toma un punto de referencia equivocado respecto al concepto Dios y creador.

De esto se deduce que **antropología** y **teología** están íntimamente unidas.[2]

No podemos hablar de Antropología sin referirnos a Dios, ni tampoco aludir a la Teología sin profundizar en el hombre. La Teología abarca a la Antropología y viceversa.

De ahí la gran importancia de que respetemos la concepción antropológica que por creación queda plasmada y representada en la existencia del Ser Humano. Porque esta noción responde a un código y clave de entendimiento entre el Dios Creador y el ser humano creado.

Cuando no se es fiel a la condición creativa del hombre en toda su dimensión se rompe de algún modo la armonía entre Antropología y Teología. Esto lo vamos a comprobar cuando expongamos el suceso trágico que aparece al comienzo de la historia humana.

---

[1] El autor ha realizado una obra *Resurrección y Vida Eterna* (Terrassa-Barcelona 2000), cuyos contenidos fundamentales han sido tenidos en cuenta cuando se critica y refuta, en un capítulo posterior, al Espiritismo y su doctrina de la reencarnación. Quienquiera desee profundizar le remitimos a su consulta. En su obra *El Sentido de la Historia y la Palabra Profética*, ed. Clie, Terrassa Barcelona 1996, presenta la noción bíblica de la naturaleza del hombre y de su destino demostrándose la incompatibilidad de la teoría de la inmortalidad del alma con la exposición de vida eterna y resurrección de los muertos que muestra la Revelación bíblica

[2] Ver Karl Rhaner, *Reflexiones Teológicas sobre la Antropología y la Protología*, en *Manual de Teología como Historia de la Salvación*, vol. II, op. c., p. 342.

El **segundo momento histórico** a destacar dentro de la historia del hombre es su relacionalidad con el Dios que lo ha originado. Pero esta relacionalidad repercute y se manifiesta simultáneamente en una situación de sí mismo y con los demás, y en una actitud para consigo mismo y para con los otros seres humanos.

La toma de conciencia de la existencia del hombre está ligada desde su origen con el Dios Creador de ahí su plena dependencia de Él, y su único punto de referencia respecto a su origen y posibilidades.[3]

El prescindir de Dios o no ser coherente con El condiciona al hombre transformándolo en algo distinto y con una forma de pensar diferente a la que se traduciría en el caso de que se mantuviera fiel a su origen, a sus raíces, y a su relacionalidad con el Dios Creador y Revelador.

El **tercer punto** importante para esa historia del hombre es un acontecimiento que pone a prueba el origen del hombre y su relacionalidad con el Dios Creador: se trata de su negación de criatura y dependencia de Dios, y la imposición de una independencia y de un cambio tanto en la antropología como en la teología.

Se denomina a esta actitud, posición y situación: la de **la caída del ser humano**[4] o el **pecado original** (Gn. 3:1 ss.), de cuya trascendencia nos habla el apóstol San Pablo (cf. Ro. 5:12).

Es imprescindible en cualquier tratamiento antropológico considerar este momento histórico, dramático para la raza humana, puesto que conlleva una corrupción de la naturaleza humana, una tendencia hacia el mal irremediable, una ruptura de esa relacionalidad con el Dios Creador que resulta en la enfermedad, el dolor, el sufrimiento y en la muerte del ser humano.

Aquí vamos a comprobar que lo que se propone en ese acto luctuoso, que supuso la caída del hombre de su estado original, es un cambio radical respecto a los orígenes y naturaleza del ser humano.

En ese momento histórico se le da a conocer al hombre a un personaje misterioso que camuflándose por medio de una *serpiente* le ofrece una versión de su origen y naturaleza totalmente distinto a lo que el Dios Creador había enseñado.

El **cuarto instante** en la historia del ser humano es la promesa de la *restauración* del hombre (Gn. 3:15 cf. Ro. 5:12-19).

En ella se manifiesta la iniciativa divina de recomponer esa relacionalidad, y de liberar al hombre del error, del dominio de la tendencia natural hacia el mal, del pecado y de la muerte.

El **quinto aspecto**, es la historia del cumplimiento de esa promesa y de la experiencia por parte del hombre de su curación y salvación en base a la

---

[3] Ver a C. Spicq, O.P. *Dios y el Hombre en el Nuevo Testamento,* Secretariado Trinitario, Salamanca 1979, p. 131, sobre el reconocimiento de que el hombre no posee nada en sí mismo sino que todo procede de dones de Dios, y de su dependencia y su ser criatura.

[4] En el libro del autor *Cuando el Hijo del Hombre venga ¿hallará fe en la tierra?,* Terrassa-Barcelona 1997, se profundiza en el tema del pecado original.

aceptación del plan de Dios en Jesucristo (cf. Jn. 3:16). Se trata del Jesucristo que posee, por una parte la naturaleza divina y eterna (Jn. 1:1-3, 14; 8:58-60 cf. Fil. 2:5-8), y por otro lado una naturaleza humana real, desvalorizada por la *degeneración* experimentada por el paso de los siglos, y aunque *condicionada*, con atributos humanos reales que le confieren ser, por ello, igual al hombre (cf. Fil. 2:5-8), aunque *semejante* (Fil. 2:7 cf. Ro. 8:3; He. 2:14-17), en lo que se refiere al pecado, que aunque tentado en todo (cf. He. 4:14-16) , y sin ventaja alguna a nosotros, todo lo contrario, tuvo que experimentar tentaciones superiores (He. 12:3, 4 cf. 5:7-10), no cometió falta alguna imputable, siendo desde siempre sin pecado (2ª Co. 5:21 cf. Lc. 1:30-35), pero un auténtico hombre.[5]

A partir de Jesucristo la Antropología se inserta en el campo de la Soteriología y Escatología. Y Jesucristo se presenta como el prototipo "Antropos". Es nuestro representante y ejemplo, desbancando al otro *antropos* representativo, Adán (Ro. 5:12-21 cf. Fil. 2:5-10).

La historia de la humanidad se convierte, a partir de entonces en una doble opción: la de aceptar la iniciativa y ofrecimiento del Dios Creador y Redentor y Escatológico en Jesucristo, o la de tomar el derrotero del originador de una antropología y teología ajena a las Escrituras, la propuesta del originador del Mal, la del Padre de la mentira (cf. Gn. 3:1-6; Jn. 8:42-44; Ap. 12:7-12).

Es imprescindible poseer una noción correcta de la naturaleza del hombre, y de su destino de acuerdo al *historial* expuesto y a los datos antropológicos bíblicos, para poder comprender en su totalidad en qué consiste y cómo se realiza el plan de la salvación que Dios ha dispuesto.

Cuando no se valoran adecuadamente, cada uno, por separado y en su conjunto, de estos cinco momentos de la historia del hombre se obtiene como resultado la confusión y el error.[6]

En efecto, aparecen deficiencias y errores en cuanto a todo lo que se refiere al plan de la salvación delineado en la Palabra de Dios cuando uno no se ajusta al contenido y sentido antropológico que las Escrituras nos presentan.

Criterios extraños al plan del Dios Creador, Redentor y Escatológico, se hacen presentes cuando se parte de ideas antropológicas ajenas a la Revelación divina.

De ahí que sea imprescindible que hagamos un estudio, teniendo en cuenta la manifestación que se nos hace en la Palabra de Dios sobre este asunto.

La verdadera Antropología es aquella que respeta el juicio que Dios proyecta sobre la *vida humana*. No podrá haber nunca una valoración correcta más que en función del valor que Dios mismo le dé. Y ese valor tiene que considerar la Creación y la Redención porque en esas dos propuestas divinas

---

[5] Puede consultarse del propio autor de esta obra *Jesucristo sin más: La Naturaleza humana y divina del Mesías Jesús de Nazaret y sus implicaciones en el plan de la salvación.*

[6] No estamos queriendo decir aquí que no haya posibilidad, a pesar de una valoración genuina, a estar expuestos a imperfecciones en la metodología explicativa, y a la necesidad de mayor luz y conocimiento constante para una mejor comprensión y aplicación.

se encierran el amor y la voluntad divina. La vocación divina del hombre es fruto de la iniciativa divina que le ha buscado, aun cuando se encontrara perdido, pero no será ni verdadera vocación, ni auténtico Dios ni se referirá a ninguna búsqueda real, si esa vocación no manifiesta mantenerse fiel al Dios que se revela, que crea y que ama. La referencia de la Antropología a Dios es imprescindible,[7] pero se trata del Dios y del hombre del Génesis, del Dios de Abraham, de Jacob, de Moisés, de los profetas, y del Padre de Jesucristo; no del dios platónico o aristotélico, ni el babilónico, ni el romano, ni el de la Nueva Era con todo lo que abarca.

Dios transforma a la criatura humana caída en objeto de su amor, al convertirle por redención en su hijo, y en receptora de sus dones, recuperando, de ese modo, la imagen de Dios y la dignidad (cf. Jn. 3:16; 17:23), pero ese amor recibido, se demostrará que lo hemos experimentado si nos comprometemos con seriedad en una fidelidad, hasta donde nos sea posible, al mensaje revelado por ese Dios que tiene interés en que conozcamos de la mejor manera el contenido revelado respecto a la Antropología bíblica.

Si variamos los contenidos y valoraciones que tanto el Génesis como el resto de las Escrituras nos proveen del hombre estaremos cambiando la Antropología revelada y nos colocaremos en el camino del padre de la mentira.

G. Crespy afirma:

> «hay más verdades sobre el hombre en veinte líneas del comienzo del Génesis que en miles de obras consagradas a la antropología».[8]

Para lograr una mejor comprensión en lo que se refiere a la naturaleza humana y su destino, vamos a llevar a cabo un análisis de ciertos contenidos bíblicos que servirán por un lado a establecer, lo más aproximadamente posible, la posición que asume la Revelación bíblica respecto al origen, naturaleza y destino del hombre y por otro para refutar la tendencia ya descrita, y que como veremos entra en conflicto irreversible con la Palabra de Dios.

B. El Dios Creador y la inaceptabilidad de la Unión de los contrarios y el origen de los presupuestos de la Nueva Era de acuerdo a la Revelación Bíblica

Cuando uno examina los contenidos esenciales de la New Age simultáneamente a los postulados bíblicos, uno no puede dejar de asombrarse, puesto que observa que son irreconciliables total y absolutamente.

---

[7] Mehel-Koehnlein (en *L'Homme selon l'Apôtre Paul*, Delachaux et Niestlé, París 1951, pp. 27, 31) comenta: "Una antropología que no hiciera referencia a Dios sería un sin sentido".

[8] En *Le Problème d'une anthropologie biblique*, Études Théologiques et Religieses, 1951, p. 6.

El **Budismo**, de donde ha bebido fundamentalmente la New Age, podrá especular con sus palabras aparentemente sabias y pacíficas, pero en el fondo presenta un modelo de vivencia dañino para la persona humana, a pesar de toda su metodología simuladamente relajante y meditativa.

Si no somos capaces de profundizar en el **origen** de uno y otro paradigma, y comprobar los asertos que uno y otro ofrecen, nuestras palabras dejaran de tener valor, y nuestros auténticos pensamientos y actos estarán siendo deformados y proyectados de distinta manera a como son en realidad. La hipocresía, el engaño y la mentira serán los verdaderos vehículos.

Primero investiguemos donde se origina realmente la naturaleza esencial de la New Age, y con ella el Budismo y otras filosofías orientales.

El Origen de la Unión de los Contrarios y sus consecuencias

Cuando estudiamos seriamente el capítulo 3 de Génesis, uno se sorprende de que ahí se encuentre la explicación de todo el *misterio* humano, acusando al Budismo y a la New Age de imitadores de la farsa suprema.

Vamos a atenernos al texto, donde se nos muestra una historia verídica con un contenido real.[9]

Aparece una Serpiente que habla (Gn. 3:1) que desafía la *prohibición* de Dios, y adivina el interés despertado en Eva.

Juan en Apocalipsis (12:7-12), identifica a esta serpiente con un personaje real: Satanás (el Adversario de Dios). Nótese que dicho Satanás o Diablo asume una rebelión contra Dios por la que es arrojado de la presencia divina. Se dice de él **"que engaña al mundo entero"** (12:9). Si uno quiere ser fiel al texto bíblico, y de esto se trata si queremos obtener una información fidedigna, tendrá que aceptar la realidad del personaje como tal. Si se observa con detenimiento, el género apocalíptico se nos presenta por símbolos o por metáforas, figuras del lenguaje, etc. que es preciso interpretar con los elementos que dicho libro nos pone a nuestro alcance. En este caso Satanás ya había aparecido mediante el símbolo del Dragón, y el mismo libro nos descifra a quién se refiere cuando menciona al Dragón, lo identifica precisamente con un personaje real en un contexto histórico muy particular: la Serpiente antigua, el Diablo o Satanás; se alude a la escena del principio (Gn. 3:1-6), que comenzó con la mentira, y que se constata al final de la historia humana que ha seguido "engañando al mundo entero". Por otra parte, Juan nos está traduciendo la realidad del personaje cuando nos habla de su jefatura respecto de otros **ángeles** que, seducidos por él, fueron expulsados junto con él (12:7-9).

---

[9] Independientemente del colorido popular con que se narra el acontecimiento de la **caída** humana, no desvaloriza para nada el contenido histórico y real del relato: personajes y sucesos reales son los que aparecen en dicha transmisión. El relato de la creación junto al resto de capítulos forma parte de una historia real que nada tiene que ver con lo mitológico.

Todo esto imposibilita el que podamos concebir, en este contexto, al término Diablo o Satanás como un nuevo símbolo.

Jesucristo, trae a colación al Diablo, determinando también a un personaje real y mencionando al *principio*, como siendo homicida y mentiroso (Jn. 8:44). Lo identifica como siendo el Príncipe de este mundo (Jn. 12:31; 16:11; 14:30).

Cuando leemos a Pablo todavía se confirma más la realidad personal del que se llama Satanás. Se trata de un Espíritu (el *jefe de la potestad aérea* {Ef. 2:1, 2}) o de un Angel que se disfraza como Angel de Luz para engañar (2ª Co. 11:13, 14).

Si uno se fija en este último pasaje en cuestión, notamos que el hecho de que Pablo evoque a Satanás es para compararlo con unas personas **reales** que actúan de la misma manera que el personaje real que es dicho Satanás: **disfrazándose**. Aquellos que son seres humanos como falsos apóstoles; él siendo un **ser angélico rebelde** como *Angel de Luz*. De ahí que nuestra lucha **real** sea contra personajes o **seres reales** que precisamente no son de este mundo (Ef. 6:12). Ya que **los** de aquí son instigados e inspirados por los de **allá**.

No hay duda de ninguna clase, en cuanto a que la concepción que la Biblia posee sobre Satanás es la de ser un personaje históricamente real que se rebeló contra el Dios personal y Creador, generando una situación de mentira y de maldad.

Volvamos a Génesis 3:1-6.

Ocultándose (esoterismo) tras la serpiente. Haciendo creer que era la serpiente, puesto que apareció oculto e invisible. Utilizando la **canalización** (channeling) de la serpiente, planteó una pregunta, sobre si Dios había indicado que no comieran de todo árbol. Todo ello era una tergiversación y una incitación.

Tergiversación porque Dios **no había dicho** *no comáis de todo árbol del huerto* sino que **podían comer de todo árbol del huerto** (Gn. 2:16), a excepción de *uno*, el de la **Ciencia del Bien y del Mal** (Gn. 2:17).

Se explica el por qué Dios se reservaba un árbol. Este se convertía en un símbolo de su Soberanía creadora. Pero también es un símbolo de la protección divina. Puesto que Dios sabía la filosofía que Satanás había inculcado a los ángeles que le siguieron, y la que intentó proyectar sobre otros mundos y seres, a saber: la de juntar el Bien y el Mal en una mezcla armónica a pesar de ser opuestos o contrarios. Cuando Dios les está diciendo que debían de **guardar** el huerto, les está avisando de la presencia de un enemigo (Gn. 2:15). Cuando les está mandando que **no coman** del árbol que representa el conocimiento del Bien y del Mal, les esta advirtiendo que iba a haber una propuesta en ese sentido. Alguien iba a invadir la propiedad humana, y les iba a proponer la posibilidad de **saber** realizar tanto el Bien y el Mal como algo necesario para la existencia y como no incompatible.

Dios, el Bien absoluto, sabe lo que significa el mal (cf. 3:22), lo considera como la ausencia de lo que es Bueno y beneficioso, y por lo tanto algo contrario al Bien; y sólo una actitud de desobediencia y de rebeldía hacia El, lo haría presente en el Universo, sin que esa fuera su voluntad. Ahora el hombre, si sucumbe, demostraría que se ha producido el engaño *de que tanto el bien como el mal* son imprescindibles para la existencia.

Es evidente, por el precepto de que no acepten el conocimiento respecto al bien y al mal juntos, que Dios no había querido que el mal se conociese, porque es contrario al propósito de su creación, y con él la criatura entra en una dinámica destructora de la auténtica Libertad y del Conocimiento. Solo un uso distinto a su propósito creativo, tomado libremente por una de sus criaturas, podía acarrear esa tragedia.

Ante la pregunta de la Serpiente, la respuesta de la mujer denota su interés por ese árbol del que se le ha dicho que no debería comer: "Podemos comer de todo" (3:2). "Aunque no podemos comer de este, el del medio del huerto" (3:3 pp.).

Si nos paramos con atención a las frases que siguen descubrimos lo que a nivel mental se había producido ya en la mujer. El hecho de que se le revele a ese **desconocido** la advertencia divina, en cuanto a que si comían se provocaría su muerte, demuestra una necesidad respecto a que se le pueda decir algo contrario a lo que Dios le había dicho. Si la tentación consigue su objetivo es porque la mujer había mantenido una actitud de alejamiento de su Creador, manifestado esto, en su cercanía al árbol (la conversación se hace posible por cuanto el Maligno puede percatarse del interés y curiosidad de la mujer), y su *constante* pensamiento sobre dicho árbol. Este continuo reflexionar sobre el árbol de la fruta prohibida nos lo proporciona la frase que Eva añade y que Dios no había pronunciado: **"ni le tocaréis"** (3:3 úp.). Para llegar a esa conclusión ha sido preciso pensar sobre la cuestión, y ver hasta donde podía llegar. El que ahora lo evidencie ante un extraño demuestra desconfianza hacia el Creador, y una simpatía hacia *algo* que habla, en unos términos *distintos* a los de Dios. Desde luego esta actitud era poner en bandeja al tentador lo que pretendía inculcar.

Nótese la oferta de esa Entidad que se coloca en el polo opuesto e incompatible con Dios (Gn. 3:4, 5): *Si aceptáis el Mal como un presupuesto para vuestro conocimiento y existencia, os va a ocurrir todo lo contrario a la muerte*: no sólo **"no moriréis"** (tal como Dios había anunciado si desobedecían) sino que además en vez de ser humanos "entraréis en una igualdad con Dios" que únicamente el **conocimiento** os permitirá experimentar. El tentador supone esa igualdad con Dios, pero sólo podrían descubrirla si desobedecían comiendo del Arbol prohibido.

He aquí la caída: "Entonces la mujer codició (3:6 pp.) ese conocimiento sobre el mal que según creía, le faltaba (Gn. 3:5 úp.) para descubrir su propia naturaleza que la suponía ahora divina, y dio a su marido que también siguió su suerte" (Gn. 3:6 úp.).

Cinco puntos se destacan en esta historia inspirada por el Dios verdadero para las generaciones que vinieran a la existencia.

1) La Identidad de la Serpiente con un personaje real: el Diablo o Satanás

El autor de esta filosofía de la unión de los contrarios es la Serpiente antigua, identificada en las Sagradas Escrituras con el Diablo o Satanás, descrito como un ser personal angélico que se rebela contra Dios.

Obsérvense bien ahora estos aspectos. Satanás proyecta su propio pecado o transgresión: el creerse igual a Dios (Gn. 3:5 cf. Ez. 28:13-19). Su orgullo, nacido libremente de una desconexión con su Creador, le hizo negar su procedencia. A pesar de que ha podido comprobar su derrota frente a Jesucristo (Ap. 12:7-9) mantiene la idea que ha trasladado a la humanidad, y que recogió Babilonia y la mayor parte de Oriente y después el Hinduismo y el Budismo, y ahora la New Age: que él era tan Dios como el que se dice el Dios Verdadero, que todo habría podido surgir de la Energía Cósmica.

Precisamente, fue por la indagación en el conocimiento de lo contrario a lo que Dios enseña y propone, que surge el Mal en el Angel Luzbel transformándose en Satanás; y eso es lo que le obligó a Satanás a destruir la concepción de un único Dios personal.

Nótese que Satanás manifiesta una personalidad en la que trata de mezclar medias verdades con medias mentiras. Lucifer no trató de eliminar lo bueno sino simplemente de añadir algo, poner en equilibrio lo bueno con su opuesto lo malo, y alcanzar, según pretendía, un mayor conocimiento.

Su trayectoria va a consistir continuamente en el engaño y en la mentira, pero siempre tergiversando la verdad; haciendo una mezcla de lo bueno y lo verdadero con lo malo y erróneo. Ha creado una **religión paralela** a la de Dios, con una idea sobresaliente: que todo es compatible y complementario, que debe tender a la unión a pesar de las diferencias interpretativas que pudieran existir. El ha inspirado o ha promocionado lecturas de las Sagradas Escrituras que se contradicen unas con otras para desprestigiar a éstas; ha inventado dentro de esa Religión paralela una serie de ideologías religiosas, incluso con libros que se presentan como sagrados para ahondar más en su plan de que todo es verdad a pesar de lo distinto y opuesto, y de este modo hacer más factible su propuesta *ecuménica*, pretendiendo, de ese modo, destruir la posibilidad de conocer lo más acertadamente posible la Verdad.

2) El Dios personal y Creador se manifiesta en desacuerdo con la unión de los opuestos

El Dios personal nos ofrece su veredicto en los primeros capítulos del Génesis. Ahí, en la historia del principio, se nos muestra en primer lugar que se "está de acuerdo con la creación de opuestos, y la necesidad de su armoniosa cooperación". *Opuestos* que no encierran en su creación una dualidad de bien o mal, o de positivo o negativo: "Todas las cosas tenían que ser diferentes de modo único y producir fruto según su especie". Hemos comprobado de modo evidente, sin duda de ninguna clase, **"que el Dios Creador no hizo ni aprobó el mal como un opuesto aceptable ni lo hace ahora"**.

La noción de creatividad de la vida como originada en la unificación de lo bueno y lo malo, o a partir de la unión de los opuestos, es totalmente falsa, si hacemos caso a la Biblia. Dicho libro, que afirma ser inspirado por el Dios Creador, contiene la declaración de un Poder Supremo, personal y absoluto, cuyo carácter es sólo bueno, que no acepta el mal y que en ningún momento colabora u obra en conjunción con el rebelde del universo, el único originador del mal.

El propio relato de la Creación contradice ese concepto de creatividad ajeno al Dios Creador, cuando asegura el primer capítulo del Génesis que la Creación surge, como fruto del Poder de la Palabra del Dios único absoluto Bien, por medio de un proceso de división sucesiva.

> «En la Biblia no hay ninguna sugerencia de que otro distinto del Dios Creador estableciera los cielos y la tierra, ni se puede sacar ninguna inferencia en este sentido. El mal no tiene parte en (los) orígenes (del mundo). El mal es un opuesto inaceptable, que se originó de un ser creado perfectamente con libre albedrío, que decidio rebelarse contra el gobierno de la vida, el amor y la verdad.»[10]

Por todo lo dicho es imposible, encontrar en las Sagradas Escrituras apoyo para un pensamiento semejante. La existencia de un Dios Personal, Creador e inspirador de un mensaje que coincide con el punto de vista de ese único Dios Todopoderoso se **opone** siempre al Mal, no teniendo éste ni arte ni parte en la Creación que Dios hizo.

3) La Raza humana, en contra de la voluntad de Dios, quedó corrompida por la noción de que el bien y el mal pueden juntarse armónicamente

La humanidad quedó contaminada, desde entonces, del concepto mentiroso de la *serpiente* en cuanto a la necesidad de mezclar el bien y el mal, desarrollándose una situación histórica obsesiva respecto a **conseguir la unidad por medio de amalgama de opuestos a pesar de las diferencias y errores que se mantienen.**

Ya estudiamos en su lugar que la civilización empezó en Mesopotamia y allí fue donde floreció Babilonia. La Biblia nos informa que antes del diluvio, salvo raras excepciones "los pensamientos de los hombres eran continuamente el mal". Después del diluvio, Cam hijo de Noé, de entre sus varios hijos tuvo uno denominado Cus, del que se dice lo siguiente:

> «Orfus, Bel y Cus son sinónimos y significan "mezclar" (...).
> »(...) las ideas complejas actuales sobre la conjunción de opuestos fueron desarrolladas por Cus y perpetuadas en otras áreas bajo diferentes nombres tales como Tot en Egipto; Hermes en Grecia; Baal en Canaan, y Mercurio en Roma.

---

[10] Ernest H.J. Steed, *Dos=Uno*; op. c., p. 32.

Desde el valle de Mesopotamia, los supervivientes del diluvio se desparramaron hacia este, oeste, sur y norte, llevando con ellos las mismas ideas básicas para la unificación de los contrarios: la gran idea filosófica para conseguir los secretos de la vida, obtener la sabiduría y la unidad final. Las ideas de Cus fueron llevadas a lo que es hoy Europa, China y otras áreas asiáticas (...) sus dioses, pocos o muchos, se hallaban todos relacionados con los opuestos de la naturaleza (...)».[11]

El sistema zodiacal que los caldeos babilónicos inventaron contribuyó a la noción de conjunción de opuestos. Se intentaba explicar, por medio de la astrología, la vida creativa, su origen y significado.[12]

Nos damos cuenta que la idea de la Unidad que propugnaba Babilonia era la que resulta de una **mezcla** de todo lo que hiciera posible esa Unidad. Ya podía ser lo bueno o lo malo, lo verdadero o lo erróneo; lo que se consideraba sagrado o lo profano. Todo podía ser mezclado en una **Unidad**. El logro de la Unidad justificaba cualquier mezcla de elementos por muy contrarios que fuesen, puesto que esa contrariedad dejaba de serlo por el propósito de la búsqueda de la propia Unidad. Con la Mezcla desaparecía toda moral, y los conceptos bueno o malo se relativizan en función del objetivo: La Unidad.

Está corrupción de la realidad ética humana, contaminó a toda la tierra hasta el punto de que la **mezcla** sobresalía soberana.

El propósito de la **mezcla** nos advierte que se trata de una **falsa Unidad**. No es una Unidad en los criterios morales, doctrinales y espirituales que el verdadero Dios ha provisto a la humanidad. Al contrario, el mal se presenta de un modo que consigue la atracción, puesto que la **mezcla** casi imposibilita discernir la diferencia entre el bien y el mal, entre lo moral e inmoral. Realmente con la mezcla se ha conseguido que esos valores no existan como contrapuestos o como estando en conflicto.

La vida misma, el amor y la verdad han sido deformados hasta el punto que sólo una vuelta al Dios de Jesucristo que la Palabra de Dios en la Biblia nos presenta, puede librarnos de la tragedia fatídica que supone no saber distinguir la Luz de las Tinieblas.

Desde el Edén se pasaron las consignas a Babilonia y ésta marcó un canal de comunicación que a través de los Imperios Universales se trasmitió esa necesidad de conseguirse la **Unidad** a toda costa con la **mezcla**, a todo el mundo conocido: desde Egipto hasta Persia, llegando hasta la India, y calando en lo fundamental en Grecia y en Roma.

Los misterios de Babilonia, de Isis, de Delfos y de la Cábala, todos se basan por igual en el intento de llevar a cabo la unión de los opuestos.

Todavía más. Aunque Roma Imperial desapareció la semilla la dejó inoculada en la historia para **aquella que le heredara**. Y así vemos como el

---

[11] Id., pp. 22, 23.

[12] Maurice Bessy, *La Magia y lo Sobrenatural*, Spring Books, New York 1970, pp. 60, 61 (citado por Ernest H.J. Steed, *Dos=Uno*, op. c., p. 26).

misterio de iniquidad siguió, hasta nuestros días, generando un ilusionismo y engaño que permitiera realizar la **mezcla** de los opuestos.

4) Dios y su Mensaje bíblico responden claramente: el pecado es una realidad que atenta a la Ley o Gobierno de Dios como consecuencia de haberse aceptado la conjunción de los opuestos: el hombre no puede resolver su situación por sí mismo

La Biblia enseña **la resistencia al mal** como la única vía segura para obtener el éxito final y la armonía:

> «Someteos pues a Dios; resistid al diablo, y de vosotros huirá. Acercaos a Dios y Él se acercará a vosotros» (Stg. 4:7).

El misterio inicuo de la **mezcla** nos dejó ejemplos en el llamado Antiguo Testamento para nuestra enseñanza actual como cristianos (**Ro. 15:4**).

En **Éxodo 32**, se nos presenta un **prototipo de mezcla**. Ante la petición de realización de dioses comprobamos un **intento de unir**, de **mezclar ritos paganos** con el pretexto de celebrar fiesta a Yahvé, el Dios verdadero; y de este modo justificar la construcción de un "becerro de oro" (**32:1-5, 25**) con toda la ideología que tiene subyacente. Dios no aprobó semejante actitud pecaminosa, y expuso su repulsa.

Por el profeta **Amós (5:21-26)** sabemos que junto al **tabernáculo** que Dios había mandado construir en el desierto, los israelitas se habían edificado *otro babilónico* en un intento de asociar los cantos de adoración, sacrificios y ofrendas dedicados a Él con el culto babilónico. Dios se lamentó y rechazó ese tipo de adoración porque era mezcla.

Tanto en la época de los reyes (**2º R. 17:9-17, 25, 29-31, 32**) como en la de **Sofonías (1:4, 5 cf. Jue. 17:3-13 y 18:6)** se **mezclaba** el culto a **Baal** con el culto al Dios verdadero. Los juicios divinos eran elocuentes ante semejante pecado.

Dios está en **desacuerdo** con los **cultos mezclados**, aun cuando haya algo de verdadero en uno de ellos. La mezcla lo corrompe, lo desvirtúa, lo falsifica.

El profeta **Ezequiel** en el capítulo **8 y 23** como **Jeremías** en su **capítulo 7**, nos muestran una vez más que no importa que se mencione el nombre de Dios en las oraciones (**Ez. 8:17, 18**) ni que se reclame el ir a adorar al Dios verdadero (**Jer. 7:2**) o a su santuario, ni que se practiquen ciertos elementos auténticos, como si todo eso fuera un exponente de la verdad. **Todo queda contaminado como consecuencia de la mezcla**, y Dios rechaza semejante expresión cúltica (**Ez. 23:38, 39; Jer. 7:8-10, 18**).

Debe uno despojarse de todo aquello que no responde a la religión y doctrina de Yahvé (**cf. 1º S. 7:3**), y **consagrarse exclusivamente a Él**.

En todo este comportamiento se comprueba la mano del artífice que se rebeló contra Dios. **Su estrategia consiste en mezclar el bien el mal**, lo correcto y lo incorrecto.

Nunca la **mezcla** ha sido bien vista por Dios. La pretensión de que los opuestos pasen desapercibidos como lo que no son, en virtud de una desfiguración de la realidad ha sido condenada taxativamente por la Palabra de Dios:

> «¡Ay de los que a lo malo dicen bueno, y a lo bueno malo; que hacen de la luz tinieblas, y de las tinieblas luz; que ponen lo amargo por dulce, y lo dulce por amargo!» (Is. 5:20).

Todavía de un modo más sutil a partir de la heredera de Roma Imperial, hubo un despliegue de distintas variedades para conseguir fusión o amalgama entre el paganismo y la terminología cristiana. Satanás **adapta continuamente su estrategia**, y disfraza al mal con frecuencia de virtud. Puede llegar hasta hacerse defensor de una cierta moral con tal de despistar en su objetivo de cambiar la Ley de Dios (cf. Dn. 7:24, 25-27). Puede mostrarse a través de sus instrumentos en la tierra como cumplidor de ciertos mandamientos de la Ley de Dios para proyectar el punto de vista de que los que sostienen esa posición están de acuerdo con la verdad de Dios, y sin embargo otras doctrinas son dejadas de lado o incluso ciertos mandamientos son sustituidos o mal interpretados.

Tanto la Bestia de Apocalipsis 13 con sus Cabezas actuando a lo largo de la historia como la **mujer ramera** que aparece sentada (apoyada) sobre dicha Bestia en el capítulo 17, se nos presenta con el espíritu babilónico y ocupando el trono que Satanás le ha provisto, para una época que llega hasta el fin de los tiempos (cf. Ap. caps. 16-19), hasta la venida del Cordero inmolado.

El profeta nos hace revivir con su descripción **la mezcla y la unión fraudulenta**. El cristiano del tiempo del fin tendrá que vivir una experiencia única en la historia. Nunca antes se habrá dado una situación tal en la que la verdad y el error se hayan **mezclado** tan exquisitamente como para requerir una fidelidad y compromiso por la verdad que no admita fisuras de ninguna clase.

Ernest H.J. Steed no se equivoca cuando afirma lo siguiente:

> «El poder engañoso de Satán ha dado lugar a multiplicidad de errores que oscurecen la verdad. El error no puede permanecer por sí solo, y se habría extinguido, si no se agarrase como un parásito, al árbol de la verdad. El error saca su vida de la verdad de Dios. El árbol de la verdad lleva su propio espíritu auténtico, mostrando su verdadero origen y naturaleza. El parásito del error lleva también su propio fruto, muy diferente del de la planta de origen divino».[13]

La existencia del Pecado fue una realidad desde el instante en que Luzbel, en libertad, se rebeló contra Dios negándose al Bien y creando, voluntaria-

---

[13] En *Dos=Uno*, op. c., p. 148.

mente, lo opuesto a lo que es bueno: el mal; y persistiendo en la dinámica de que es posible conciliarlo con el bien. Dicho pecado se transfirió a esta tierra cuando nuestros primeros padres sucumbieron a la tentación satánica.

El pecado, de acuerdo a una de las explicaciones que la Biblia nos ofrece, es presentado como la transgresión de la Ley de Dios (1ª Jn. 3:4). Pero esto no es más que un trasunto de algo más profundo. El pecado, en su origen, se define como la fijación de una independencia respecto del Dios Creador. Esto es lo que ha querido borrar Satanás para que el mundo ignore la causa de las desdichas humanas.

Tanto la New Age como las filosofías orientalistas procuran ocultar el hecho de que la actitud humana en el principio, tal como nos lo describe la Biblia, fue la retraerse de su dependencia respecto del Dios Creador, al que el ser humano le debía obediencia. Su acción denotó rebelión contra Dios. Esto era un acto inmoral de la peor especie, puesto que se rechazaba el amor y cuidado de Dios. Era la irresponsabilidad más grave de la historia puesto que se rehusaba a lo que podía permitir al hombre la Vida Eterna, el acceso al Arbol de la Vida (**Gn. 2:9 cf. 3:22-24**).

Este tipo de Pecado, el original, trastornó tanto el orden moral como el físico, generando en el hombre una tendencia irresistible hacia el mal provocando más pecados (actuaciones incorrectas que muestran la pérdida de la dependencia respecto de Dios) además del dolor, la enfermedad y la muerte (**Ro. 5:12 cf. Gn. 3:16-19**).

El plan de Dios iba a consistir en una restauración de toda esta situación inmoral.

Mientras que Dios desplegaba su plan de la salvación, nos daba a conocer sus Leyes sabias y buenas (Rm. 7:12 cf. Sal. 119:1, 18, 34, 35, 97), para que teniéndolas en cuenta se nos diera a conocer el pecado (Ro. 3:20), y **aprendiéramos lo que es malo y bueno**. La iniciativa divina por medio del Espíritu Santo (Jn. 16:7-9) nos daba a conocer en qué condición había quedado nuestra naturaleza humana: precisamente incapacitada para hacer el bien (Ro. 3:10-12) como consecuencia del pecado histórico incrustado a través de la herencia en la naturaleza del hombre (Ro. 7:7-11, 15-21), con todo el deterioro que supone la añadidura de cada pecado tanto social como individual a través de la presencia del hombre en esta tierra, que queda englobado en la malignidad y dinámica del pecado histórico y estructural.

Ante la desesperación que resultaba en el ser humano como consecuencia de vivir en un planeta en el que los principios del Mal se habían introducido (Ro. 7:24), y en contraste con el *misterio de iniquidad* (iniquidad = a-nomos = sin ley de Dios) (2ª Ts. 2:7), Dios suscita en la historia el **misterio de la piedad** consistente en reconciliar al hombre con Dios, rechazando el mal y la situación de pecado. Desde el mismo principio se ofreció la promesa de una liberación de la caída de la raza humana (Gn. 3:15). Este anuncio redentor se observa en las Sagradas Escrituras en una línea ininterrumpida de profecías mesiánicas que van diseñando el objetivo salvador de Dios respecto del hombre (Ro. 3:21-26).

He aquí la única mezcla querida por Dios. El Creador y sostenedor de todas las cosas presenta un camino nuevo y vivo por medio de su Hijo que *mezclándose* con los pecadores, "llevó su castigo por la rebelión de los santos principios, y vivir como un hombre entre ellos"; aunque sin pecado, fue hecho pecado por nosotros. La misericordia y amor de Dios reveló el auténtico carácter de la Deidad al aceptar hacerse hombre y **unir** la humanidad y la divinidad "para quebrar el hechizo y control del mal":

«Esta relación tenía que ser edificada en una separación del pecado, por medio de la dependencia en su gracia salvadora, la limpieza y purificación del pecado de todos los que tengan que entrar en comunión con Él».[14]

Se trata de un rescate, de una redención, de una liberación del poder del pecado que dominaba al hombre en todos sus pensamientos y acciones (Ro. 8:1-3). Implica el romper la atracción que el hombre experimenta respecto al mal, proporcionándole, por el Espíritu Santo, el poder necesario para hacer el bien y evitar el mal (Ro. 8:4-17 cf. Ef. 2:8-10).

Consiste, en pocas palabras, en deshacer las "obras del diablo" (1ª Jn. 3:8):

«Y este es el mensaje que hemos oído de él, y que os anunciamos: Dios es luz, y no hay ningunas tinieblas en él. Si decimos que tenemos comunión con él, y andamos en tinieblas, mentimos, y no practicamos la verdad; pero si andamos en la luz, como Él está en la luz, tenemos comunión unos con otros, y la sangre de Jesucristo su Hijo nos limpia de todo pecado» (1ª Jn. 1: 5-7).

«Y la luz resplandeció en las tinieblas y las tinieblas no prevalecieron contra ella» (Jn. 1:5).

Todo esto nos muestra un contraste irreconciliable con cualquier idea que, como la de la New Age, pretenda considerar al hombre como un ser con capacidades suficientes como para superar cualquier situación o condición adversa que su propia naturaleza señala. Su transgresión descrita en la Biblia le sume tanto en la corrupción como en la más estricta condenación.

Los estados intermedios que resultan de la propia existencia de la persona humana desde la creación, pueden manifestar una mente inteligente, aunque deteriorada, y en un proceso de continua degeneración, y dones que quedaron impresos consustancialmente; pero toda su estructura y esencia han quedado contaminadas, en un extremo tal (cf. Ro. 3:10-12) que imposibilitan al hombre por sí mismo el superar su destino moribundo (Ro. 6:23 pp.), y su sino de maldad con la infelicidad que esto conlleva (Jer. 13:23).

La solución está en el Jesucristo bíblico (Ro. 5:15-19 cf. 7:24, 25 pp.) que nos muestra el Camino de vuelta hacia el Padre. Un Camino que aborrece el pecado, y que distingue entre el bien y el mal, entre lo que es correcto hacer

---

[14] Id., p. 149.

y lo que no lo es; y nos coloca en una posición que permite al Espíritu Santo (Jn. 14:14-17, 26) llevarnos por la senda de la santidad, sin la cual nadie verá a Dios (He. 12:14).

5) La Muerte real y total es el destino irrevocable de todo hombre que confía en los motivos de las palabras de la Serpiente cuando dice "no moriréis"

Nótese de nuevo en el texto (Gn. 3:4, 5), que las palabras pronunciadas por la Serpiente respecto a que no morirían aun cuando desobedecieran a Dios, no sólo están en completa contradicción con lo que Dios había dicho (cf. Gn. 2:17), sino que introduce una causa nueva y absolutamente distinta por la que conseguir la **no muerte** (cf. Gn. 2:9). En efecto, *no moriréis*, les dice, porque vosotros mismos con vuestra actitud independiente, de querer conocer experimentalmente el bien y el mal, conjugados en un bloque, descubriréis en vosotros una naturaleza inmortal como la de Dios mismo (cf. Gn. 3:5).

La causa de la existencia sin fin **no residía** en ninguna cualidad constitutiva del ser humano (cf. Gn. 2:7) sino en el Arbol de la Vida (Gn. 2:9). Por ello se le quita al hombre el acceso al Arbol de la Vida: para que no pudiendo comerlo **no viva para siempre** (Gn. 3:22-24).

La causa teórica que impone la Serpiente es la del esfuerzo humano en independizarse de lo que Dios ha dicho, y el de indagarse en sí mismo mediante la filosofía del bien y del mal.

Notamos que la muerte empezó en el día que la primera pareja humana decidió seguir su suerte desvinculándose de Dios, tal como él había anunciado. Todo ello, aunque implicaba un proceso degenerativo, pudo experimentarse a lo largo de ese camino de enfermedad y dolor que se iniciaba. Cuando la primera muerte se produjo en su extremo final (Gn. 3:21; Gn. 4:4, 8-10), las palabras de Satanás quedaron condenadas. Pero entonces cambió de estrategia. Lo que moría era un *cuerpo* que no tenía ningún valor en comparación con lo que realmente, seguía diciendo, nunca muere: el alma o el espíritu, que continuaba poseyendo la existencia consciente. Sin embargo Dios, ya en esas primeras páginas daba suficiente información como para comprender que la creación del hombre consistía en una unidad indisoluble (Gn. 2:7). Y que la existencia pensante y personal (el ser, la vida o el alma) era el resultado de la unión de la forma material y el espíritu. Elementos que por separado **no eran** el ser pensante ni consciente. La muerte, el no ser, la no vida o la no alma se producía si el aspecto material está desligado del espíritu.

SECCIÓN PRIMERA

Una respuesta a la New Age respecto a su origen y a sus contenidos esenciales

Capítulo I

El Paradigma Bíblico y la Revelación personificada que se manifiesta al hombre en la Historia: Existencia de un Dios trascendente, todopoderoso y eterno

Nuestro primer presupuesto es creer que Dios ha hablado, se ha **revelado**. Esto conlleva la asunción por un lado de que Dios existe, y por otro el concepto histórico de la revelación: la comunicación de la verdad de Dios al hombre.

Pero, ¿por qué yo he creído, he aceptado ese *presupuesto*? y, ¿cómo he llegado a creer? Porque si bien es cierto que como yo otros muchos han experimentado la creencia en un Dios personal, otros, según dicen, no. ¿A qué se debe un resultado tan dispar? ¿a qué unos son subjetivos y otros objetivos?

De cualquier forma, yo sólo puedo narrar mi historia personal que está insertada en la historia por la que Dios se me revela, haciéndoseme imposible el rechazarla por cuanto se me demuestra inteligible, comprobable y práctica. ¿Qué les sucede a los *otros*, a los que no experimentan semejante realidad?

A. Conocer a Dios

1. Dios contacta con el hombre y lo testifica mediante la Palabra escrita que inspira

El concepto Dios, irrumpe en el pensamiento humano desde dos perspectivas: La de la Historia del individuo aislado de la Historia, y la de la Historia de los individuos sumadas las historias de cada uno.

¿Cómo irrumpe Dios en el individuo y en la historia?

El hombre ha manifestado en su historia, y en la historia, un principio universal ineludible: el de poseer unas necesidades esencialmente comunes que le interpelan, y que su futuro y destino, depende de satisfacerlas.

Hay unas necesidades materiales y aún éticas, pero no son éstas las que verdaderamente acosan al hombre. Aun cuando esas exigencias, algunas, sean comunes, se ha comprobado que saciándolas, no por eso el hombre ha dejado de ser interpelado por un **pensamiento común** a todos los seres de todas las épocas.

¿Qué pensamiento común a todos los hombres de todas las épocas se presenta como una necesidad universal ineludible?

La abstracción común que ha golpeado insistentemente a los seres humanos, es precisamente el del origen de la existencia, y el de su destino.

Esta elucubración es común tanto a creyentes como a ateos y agnósticos.

Tanto unos como otros manifiestan precisar de una **revelación** que les revele el por qué y el para qué; de dónde vengo y a dónde voy. La insistencia del evolucionista ateo en querer encontrar en la revelación naturaleza, datos y hechos que revelen su origen, es una demostración de esa urgencia.

a) La Biblia, base de la Teología, PRETENDE SER LA REVELA-CIÓN que el hombre necesita

El hombre evidencia una inseguridad notoria respecto a su origen. Nada ha podido ni ha sabido resolver el interrogante de su origen y destino. La Biblia se presenta como una alternativa y opción, frente a la inseguridad que se manifiesta.

Como cualquier *pretensión* es en sí misma legítima, pero será indispensable un análisis para comprobar si es, lo que *pretende ser*. Todo aquel que no esté dispuesto a hacer un examen respecto a lo que dice la Biblia en cuanto a **pretender ser la Revelación** que el hombre requiere, **jamás podrá decir** que la Biblia *no es la Revelación* que el hombre precisa.

b) La Biblia que PRETENDE SER LA REVELACIÓN que el hombre necesita nos dice de forma implícita, no sólo que es la Palabra de Dios, sino que es la única prueba de la Existencia de Dios

Esta afirmación que puede parecer ingenua y sin validez, responde, como veremos a continuación, a un reconocimiento de los límites de la razón humana, y a la enunciación mas empírica que puede sostenerse como válida.

En efecto, la existencia de Dios es indemostrable con pruebas racionalmente científicas.

Las *evidencias racionales* de la Existencia de Dios son eficaces para ratificarnos en nuestra creencia que previamente ya hemos aceptado, pero no pueden ser catalogadas como pruebas.[1]

---

[1] La de la primera causa:

No solamente la existencia de Dios es indemostrable con las llamadas pruebas, sino que, además, la existencia de Dios no nos llega por el **método científico**: No hay pruebas *científicas* que nos demuestren la existencia de Dios.

Ahora bien, todo esto no nos coloca en una situación alarmante, al contrario, nos sitúa, después de nuestra sinceridad intelectual, en el punto correcto para verificar lo aparentemente improbable. Por cuanto el problema de la demostración o no de la existencia de Dios, no depende de que no se pueda razonar y fundamentar sino del planteamiento erróneo que se asume cuando lo intentas hacer por el procedimiento de la ciencia humana.

No solo esto; al llegar a estas conclusiones, descubres que si la existencia de Dios es indemostrable con pruebas científicas, la no existencia de Dios tampoco es demostrable. Todavía mas, el que la existencia de Dios sea no científica, no por eso es irrazonable.[2]

c) Los Seres se hacen objetivamente existentes mediante su Presencia y Revelación

El planteamiento que debemos hacernos es doble: La demostración de los seres sólo puede hacerse por **presencias**; en el caso de que exista el ser, debemos preguntarle cuál es el método que ha escogido para demostrar su existencia.

Dios sólo se puede hacer existente y presente por medio de la Revelación. No hay otra posibilidad de que al Dios verdadero lo podamos conocer.

La existencia de Dios no puede captarse mas que por el método que él ha escogido, el de la Revelación. La Biblia pretende ser esa Revelación que hace existente y presente para nosotros a Dios. Los demás métodos no dan resultado por cuanto Dios no puede ser considerado como una hipótesis de laboratorio o medido por las ciencias exactas. Las llamadas pruebas racionales de la existencia de Dios son tan solo *evidencias* de la existencia de Dios, servibles como tales para confirmarles en su creencia a los que ya creen.

«Afirmar una causa primera obedece a una necesidad de otro orden que consiste en no poder concebir una cadena infinita, sin punto de partida. Nada, sin embargo nos autoriza a plantear una causa primera que sería un ser perfecto llamado Dios. Es forzoso reconocer la debilidad lógica del más popular de los argumentos en favor en favor de la existencia de Dios».

«En resumen, al argumento teleológico, unido al argumento cosmológico, no le falta grandeza. Imposible, sin embargo, hablar de prueba».

George Stéveny, anotaciones a la edición definitiva francesa de la Historia de la Salvación, op. c., p. 48. Respecto a que la conciencia nos suministra la idea de Dios, podría ser válido siempre y cuando poseyéramos todos los datos a nuestro alcance de todas las épocas, y aun las actuales de todos los lugares. La prueba de la existencia de la religión y de los religiosos, no nos dice mucho mas que las anteriores.

[2] Derek Bigg, se explica del siguiente modo:

«Esto nos lleva a una consideración de la revelación divina desde el punto de vista bíblico. La Biblia nos asegura que Dios ha hablado. No nos ha dejado sin dirección. Se ha revelado de tal manera que el hombre puede entender el significado de sus diversas experiencias. En otras palabras, la revelación divina, en contraste con mucho pensamiento contemporáneo, es completamente racional» (En *La Racionalidad de la Revelación*, op. c., p. 59).

d) La Biblia, no sólo pretende ser la demostración de la existencia de Dios, sino que además pretende ser el método escogido por Dios para hacerse demostrable y presente (Jn. 1:18; 5:39; 2ª Ti. 3:16, 17)

Toda pretensión nos exige un análisis comprometido. Si la Biblia es lo que dice que pretende ser, no hay nada más importante que yo pueda hacer en este mundo.

En todo caso la Biblia me interpela con su pretensión exclusiva ante los grandes interrogantes que la existencia me presenta.

Personalmente, al comprometerme e investigar si la pretensión de la Biblia de ser la revelación de Dios, es cierta, he llegado a la experiencia y conocimiento de que Dios se me ha hecho Presente y Existente.

De ahí que mi creencia no está sometida a las reglas del juego de la ciencia mecanicista o positivista, sino a las normativas de alguien que ha estado desde el principio y estará siempre, y que se me ha revelado en Su Palabra escrita.

Todo aquel que quiera experimentar y comprobar si Dios existe, tendrá que someterse a la metodología que genera la relación entre el Dios que se revela, y la opción del pensamiento respecto a la posibilidad de la existencia de Dios; tendrá que comprometerse.

En efecto, la demostración que he obtenido yo personalmente de la existencia de Dios, no puedo resumirla en una fórmula, o en una conclusión filosófica, tan solo puedo consignar el método seguido, y las propuestas que se han ido haciendo para convencerme de que Dios existe, como fruto de su presencia.

Se trata de una experiencia cuyos resortes y mecanismos que la producen, hay que descubrirlos en lo que es objeto de comprobación; en este caso la Biblia: "A Dios Padre nadie lo vio jamás, el único Hijo en su especie, que estaba en el seno del Padre nos lo ha dado a conocer" (Jn. 1:18).

2. Para la Demostración de la Existencia de un Ser, teniendo en cuenta lo dicho hasta aquí, se deben cumplir unos requisitos fundamentales

1) Reconocimiento de una situación de necesidad. Se constata que todo ser humano evidencia la necesidad de resolver el hecho de su existencia: Conocer y Revelación, son los dos conceptos que aparecen unidos al problema existencial del hombre.

2) La aceptación de un compromiso por **conocer** si la necesidad inherente, por el mero hecho de ser humano, se resuelve, con la **creencia en la existencia del Dios Personal**, y lo que ésta implica.

3) Comprobación y convencimiento de la existencia del Ser mediante el único método que es posible: **el de la Revelación de su Presencia**, y certificar de que hay algo en el Universo y en el ser humano que no tendría sentido sin el Dios que se revela.

4) Experimentar esa Presencia del Dios Verdadero siendo consecuente con su Revelación.

3. La Existencia de Dios mediante la Revelación de Su Creación

La Biblia que nos ofrece la posibilidad de la demostración de la existencia de Dios nos informa que Dios ha querido hacerse presente mediante Su Creación (Ro. 1: 19-22).

La Creación por el Dios Padre (1ª Co. 8:6 pp.), en la que interviene como principio activo el Verbo Creador (Jn. 1-3) o el Hijo de Dios (He. 1:2; Col. 1:15-17) así como la manifestación del Espíritu sobre la materia (Gn. 1:2 cf. Is. 32:15), se convierte en un objeto real de nuestra fe (Hb. 11:3); mostrándonos al Creador como un Ser personal (Jn. 1:1, 14, 18, transcendente (He. 11:3; 1ª Ti. 6:15, 16), inmanente (Hch. 17:28), que origina todo sin depender de materia preexistente, por el poder de Su Palabra (Gn. 1:1; He. 11:3; Jn. 1:1-3; Sal. 33:9). Ni la tentación del panteísmo ni el deísmo filosófico tienen un lugar en la Palabra de Dios. El ateísmo encubierto que supone el confundir a Dios con la Naturaleza o con la Energía cósmica, o el inventar una muralla entre Dios y Su obra no tienen razón de ser.

Karl Barth se expresa de este modo:

> «Decir que Dios concede el ser al mundo le proporciona su realidad, su manera de ser y su libertad, significa precisamente, en contra de las reiteradas afirmaciones del panteísmo, que el mundo no es Dios. Las cosas son de tal manera, que no somos Dios, pero que estamos perpetuamente expuestos a la perniciosa tentación de querer ser como Dios. Tampoco se trata de seguir las especulaciones de la gnosis antigua o moderna, cuando afirma que lo que la Biblia llama el Hijo de Dios, no es, en definitiva, nada más que el mundo creado, o que el "universo procede en esencia, de Dios". No se trata tampoco de considerar al mundo una "emanación" de Dios, comparable a un río que tuviese su nacimiento en él. No se podría hablar, en este caso, de creación, sino únicamente de un movimiento vital, procedente de Dios, que expresaría su ser. Creación significa otra cosa, una realidad diferente de Dios. El mundo tampoco debe ser entendido como una simple "manifestación" de Dios, del cual no sería, en consecuencia, más que la idea. Dios, que es el único real, el único esencial, y el único libre es algo, el cielo y la tierra, el hombre y el universo son algo distinto, que no hay que confundir con Dios, pero que no existe más que por Dios. Esta realidad diferente no es, por lo tanto, autónoma: No existe por un lado el mundo y por otro Dios, como dos realidades independientes, no siendo Dios para nosotros más que una divinidad lejana y ausente, de manera que habría dos reinos separados: por una parte el mundo, con su propia estructura y sus leyes propias; y por otra, en algún lugar en el más allá, Dios, su reino, y su universo, ofreciéndose a nuestras más ricas descripciones, brindándonos incluso una vía de acceso, sobre la cual, el hombre podría ser considerado como en marcha hacia las

cumbres. Entendiéndolo de este modo, el mundo no sería la creación de Dios, no le pertenecería completamente y no estaría fundamentado en él».[3]

Emil Brunner nos expone lo que hay que entender por trascendencia:

«La trascendencia de esencia significa que solo Dios es Dios, y que el hecho de ser Dios en cuanto a la esencia de ser Creador, se disitingue absolutamente, sin posibilidad de transición, de la esencia de la criatura, que por consiguiente Dios y el universo deben ser absolutamente diferenciados».[4]

4. La Existencia de Dios mediante los Contenidos de la Revelación Profética

La Biblia o las llamadas Sagradas Escrituras afirman ser la Revelación que nos muestra que existe Dios. Nadie que no quiera comprometerse en comprobar si es verdad dicha aseveración podrá negar lo que se predica como siendo esa Realidad.

La Biblia se presenta como la Palabra profética que Dios revela para presentar su existencia por medio de su Hijo (Jn. 1:18). Dios ha querido y quiere explicar la razón de ser del hombre, y todo lo sucedido desde el origen de la existencia de los seres hasta el final de la historia humana. La explicación de lo sucedido es necesaria para saber los interrogantes eternos, y satisfacer la necesidad de seguridad, esperanza y confianza en alguien que le manifieste la Verdad, en todo lo relativo al ser humano y a la humanidad.

Dios decide venir por medio de la Palabra que se anuncia. La dimensión de la Palabra de Dios rompe el marco del silencio y de la sensación de la inexistencia.

Cuando Dios contacta con Noé (Gn. 6:8, 13) y le habla (Gn. 9:8, 9 cf. 1ª P. 3:18-20), cuando la Palabra de Yahvé llega a Abraham (Gn. 15:1, 4), y se le aparece (Gn. 18:1 ss. cf. Jn. 8:56-59), o cuando este mismo acontecimiento sucede con Isaac (Gn. 26:2-6, 1) o con Jacob en su lucha real con lo que él supone ser un Hombre (Gn. 32:23-30), **la existencia de Dios se hace audiovisual**.

La experiencia de Moisés es única en el llamado Antiguo Testamento. La entrevista de Dios con Moisés es singular (Éx. 3:2-6; 4:1 ss.). Se trata del Dios de Abraham de Isaac y Jacob (Éx. 3:6).

Independientemente de los antropomorfismos (cf. Gn. 18:1, 2; 19:1; Éx. 33:23 y ss), no se trata de una experiencia mental ni ilusoria ni mística, sino totalmente real e histórica.

---

[3] En *Esquiss d'une Dogmatique*, Neuchâtel 1950, pp. 51, 52.
"De la religión y de los religiosos", no nos dice mucho más que las anteriores.
Ver también de Karl Barth, en su *Dogmatique*, La Doctrine de Dieu, vol. II, tomo I, op. c.
[4] En su *Dogmatique*, Géneve 1964, tomo I, p. 191.

Dios se quiere hacer presente en la historia, y lo realiza de modo que no pueda interpretarse ni como una alucinación, ni como fruto de un estado alterado de la conciencia, ni como producto de una experiencia extrasensorial ni metanormal: es Su Palabra, una Palabra audible, que incluso se ve acompañada, en ocasiones, de la forma material o visible que supone una persona humana.

La Palabra de Dios es el método de contactar Dios con el hombre. Palabra que, aunque utiliza, a veces, el camino de la visión o sueño (Is. 6:1-6; Ez. 1:3 ss.; Dn. 7:1, 2; 8:1, 2 ss.), se dirige al hombre escogido sin que pierda su conciencia (Is. 7:3; 8:1, 5, 11; Jer. 1:1-10 ; Ez. 3:16 ss.; 6:1 ss; 7:1 ss.), va fijándose por escrito (cf. 2ª Ti. 3:15-17) para testificar en todas las generaciones de que Dios se ha hecho presente (He. 1:1).

El fenómeno de la Profecía no solamente constituye una estructura que liga el pasado, presente y futuro sino que te señala al autor de ella. No hay posibilidad de evitar al que profiere un anuncio profético. El mensaje profético que proclama una serie de acontecimientos futuros no ha surgido espontáneamente ni por *evolución* ni por la pura intuición de los adivinos charlatanes. Es por ello que Daniel el Profeta, ante la experiencia de un rey de la antigüedad (Dn. 2:1-9), deja bien claro la imposibilidad, de que Alguien, fuera del autor de la Profecía, pueda conocer sus contenidos (Dn. 2:10 cf. 2:27, 28). Pueden haber profetas falsos, y agoreros o adivinos. Pero cuando Dios se pone como testigo de la veracidad de su Existencia, y de la autenticidad de su Palabra Profética (Isa. 46:9, 10), no hay más remedio, si se quiere ser consecuente, con todas las alternativas que se presentan al pensamiento, que analizar diligentemente el desafío de ese Testigo (2ª P. 1:19).

Él ha querido **revelarse** por medio de los profetas (Am. 3:7), a fin de que podamos Creer en Él como el Eterno Dios Personal, trascendente y Creador (Dt. 29:29; Is. 42:9).

Pero esa Palabra audible e históricamente real, y que se recoge, excepcionalmente, en una especie de materialización humana, adquiere una magnitud nueva cuando la decisión Soberana Divina se concretiza en la historia con Su venida real a este mundo: el Verbo (Jn. 1:1-3) se hace carne (Jn. 1:14) y habita entre nosotros (1ª Jn. 1:1, 2) y nos sigue hablando, pero ahora por medio de la misma Sustancia de Dios (He. 1:1, 2, 3 pp.).

Jesucristo, el Profeta por excelencia, el Verbo Eterno de Dios hecho hombre, nos **revela** un Mensaje profético (Ap. 1:1), y nos insta tanto a leer al Profeta Daniel (Mt. 24 15, y paralelos), como el Apocalipsis (Ap. 1:3). Si lo hacemos, especialmente en este contexto escatológico que nos toca vivir, se nos abrirán las palabras que habían estado cerradas, y **entenderemos** (Dn. 12:4, 9, 10) que Dios es una Persona real (cf. Dn. 2:19-22, 28 pp.), tan real como su Hijo Jesucristo (1ª Jn. 1:1-3; Jn. 14:1-14).

Todo aquel que se sumerge en la lectura de las Sagradas Escrituras (Jn. 5:39; 2ª Ti. 3:15-17; Hch. 17:11), cumpliendo las condiciones será guiado a la Verdad (Jn. 16:13) ¿Cuáles?:

1) Conocer a Dios (Jn. 17: 3) y buscar el Reino de Dios (Mt. 6:33) mediante el estudio diligente de la Palabra de Dios (Isa. 28:9, 10 cf. 1ª Co. 2:13, 14) no yendo más allá de lo que está escrito (1ª Co. 4:6), y la aceptación de la Doctrina de Jesucristo permaneciendo en ella (Jn. 8:31, 32);

2) reconociendo nuestra falta de sabiduría (Stg. 1:5, 6) y necesidad de Dios (Lc. 9:23);

3) orar exclusivamente en el nombre de Jesucristo (Jn. 14:13-17) para recibir el Espíritu Santo (Jn. 14:26 cf. Lc. 11:9-13);

4) estar de acuerdo con la Ley de Dios y el testimonio profético (Is. 8:20 cf. Ap. 12:17; 19:10);

5) no invalidar los Mandamientos de Dios por la tradición humana (Mt. 15:6-9);

6) no consultar a los espíritus de los muertos, ni tener que ver con nada relativo a ello ni con adivinos ni agoreros ni astrólogos (Is. 8:19, 20; Dt. 18:10-14; Is. 47; 12-14);

7) no estar de acuerdo con doctrinas de demonios (1ª Ti. 4:1);

8) analizar cualquier predicación u oración o milagros, aunque sea en el nombre de Cristo, a la luz de si cumplen la voluntad de Dios que se manifiesta en el mensaje bíblico (Mt. 7:21-23);

9) comparar cualquier idea que se exprese, aunque se diga que es apostólica o traída por un ángel con el auténtico Evangelio o Doctrina bíblica (Gá. 1:8, 9; 1ª Jn. 4:1);

10) tener la predisposición de querer llevar a la práctica lo que Dios nos insta en su Palabra escrita, y en consecuencia obedecerlo (Lc. 11:28; Mt. 7:21; 1ª Jn. 2: 3-6);

11) aceptar la realidad del pecado como algo que corrompe la naturaleza humana (Gn. 3:1-6; 3:10-12), que nos condena irremisiblemente a muerte (Ro. 3:23; 5:12; 6:23 y pp.) y que demanda una solución: necesidad del perdón de los pecados (Hch. 10:43; Hch. 13:38), si queremos ser salvos, únicamente en Jesucristo (Hch. 4:12; Ro. 5:17-19), por la pura misericordia de Dios (Ef. 2:8-10), aceptándolo por la sola fe (Ro. 5:1), tras la iniciativa divina y la obra constante del Espíritu Santo en nuestra mente (Jn. 16:7, 8; Ro. 2:4; 10:17);

12) hasta la segunda venida de Cristo (1ª Co. 15:42-54) permanecerá la naturaleza de pecado (Ro. 7:7-23; 1ª Jn. 1:5-10; 5:16, 17) pero anulado su dominio gracias a la victoria de Jesucristo y a la acción del Espíritu Santo (Ro. 7:24, 25; 8:1-12 cf. 1ª Jn. 5:16-18).

La Palabra contiene todas las características que el ser humano necesita para evitar los problemas que inciden negativamente en el desarrollo de su persona y en la prosecución de su razón de ser, o para enfrentarlos adecuadamente mediante un enfoque correcto (Ro. 15:4; 2ª Ti. 3:15-17, Jn. 17:17). Desde su situación como individuo, o como formando parte de una familia hasta el entorno social. Partiendo de principios válidos para la salud mental y física como para prevenir actitudes antisociales o inmorales. Elementos educativos para poder llevar a cabo el plan de Dios para el matrimonio, su relación social como para su vida espiritual respecto de él mismo y de Dios.

Todo lo que precisa para su existencia en la tierra, a pesar de la triste historia del pecado, está a su disposición en la Palabra de Dios (Éx. 20:1 ss.; cf. He. 8:8-10; Ro. 8: 26-39).

La Presencia de Dios mediante su Palabra me expone la causa del sufrimiento, del mal y de la muerte. Me demuestra con detalles profusos y documentados que mi personalidad, debido al origen del mal, proyectado en esta tierra, ha sufrido un deterioro irreparable, y que sólo sometiéndome al Plan de Dios expresado en su Palabra, puedo solucionar mi problema existencial (He. 4:12).

La Palabra profética justifica con la presencia Divino-Humana del Hijo de Dios, del Verbo hecho carne, de Jesucristo, la Presencia de Dios tanto en el pasado como en el presente y en el futuro, por cuanto anuncia tres efectos que no podrán pasar inadvertidos en la historia: El cumplimiento de esa Palabra profética en lo relativo a la Venida del Hijo de Dios, es decir del Mesías Jesús de Nazaret, además de lo relacionado con la visibilidad del Reino o Gobierno de Dios actuando en la historia; y la actuación del Poder del Espíritu Santo en la Iglesia y en el ser humano.

5. La Existencia de Dios mediante la Presencia de su Hijo

Independientemente de la realidad de la humanidad de Jesús de Nazaret, la identidad de Jesucristo con Dios está fuera de toda duda si nos atenemos al texto bíblico.[5]

No sólo posee los atributos de la Deidad como el de la eternidad (Jn. 1:1; 1ª Jn. 1:1, 2), sino que Jesús tiene conciencia de su preexistencia y de haber sido el Yahvé que se aparece a Abraham (Jn. 8:56-59 cf. Gn. 18:1ss.; 19:1ss.), se trataría del Mesías cuyo origen es eterno (Mi. 5:2), y que ha venido a mostrar al Padre (Jn. 1:18; Jn. 14:6-11).

Todos los rasgos más importantes de la persona y misión del Mesías, junto a su muerte y resurrección son contemplados por la profecía cumpliéndose de un modo magistral en la persona de Jesús de Nazaret.[6]

Si Cristo es real como nos confirma la historia,[7] alguna explicación debemos dar a su existencia atestiguada proféticamente cientos de años antes. Sólo recurriendo a las fuentes podemos comprender el sentido y el significado

---

[5] Profundizamos en la persona de Jesucristo en la obra del autor *"Jesucristo sin más (El Mesías y su persona divino humana identificada con Jesús de Nazaret)"*. Puede verse también *Manual de Controversia sobre ... y los Testigos de Jehová*, CLIE, Terrassa-Barcelona 1994.

[6] Ver íd..

[7] Respecto a la historicidad de la persona y existencia de Jesús, independientemente de las fuentes primarias como son los evangelios canónicos podemos comprobar varios textos extrabíblicos: a Josefo (historiador judío), al Talmud judío, y a Suetonio en Su Vida de los Césares (historiador romano) (ver sobre esto y otros testimonios históricos a Juan Carlos Priora, en *Juventud*, Marzo 1972, pp. 3-6; *MA*, Julio-Agosto 1956, pp. 4, 5; también a Roderic Dunkerley, *Más Allá de los Evangelios*, Plaza Janes, Barcelona 1966, pp, 39, 40; Wolfgang Trilling, *Jesús y los problemas de su Historicidad*, ed. Herder, Barcelona 1978; J.A. Sobrino, *Así fue Jesús*, BAC, Madrid 1984). Aunque no compartimos toda la tesis puede consultarse *Jesús, un Campesino Judío*.

de la **presencia** de Jesús de Nazaret como el Mesías prometido.[8] La presencia de Jesucristo como el Hijo de Dios y como el Verbo eterno, es la respuesta de Dios a los que demandan pruebas.

La única que podía darse es ofrecida de la manera más objetiva posible: haciéndose presente la existencia.

Dios ha optado por el único camino: el comunicarse con el hombre por medio de su Palabra tanto escrita como hecha humana. Cualquier otro método es inservible y factible del engaño sin posibilidad de comprobación.

El **conocimiento** que nos propone la Biblia es totalmente dispar a la *gnosis* de la New Age. El primero tiene que ver con el conocimiento de un Dios personal a través de Jesucristo y de la Revelación que El mismo suscribe (Jn. 17:3 cf. 17:17; 5:39; 8:31, 32; Ap. 1:1-3; 1ª Jn. 1:1, 2; Mt. 22:29); el segundo es fruto de la especulación humana con una ventana abierta a influencias ajenas a la Palabra del Dios verdadero (1ª Jn. 4:1).

La propuesta de Jesús es la de buscar el Reino de Dios (Mt. 6:33), es decir el Gobierno de Dios, los principios que rigen en el Gobierno de Dios. Dichos principios están enumerados en el Evangelio y en el resto del Nuevo Testamento.[9]

La New Age propone con una mente secular alimentada de la gnosis, un reino humano sin referencia a un Dios personal.

6. La Existencia de Dios mediante su Presencia a través del Reino de Dios en la Historia y en la Iglesia

La Historia se ha tenido que rendir ante la irrupción del Reino de Dios. Ciertos acontecimientos históricos se han dado porque el Gobierno de Dios ha intervenido en la historia humana de acuerdo al propósito que el Soberano Rey de reyes tiene para con su Pueblo. Todo ello lo ha anunciado previamente en la **profecía** para que nadie pueda aducir ignorancia.

Los reinos de este mundo junto a cierta actitud humana, entran en conflicto con el Reino de Dios, y se oponen a su manifestación y contenido; sin embargo acontecen situaciones, y ciertos paréntesis en los que el Reino de Dios a través de su Pueblo no encuentra obstáculos serios para su propagación.

---

[8] Un estudio sin prejuicios impedirá identificar a Jesús de Nazaret como habiendo pertenecido a la Comunidad de los Esenios. Esta hipótesis, defendida sin fundamento por algunos representantes de la New Age queda totalmente abortada cuando se analizan las diferencias esenciales. Los elementos comunes, que los hay, son los mismos que podrían encontrarse entre Jesús y un judío ortodoxo de su época. Es lógico que aparezcan ciertos nexos, pero no porque haya una relación entre Jesús y la Comunidad Esenia, sino porque tanto Jesús como la Comunidad Esenia y otros grupos judíos se basan en el Antiguo Testamento.

En un estudio excelente por Antonio González Lamadrid (*Los descubrimientos del Mar Muerto*, BAC, Madrid 1973), se deja bien claro que Juan el Bautista, la comunidad primitiva y sobre todo Jesús de Nazaret se diferencian de la Comunidad Esenia, pudiéndose decir que no tuvieron que ver nada con ella (pp. 255 ss., 271, 272, 281). Al comparar a Jesús con el llamado Maestro de Justicia que aparece en los escritos de Qumran las distinciones irreconciliables se amplían (pp. 275-280).

[9] Ver el capítulo V.

De cualquier forma la **profecía** deja constancia de la actividad de ese Reino de Dios, y de su curso a través de la historia de las naciones, y de los Sistemas, que de un modo o de otro se oponen a Dios, y a su Gobierno. En la próxima Sección tendremos oportunidad de mostrar cómo nos presenta la profecía las claves fundamentales de la historia humana para visualizar el Reino de Dios en ella y su instauración definitiva al final de los tiempos.

Dios ofrece, en la profecía, un panorama de la historia, desde su principio hasta su final, con los aspectos más sobresalientes que marcan las pautas del trayecto humano en contraposición a la voluntad divina, y muestra la forma en que proyecta sus juicios hasta el momento culminante en que se dará fin al sufrimiento, a la enfermedad y a la muerte.

7. El conocimiento Dios como una Persona que crea y redime, y que no quiere el mal ni la enfermedad: Existencia-Presencia y Soberanía-Eternidad de Dios

El mundo en general **no conoce a Dios** (Jn. 8:19 cf. Jn. 1:10), incluso hay muchos que no creen en su existencia (cf. Sal. 14:1). **La Creación, aquello visible que se puede conocer** del Dios invisible (Ro. 1:19, 20) era un testimonio real de la existencia de Dios. Pero habiendo **conocido** esa realidad de Dios (Ro. 3:21 pp.), **no Lo aceptaron como tal** (1:21 pp.), no quisieron reconocer en eso al Dios personal y trascendente (Ro. 1:28 pp.). Antes bien **se ofuscaron en vanos razonamientos, entenebreciéndose su corazón** (1:21 úp.), y el Dios verdadero los dejó libres con su mente depravada (1:28 úp.). Era, a pesar de la actitud errónea y pecaminosa del hombre, el resultado del respeto hacia su obra creada en libertad. Pronto comprenderían que esa auto-independencia respecto de Dios iba a frustrar la naturaleza de la libertad con que Dios había impregnado a la humanidad (cf. Ro. 1:28-32).

La noción Dios es un objeto alcanzable naturalmente pero el deterioro producido por lo que la Escritura denomina **pecado** o **rebelión contra Dios** (Ro. 3:9), ha introducido la confusión de tal manera, que la posibilidad de aprehenderlo naturalmente **no conduce a nada práctico** ni satisfactorio, incluso la alteración provocada en el raciocinio puede llevar al hombre a su negación. Con la sola razón es imposible valorar adecuadamente lo que implica y significa Dios (cf. Ro. 3:10-18).

Lo que se evidencia es que **el ser** no puede demostrarse con el método científico porque no entra en esa categoría.

a) La Seguridad de la Existencia de Dios

Los **seres** se **demuestran** mediante sus **presencias** tal como ya hemos indicado, pero ¿qué decir del ser que existe y, aun haciéndose presente, no se le reconoce por la obcecación de elegir el camino del racionalismo que prescinde de la Revelación? Se da la posibilidad de existir aun cuando no te hagas presente a todos.

Dios se ha hecho presente por Jesucristo, el Reino de Dios y la Profecía (cf. Jn. 1:18; Mr. 1:14, 15; Dn. 2:27, 28; Is. 45:11).

La existencia de Dios se evidencia como la de un sujeto insuprimible, **poniéndose** así mismo **frente a mi conciencia** (no como fruto de mi conciencia).

El asunto es, si Dios existe ¿cómo puedo llegar a su existencia? Es decir, es **el ser** que quiere desde siempre hacerse presente, al que debo dejar que sea Él, y no otro, quien decida cómo hacerse presente, inteligible y existente.

Siendo que la creencia en Dios es algo que se da en unos, y no en todos, se ha de admitir, al menos, que la naturaleza humana puede responder a la realidad de la creencia en Dios motivada por un estímulo que nos lleva a creer a algunos. **Hay algo** que ocasiona al raciocinio la necesidad de creer.

Nuestra razón se ve limitada cuando no le damos todas las opciones que nos pueden llevar a creer o a comprobar.

Si el no creyente ateo o agnóstico **rechaza** la comprobación de *eso* que a algunos nos hace creer convencidos, no podrá afirmar con seguridad que Dios no existe.

La Biblia asegura ser el vehículo de la Revelación que el hombre necesita (cf. He. 1:1; 1ª Ti. 3:15-17). La Revelación es una alternativa que si se rechaza **jamás podrá decirse** que la Biblia **no es lo que afirma ser**. Para la comprobación es preciso atenerse a las reglas que plantea lo que quiere demostrarse como Revelación de Dios.

Dios se ha hecho presente mediante la Creación manifestando su Poder. Pero la mente pervertida ha cuestionado el origen divino de la Creación.

Dios se ha hecho presente por medio de su **Palabra** (Jn. 1:1-3; 1ª Jn. 1:1, 2; He. 1:1, 2) recogida en la Escritura sagrada, para declarar los principios que rigen su Reino o Gobierno. Pero es preciso estudiarla con devoción y detenimiento, cumpliendo estrictamente las condiciones y normas exigibles para una correcta comprensión, puesto que el Maligno ha gestado una línea interpretativa propia, oscureciendo su contenido y sentido.

Dios se hace presente en la Historia con su Reino pero es imprescindible una puesta a punto de la **profecía** para reconocer el hilo conductor (cf. Dn. 12:3, 4, 9, 10; Ap. 1:1-3), ya que una llamada Cristiandad apóstata ajena a lo puramente evangélico ha tergiversado y enmarañado la historia.

Si Dios se ha hecho presente mediante Jesucristo, dándonoslo a **conocer** (Jn. 1:18), es urgente e imprescindible profundizar en la persona y obra de Jesucristo.

Jesucristo es la prueba de la existencia de Dios. Dios se ha hecho presente mediante su Hijo para revelar que su Naturaleza corresponde a una **Persona trascendente** (cf. Jn. 14:1-6; Fil. 2:5-8). Dios se descubre en nosotros de forma permanente mediante la obra del Espíritu Santo (Jn. 15:26; 16:13-15).

Se trata de un Dios personal (Mt. 28:19), Creador (Gn. 1:1) y Trascendente. La personalidad de Dios rompe la estrategia de las espiritualidades ateístas como el Budismo y otras concepciones orientalistas y occidento-orientalista como la Nueva Era. La Creación destroza la idea de la eternidad de la materia. La trascendencia quiebra a cualquier filosofía panteísta.

Pero Jesucristo nos exige que **conozcamos** al Dios verdadero (Jn. 17:3 cf. 1ª Jn. 5:20), es decir a su Padre y a Él mismo con el Espíritu Santo (cf. 1ª Co. 2:12-15; Jn. 13:20; 20:22).

Y aquí está la clave de la existencia de Dios, y el único método plenamente válido.[10]

Jesucristo que nos revela a Dios (Jn. 1:18) y nos lo ha hecho presente (Jn. 14:7) nos insta a experimentar a Dios en nuestra existencia, pero obsérvese que no se trata de una situación subjetiva, fruto de una experiencia a la que cada uno está capacitado con su propio conocimiento individual, como la gnosis del pasado y del presente propone, sino que debe ser encauzado por la **Verdad** que Jesucristo formula (cf. Jn. 8:31, 32) y que el Espíritu Santo inspira proyectándola por escrito (Jn. 14:16, 17, 26 cf. He. 1:1, 2; 1ª Ti. 3:15-17). Ese verdadero conocimiento se exteriorizará, guardando su Palabra y mandamientos (1ª Jn. 2:3-6).[11]

La causa por la cual la «razón» secular y la «fe» no se avienen, es el pecado. El hecho de que los postulados científicos llevados a su radicalidad planteen hoy una cierta irreconciliabilidad con los presupuestos de la Fe obtenidos de la Revelación escrita es fruto de la nueva situación originada tras el pecado. El hombre al querer independizarse de la tutela divina (Gn. 3: 1-6) trajo una alteración profunda en su modo de pensar y de razonar (cf. Ro. 1:22-25) por cuanto el ingrediente de la Fe en Dios ya no aparecía de un modo natural en ese cerebro por el que el conocimiento sobre Dios podía darse.

En efecto, el pecado ha producido una fisura de tal envergadura en lo racional que ha provocado una distinción entre la Fe y la propia Razón, cuando en la realidad de la Creación estaban inseparablemente unidas

Si queremos que lo que Jesucristo expresa respecto a **conocer a Dios** sea una realidad en nuestras vidas **necesitamos creer que existe** (He. 11:6 úp.), y esto únicamente puede lograrse por la fe (He. 11:1-3). Pero la *Fe* se ha

---

[10] En la disputa de Karl Barth (*Dogmatique* I/1, op. c.), por ejemplo frente a Scholz (*Wie ist eine evangelische Theologie als Wissenschaft mölich?* Zwischen den Zeiten, 9, 1931, pp. 19 y ss.) (ver también a Wolfhart Pannenberg, *Teoría de la Ciencia y Teología*, Ed. Cristiandad, Madrid 1981, pp. 274-304 y ss.) sobre su punto de vista de la adecuación de la teología al objeto, se observan claramente los vacíos que se imponen cuando se quiere trasladar a la teología al campo de lo científico. Pero Barth ha sido muy claro (*Dogmatique* I/1, p. 6ss.), no sólo en rechazar el postulado de contrabilidad y el principio de contradicción por muy universal que se le pueda catalogar. La teología sería ciencia para Barth en el sentido «de esfuerzo humano por la verdad, que persigue un determinado objeto por una vía de conocimiento en sí consecuente» (*Dogmatique* I/1, op. c., p. 6).

Que ¿qué significa una vía de conocimiento en sí consecuente si se niega la validez universal del principio de contradicción? (W. Pannenberg, *Teoría de la Ciencia y Teología*, op. c., p. 280).

Conocer implica el utilizar todos los medios que son asequibles a mi razón, aun cuando alguno de ellos me exija el rechazo de todos los demás. La propuesta de la Revelación es la de centrar mi razón en los contenidos de lo que se me presenta como Palabra de Dios, y comprobar si ésta, mientras yo asumo su mensaje positivamente, hace surgir el efecto de lo que los contenidos pretenden. Un conocimiento consecuente es aquel que estudia la causa de la desconexión de lo racional y científico respecto de la Fe, y que procura, una vez encontrado, someterse al *juicio* que los ajusta y reconcilia.

[11] Ver a Raymond E. Brown (en *El Evangelio según San Juan*, vol. II, op. c., pp. 1019, 1020), donde explica la distinción de este conocimiento que propone Jesús y el de los gnósticos.

desconectado de la **Razón** como consecuencia de que el protagonista humano afirmó la autoindependencia respecto de Dios (1ª Co. 1:21). Y es preciso reparar la brecha conectándolas de nuevo. Y esto se consigue mediante la iniciativa divina a la salvación del hombre y de su reconciliación con Dios (cf. Jn. 16:8, 9; Ro. 5:1, 2, 5, 6, 8-11, 12-19; **1ª Co. 1:21-30; 2:1-8**).

La Fe, como ya hemos mostrado, no es ninguna sustancia que entra a formar parte del hombre como si fuera una especie de ente suelto, sino que es un don que te otorga Dios (cf. 1ª Co. 12:9 pp.) resultado de oír o leer la Palabra de Dios (Ro. 10:17). Es esa lectura o ese oír, realizados con oración ferviente (cf. Jn. 14: 13, 14; Lc. 11:9-13) que permite desarrollar la Fe. La Fe llega a ser entonces **la prueba** y la **convicción** de lo que no se ve.

He aquí porque el hombre natural no puede percibir del mismo modo que el espiritual la vislumbre real de la existencia del Dios Verdadero. Pero todos estarían capacitados, si lo quisieran, a alcanzar el mismo objetivo.

b) Conocer a Dios (Jn. 17:3 cf. 14:16, 17)

Jesucristo nos insta a **conocer** a Dios porque esto supondrá la **Vida Eterna**. El verbo empleado implica una experiencia profunda, continua y progresiva, y que sólo en contacto con la Palabra de Dios escrita se puede realizar (cf. Jn. 5:39; Jn. 8:51, 52, 55; 14:15, 23, 24; 15:10, 20; 1ª Ti. 3:9; 5:21; 6:14, 20; 2ª Ti. 1:13, 14; 1ª Jn. 2:3, 4, 5; 3:22, 24; Ap. 3:8, 10; 12:17; 14:12; 22:7, 9).

Puesto que la Vida Eterna depende de **conocer** a Dios, nuestro Padre, y a Jesucristo su Hijo, esto es lo más apropiado para la desesperanza y angustia que manifiesta la humanidad. La Vida Eterna es un don de Dios que se opone diametralmente a la no existencia, y es recibido únicamente si **conocemos a Dios y a Jesucristo**. La solución a nuestros problemas y preocupaciones con lo que implica la enfermedad y el sufrimiento depende de **conocer a Dios y a Jesucristo**.

La idea de Dios había sido tan oscurecida y tergiversada que aun los que creían concebían un dios iracundo. A un dios que recordaba las acciones de los hombres, dispuesto a castigar. Un dios que se había olvidado de la problemática humana: hombres y mujeres abandonados a su suerte y desgracia.

Aun cuando en el Antiguo Testamento se nos presenta a Dios de forma distinta a la descrita, es Jesucristo quien nos ofrece una visión completa y correcta de Dios El Padre. ¿Qué Dios nos presenta Jesucristo?

c) Conociendo al Dios de Amor y Misericordioso se experimenta su existencia (Jn. 3:16)

c1) El Dios de Amor en la Creación[12]

---

[12] «El amor es la única razón que se pueda descubrir para explicar el acto de la creación: Dios creó para tener un objeto que amar» (Ruben Saillens, en *Le Mystère de la foi*, 1931 p. 87).

No se trata de que Dios tuviera necesidad del mundo o de la creación: su creación es un puro efecto de su amor (cf. Sal. 136:4, 5).

Aun cuando el amor sublime lo manifiesta Dios rescatando al hombre de la muerte eterna es necesario que comprendamos que ese amor es tan solo la culminación de una amor profundo y continuo que se manifiesta para nosotros en su **decisión eterna** de *crear al ser* (cf. Gn. 1:31; 2:1-3; 5:1, 2; Jer. 31:3; 1ª Jn. 4:8; Mt. 5:43-48).

La **libertad** de los seres creados es una prueba del gran amor de Dios. Dios al amar no crea una máquina que obedeciera a impulsos programados y codificados. **Crea un Ser con capacidad decisoria propia**, con **capacidad de respuesta** a la confianza que el amor divino había manifestado. Dios crea un ser con una potencialidad tal que pudiera libremente razonar y comprobar que su procedencia era fruto del Amor de Dios. La naturaleza creada estaba diseñada para que el ser se gozara de su creación, y poder así contemplar al Artífice divino.

Por un lado Dios, había creado al ser con toda las facultades para que se reconociese a su Creador, y respondiese al Amor divino. Por otro lado esas facultades implicaban el razonar inteligente y libremente. Dios quería y quiere que el Ser responda convencido, y de acuerdo a ese propósito en el que está integrada la libertad.

El gesto lleno de amor por parte de Dios, y la propia naturaleza del ser creado, no pueden más que rendirse a ese acto divino de amor. No podían hacer otra cosa que aceptar como criaturas a su Creador.

No puedo comprender ni explicar satisfactoriamente con mi mente finita el por qué uno de los seres creados decidió libremente independizarse de ese Dios que había sido su Creador. Y decidiera hacer un mal uso de esa libertad. Me basta conocer, por un lado, **que existo**, lo cual es para mi una experiencia llena de sentido y significado, puesto que me ha dado oportunidad a **conocer** a un Dios que decidió soberana y amorosamente **crearme**; y por otro, me es suficiente saber la actuación posterior respecto a la rebelión de una cierta criatura, y que el mismo Dios ha querido revelarnos, convenciéndome y

---

Karl Barth matiza e incluye la creación *ex nihilo*:

«Dios hizo surgir, junto a él, una realidad diferente, distinta de él, la criatura, sin necesidad, en la libertad de su omnipotencia y la superabundancia de su amor. La creación es una gracia (...) Dios confiere a lo que no es él el privilegio del ser, le da una realidad propia, una manera de ser y la libertad del estado de criatura (...) La realidad que Dios le confiere reposa sobre una creatio ex nihilo, en una creación a partir de la nada (...) ninguna materia prima (...) Si ahora nos preguntamos cuál es el propósito de la creación (...) yo no conozco otra respuesta que todo eso tiene que servir de escenario para la gloria de Dios. Que Dios sea glorificado, ése es el sentido de toda la realidad» (*Esquisse d'une dogmatique*, Neuchâtel 1950, pp. 35, 51, 52, 55)

Sobre la creación sin materia preexistente ver Tomás de Aquino (*Summa contra Gentes*, II, 17).

Esta concepción cristiana metafísica ataca frontalmente tanto al **panteísmo** («todo es Dios» como fruto de un desarrollo o una emanación o determinación de la sustancia divina) como al **dualismo** (que hace surgir una materia coeterna al propio Dios). La noción de Creación judeocristiana impide semejantes sistemas:

«El sentido propio de la palabra crear (*bara'*), es hacer pasar del interior al exterior, realizar en el exterior lo que está presente en la mente. Esta palabra «creó designa el acto fundamental, condición de todos los siguientes; la producción de la materia prima universal de donde se han sacado, por vía de organización sucesiva, los cielos y la tierra. Así que ante todo se niega la independencia de la materia, de ese principio ciego que en todos los sistemas antiguos coexistía eternamente con la divinidad, y, como un insuperable obstáculo, entorpecía el esfuerzo de la voluntad divina y humana para realizar el bien perfecto» (Fréderic Godet, *Etudes Bibliques*, 5ª Ed., Neuchâtel 1900, t. 1, p. 112).

satisfaciéndome plenamente, continuando a mi lado, cuidándome, amándome y salvándome.

c2) El Dios de Amor frente al origen del Maligno[13]

Aun cuando Dios se encuentra mediante su **presciencia** que su decisión soberana de Crear va a enfrentarse con la disyuntiva del pecado (o rebeldía), originado primero con Luzbel y después por la humanidad, **el gran amor de Dios sigue adelante** a pesar de que el pecado iba a lacerar su propio corazón. La creación perfecta de Dios (Gn. 1:31 cf. Ez. 28:15), por ser perfecta implicaba un riesgo: el riesgo de la libertad. El problema no está en la libertad misma sino en la *libertad* de usarla incorrectamente.

El **amor de Dios** no sólo se manifiesta en la **Creación**, *se expresa* en su actuación y tratamiento *con el origen del pecado.*

Cuando Luzbel decidió suplantar a Dios, falsificar la ideología divina, independizarse, tergiversar la voluntad divina, y trastocar los planes de Dios

---

[13] La existencia del mal físico y moral es una constatación. La Biblia nos presenta, además del mal como ausencia del bien, a una "Fuerza inteligente", a una Personificación que se opone a Dios. Se trata de un ángel caído (Ap. 12:7-12 cf. 2ª Co. 11:14; Ez. 28:13-19 {que tras la figura del rey de Tiro hace su aparición un "querubín"}), de una potestad espiritual aérea de maldad (Ef. 2:1, 2; 6:12).

Aparece por primera vez en Génesis 3:1-6 (cf. Ap. 12:7-12 y Ez. 28:13). Se trataría de un ente inteligente que utiliza a la serpiente como médium. P. Van Imschoot (*Teología del Antiguo Testamento*, edic. Fax, Madrid 1969, p. 181), nos refiere lo siguiente en relación a la serpiente:

«Es preciso admitir, pues, que la serpiente es un animal demoniaco (...).

(...) Este animal demoniaco está dotado de malas disposiciones hacia el hombre, ya que a ciencia y a conciencia le engaña, y le impulsa a desobedecer a Dios (Gn. 3:5, 13), (...) a quien le acusa de celos y mentira (Gén. 3:4, 5). Aparece, pues, como el adversario de Yahwé y del hombre, a quien induce a la tentación».

Edmond Jacob en su *Teología del Antiguo Testamento* (Marova, Madrid 1969, p. 71), denomina a la figura de Satanás como un antidios, y que en 1ª de Crónicas 21:1 y ss., se cristaliza su "nombre" y actuación opuesta a Dios y al hombre.

En el libro de Job, aparece como acusador y adversario (1:6 y ss. y 2:1 y ss.), y en Zacarías 3:1, 2 y ss., se presenta como una fuerza inteligente que trae acusación e infortunio.

Un especialista en demonología Merril F. Unger (*Los Demonios según la Biblia*, edic. las Américas, México 1974, p. 158) nos dice:

«Aun cuando la actividad demoniaca ha sido innegablemente grande en la historia humana desde que el pecado de nuestro primeros padres expuso a la humanidad a sus ataques perniciosos, la demostración completa e incremento de su poder destructivo están reservados para la consumación de los siglos. El demonismo mantiene una relación muy estrecha con las profecías escatológicas, y la humanidad toda, judíos, gentiles y la iglesia de Dios, serán afectados honda y vitalmente por este resurgimiento en los últimos días de las fuerzas del mal sobrenatural>>.

Puede consultarse al especialista vaticano en asuntos de demonología Corrado Balducci en *La Posesión Diabólica*, edic. Martinez Roca, 1976.

Dicho autor declaró al Diario *El País*: «Existe el demonio y se dan caso de posesión diabólica» (9-4-1981, p. 31). Y añade en otro momento de la entrevista «(...) Pablo VI creía en el demonio y también Juan Pablo II acaba de hablar de él a los universitarios franceses en Roma» (*El País*, íd.,). Corrado Balducci es miembro de la congregación de 'Propaganda Fide' y prelado de honor del Papa.

El teólogo español que fuera decano de la Facultad de Teología de la Universidad de Comillas, Joaquín Losada de Espinosa declaraba en un artículo debate en la *Revista Blanco y Negro* (7-2-1976, p. 42), refiriéndose a la existencia del mal: «Las religiones, entre ellas el cristianismo, han recurrido, como razón última originaria, a un principio personal inteligente: el demonio. La teología sigue teniendo hoy razones serias para seguir afirmando la existencia del demonio».

Sobre el problema del Mal y su personificación puede consultarse a Charles Journet, *El Mal*, Edic. Rialp, Madrid 1965.

Puede consultarse una antología de textos seleccionados en *Le Mal* de Pol Gaillard, Univers des Lettres, Bordas, París 1971.

(cf. Ez. 28:13 y ss.; Gn. 3:1-6; Ap. 12: 7:12; Jn. 8:44; Ef. 2:1, 2; 6:12; 2ª Co. 11:18; Jn. 12:31; 16:11; 2ª Co. 2:4; 2ª Ts. 2:9 y ss.), **Dios responde con amor.**

La actitud del Maligno había sido la de criticar **el Gobierno de Dios**, la de insinuar que no había auténtica **libertad** para hacer lo contrario a lo que Dios demanda,[14] sin que esa actitud maligna fuese respondida por Dios con el castigo y la destrucción.

La respuesta divina a la actitud pecaminosa de Luzbel fue la del amor: no sólo no lo destruyó sino que además puso al descubierto las verdaderas motivaciones del Adversario, **lo que es en realidad la libertad** y lo que regula esa libertad.

1) *¿Cómo una cosa perfecta puede dar lugar a la imperfección del Mal? (cf. Ez. 28:15)*

Ésta es una de las cuestiones que muchos se plantean. La perfección[15] no deja de serlo por cuanto se inicie algo contrario al Plan de Dios. Porque el Plan de Dios está delineado en un régimen de auténtica libertad.

Perfecto, entre otras cosas, es todo aquello que como fruto de su concepción puede responder a su propósito y objetivo. La perfección del ser esta dominada por su libre albedrío. La perfección de la obra creada por Dios reside en que mediante una elección moral y personalmente libre te convences y ejecutas el propósito y designio de Dios.

El hecho de que exista la opción posible de no escoger, en libertad, el propósito y designio de Dios, se afianza la obra de Dios como perfecta, porque es lo que determina la diferencia que existe entre la libre decisión y el automatismo, y es lo que descubre la noción de **responsabilidad**. Si Dios quería hacer algo auténticamente perfecto que pudiera responder al amor que proyectaba, tenía que ser a costa de crear un Ser libre. Pero únicamente negando en su totalidad lo que implicaba y regulaba la libertad, *aislando* la libertad del resto de lo que supone **ser** un *ser humano* podía hacer surgir una alteración contraria al Plan de Dios y de la que al ser se hacía responsable.

Si no hay libertad y responsabilidad no hay perfección, y en la obra de Dios estos dos elementos destacan.

---

[14] Estas aseveraciones están confirmadas por la actitud de Satanás (**adversario**) que se desprende de la lectura de todos los textos bíblicos.

[15] Cuando hablamos de perfección no lo decimos en el sentido absoluto puesto que el hombre parte de una posición que tiene la posibilidad de irse *perfeccionando*. El ser humano tenía que aprender y desarrollarse desde un estado humano inferior a otro superior. Precisaba perfeccionarse mediante el conocimiento de Dios progresivo. Ahora bien, era perfecto en cuanto al cumplimiento del propósito por el cual había sido creado. Y dotado de una libertad iluminada por el Bien.

Es precisamente con la libertad que se hace presente la perfección moral: la posibilidad de poder tomar decisiones absolutamente voluntarias. Era perfecto porque poseía todo lo necesario para llegar a serlo. Cuando un ser, en este caso criatura humana, tiene la capacidad de responder a la realización de su destino moral, reconociendo completamente la voluntad de Dios, y en esa dependencia ejercita su voluntad para progresar en la Santidad de Dios, se puede aludir a la noción de perfección, y es en ese aspecto que mencionamos para el hombre el ser una creación perfecta.

2) *¿Pero cómo es posible* lo imposible *de un mal uso de la libertad?*

El surgimiento de Satán repercute en la historia de tal modo que se hace necesario un Plan que explique a lo seres finitos el comportamiento de Dios.

En el **origen de Satán** está implicado lo que su propio nombre indica: lo adversario u opuesto. En efecto, su nombre traduce lo que involucra el siguiente pensamiento: ¿Qué hay en lo *opuesto* de lo que dice Dios como bien? ¿Qué se oculta en lo contrario a lo que Dios dice que hagamos? El planteamiento de estos pensamientos es una evidencia de la funcionalidad de la libertad. La Revelación nos presenta el error de Luzbel como un desligarse de su calidad de Criatura. Si la presencia de estos razonamientos pudo darse, de acuerdo a lo que su nombre expresa, en ningún lugar se dice de que Luzbel consultara a Dios, todo lo contrario (Ap. 12:7-12 cf. Ezq. 28:13, 16, 17, 18). Es la afirmación de su autoindependencia (cf. Gn. 3:5) lo que sobresale y lo que llevó a Luzbel a asumir una posición contraria a Dios.

Si se observa detenidamente en el conflicto cósmico que Satán mantiene constantemente con Dios (cf. Ap. 12) se traslucen y prevalecen dos ideas en forma de sofismas: *El Gobierno de Dios es injusto,*[16] y esto fundamentalmente porque **no hay auténtica libertad, puesto que no puedes hacer lo que quieres sin que haya castigo.**

Luzbel **no quiso depender de Dios** cuando la Criatura responde a un designio y a una naturaleza. La libertad está íntimamente unida al conocimiento de los límites de tu naturaleza.[17]

La libertad está inseparablemente ligada a una naturaleza de criatura. Y por lo tanto hay una dependencia del Creador. No puedes traspasar los límites de **criatura** sin sufrir las consecuencias. Es imprescindible esa asunción de **dependencia**. La **dependencia** está incrustada en la personalidad de la criatura, y es la clave para comprender la razón de la rebelión: **escoger la autoindependencia** a sabiendas de su **dependencia**. La noción de Criatura, de la que es consciente el individuo creado, no puede rechazarse sin que surja un deterioro de la propia naturaleza del ser, y sin que recaiga sobre él todo el peso de la **responsabilidad**. La experiencia de Satán, contra toda lógica y voluntad de Dios, ha sido la de querer demostrar *que todo funcionaría mejor* **sin tener en cuenta su origen finito.** Esto es erigirse como Dios. Las consecuencias trágicas que este proceder ha tenido para la humanidad ha sido suficientemente y desgraciadamente experimentado por el hombre.

Dios regula la libertad mediante leyes y principios justos para evitar la avería de todo el sistema del ser. La señal de que algo anómalo ha ocurrido

---

[16] Un estudio de Apocalipsis 12 nos pondría en evidencia la historia del Reino de Dios a partir del límite en que el Israel de Dios acontece en la época de Jesucristo. Ahí aparece el Dragón identificado como guerreando contra ese Reino o Gobierno de Dios.

Esa actitud continuamente opositora del Maligno registrada en numerosos lugares (ver Concordancia) nos muestra su punto de vista respecto al Gobierno de Dios.

[17] Ir en contra de las leyes de la gravedad supondría, por ejemplo, para el ser humano no tener en cuenta esos límites de la naturaleza humana, y la posible destrucción de éste.

es el **sufrimiento** que se evidencia cuando no se cumple el propósito para el cual fue diseñada dicha libertad.

La libertad **no es el hacer** lo que a uno le de la gana. Consiste, en base a su noción y reconocimiento ineludible de criatura, en conocer y comprender las leyes que rigen entre el Creador y la Criatura, y **en el propio ser criatura**, y de ese modo cumplir el propósito divino.

La propia capacidad decisoria está orientada por la integración de la **dependencia**, imposible de escamotear, a no ser abjurando de la condición de Criatura. Y si bien en la libertad está la posibilidad de escoger lo contrario a la voluntad de Dios (voluntad que define el propósito de lo creado), la verdadera cualidad de la libertad está en coincidir con lo que supone la noción de criatura y de **ser dependiente**, que se manifiesta cuando se sujeta a principios y leyes que evitarían el sufrimiento y el descalabro de la naturaleza creada. Únicamente alterando y transgrediendo voluntariamente esas leyes o principios del Gobierno o Reino de Dios podía estropearse la naturaleza del ser.

Nunca debemos de olvidar cuando profundizamos en este misterio insondable que existían dos opciones en la Creación divina de los seres inteligentes: la de crearlos dotados de la libertad o la que supone ser una especie de robot.

En lo primero hay la posibilidad, mediante el rechazo de la propia cualidad esencial que determina la verdadera libertad y que ya hemos explicado, en que se haga, responsablemente, surgir lo contrario del bien. Está posibilidad *imposible de realizarse* mientras el ser no se desprenda **voluntariamente** de su condición de criatura y dependiente, demuestra, por un lado la existencia de la libertad, y por otro que hay un orden con principios que determinan **el uso de la libertad**, por cuanto si no responde su utilización a esos principios y leyes se daña a la naturaleza de criatura. De todo esto era consciente **el ser creado** por cuanto todo ello entra a formar parte de su constitución. Y aquí está la **perfección**: crear un ser inteligente con libertad, y que ante lo *imposible del Mal*, que Dios había marcado en una constitución y proyección del ser libre, **de hacerse posible**, como fruto precisamente de esa obra perfecta en la que está implicada la libertad y la voluntariedad del ser creado, **la responsabilidad**, de ese engendro imposible por Dios, habría que achacarlo al ser creado que la libertad le constituye en un ser responsable.

Satán **no es creación de Dios**. Dios no crea el Mal porque el Mal no puede existir por Creación.[18] El Mal sólo puede venir a la existencia a partir de la

---

[18] ¿Cómo entender el pasaje de Isaías 45:7?

Dios **no puede ser** el creador del Mal porque **lo que es bueno** (Mt. 19:17; Sal. 25:8; 110:5; Neh. 1:7) únicamente **puede crear** lo bueno (Gn. 1:10, 12, 18, 21, 25; 1:31; 1ª Ti. 4:4). La Verdad y la Justicia y la Bondad es lo que caracteriza a su Gobierno y Ley (Ro. 7:16; 3:7; Jn. 3:33). Dios es Todopoderoso (Gn. 17:1; Job. 37:23).

El contraste respecto a Satanás es concluyente:

El Mal **no es de Dios** (3ª Jn. v. 12). El Mal o el pecado es del Diablo (1ª Jn. 3:8). Satanás o el Diablo es padre de la mentira y la verdad no está en él, siendo enemigo de toda justicia (Jn. 8:44; Hch. 13:10). **No es todopoderoso** por cuanto antes que se constituyera libremente en la personificación del Mal era un ángel

creación del bien, porque el Mal surge en el tiempo, cuando una criatura quiere, en base a su libre albedrío, despojarse de la **dependencia** con la que está inscrita en su propia libertad y naturaleza.

En todo esto se observa el Amor, porque la libertad que es la facultad que nos hace sentir personas, estaba regulada con leyes y principios de amor que procuraban no hiciéramos un mal uso de ella, y si esto aconteciese se manifestaría un perjuicio en nuestra naturaleza, a la que está integrada la libertad, avisándonos de ese modo de nuestro mal proceder.

3) *Si Dios sabía respecto a Luzbel que iba a transformarse en Satanás ¿por qué lo creó?*

Dios preconoce lo que iba a poder venir a la existencia como consecuencia de la decisión soberana de Dios. Para poder preconocer sobre un ser es necesario que éste exista. Para existir es imprescindible el decidir sobre la creación de su existir. La decisión de crear en Dios es simultáneamente eterna a su preconocimiento (cf. Ef. 1: 3-5, 11; 3:11; 1ª P. 1:2; Ro. 16:25, 26). Por lo tanto Dios sabía que Luzbel iba a llegar a ser Satanás desde el instante eterno en que decidió su creación. Y puesto que las decisiones de Dios son inmutables, el planteamiento de la pregunta de ¿por qué Dios lo creó? es inadecuado. Tanto la decisión de crear como el preconocimiento no se pueden dar separados en el tiempo. Lo uno implica lo otro.

---

creado por Dios (Sal. 103:19-22; 148: 2, 5; Neh. 9:6 cf. Ez. 28:14 pp.; Job. 2:1, 2; 2ª Co. 11:14; Ef. 2:1, 2; 2ª P. 2:4; Jud. v. 6; Ap. 12:9; 1ª Co. 6:3; Ro. 16:20; Ap. 20: 7-9; He. 2:14) que se convirtió voluntariamente en la personificación del Mal.

La terminología bíblica que utiliza expresiones en las que aparentemente aparece Dios como el *hacedor del Mal* (cf. Isa. 45:7; Amós 3:6) es preciso explicarla teniendo en cuenta el contexto y la idea de que todo lo que existe ha sido creado por Dios, **pero no todo lo que ha llegado a ser después de creado** es producto de la creación divina.

Del mismo modo que se usan expresiones humanas para indicar comportamientos divinos, hasta el punto que se llega a decir que *Dios se arrepiente* (Ez. 32:14; Gn. 6:6), aun cuando **Dios no tenga necesidad nunca de arrepentirse** (Nm. 23:19; 1ª S. 15:29) sino que es un término humano para expresar la actitud divina en función de la conducta humana (Ez. 33:11-16); y al igual que cuando el texto dice de que Dios *endurece el corazón de Faraón* (Éx. 4:21) lo que se está queriendo decir es que **la actitud buena divina de liberar a Israel** endurece al Faraón *por su actitud mala en no dejarle marchar*, de esa misma manera, se puede decir que Dios *ha hecho* al ciego, o al cojo (Éx. 4:11) o al Mal (Is. 45:7), emitiéndose con ese lenguaje en principio de que Dios es el que ha hecho aquel después llegó a se ciego, cojo o sordo. Si Dios no hubiera creado al hombre no hubieran surgido los ciegos o lo cojos. De forma idéntica con el **Mal** y las **Tinieblas**.

Dios creó a un ángel perfecto «querubín» (Sal. 103:19-21 cf. Ez. 28:15), por lo tanto no es el causante del Mal. Tanto el Pecado como el Mal surgen como fruto de la rebelión contra Dios. Las posibilidades de que exista el Mal no son como fruto de la acción directa de Crear, porque el Mal **no lo puede Crear Dios**, porque en el ser Bueno por esencia (Sal. 100:5; Mt. 19:17), no puede hallarse el Mal (Jer. 2:5), ni complacerse en el Mal (Sal. 5:4), ni querer el Mal (Sal. 34:16; Pr. 8:13; 11:21; Ez. 33:11-16).

El Mal surge a partir de la rebelión de Luzbel **como una ausencia voluntaria y responsable del bien** (cf. Jn. 8:44).

Las Tinieblas surgen a partir del momento en que se halló maldad en lo que hasta entonces había sido creación perfecta (cf. Ez. 28:15). Ya que Dios es Luz (1ª Jn. 1:5) La **Luz** no es lo mismo que las *Tinieblas* (2ª Co. 4:6). Las Tinieblas pertenecen a Satanás y **no a Dios** (Hch. 26:18).

El pasaje en cuestión (cf. Is. 45:7) va dirigido contra Ciro. Ciro, rey persa, cree en un principio del Mal (Mazdeísmo). A él le dice que está por encima de ese mal, que su religión cree como principio omnipotente y absoluto equiparado con el Bien. Dios vendría a decir: mi poder está por encima de ese otro poder que vosotros llamáis absoluto, porque Yo Soy el Creador de todo, *yo lo he creado* no al Mal sino al Ser que luego fue el causante y originador del Mal (cf. Sal. 103:19-22).

La decisión de crear **no es lo mismo** que la propia creación hecha en la historia, pero es imprescindible la decisión inmutable de crear para poder preconocer.

El Creador al poseer un conocimiento perfecto (Sal. 139:1-18 cf. Jer. 23:24) puede preconocer el futuro; él prevé el uso que cada criatura hará de su libertad moral. Pero el preconocimiento divino **no determina** la acción humana.[19] Una cosa llega **no porque Dios la haya previsto como futura**, sino porque ella ha sido hecha posible como futura, desde la decisión eterna en crearla, y de ahí es conocida por Dios antes que llegue a ser una realidad creativa histórica. Podemos decir que «Dios prevé la elección que hará todo individuo, pero su preconocimiento no determina cuál será su elección».[20]

4) Por qué Dios no lo destruyó, una vez que se transformó en el Mal personificado?

Si Dios creaba con un amor que pudiera ser asumido racional y libremente era imposible que a su modo de obrar pudiera corresponder la destrucción: era preciso ofrecer la posibilidad del arrepentimiento.

Dios sabía el sufrimiento que se iba a desencadenar como consecuencia de la actitud libre y responsablemente equivocada[21] tomada por Luzbel.

Pero Dios no actuó como la criatura que se rebelaba contra él. Mientras Dios, en un primer momento, otorgaba la posibilidad de la vuelta de Luzbel él ponía en entredicho el Amor de Dios (Jn. 8:44) convenciendo a otros seres y provocando una revuelta (Ap. 12:7:12 cf. Jud. 7).

Dios tenía ya la solución, desde la eternidad, para que ese sufrimiento no fuera inevitable ni pudiera ser un obstáculo para la liberación definitiva de ese sufrimiento y de todo aquello que iba a desatarse.

El comportamiento divino tenía que enfrentarse a las acusaciones de Satán sin dejar de ser el Dios de Amor, respetando la libertad que había implantado en el ser creado.

Si Dios el Padre hubiera actuado de otra manera distinta a la que nos explica Jesucristo, y que más adelante desarrollaremos, estarían los que existieran *juzgándole* con un **temor** resultante de esa actitud que hubiese abierto un gran interrogante en el Cosmos sobre la duda, en ese caso irreparable, que las acusaciones satánicas configuraban.

Dios, había determinado en su Plan que su Reino y acción de Gobierno se manifestara, y permitir que el reino que el Maligno pretendía establecer se conociera. Era del único modo que todos los seres creados podrían convencerse. Cuando llegara la Cruz no habría dudas de ninguna clase del Dios de

---

[19] Ver a Orígenes en Migne, *Patrología Griega*, XIV, col. 1126 en relación a Romanos 8:30. También a SDA *Encyclopedia*, vol. X, op. c., p. 471. Alfred Vaucher, *Servir*, IV, 1983, p. 45.

[20] Ellen White en SDA *Encyclopedia*, vol. X, op. c., p. 1145.

[21] Cuando usamos el concepto *responsable* lo hacemos en el sentido de aplicarle la culpabilidad consciente como causante del Mal.

Amor como tampoco del **crimen de lesa majestad** que Satanás había cometido. A partir de entonces, cuando todo el Plan de Dios finalizara, podría ejecutarse la condena eterna relativa a ese crimen.

Al conocer a Dios a través de su actuación en la constitución del Ser libre y responsable, al descubrir las leyes y principios que regulan nuestra libertad, al saber sobre el concepto de criatura y la noción de dependencia, al profundizar en la historia del origen del Mal de acuerdo a las Sagradas Escrituras da como resultado el convencimiento de que Dios es Amor y Verdad. Cuando estudiemos la historia de la presencia de Dios en Jesucristo, aquí, en la tierra, un silencio apoteósico se escuchará en las altas esferas. No hay posibilidad de ocultarse ante tan inmenso Amor.

c3) Conocer el Amor de Dios en la Solución divina al Problema humano

El hombre es creado por Dios (Gn. 1:27; 2:7) a su imagen. No es igual a Él, pero la semejanza implica el gran Amor de Dios en su Creación (cf. Gn. 1:31; 1ª Jn. 4:8).

1) Conocer la naturaleza de la caída de Adán y la noción de criatura

Si se observan los textos (Gn. 2:9, 15-17 y 3:1-6) se comprobará que hay una advertencia de Dios en cuanto a la posibilidad de un enemigo («guardar el huerto»).

La reserva de un árbol (el de la Ciencia del Bien y del Mal), no es puramente decorativa, sino que sirve para hacer permanente la noción de criatura en relación a la de Creador.

Eva es seducida por la curiosidad, pero sin contar con Dios. Este es el **primer atentado contra la noción de criatura**. Seducida por un diálogo en el que no interviene ni Dios ni su compañero: segundo atentado contra la noción de criatura. Seducida por la codicia de tomar algo que piensa que le conferirá la independencia respecto de Dios, y por lo tanto el abandono de su designio de criatura.

Si se recuerda se vislumbra el mismo proceso que en Satán: lograr la independencia mediante la propuesta de ser como dios.

Los mismos interrogantes: ¿por qué una obra perfecta llega al pecado?: por el libre albedrío que en un mal uso responsable le hace escoger lo malo. Si es perfecta ¿por qué en su libertad no escoge el bien? La naturaleza del hombre debía responder al designio de Dios ¿por qué no lo hizo? El hombre estaba creado de tal manera, que no había necesariamente posibilidad de pecar, de rebelarse contra Dios ¿entonces?

Sólo cuando el hombre pretende desligarse de su condición de criatura, no depender de Dios en todo, es cuando se produce lo irremediable. La **dependencia** está integrada en el código existencial de la criatura. Y debe hacer uso de ella. Es la marginación voluntaria **de esa dependencia respecto de Dios** lo que provoca el pecado.

2) *Consecuencias: pecado-muerte, enfermedad y sufrimiento*

Las consecuencias de la acción de Adán se resumen en una **historia de pecado**. Su caída marco una trayectoria: la de experimentar siempre **la gran tentación** la de no querer utilizar su dependencia respecto de Dios, su concepto integrado de criatura. Esta sería **la gran desventaja** que sufrirían todos los descendientes de Adán como consecuencia de **una naturaleza pecaminosa heredada** (cf. Ro. 5:12). Los impulsos del pecado trasmitidos **configuran una actividad irresistible de pecar**, de sucumbir ante la fuerza del pecado incrustado irremisiblemente en la naturaleza humana (Ro. 7:6-25), provocando irremediablemente la **muerte** (cf. Ro. 3:9-12).

En la práctica estas consecuencias se traducen en la transmisión de todos los corolarios del pecado (cf. Ro. 5:12): el sufrimiento, la enfermedad y la muerte (Ro. 3:23 cf. Gn. 3:14-19). El pecado histórico iniciado en Adán contribuye a la formación de una actitud histórica de pecado. A partir de ahí los pecados personales crearán una sociedad pecadora que se acumulará en el propio pecado histórico transmitido.

3) *La Solución Divina y la Soberanía de Dios*

Karl Barth, en una exposición magistral, en uno de sus volúmenes de su Dogmática, el de la Elección Gratuita,[22] nos habla del **decreto eterno y soberano de Dios** a través del cual expresa su justicia y misericordia que conviven inseparablemente. Se trata del Dios misericordioso en su justicia y del Dios justo en su misericordia. Este decreto surge de la propia naturaleza de un Dios que ya ha manifestado su propia forma de ser en la Creación.

El decreto eterno fue hecho aun antes de que se pusieran los fundamentos de la Creación. Dios, en esa simultaneidad, en la que se da el preconocimiento particular de cada uno, tiene también presente en su infinita mente las consecuencias de lo que podría suponer la aparición del pecado, de la rebelión, del rechazo del designio divino para todos los seres, y que según el cual, El no quería que se produjera el pecado.

Para Karl Barth, en base a la lectura de ciertos textos (cf. Ef. 3:9-11; 1: 3, 4, 5), Dios **determina con su Hijo Jesucristo la posibilidad de la salvación de todos los hombres**. Y así, nos dirá Karl Barth: «la predestinación consiste en que el propio Jesucristo es al mismo tiempo **el elegido** y *el reprobado*. Dios quiere perder para que el hombre gane. En la elección de Jesucristo, que es la voluntad eterna de Dios, Dios ha destinado al hombre la elección, la felicidad y la vida, reservándose para sí, en el propio Jesucristo (manifestándose en el calvario) **la reprobación**, la condenación y la muerte».

Ante este decreto eterno de salvación para todos **mediante la elección y reprobación** de Cristo en nuestro lugar **preconoce** (cf. Ro. 8:28-30), por un lado, quiénes van a aceptar a Jesucristo que como *reprobado* **asumió la condena** que era contra nosotros, y muriendo en la cruz, y saliendo victorioso,

---

[22] Volumen X, tomo II, Éditions Labor et Fides, Genève 1958.

fue elegido como representante de toda la raza humana para vida eterna (cf. Rm. 5:15-19), y por otro, a aquellos que por una maliciosa ignorancia voluntaria **rechazan esa voluntad divina a la salvación.**

Jesucristo, para los que le aceptan, les ha librado de la llamada muerte segunda, de la irreversible (cf. Ap. 2:11; 20:14; 21:8; Ro. 6:23; Mt. 10:28; Lc. 12:4, 5), y para los que le rechazan caen en el juicio ejecutivo Soberano de Dios (cf. He. 10:26-31; Ap. 20:11-15; Ap. 21:8) que se aplica en aquellos en los que está ausente esa Salvación provista desde la eternidad.

El Decreto Soberano de Dios a la salvación **para todos** (1ª Ti. 2:3-6) es independiente de que vayan o no a creer o a que vayan a tener o no voluntad de aceptar (por cuanto si se hiciera con esa base dejaría de ser un decreto soberano) (cf. Ro. 9:11).

Es evidente, por otra parte, que ese **querer** soberano no puede ser entendido como un querer que se impone obligatoriamente en virtud de una soberanía mal entendida. Puesto que también **quiere** que todos vengan al conocimiento de la verdad, y no todos lo alcanzan. El **querer soberano de Dios** se exhibe en proveer de todo lo necesario para que por parte divina no haya impedimento alguno en cuanto a que se pueda cumplir su propósito, y a no entrar en conflicto con *otros decretos soberanos* como el que los seres ejerzan su libertad integrada en la naturaleza humana.

Dios ha provisto en Jesucristo, desde la eternidad, la salvación para todos. Esa es su Voluntad Soberana. El modo y el momento de hacer **que todos quieran** es mediante el ofrecimiento de la salvación para todos. El **querer** se cumple en la propuesta, y en el valor inmensurable de la vida y de la muerte de Jesucristo. Ese querer soberano no se manifiesta en la imposición sino en lo que expresa el contenido de su obra de amor salvador. Y del mismo modo que Dios **no quiere** el pecado, no es su voluntad soberana que éste se produjera, y sin embargo aconteció como consecuencia de la decisión libre del hombre, de esa misma manera **quiere** la salvación para todos, cumpliéndo-se en Jesucristo, aun cuando no acontezca obligatoriamente en cada uno de los seres humanos, por cuanto su voluntad soberana está centrada en Jesucris-to. El **todos** está representado por Jesucristo, y en la obra universal que el Espíritu Santo efectúa dando **a todos** la posibilidad de la accesibilidad a la salvación.

El pecado enfermó de tal manera la libertad humana (Ro. 3:10-12) que impide que el hombre pueda tener, por sí mismo, acceso a la salvación. De ahí que la iniciativa, el desarrollo y realización del plan de la salvación, tenga que provenir totalmente de Dios (cf. Jn. 16:7, 8; Ro. 3:22-26; Ef. 2:8-10; Hch. 11:18; Ro. 2:4; Jn. 3:7, 9, 3, 6, 14-17). Esto muestra, una vez más, que la **soberanía divina** se traduce en lo que implica esa iniciativa de la salvación **para todos: no hay excepción** a que **todos** experimenten la obra de la salvación en sus vidas, y es en el preconocimiento simultáneamente eterno[23]

---

[23] La traducción de *proégno* (preconocer) por amar es totalmente imposible. Si bien es verdad que el término *conocer* se emplea en ocasiones para expresar la unión sexual entre un hombre y una mujer, no pierde el

(Ro. 8:29 pp.) de la aplicación de la obra salvadora **para todos** (1ª Ti. 2:3-6) que Dios **conoce de antemano** quiénes tendrán la **disposición de aceptar permanentemente ese Decreto Soberano a la Salvación**, quiénes voluntaria y libremente **no rechazan** la iniciativa divina a la salvación. No hay necesidad de cláusulas de creencia por parte del hombre que determinen la actuación divina. El decreto de Dios a la salvación *de todos* es Soberano y Eterno, independientemente de la respuesta de los seres que han pecado y de la situación de condenación en la que **todos** han quedado.

Ya hemos explicado, a la luz de la Palabra de Dios, qué implica y significa **decretar soberanamente a la salvación a todos**. Ahora digamos que en base a ese preconocimiento simultáneamente eterno Dios ha conocido desde la eternidad la disposición de aquellos en someterse al plan de Dios, y Dios ordena, desde esa misma eternidad, para Vida eterna a esos que ha escogido previamente en base a esa disposición para con su decreto a la salvación en Jesucristo (cf. Ef. 1:3, 4, 5, 11; 1ª P. 1:2).

De este modo permanece misericordiosamente ese querer de Dios a que la salvación se realice. El resultado que se obtenga después de haber hecho posible la salvación *para todos* podrá hacer decir soberanamente a Dios «que ha tenido misericordia del que ha querido» (Ro. 9:15) y «que ha endurecido al que ha deseado» (Ro. 9:18).

Nada de esto es injusto (Ro. 9:14) ¿Por qué? Porque todos estaban condenados por igual (Ro. 3:10-12, 23). Nadie puede exigir a Dios la salvación. Todos estaban perdidos y nadie merecía la salvación de Dios. Sólo el amor de Dios podía salvar al hombre (Ro. 5:8; Ef. 2:4; Jn. 3:16). Pero Su actuación soberana de Amor descubrió dos tipos de reacciones: mientras que unos aceptaban su misericordia, otros se endurecían, a pesar de estar hechos de la misma masa (Ro. 9:21 pp.). Es decir la Soberana actuación divina de Amor en salvar a **todos los hombres** *producía* en unos aceptación y en otros rechazo o **endurecimiento**.

La Palabra de Dios constata que el Alfarero, partiendo de una misma base en la creación de los vasos (Ro. 9:21 pp.), ha obtenido vasijas para honra y para deshonra (Ro. 9:20-23) ¿Por qué? Porque el plan del Amor de Dios en la Creación dio como resultado (en el proceso de aceptar o rechazar libremente las cláusulas divinas implicadas en la obra creativa), vasos de honra y de deshonra.

Y todo en base a que **quiso efectuar la Creación**. Ese querer Soberano de que todos vengan a la existencia, hace asumir en términos de Soberanía divina, de que si Dios ha querido crear a todos los que creó, también ha querido (por cuanto quiso soportarlo {cf. Ro. 9:22} con paciencia) que se permitiera la evidencia de la existencia de aquellos que se revelaron contra Él, y a los

---

sentido de **conocimiento**, en este caso «conocer lo más íntimo de una mujer». La palabra amar tiene sus términos adecuados en el griego del Nuevo Testamento, nunca se utiliza el verbo *ginósco* para tal menester.

De cualquier forma digamos de que Dios ama a *todo* el **mundo**, y de todos los que forman el mundo, **los que lleguen a creer tendrán vida eterna** (Jn. 3:16).

que se constituyeron en objetos de su misericordia para su gloria (Ro. 9:22, 23).[24]

Es por el querer de Dios en Crear y Salvar que han llegado a ser, de una situación en la que todos estaban perdidos, unos para salvación eterna y otros para condena eterna. Y aunque los que son determinados definitivamente como salvos, lo fueron como siendo preconocidos como tales en función de su disposición en aceptar, y los que se pierden lo son porque no quisieron encajar (cf. Lc. 13:34) de acuerdo al designio eterno que en Cristo Jesús (cf. Ef. 3:11) se proveyó para que la salvación enviada para todos pudiera ser efectiva, nada hubiera acontecido respecto de la salvación si la decisión eterna de Dios en llevarla a cabo, y tomada soberanamente libre, no hubiese acontecido. Puesto que esa decisión eterna de Dios a la salvación responde a su propósito definido de que todos sean salvos (1ª Ti. 2:3-6) sin que haya habido ni bien ni mal ni obras que una vez preconocidas, le hubieran podido influir (Ro. 9:11 pp.). Fue la situación lamentable de perdición provocada por el pecado y que en su mente infinita Dios preconoció que hizo de manera espontánea y automática manifestarse lo que Dios es: **Amor.** «Así que no depende del deseo ni esfuerzo del hombre **sino de Dios que tiene compasión**» (Ro. 9:16 cf. 5:8; Ef. 2:4).

La decisión, desde la eternidad de la salvación no es provocada por nadie en particular, sino que la propia misericordia divina, ante las consecuencias amargas provocadas por el pecado, al ser preconocidas hacen visible el Amor de Dios.

La decisión de Dios de otorgar la salvación para todos los que han creado esa situación triste y de muerte, la efectúa mediante el envío de su propio Hijo, encontrando a los que responden a su llamamiento general (cf. Mt. 22:14)[25] a la salvación (1ª Ti. 2:3-6 cf. Ro. 8:28 úp.), de ahí que pudiera conocerlos previamente desde la eternidad (Ro. 8:29 pp. 1ª P. 1:2): a estos los predestina eligiéndolos (cf. Ro. 9:11 úp.) de acuerdo al modelo de su Hijo (Ro. 8:29 sp.; Ef. 1:5, 11), llamándolos, justificándolos y glorificándolos (Ro. 8:30).[26]

---

[24] Obsérvese que el v. 21 no es paralelamente comparativo en todo su contenido al v. 22.

En el v. 22 no está implicado de que Dios directamente haya hecho vasijas para perdición. En principio porque ya partimos de la base de que todos los habitantes de este mundo se revelaron contra Dios, y por lo tanto todos cayeron en condenación.

La lectura es la siguiente si el alfarero, como humano, tiene la libertad, partiendo de una misma masa, **hacer** dos tipos de vasos para usos distintos (noble o común), ¿Dios no va a tener la libertad de Crear aun cuando surjan de una misma Creación elementos que no respondan a su obra redentora? (cf. Ro. 9:22, 23).

[25] Aquí, el «todos son llamados» ha sido sustituido por «muchos» puesto que ese *todos* se trata de **muchos** (todos menos uno que es Jesucristo), y para que haga efecto el elemento rítmico y comparativo: **muchos - pocos**.

Pablo emplea, de acuerdo a las necesidades del momento, el muchos o el todos, tomando como eje a Jesucristo (Ro. 5:12, 15-19 cf. 2ª Co. 5:21).

[26] En el Comentario al Nuevo Testamento de Bonnet-Schroeder (op. c., vol. I, pp. 251, 252):

«Este llamamiento es hecho de parte de Dios con la intención de que el que lo oye, sea salvado. Pero ni el llamamiento, ni aun la aceptación bastan para eso (...). Es necesario además un acto de la gracia soberana de Dios. Pero este acto no es arbitrario: Dios posee el secreto de ponerlo en armonía con la libertad humana, de tal suerte que el finalmente rechazado lo es por su culpa (Mt. 22:12), y el salvado sabe que lo es por la pura gracia de Dios (Ef. 1:4; Fil. 2:13)».

a) Conocer a un Dios perdonador

Dios manifestaba su amor desde la eternidad, pero esto permanecía incomprensible hasta que Dios manifestara en la historia que amaba al hombre y que le quería salvo, estando dispuesto a hacer lo indecible para restaurarlo totalmente.

Ahora, en la historia se iba a comprobar lo que significaba la decisión irrevocable de salvar a la humanidad en Jesucristo.

El envío del Hijo en una naturaleza humana unida misteriosamente para siempre a su naturaleza eterna divina (cf. Fil. 2:5-9; Jn. 1:1-3, 14, 18; He. 2:14-18; 1ª Jn. 2:1, 2), supone la página más gloriosa de la historia, en la que haríamos bien tenerla siempre presente.

Aceptar esa naturaleza humana y mostrarse como siendo realmente humano, anonadando voluntariamente la naturaleza divina[27] es algo tan incomprensible, pero al mismo tiempo tan lleno de generosidad y de bondad ... despide una ternura tan profunda que uno se siente atrapado e inmensamente indigno.

El panorama era desolador. Si Dios hubiera permanecido impasible ante la rebelión del hombre no hubiera dado oportunidad a la salvación y por lo tanto la descendencia de Adán no hubiera venido a la existencia o habría persistido ignorante hasta su muerte definitiva e irremediable.

El Amor de Dios manifestado en querer salvar a la humanidad obligaba a contemplar los estragos del pecado originado por Luzbel. La humanidad había llegado a una postración y corrupción tal que no podía hacer absolutamente nada por su salvación. El pecado había fijado una conducta que hundía al hombre en la desesperación sin salida posible (cf. Ro. 3 y 7).

Pero en la decisión soberana de Dios de querer salvar a la humanidad, a la que el hombre no tenía ningún derecho, se le planteaba un problema adicional: que los que nacían de sus padres salían ya enfermos y sufriendo de acuerdo a la ley del pecado (Ro. 5:12; 7:7 y ss.).

¿Cómo ser justo y misericordioso a la vez? Jesucristo es la respuesta. La justicia y la misericordia de Dios se iban a manifestar en Jesucristo.

Si en el primer Adán habíamos sido constituidos pecadores, en el segundo seríamos salvos (cf. Ro. 5:12-19).

En efecto, la ley contemplaba la muerte del pecador por la transgresión de aquella ¿pero qué hacer con aquel que muere cruelmente sin haberla transgredido? No hay nada escrito que pueda paliar semejante injusticia, ¿sería suficiente devolver la vida de aquel al que se le ha quitado injustamente? ¿Y si la muerte se produce no únicamente sin haber transgredido la ley sino por cumplir dicha ley en una misión sustitutoria por hacer volver a Dios a los pecadores? Entonces se evidencia de que tanto la vida impecable y la muerte se han convertido, en ese caso, en vicarias.

---

[27] Sobre la Persona de Jesucristo y su Deidad eterna, y la Persona divina del Espíritu Santo puede verse *Manual de Controversia ...* op.c., publicada por editorial CLIE (Terrassa-Barcelona 1994), o bien *Jesucristo sin más ...* op. c.

Jesucristo se constituye en el representante de esa humanidad que acepta su mensaje implicado en sus palabras y en su obra redentora. De ahí que su obra y su resurrección se apliquen obligatoriamente a todos aquellos que Le acepten como Redentor.

Dios había preconocido[28] cómo el Maligno arrastraría a Jesucristo a la muerte ignominiosa de Cruz, creando una confusión sin paralelo, puesto que a los delincuentes malditos se les mataba en el *madero* (cf. Dt. 21:22, 23; Hch. 5:30; 10:39; Gá. 3:13). El Maligno quería abortar el designio de Dios que desde la eternidad había forjado con Jesucristo, y obligar a Jesucristo a rechazar la Cruz.

Pero lo más sublime, que contagia y te hace llorar de dolor, es verlo angustiado en el Getsemaní. Fue aquí donde se gestó el triunfo o el fracaso. El Maligno le presenta la Cruz como un signo derrotista. Sin embargo Dios había transformado a la Cruz como la única alternativa para la salvación de la humanidad puesto que en su misión redentora la Cruz aparece en su camino como imprescindible. Para eludir la Cruz era preciso soslayar **todo aquello** que configura la Cruz. La Cruz se constituye, de este modo, en el punto culminante de la biografía de Jesucristo, inseparablemente unida a su vida inmaculada.

Dios, en su presciencia, utiliza *la Cruz* como el elemento necesario para que se compruebe el drama del pecado y que sólo mediante un sacrificio de esa naturaleza se podía redimir a la humanidad. De ahí que en su previsión eterna, lo haya manifestado mediante los sacrificios cultuales de animales, donde el pecador era sustituido por una víctima inocente.

Ahora en el Getsemaní (cf. Mt. 26:36-46; Lc. 22:39-46) se ve todo más claro. El pecado y su Autor habían llevado, al que el Padre había designado como sustituto de la humanidad (tanto en vida como en muerte), a la posibilidad de que considerara a la Cruz como innecesaria: Jesucristo, sin merecerlo, tenía que experimentar el ser sacrificado **no para calmar a un Dios airado** sino para representar el amor de Dios hacia la humanidad. Desde la eternidad la Deidad contempla de antemano la panorámica de los siglos, que la única posibilidad de que ese Amor de Dios sea fructífero es que el Hijo de Dios se constituya en el garante sustitutorio de la humanidad caída (Jn. 3:14-16,17 cf. Ro. 3:25; 1ª Jn. 2:2; 4:10; 2ª Co. 5:21; 1ª P. 2:24; Is. 53: 5, 6).

Su humillación (cf. Fil. 2:5-8) reviste aquí los tintes de la tragedia insuperable. El *Hombre* se encuentra frente a la muerte. Aquel que no había hecho ningún daño ni mal (cf. 2ª Co. 5:21) se encuentra experimentando el mayor de los sufrimientos (cf. He. 12: 3, 4).

---

[28] El preconocimiento respecto a la temática de la salvación, es «la previsión mediante la cual Dios conoce de antemano a todos los individuos que aceptarán libremente la invitación divina de participar en la salvación» (Fréderic Godet, *Commentaire sur l'Épître de Saint Paul aux Romains*, 2º Ed., vol. II, Neuchâtel 1890, p. 218).
La presciencia no es predeterminante con relación a los sucesos futuros, es tan sólo previsora (ver *Oeuvres Complètes* de Juan Crisóstomo, ed., francesa traducida por Jeannin, vol. VI, p. 458. Citado en A.F. Vaucher, *Historia de la Salvación*, op. c., p. 281).

El conflicto interior consiste en aceptar o rechazar la salvación de toda la humanidad. Aceptar implica cargar con el pecado de la humanidad, hacerse pecado sin haberlo cometido. La muerte de cruz reservada para los culpables de crímenes se convierte por la crueldad del Maligno en una propaganda aparentemente contradictoria. La muerte cruel de cruz era indigna para un ser inmaculado y podía se interpretada de forma incorrecta.

La lucha interior le hace suplicar al Padre, si es posible que pase ese momento de prueba, ese enfrentamiento con la muerte. Jesús, como consecuencia de su asunción de la carga del pecado **siente que la presencia de Dios le falta.** Una crisis depresiva, una angustia y desaliento sin parangón es provocada por su situación vicaria. Entre el Getsemaní y la Cruz, aunque Cristo se mantuvo aferrado al Padre, **sintió la sensación del abandono de Dios.** Y esto cuando uno ha estado acostumbrado a esa presencia continua, es uno de los mayores martirios mentales que un hombre puede experimentar. Entre la súplica de «si es posible pase de mi esta copa», hasta la exclamación en la Cruz «por qué me has abandonado» se produce el grito con más silencio posterior, pero a la vez más conmovedor de toda la historia humana. Nadie que lea estas páginas del evangelio podrá permanecer impasible una vez meditadas. Nadie podrá continuar siendo el mismo, porque es el medio que Dios escogió para salvar a la humanidad. Ante el pecado sólo podía haber una respuesta, **una respuesta llena de amor y de misericordia.**

> «Dios se identificó profundamente con los seres humanos por medio del sufrimiento y de la muerte de Jesús, su Hijo, quien experimentó las fatales consecuencias del pecado, y sintió la oscuridad absoluta de morir sin esperanza».[29]

Lo que se desprende de este sacrificio de Cristo es inenarrable. Se trata del *Hombre* que está realizando la voluntad divina, la predicación del evangelio, la misión de salvar a la humanidad.

La Cruz, se convierte en la consecuencia trágica de la misión redentora de Jesucristo. Evitarla hubiera significado romper con aquello que suponía **cargar** con el pecado de toda la humanidad, y escapar del valor vicario de su vida y muerte.

Dios transformaba a la Cruz como la única alternativa para la salvación de la humanidad puesto que en su misión redentora la Cruz aparece en su camino como imprescindible. Para eludir la Cruz era preciso soslayar **todo lo** que configura la Cruz. La Cruz se constituye, así, en el punto culminante de la biografía de Jesucristo, inseparablemente unida a su vida inmaculada.

Pero asumir la Cruz sin haber pecado, como la única opción, condena, al que produce semejante injusticia: al pecado y a Satán su originador.[30] Y

---

[29] Ver *El Centinela* (publicación religiosa protestante sudamericana), Abril 1987, p. 8).

[30] «El pecado no es solamente la transgresión a la ley de Dios; es además la traición a una confianza, la destrucción de una relación, es negarse a reconocer el papel de Dios como Dios; es un acto de rebelión mediante el cual nos constituimos en nuestro propio Dios» (*El Centinela*, íd..).

clarifica la posición justa de Dios. Ahora el Gobierno de Dios aparece en toda su dimensión de justicia, amor y misericordia. Todavía más, la victoria de Jesucristo con una naturaleza humana debilitada (cf. Ro. 8:3), demuestra, no sólo que Dios tenía razón, despejando cualquier clase de duda, sino que le hace erigirse en representante obligado de la propia humanidad.

La muerte de Jesucristo,[31] sin haber pecado, libra de la muerte segunda a todo aquel, que aunque habiendo pecado, acepta a Jesucristo como su sustituto. Puesto que la muerte y el pecado se introdujo irremisiblemente por la transgresión del primer Adán **siendo irresistible** para los descendientes humanos **no llegar a pecar** (Ro. 5:12) habiendo permanecido así de no mediar Dios. Ahora con Jesucristo se consigue la salvación mientras le mantengamos como nuestro representante (Ro. 5:15-19).[32]

4) El Conocimiento de Dios y la enfermedad

Porque muchos piensan que la enfermedad proviene de Dios ¿No está todo en sus manos? ¿Acontece algo que con Él no se relacione de algún modo?

Ante el dolor y el sufrimiento producido por la situación de pecado y enfermedad que aparece en nuestro mundo hay tres posibles reacciones impor-

---

[31] «La muerte de Jesús significa que somos librados de la posible duda en cuanto a que Dios controle nuestras vidas y la historia humana.

»Esta manifestación del cuidado divino por los seres humanos nos convence de que a los que aman a Dios todas las cosas les ayudan a bien (Ro. 8: 28, 29)» (íd. p. 9)

»Su muerte es llamada una limpieza o curación para indicar que produce un cambio en la condición humana remediando sus defectos inherentes (1ª P. 2:24; 1ª Jn. 1:7) (íd.).

»También don de vida eterna, porque hace posible una existencia humana de calidad reservada y de duración interminable» (íd.).

«La muerte de Cristo no es lo que exige un Dios airado, sino lo que da un Dios amante (...)» (íd.).

[32] En la situación de caída **es irresistible no llegar a pecar**. Es decir el pecado se producirá aunque uno no quiera. Sin embargo la salvación no se produce **aunque uno no quiera** ¿Entonces?

Téngase en cuenta que la situación de caída no sirve como elemento comparativo por cuanto si ha llegado a ser valorable ha sido debido a que Dios, en su misericordia, al permitir la existencia de la descendencia de Adán, no tiene más remedio que exhibir los estragos que el pecado ha realizado.

Si bien se evidencia que en esa condición la salvación no es automática, tampoco antes del pecado, la permanencia en la vida eterna era automática y para siempre. Había una gran tentación o desventaja: confiar en las propias fuerzas **prescindiendo de Dios**.

Ahora, por el contrario, después de la experiencia del pecado, en Cristo la permanencia es automática. Jesucristo superó la gran desventaja mediante la humillación y dependencia de Dios, y nos ha otorgado *la gran ventaja*: **ser sabedor que precisas continuamente del poder de Dios**.

La intervención del Padre en Jesucristo, por medio del Espíritu Santo se realiza en las conciencias de todos los seres humanos, desde el nacimiento, **aunque no quieran**.

La salvación es universal en Cristo Jesús (1ª Ti. 2:5) aun cuando el hombre es libre en su decisión de aceptarla o rechazarla.

¿De qué somos salvados?

«Somos salvados de la frustración de tratar de ser «suficientemente buenos» para obtener salvación. No tenemos que depender de la suficiencia de nuestros conceptos teológicos, o la perfección de nuestra conducta moral. Debemos hacer lo mejor que podamos para comprender las verdades religiosas, par sentir la presencia de Dios y para hacer la voluntad divina; pero la base de nuestra seguridad no es la calidad de nuestra actuación sino lo que Dios nos ha prometido y cumplido con la muerte de Jesús» (*El Centinela*, Abril 1987, p. 9).

«La redención es un acto de liberación, un rescate espiritual de las garras de un poder extraño (Mt. 20:28; 1ª Ti. 2:6; He. 9:12; 1ª P. 1:18, 19)» (íd.)

«Somos librados de la tiranía de la culpa (...)

Muestra que no somos abandonados por Dios, y que por lo tanto nos ama.

Somos librados de nuestro egoísmo, al no tener que depender de las obras para la salvación» (íd.).

tantes pero no por ello correctas. Una, es la que cree que es Dios el que nos manda directamente la enfermedad como originador de ella. Para algunos esta circunstancia en vez de desesperarlos les resulta reconfortante el saber «que la mano de Dios está en todo esto».

Pero otros experimentan lo contrario exclamando que les sería imposible seguir creyendo si toda esta miseria proviniera directamente de Dios.

Pero todavía los hay que llegado un momento determinado en el que el sufrimiento se ha acumulado, o sobresale con especial virulencia que, o bien consideran a Dios como imposible, puesto que la bondad y el amor que de El se predica no se ve por ninguna parte; o se ratifican en su rechazo de la idea del Dios bíblico.

En estas tres reacciones aparecen la aceptación de Dios y su exclusión como consecuencia de dos posiciones, la de creer o no que Dios es el causante de la enfermedad y el sufrimiento humano. Pero nótese que en el hipotético creyente se puede llegar a dos actitudes según se crea de una manera o de otra el asunto del origen de la enfermedad, y en los dos casos presentados son erróneos. El que asume una actitud correcta a pesar del sufrimiento, está equivocado, como hemos podido vislumbrar ya en nuestra exposición y que todavía lo comprobaremos más, por cuanto cree que es Dios el que le ha causado la enfermedad. En el segundo caso se mantiene de modo implícito una posición teóricamente ortodoxa: «Dios no puede ser el causante de la enfermedad». Pero la añadidura muestra que su conocimiento del Dios verdadero es impreciso y distinto «al Dios de Jesucristo»: no es Dios el causante... porque si lo fuera **no creería**.

En el caso de los incrédulos existen dos posiciones también. La una es puramente testimonial: «No creo», y *esto de la enfermedad* me reafirma. No se plantea el origen de la enfermedad en Dios por cuanto supondría una afirmación positiva de su existencia. Pero en la otra posibilidad «es imposible que Dios exista cuando ocurren los males que estamos acostumbrados a ver y experimentar», demuestra que en su rechazo de Dios motivado por ese cuadro tan negativo del dolor aparece un linde, en el que si ese dolor o sufrimiento no hubiesen sido tan dramáticos, podría haber permanecido sin exteriorizar sus dudas sobre Dios; ahora, radicalizándolo en su propia experiencia personal, abjura proclamando su conflicto interior por la incompatibilidad que él encuentra entre la existencia de la enfermedad y la existencia de Dios. En realidad habría habido un agnosticismo latente que no solucionó.

¿Podemos encontrar otra respuesta al problema del sufrimiento y de la enfermedad? Únicamente **si conocemos a Dios**. Esta fue la labor de Jesucristo: dar a **conocer a Dios**.

Conocer a Dios permite saber que Dios no es el causante del pecado ni de la enfermedad.

La misión de Jesús de Nazaret era dar a conocer a un Dios perdonador (cf. Jn. 12:49, 50; Lc. 5:24). Jesucristo nos insta a conocer a Dios como nuestro Padre. Jesús viene a decirnos que si conocemos a Dios descubriremos en Él a un amigo fiel e inseparable; a un Padre que cuida y se preocupa de los seres humanos. Esta es la gran sorpresa del Evangelio: que cuando Jesucristo sanaba a los enfermos incurables, o cuando tenía palabras de consuelo o de esperanza para los abatidos por el dolor; o que cuando se acercaba a las gentes hablándoles de salvación, estaba representando a Dios el Padre. Que Dios es tan lleno de amor que no va a permitir que nos perdamos. Que hará lo indecible por recuperarnos (Lc. 15). Que al conocer a Dios no tendremos más remedio que sentirnos atraídos por su inmenso amor y misericordia al saber de su iniciativa constante despertando a nuestra condición real de perdición (Jn. 16:7, 8), del ofrecimiento de su salvación gratuita (Ef. 2:8-10; Ro. 3:21-27; 5:1 y ss.), transformadora (Ro. 8:1 y ss.), realizadora de nuestra propia fe (Ro. 10:17) y de nuestro arrepentimiento (Ro. 2:4), teniendo siempre a nuestro alcance el poder del Espíritu Santo (Jn. 14:16, 17, 26; 15:26 cf. Lc. 11:9-13).

Jesucristo es la salvación de Dios Padre puesta en práctica. Es la visibilidad del Dios invisible.

Se trata **no** de un Dios que condena sino que salva. Dios ha hecho y hace lo indecible para que todo hombre quiera conocerle. Únicamente aquellos **que desechen** reiteradamente **el querer conocer a Dios** no podrán tener la vida eterna.

¿Por qué Dios se ha visto obligado a permitir el sufrimiento?

El problema de la enfermedad o el del sufrimiento que conlleva aquella no podría ser comprendido si no fuera **conociendo a Dios**. Al estudiar en la Palabra de Dios lo que ésta nos enseña de la Deidad plena nos ha dado suficientes evidencias del verdadero carácter de Dios. Hemos comprendido que el causante de la enfermedad y de la muerte es el pecado, y que el originador de éste el Maligno.[33] Sin embargo al tener que permitir Dios, por amor, que la existencia tanto de Satanás como del hombre caído se prolongase, aun después de haber pecado, con la finalidad de rescatar al hombre, **implicaba que el sufrimiento** propiciado por la enfermedad y el pecado **se experimentase en la historia humana.**

---

[33] A. Ijmans de la Iglesia Reformada (en *La Curación por la Fe*, op. c., pp. 25-27), comenta sobre el hecho de que Dios **no** es el causante de la enfermedad:

«Tenemos que reconocer simplemente que la enfermedad no puede ser atribuida de inmediato a Dios. (...) (p. 25)

(...) Hay para la fe una gozosa seguridad: Dios ha entablado lucha contra todos estos horrores, también contra la enfermedad, y nos hace participar a nosotros en esta lucha (...)

(...) si bien la enfermedad no proviene de Dios (no es «según su voluntad»), ello no significa que no existe ninguna relación entre Dios y el estar enfermo» (p. 26)

«También en la Biblia la enfermedad y la muerte son elementos extraños; la Biblia no muestra ninguna afinidad con ellas; nos muestra en su historia más bien una lucha tenaz contra ellas, una lucha que aun sigue librándose y en la cual nos vemos implicados tanto como Iglesia de Cristo como personalmente» (p. 27)

«La respuesta que la Biblia da es que nosotros tanto en nuestras enfermedades como en todas las cosas inexplicables de nuestra vida, estamos en las manos de Dios. Ya sea para combatir con Él contra este «estar enfermo» y vencerlo; sea para aprender a aceptarlo y así poder proseguir la vida consolados, no obstante la enfermedad» (p. 26).

Si hacemos caso omiso al mensaje del Reino de Dios proclamado en las palabras y persona de Jesucristo, el verdadero originador del Mal y de la enfermedad aparece oculto proyectándose toda la responsabilidad sobre el Creador. Pero cuando enfocamos el evangelio del Reino de acuerdo a la óptica que Jesucristo nos ofrece observamos que el propio mal y pecado introducidos por Satanás (Gn. 3:1-6 cf. Job. 1:6-12; 2:1-7; Jn. 8:44; Mt. 13:25-40), utilizando la primera pareja humana, contienen en sí mismos una carga y dinámica *con autonomía propia* para producir la devastación incomprensible para todo aquel que no interrogue a Dios y que no profundice en su Palabra.

A partir de esa primera causa que la Revelación identifica con Satanás aparece **el pecado histórico** que el Maligno introdujo con el beneplácito de la primera pareja humana sembrando la semilla de maldad y provocando el sufrimiento y enfermedad.

Ese pecado histórico, además de la direccionalidad que el Maligno sabe imprimirle, se combina a través del tiempo, con los pecados y situaciones anómalas que social e individualmente se van produciendo a lo largo del tiempo generando nuevas causas y consecuencias que estallarán en más sufrimientos y enfermedades.

De ahí, que si bien nuestras propias acciones y conducta, aun cuando en ocasiones no seamos conscientes de que sean errores, pueden ser la causa de nuestro sufrimiento y enfermedad (cf. Jn. 5:14), y nos involucran en una cierta responsabilidad, no siempre nuestro sufrimiento o enfermedad responde a un esquema de **causa personal-efecto** (Jn. 9:2, 3).[34]

¿Por qué Dios permite el sufrimiento?

Porque es del único modo en que podemos ser salvos. Para salvarnos, Dios tuvo que permitir nuestra existencia con nuestro pecado y situaciones provocadas por la **rebelión** que el Maligno inicia y desarrolla instrumentalizando el pecado que introdujo en la humanidad. Con el plan de la salvación propuesto por Dios podemos librarnos del sufrimiento de la destrucción definitiva, que se alcanzaría de no mediar dicho plan de Dios.

¿Por qué Dios permite el sufrimiento?

Porque sabe darle **un valor pedagógico**. Aunque Dios no es el originador del sufrimiento, una vez que ha sido producido por las diferentes causas ya analizadas, El utiliza ese sufrimiento o enfermedad para encauzarlo para nuestro bien, nuestra perfección, santidad y salvación (cf. He. 12:5-13).

En otras lo encamina para **despertarnos de una situación equivocada** en cuanto a nuestro carácter o respecto al de Dios (cf. Job 1:21; 2: 10; 5:1 y ss.; 6:24), o en relación a algo que imposibilitaría nuestro acceso pleno a la salvación.

---

[34] Se puede observar actuar a Satán originando todo el sufrimiento de Job sin que éste tuviese culpa alguna instrumentalizando a otros hombres (Job 1:15, 17), la fuerza de la naturaleza (1:18, 19), y propala entre los hombres la idea de que es Dios el causante del Mal (Job 1:16).

En ocasiones lo usa **como un testimonio de su Poder** (historia de Moisés y de José).

Y también **como una** *señal de nuestra fidelidad* **a El**. Cuando el hombre que **conoce a Dios** está dispuesto a permanecer fiel a pesar del sufrimiento o de la enfermedad, testificará contra el propio autor original del Mal.

En cualquier caso, Dios despoja al sufrimiento de todo aquello que pudiera ser insoportable, y de lo que no contribuye a cumplir su propósito.

Dios fue el primero en sufrir, no sólo por la constatación del Mal y de la obra malévola que se puso en funcionamiento sino sobre todo al contemplar el trato que su Hijo recibía. No podemos explicar con nuestra finitud de un modo adecuado esta actitud divina de misericordia y amor, pero cuando, por las circunstancias que sean, pudiera cuestionarse, miremos a la Cruz del Calvario. Contemplemos al Dios que Jesucristo nos presenta. Veamos el triunfo de Cristo a través del padecimiento.

Muchas veces se nos muestra que Dios nos ha evitado el sufrimiento y que el Evangelio nos enseña además, que a pesar del sufrimiento y la enfermedad que reinan en este mundo, *pueden pasar inadvertidos* (de acuerdo a la voluntad de Dios) cuando se evitan los sufrimientos adicionales que personalmente podemos proporcionarnos ignorando el mensaje de salud físico, mental y espiritual contenido en dicho Evangelio del Reino. Los principios del Reino o Gobierno de Dios otorgan seguridad y prevención en este mundo enfermo y de maldad. Con su poder y gracia podemos mantener la alegría de vivir que sus palabras y acciones tienen cuando se ponen al servicio de los demás.

El sufrimiento humano es producto de la enfermedad, ésta del pecado, y éste del Maligno. Hasta que el retorno de Jesucristo en Gloria y Majestad no acontezca, el pueblo de Dios los experimentará con más o menos virulencia, aunque en ciertas ocasiones Dios se manifieste a través de su poder curativo, del don de sanidad, entendido según toda la Revelación bíblica.[35] Según el plan de Dios, Jesucristo nos ha quitado el dominio del pecado sobre nosotros pero no la naturaleza de pecado ni la enfermedad degenerativa que señala nuestro destino de muerte. De cualquier forma, la mayor manifestación de la perfección de la obra de Dios consiste en que a pesar de la tentación y el pecado y de una naturaleza de pecado, el hombre redimido por Cristo tiene la capacidad decisoria de querer someterse a la voluntad de Dios, consiguiéndolo.

Será en la resurrección, conseguida para nosotros por Jesucristo, cuando este cuerpo corruptible, con todas las taras enfermas, serán definitivamente extirpadas mediante la creación de un cuerpo incorruptible.

---

[35] La afirmación **de que la enfermedad desaparece o puede desaparecer en la aceptación de Jesucristo como nuestro Salvador personal,** simultáneamente a nuestra redención del pecado, se analiza en la obra del autor ¿*Cómo tener una mejor Salud Mental ...?*

Capítulo II

La Creación y Caída, y el Amor de Dios

Aun cuando hemos hablado de la Creación, y hemos expuesto los puntos fundamentales es necesario aludir retrospectivamente a lo esencial y recopilarlo para construir un paradigma que nos permita recordarlo frente a un secularismo ateo espiritualista patrocinado principalmente por ˝el **Movimiento del Potencial Humano**[1] adscrito a la sigla *New Age*,[2] y que presenta una cosmología contraria e incompatible a la de la Revelación bíblica. El **relato de la creación** de Génesis 1 y 2 ha sido atacado desde diferentes ángulos de tal manera, que si se aceptara la **hipótesis documentaria**[3] y la **crítica de las**

---

[1] Ver capítulo anterior sobre el origen de la Nueva Era desde la antigüedad y en la época moderna.

[2] Id.

[3] La Teoría Documentaria o Hipótesis Documental rechaza que el Pentateuco sea de Moisés. La base del rechazo sería de que la «descripción de un curso de la historia debe ser considerada *a priori* como falsa y ahistórica si se interponen factores sobrenaturales en él. Todo debe ser naturalizado y asemejado al curso de la historia natural» (Frank, *Geschichte und Kritik der Neuren Theologie*, p. 289, citado por Josh McDowell, en *Evidencia que exige un veredicto*, vol. II, p. 33).

Langdon B. Gilkey (*Cosmology, Ontology, and the Travail of Biblical Language, Concordia Theological Monthly*, Marzo 1962, vol. 33, p. 148) es mucho más cínico cuando comenta de la experiencia que se puede obtener del relato bíblico como "los actos que los hebreos creían que Dios pudiera haber hecho, y las palabras que él pudiera haber dicho –pero naturalmente nosotros nos damos cuenta de que no fue así".

Según los que dependen de dicha teoría, el Pentateuco sería una recopilación de cuatro documentos o fuentes principales: el Yahvista (**J**), Elohista (**E**), Deuteronómico (**D**), y el Sacerdotal (**P**); escritos por autores independientes desde el s. IX a.J hasta el V a.J. Diferentes redactores los combinarían durante ese período. El que fijó esta teoría fue Julius Welhausen (1844-1918). Aunque la teoría ha sido modificada mediante una evolución (Josh McDowell, op. c., pp. 85, 86), el *Diccionario Terminológico de la Ciencia Bíblica* (por Flor Serrano-Alonso Schökel, p. 30) nos dice "que hoy en día es comúnmente admitida". Sin embargo tendremos oportunidad de comprobar que todo aquel que no se guía por prejuicios (incluyendo aquí a los estudiosos de diferentes tendencias) rechaza hoy dicha teoría documental.

Según esta teoría, lo sobrenatural no sería histórico y por lo tanto falso, y puesto que el **relato de la creación** entra dentro de lo sobrenatural, no sería ni histórico ni cierto. Y por cuanto según el testimonio interno y externo se da como seguro que es Moisés el autor, la Biblia no estaría diciendo la verdad, en un asunto en el que está comprometido el propio Jesucristo e incluso el propio contenido considerado como

formas[4] en cualquiera de sus vertientes, bien en la mitigada o en la más agresiva, el creyente estaría desprotegido frente a los presupuestos de la *New Age*, que ocupa, cada vez más la representatividad de la humanidad que no se adscribe de forma comprometida y total con cualquiera de las opciones que actualmente se presenta mediante las diferentes denominaciones que aparecen como cristianas.

Los contenidos teológicos que aparecen en esos primeros capítulos del Génesis, donde está inscrito el relato de la Creación y de la caída de la primera pareja humana, son de gran importancia para nuestra espiritualidad y para defendernos del engaño.

La naturaleza de los días de la Creación que culminan en el Séptimo día, se desmarca de la teoría de los 6.000 años para la que algunos quieren de nuevo encontrar base, forma parte de un contenido que nos dará luz para comprender mejor a Dios.

La creación del ser humano configura una concepción antropológica imprescindible para tener seguridad.

La institución del Sábado, la matrimonial, y la naturaleza de la alimentación provista por Dios al ser humano, son tres pilares que tienen que ver con el carácter existencial y vital del hombre

---

inspirado. En efecto, el problema no está simplemente en el hecho de la autoría sino en la génesis, el mecanismo y desarrollo que se utiliza para desbancar la autoría mosaica. Si se niega a Moisés como autor no hay certeza de que lo que se dice que dijo un tal Moisés, al que se le niega la paternidad, sea cierto. Si se acepta esa suposición puramente especulativa, se estaría dando la razón a los que piensan en esa recopilación en base a esos cuatro documentos, fruto **no de una revelación divina** sino de unos redactores que han sabido combinar por su cuenta unos documentos originados en un tiempo y por alguien distintos a los que el texto afirma, y si esto fuera así, entonces esos que compusieron el texto pretendieron mentir para que se aceptara su texto *humano* como siendo divino, y en ese caso, de ser verosímil, ¿qué valor tendría el contenido teológico e incluso las coordenadas históricas?

Por descontado que numerosos afiliados a dicha teoría rechazan el *naturalismo* en que está basada la hipótesis documentaria, pero mantienen, con algunas variantes, la crítica *literaria naturalista* que independientemente de los desaciertos y errores, traduce, en sus resultados la conjetura de su base.

[4] La Historia o Crítica de las formas (*Formgeschichte*) mantendría la presunción de que el Pentateuco fue el proceso de una recopilación y no obra de Moisés pero a diferencia de la teoría documentaria, las recopilaciones no partían de documentos escritos sino de *tradiciones orales* que habrían sido puestas por escrito durante o a partir del exilio en el 586 a.J.

Aquí el *Sitz Leben* (situaciones vitales), lo suponen importante para concretar la evolución que habría experimentado el material desde su estado oral hasta su forma escrita.

Los fundadores de esta escuela Herman Gunkel (*Die Sagen der Genesis*, 1901; *Die Schriften des Alten Testaments*, 1911), Hugo Gressmann (*Die Alteste Geschichtsschreibung und Prophetie Israels*, 1910) recibieron un apoyo, que incluso les superó, por parte de Rudolf Bultmann que parece olvidarse de las hipotéticas fuentes orales y se centra en el análisis histórico y literario del texto escrito, una vez evolucionado. Pero eso sí, sin interferencia sobrenatural posible. Independientemente de lo que ya hemos indicado del método histórico crítico, y de otros asuntos que nos veremos obligados a tratar respecto al relato de la creación, ¿por qué no se preocupan de las fuentes orales de donde parten especulativamente para poder "comprender todo el proceso histórico como una unidad cerrada" tal como teoriza Bultmann? (en *Kerygma y Myth*, de. H.W. Bartsch. Traducido por Reginald M. Fuller. Harper and Row, New York 1961, pp. 291, 292).

Pierre Benoit (*Jesus and the Gospels*, vol. I, Traducido por Benet Watherhead, Herder and Herder, 1973, p. 39) descubre la realidad de la conjetura: "Es una tesis que una vez desnudada de sus varias máscaras de análisis literario, histórico o sociológico manifiesta su auténtica identidad: su carácter filosófico".

Para un estudio que explica y refuta todo lo relacionado con lo indicado motivo de esta nota ver a Gleason L. Archer, Reseña Crítica de una Introducción al Antiguo Testamento, op. c.

La Creación frente a la Evolución, y el Pecado original son concepciones imprescindibles para comprender cómo la mente humana con su racionalismo se opone a la Mente Divina, y cómo el pecado deja traslucir la Redención y la Ley del Amor que Dios dispone para su Gobierno.

Historia de la Creación (Génesis 1 y 2)

H.H. Rowley,[5] para demostrar que estamos frente a dos relatos de la Creación distintos y contradictorios nos lo describe en los términos siguientes:

> «entre los dos relatos de la Creación se da una discrepancia con respecto a la secuencia de la creación, una discrepancia con respecto al empleo de los nombres divinos, una diferencia en el concepto de Dios y una diferencia de estilo».

Por parte católica, Heinrich Gross, después de afirmar que el esquema evolutivo hegeliano ya no sirve para interpretar el origen del Pentateuco, y que por lo tanto la teoría documentaria que derivó con Wellhausen tampoco es correcta,[6] acepta una modificación, según la cual, "las fuentes del Pentateuco vendrían a ser *capas de tradición* concebidas ante todo a la luz de la dimensión recién descubierta de su génesis histórica".[7]

Siempre nos hemos quedado con las ganas de saber cuál es esa "dimensión" misteriosa "recién descubierta de su génesis histórica". Nadie la explica ni la expone. Los intérpretes asumen sin que se lo hayan probado, lo que otros dicen, y repiten como un hecho aparentemente fruto de la *erudición* bíblica, algo que nadie te presenta.

Este autor habla de *capas de tradición* que actuarían como *conductores* de tradiciones antiguas "que en su contexto nuclear se remontan a Moisés".[8]

¿Qué es eso de contexto nuclear? Tampoco nadie se atreve a decir cuál es ese núcleo. Si alguien lo hace le preguntaremos que por qué exactamente eso se refiere al nucleo de Moisés y lo otro no. Y que nos pruebe tanto por la "génesis histórica" a la que aluden, y literariamente que lo uno es de origen de Moisés y lo otro no sería núcleo mosaico. Y esto otro que no fuera núcleo mosaico ¿con qué autoridad se ha introducido, y qué valor tiene?

---

[5] En *The Growth of the Old Testament*, Hutchinson's University Library, Hutchinson House, London 1950, p. 24.
[6] En *Manual de Teología como Historia de Salvación (Mysterium Salutis)*, vol. II, op. c., pp. 353, ss..
[7] Id.
[8] Se aludiría aquí a la teoría de la Crítica de las formas. No obstante la Escuela de Upsala que mantiene la idea de unas tradiciones orales sin ser de origen mosaico, y que se pondrían por escrito durante o después de Exilio, son todavía más radicales que los que sostienen la teoría de la "Crítica de las formas". Hacen más énfasis en el aspecto oral dándole más importancia e intentan clasificar el material en categorías literarias y ciertas subdivisiones "típicas" (*gattungen*) una especie de géneros literarios a los que se aplican leyes en cuanto a como se desarrollan según el *Sitz im Leben* (situaciones vitales).

A pesar del intento de querer aparentar el rechazo de la teoría documental, se continúa aceptando *dos capas distintas* en Génesis 1 al 3: Génesis 1-2,4a, al que se le clasifica como el primer relato perteneciente a un documento *sacerdotal* **P,** y el segundo relato de la Creación junto a la caída que se lo califica como **J** (el *yavista-elohim*). Los argumentos empleados por este autor son los mismos que los de Rowley, considerando como uno de los factores importantes de la división en dos fuentes el *cambio de nombre de Dios.*[9]

Ante estas dos fuentes que se nos quieren presentar tan distintas ¿dónde está el núcleo mosaico al que aludía Gross? Porque si son tan dispares y distintas ¿cómo reconocer en una de ellas el núcleo mosaico, si lo identifican en el otro que lo suponen de naturaleza totalmente distinta? Y si fueran capaces de reconocer, tanto en uno como en otro el *nucleo mosaico* aunque fuera contextualmente ¿no se nos estaría queriendo decir que en base a un mismo autor se han obtenido dos exposiciones de un mismo relato, y, por lo tanto, no serían tan dispares como *a priori* se nos quiere hacer creer?

El católico Renckens, considerado como especialista, dogmatiza como Rowley respecto al relato de la creación en Génesis 1 y 2:

> «Ambos relatos están enraizados en la fe de Israel, pero no se pueden situar, por lo demás, en un mismo plano: no proceden ni del mismo tiempo ni del mismo autor, ni tratan tampoco el mismo tema. La confusión es, en consecuencia radical si colocamos frente a esto la distinción radical de fuentes».[10]

Rowley, independientemente de lo que digamos a continuación, que sirve para cualquier teoría que disminuya en algo la paternidad mosaica tal cual la expone y la presenta el propio Pentateuco y el Nuevo Testamento con Jesucristo al frente,[11] comenta:

---

[9] En *Manual de Teología* ..., op. c., p. 354.

[10] H. Renckens (*Creación, Paraíso y Pecado Original,* edic. Guadarrama, Madrid 1969 {originalmente publicado en 1960}, p. 133.

[11] Nosotros estamos de acuerdo con la paternidad mosaica del Pentateuco. Creemos también que Moisés pudo valerse de las tradiciones hebreas que habrían llegado a Egipto por José, Jacob y sus hermanos, además de estar instruido en toda la sabiduría de los egipcios (cf. Hech. 7:22). Pudo escribir personalmente o utilizando Escribas. De cualquier forma él es el autor.

La evidencia interna es tan real que no podemos construir conjeturas como a las que aquí nos estamos refiriendo: el Libro del Pacto (Ex. 20:22-23:33 cf. 24:4, 7); la renovación del Pacto (Éx. 34:10-26 cf. 34:27); el Código deuteronómico (cps. 5 al 20 de Deuteronomio cf. Dt. 31:9); los documentos legales (Éx. 12:1-28; 20-24; 25-31; 34; Lv. 1-7, 8, 13, 16, 17-26, 27; Nm. 1, 2, 4; 6:1-21; 8:1-4, 5-22; 15; 19; 27:6-23; 28, 29; 30; 35; Dt. 1 al 33); la historia de los trayectos (Nm. 33:2).

No cabe duda que aunque no hay declaraciones explícitas respecto al libro del Génesis, debemos tener en cuenta que para el judío el libro de Moisés hace referencia a todo el Pentateuco, de ahí que cuando Jesucristo alude a Exodo 3:6 (cf. Mr. 12:26), identifique el libro de Moisés sin especificar a la parte del Exodo. "Moisés" o la "Ley de Moisés", abarca a todo el Pentateuco (cf. Lc. 24:27, 44). Lógicamente las citas que poseemos del profeta Jesús de Nazaret, incluye al Génesis como formando parte del *Libro* y autoría de Moisés. En efecto, en una de las disputas con los fariseos en relación al tema del divorcio (Mt. 19:4, ss.; Mr. 10:2-9), se especifica con textos relativos al Génesis (1:27; 2:24) y Deuteronomio (24:1-4) que ambas *partes* (lo que denominamos libro del Génesis y libro de Deuteronomio) están incluidas en el *Libro entero* de Moisés (los cinco libros reunidos).

La historicidad tanto de la Creación como la institución matrimonial, el diluvio o lo relativo a Sodoma y Gomorra están descritos como tales por la autoridad de Jesús, involucrando unos valores teológicos como el de la autoridad de la revelación y fidelidad de lo que se describe (cf. Mt. 19:4, 5, ss.; Lc. 17:26-29; Jn. 8:37).

«El hecho de que la teoría de Graf-Wellhausen es extensamente rechazada en todo o en parte es indudablemente verdad, pero no hay otra que poner en su lugar que no vaya a ser más extensa y enfáticamente rechazada (...) La

---

Los pasajes de Juan 5:45-47 abundan en lo que estamos diciendo pero añaden elementos importantes. Aquí Jesús reconoce el carácter global y plural de los *escritos* de Moisés pero pone la *creencia* en Moisés y en sus escritos en paralelo con la *creencia* en Jesucristo y en sus palabras.

La *creencia* en Jesucristo no se ve alterada o disminuida en proporción a la aceptación de Moisés y de sus escritos en su totalidad como siendo del propio Moisés, tal como Jesús los aceptaba en su época.

Por lo tanto, el hecho de que el Éxodo se presente como la continuación de Génesis se esta identificando al mismo autor para la *parte primera*, la de los *Orígenes*: el autor es el mismo para ambos escritos de Exodo y Génesis.

Numerosos testimonios de todas las Escrituras, tanto del Antiguo como del Nuevo Testamento, aseveran la autoría de todo el Pentateuco a Moisés.

Otto Eissfeldt reconoce que el «nombre empleado en el Nuevo Testamento, claramente haciendo referencia a la totalidad del Pentateuco –el Libro de Moisés-, tiene que ser entendido claramente como significando que Moisés fue el recopilador del Pentateuco» (en *The Old Testament, Harper and Row Publishers*, New York 1965, p. 158).

Independientemente del estudio que vamos a ir haciendo de las objeciones que se plantean a la aceptación del relato de la Creación, tal como se nos describe, y como siendo de un mismo autor, sin necesidad de recurrir a dos o más capas orales tradicionales que o bien niegan a Moisés como autor o lo reducen a una especie de alusión a Moisés de tipo *"núcleo contextual"*, digamos ahora que los descubrimientos realizados, por ejemplo respecto al Tratatado de Soberanía Hitita ha revalorizado al libro de Deuteronomio como siendo de un mismo autor y por lo tanto de Moisés.

George Mendenhall publicó un artículo (*Covenants Forms in Israelite Tradition: "The Bible Archaeologist"*, 17/3 1954) donde se describía "los antiguos tratados de soberanía que se establecían entre los victoriosos reyes del Oriente Medio y sus derrotados subditos" (ver *Evidencia que exige un Veredicto*, vol. II, op. c., p. 159). El arqueólogo G.E. Wright (en *Arqueología Bíblica* se hace eco de este descubrimiento (op. c., pp. 142-145), y comprueba el paralelismo en el uso de la Deidad y de ciertos tipos de lenguaje cuando a Dios se le considera el único Soberano, y a tenor de las evidencias concluye:

«(...) la fe israelita se explicitó en un marco tomada y adaptado de los tratados internacionales del segundo milenio antes de Cristo (...)» (op. c., p. 144).

Cuando H. Renckens (*Creación, Paraíso y Pecado Original*, edic. Guadarrama, Madrid 1969 {originalmente publicado en 1960}, p. 135, 136) afirmaba categóricamente que se ha llegado <<como un hecho incontestable que el Pentateuco fue evolucionando al mismo tiempo que evolucionaba Israel hasta alcanzar la forma en que nos es conocido>> y que el Deuteronomio había sido elaborado posteriormente partiendo de un *material* antiguo, sobreentendiendo diversos autores en su confección, eruditos de la talla de K. A. Kitchen y Meredith G. Kline, estudiaban de acuerdo a sus disciplinas la validez de las hipótesis de las *fuentes* comparando sus argumentos con lo que evidenciaban en contra los últimos descubrimientos. Y así Kline demostraba primero lo que expresa en una de sus citas:

«A la luz de la nueva evidencia ahora examinada, parece indiscutible que el Libro de Deuteronomio, no en la forma de un imaginario núcleo original sino precisamente en la integridad de su forma actual, la única acerca de la que poseemos alguna evidencia objetiva, exhibe la estructura de los antiguos tratados de soberanía en la unidad e integridad de su pauta clásica» (*Treaty of the Great King*, William Eerdmans Publishing Co., Grand Rapids, 1963, p. 41; también puede verse del mismo autor *Dynastic Covenant, Westminster Theological Journal*, noviembre de 1961, vol. 23, p. 15).

Kitchen que apoyará esta postura (en *Ancient Orient, Deuteronisme and the Old Testament, New Perspectives on the Old Testament*, Word, editado por J. Barton Payne, Waco-Texas 1970, p. 4) confirma:

«Este autor no puede ver ninguna forma legítima de escapar de la clarísima evidencia de la correspondencia de Deuteronomio con la notablemente estable forma de tratado o pacto de los siglos catorce y trece a.J. De aquí siguen dos puntos. Primero, la estructura básica de Deuteronomio y mucha parte del contenido que le da carácter específico a aquella estructura tiene que constituir una entidad literaria reconocible; segundo se trata de una entidad literaria no de los siglos octavo o séptimo a. J., sino de alrededor del 1200 a.J., como más tarde».

Y Kline (en *Treaty of the Great King*, op. c., p. 43) apostilla:

«(...) es apropiado distinguir los tratados hititas del segundo milenio a.J. como la forma "clásica". Y sin duda alguna el Libro de Deuteronomio pertenece a la etapa clásica (...). Así, aquí tenemos una confirmación significativa del caso *prima facie* en favor del origen mosaico del tratatado deuteronómico del gran Rey».

Rowley tendría que cambiar de opinión cuando considera el Código de Deuteronomio «de vital importancia en la crítica del Pentateuco, por cuanto es primariamente en relación con él que se datan los otros documentos». (*The Growth of the Old Testament*, op. c., p. 29), ya que se ha demostrado, tanto literaria como históricamente que el Pentateuco responde a Moisés como autor, y al segundo milenio a.J. como el momento de fijarse por escrito, y no en el primer milenio a.J.

postura de Graff-Wellhausen es sólo una hipótesis de trabajo, que puede ser abandonada de inmediato cuando se encuentre un concepto más satisfactorio, pero que no puede ser dejada provechosamente hasta entonces».[12]

Aunque se han encontrado varios conceptos más satisfactorios tal como pedía Rowley no se ha hecho caso, y es que el crítico ha permitido que la teoría controlara a los hechos cuando tendría que ser al revés. Son los datos objetivos y tangibles los que deben superar a la teoría. Los hallazgos arqueológicos están ayudando a resolver ciertos problemas que dejaron perplejos a los críticos, y que decidieron idear especulativamente hipótesis que no han encontrado apoyo real. Pero siguen prefiriendo lo que responde a debilidades metodológicas y a ausencias de evidencias objetivas.

Eruditos, que se han cansado de lo artificial de una teoría que se repite machaconamente como plausible sin reflejar pruebas, han emitido un juicio condenatorio y desafiante hacia los críticos que fantasean con aires de conocimientos respecto a la existencia de fuentes. Todo el testimonio histórico en cuanto al origen del Pentateuco está en contra de las conjeturas y presuposiciones de la mayoría de los centros que se tienen por académicos.

Bruce K. Waltke, de la Universidad de Harvard y miembro de la Universidad de Jerusalén, afirma:

La unidad del Pentateuco se debe, no a un último redactor que supo hilvanar las diversas fuentes, sino a alguien que desde el principio hasta el final supo compaginar adecuadamente sus conocimientos históricos y literarios siendo testigo presencial y protagonista principal de lo que escribe bajo inspiración divina.

Las repeticiones de un mismo relato es un pobre argumento para obtener de ello fuentes distintas. Tan ingenuo se imaginan que podría ser ese hipotético tercer redactor que uniendo las dos o más supuestas fuentes sigue insistiendo en una única autoría, colocando dos relatos de un mismo asunto, y tal como dicen los críticos, con supuestas contradicciones. Ese redactor, que según los críticos ha sido capaz de *engañarlos* hasta el extremo de obligarles a reconocer que supo hilar todo convenientemente dándole al Pentateuco una unidad precisa, tanto en vocabulario como en colorido, ambiente, doctrinas, espiritualidad, etc., ahora lo creen tan burdo como para dejar un rastro, una prueba tan fehaciente como la que se supone es la *repetición* de un relato.

Pero los autores modernos se creen tan listos que no son capaces de inventarse *un cuarto redactor* que *dándose cuenta* de esa flagrante repetición *no eliminara*, "el doble", para ocultar esas ilusorias contradicciones que los críticos, sin demasiado cuidado en su análisis, han pretendido advertir.

Pero no hay contradicciones, y las repeticiones responden a una técnica hebrea reconocida hoy como valiosa y encontrada en la literatura oriental extrabíblica. La realidad, tal como han demostrado y que yo no voy a repetir aquí, Kitchen (*Ancient Orient and the Old Testament*, Inter-Varsity Press, Chicago 1966, p. 120) acerca de las irreales dos estimaciones diferentes de la duración del diluvio (cf. Gn. 7 y 8); o lo referente a Génesis 6:19, 20 (cf. 7:8, 9) y Génesis 7:2, 3, en que la posible contradicción es puramente imaginaria, ya que en Génesis 6 se indica la forma de entrar: "por pares" (el dual hebreo *shenayim* no puede decirse en plural), siendo una declaración general, mientras que en Génesis 7:2, 3, se particulariza una elección en cantidad distinta respecto a la calificación de los animales: puros o impuros.

Josh McDowell recoge exhaustivamente todas las respuestas a lo relativo a la historia del diluvio, el viaje de Abrahán, la bendición de Isaac, la historia de José, etc. (*Evidencia que exige un Veredicto*, vol. II, op. c., pp. 221-227).

El estilo hebreo es la explicación a los duplicados. Tales repeticiones son típicas tanto de la literatura babilónica, ugarítica e incluso griega (ver a Cyrus H. Gordon *Higher Critics and Forbidden Fruit*, en *Christianity Today*, November 23, vol. IV, USA 1959, pp. 131-133). El estilo hebreo exige en ocasiones la estructura paratáctica, el énfasis, y como paralelismo que aporta adiciones importantes, utilizando para ello el duplicado (ver a *Evidencia que exige un Veredicto*, vol. II, op. c., pp. 227, 228).

Sobre la repetición de los nombres no explicaría dos fuentes sino que se ha demostrado con los últimos descubrimientos que existen cientos de ejemplos en el antiguo Medio Oriente (íd., p. 231).

Sobre los anacronismos y otros aspectos ver íd, pp. 232-241.

[12] *The Growth of the Old Testament*, op. c., p. 46.

«Aunque alguien que haya leído sólo la literatura popular presentando las conclusiones del enfoque literario analítico no se de cuenta de ello, incluso el más ardoroso defensor de esta teoría tiene que admitir que hasta ahora no tenemos ni un solo fragmento de evidencia tangible, externa, ni de la existencia ni de la historia de las fuentes J, E, D, P».[13]

He tenido la oportunidad de comprobar leyendo a Renckens[14] representativo de otros críticos, el cómo en su empresa de querer poner en cuestión la integridad y fiabilidad del documento bíblico pretende encontrar fallos, buscar discordancias donde no las hay quedando bloqueado el proceso racional por partir de la ilegitimidad de la propia teoría literaria a la que se adscribe sin haberla probado previamente. De este modo, sin percibirlo, la mente se autoengaña y se deja arrastrar a "incluir las conclusiones a las que uno desea llegar dentro de las premisas de partida a fin de asegurar que las dichas conclusiones vengan a ser el resultado del proceso".[15]

Umberto Cassuto, un erudito judío, supo en su *The Documentary Hypothesis,*[16] aportar suficientes argumentos tanto históricos, estilísticos, como de cualquier otra índole para presentar la falacia de la hipótesis crítica contra la paternidad mosaica. El peso específico de tales demostraciones[17] sirven tanto para señalar los errores de los que niegan la paternidad mosaica, como para los que la reducen a un núcleo contextual que no te saben identificar, y que continúan manteniendo, modificándola, la teoría de la hipótesis documentaria.[18]

Las objeciones básicas que se presentan por los críticos y que sirven como apoyo para la teoría de dos o más fuentes distintas para la confección de un Pentateuco, que estaría en proceso de composición durante varios siglos y que no culminaría hasta el siglo VIII a.J., son refutadas magistralmente por Cassuto, concluyendo:

«No demostré que estos pilares fueran débiles o que cada uno no lograra dar un apoyo decisivo, sino que nunca fueron pilares, que no existieron, que eran puramente imaginarios. A la vista de esto, mi conclusión está definitivamente justificada: el que la hipótesis documentaria es nula y vacía».[19]

---

[13] Citado en *Evidencia que exige un Veredicto*, vol. II, op. c., pp. 259, 260.

[14] *Creación, Paraíso y Pecado Original*, op. c.

[15] En *Evidencia que exige un Veredicto*, vol. II, op. c., pp. 261, 262.

[16] Magne Press The Hebrew University, Jerusalem 1961.

[17] Algunos ya hemos visto en nota aparte. En breve aludiremos a él en el asunto del relato de la Creación en relación a los distintos nombres divinos.

[18] Por el lado católico se da una incongruencia adicional y tragico-cómica. Y es, que por una parte se ven obligados a rescatar ciertos contenidos teológicos que aparecen en los primeros capítulos del Génesis: Creación del ser humano, pecado original, etc., y por otra quieren aplicar la *teoría de las fuentes* y el origen del escrito como fruto de una evolución, culminando posteriormente en una redacción como la actual. Esto es forzar más todavía la teoría, provocando una incompatibilidad tan manifiesta que se deja percibir por la imposibilidad de presentar pruebas objetivas.

[19] Umberto Cassuto, *The Documentary Hypothesis*, op. c., pp. 100, 101.
Ver, acerca de este asunto, a Briggs, *The Study of the Holy Scriptures*, Baker Book House, USA 1970, pp. 511-532.

Otro erudito Judío, M.H. Segal, nos sirve como colofón a este asunto, antes de entrar de lleno en un análisis de la naturaleza del relato de la creación. Tras la investigación seria de los argumentos de aquellos que pretenden basarse para su convencimiento "histórico-crítico" respecto a la confección del Pentateuco, afirma:

«Las páginas anteriores nos han clarificado la causa por la que tenemos que rechazar la Teoría Documentaria como explicación para la composición del Pentateuco. Está teoría es complicada, artificial y extraña. Está cimentada en presuposiciones no demostradas. Utiliza criterios infiables para la separación del texto en documentos componentes (...) descuida el estudio sintético del Pentateuco como un todo literario. Por medio de uso anormal del método analítico, la Teoría ha reducido el Pentateuco a una masa de fragmentos incoherentes, históricos y legales, a un repertorio de leyendas tardías y de tradiciones de origen dudoso, todo ello agrupado por recopiladores posteriores mediante un hilo cronológico artificial. Esta es fundamentalmente una evaluación falsa del Pentateuco. Incluso una lectura superficial del Pentateuco sería suficiente para mostrar que los acontecimientos en él registrados son expuestos en una secuencia lógica, y que hay algún plan combinando sus varias partes y algún propósito unificando todo el contenido, y que este plan y propósito encuentran su culminación en la conclusión del Pentateuco, que es también el final de la era de Moisés».[20]

A. Naturaleza del Texto

1. Literatura y Creación

a) El género literario del relato de la creación no es mítico

Independientemente del ropaje histórico con que el mito se apropia para trasmitir una verdad, y aunque la Biblia puede servirse, en ocasiones, de las figuras mitológicas como términos que han venido a formar parte del vocabulario popular,[21] el sentido y significado de sus expresiones, aun aquellas consideradas como de uso mitológico, **no tienen nada que ver con el *mito***

---

[20] M.H. Segal, *The Pentateuch-Its Composition and Its Authorship*, Magne Press the Hebrew University, Jerusalem 1967, p. 22.

El católico M. J. Lagrange hablando de la teoría documentaria y de la evolución religiosa que contradiría al texto sagrado, comenta:

«Es una realidad que la obra histórica de Wellhausen queda más que comprometida. La evolución que se inicia con el fetichismo, que asciende a la monolatría, y finalmente al monoteísmo, o desde el más rudimentario culto a complicadas instituciones sociales y sacerdotales, no puede ser mantenida frente a la evidencia factual desvelada por los recientes hallazgos» (en *L'Authenticité Mosaique de la Genése et la Théorie des documents*; citado por M.B. Stearns, *Biblical Archaeology and the Higher Critics*, Bibliotheca Sacra, vol. 96, n° 483, Julio-Septiembre 1939, pp. 312, 313).

[21] Por ejemplo, se utilizan términos que los cananeos emplean en su concepción mitológica, semejante a la Babilónica, al describir el combate que hace surgir la tierra, los hombres y otros elementos de la Naturaleza (cf. Is. 27:1; Sal. 74:13 ss.; 89:10; Job 3:8; 51:9; Am. 9:3; Ap. 12:3; 13:1; 17:1-3).

ni con su mensaje. Wright[22] ha demostrado sobradamente ésto en una descripción acertada de las diferencias esenciales entre la *creación* (si se puede llamar así) babilónica, egipcia, cananea (por citar las más sobresalientes) y la *creación* que nos presenta Moisés en el Génesis.

En el primer caso no existe creación propiamente dicha es el Universo de una forma o de otra el que aparece supremo, representado por elementos del propio Universo que personificados *procrean sexualmente* al resto de dioses con los que después sacarán a los hombres.[23] Con algunas variantes aparece una descripción distinta en otras culturas, aunque esencialmente el hecho de la Naturaleza o alguna forma de Universo representados por algún elemento (como el sol por ejemplo) aparece como lo primero sin saberse de dónde ni cuándo ha venido a ser *eso*.[24]

El *principio de orden universal*, una especie de *hado o destino* para los griegos; una fuerza cósmica y de estabilidad para los egipcios; el *Parsu* (el propio principio de orden universal), y el *simtu* (un destino que se asigna a la humanidad antes de que empezara existir) para los mesopotámicos, se trata en todos los casos de una fuerza más poderosa que los dioses a la que se deben someter todos.[25]

Sin embargo se trata siempre de recursos terminológicos de expresiones que se han popularizado. Pero al introducir a un Dios Creador que domina sobre el *abismo* y sobre todo, se convierten las propias figuras en símbolos representativos del Mal (cf. Is. 27:1; Ap.) contra el que el poder de Dios acabará. El caos que se anuncia como presente ya no se explica por la Naturaleza sino por una historia en la que el pecado y el desconocimiento voluntario del mundo humano respecto de Dios actúan como un mensaje dentro de esa historia.

[22] En *Arqueología Bíblica*, op. c., pp. 145-149.

[23] El primer punto que uno observa cuando analiza los mitos babilónico, egipcio y cananeo, es que en su origen los **dioses** se confunden con la **naturaleza y sus elementos**.

Por otra parte, en la base de esta concepción aparece la idea **politeísta**.

Esto nos evidencia que es el Universo o la Naturaleza a lo único a lo que uno puede referirse en cuanto a la existencia primaria y a la eternidad. De ahí se colige la imposiblidad de formular una doctrina de la creación cuando en la eternidad y fuera del Universo no hay nada ni nadie al que se pudiera identificar como siendo el Creador.

En Mesopotamia se concibe un primer estadio del Universo como siendo el **caos estático** donde se presenta el *océano tenebroso o profundidades*. Estas profundidades el mito las personifica como Apsu y Tiamat.

Nada se nos dice en cuanto a cómo salió ese *océano tenebroso y profundo*.

Y ahora por medio de una actividad sexual surgen los elementos del propio Universo en forma de *dioses* que lo llenan. Imponiéndose el orden después de una lucha cósmica entres esos dioses que dan muerte precisamente a sus *progenitores*: a Apsu se le quita la vida y a Tiamat se le divide en dos mitades, convirtiéndose la *una* en el **cielo,** y la *otra* en la **Tierra.**

Los hombres salen con necesidad de los dioses a que hubiera esclavos para ellos.

Y aquí aparece la idea que se irá arrastrando a lo largo de los imperios universales con las matizaciones que el momento requiera: Los dioses con un dios que preside establecen un Gobierno de Estado Universal, y encargan a un hombre que cuide del Orden en la tierra, concediéndole la Autoridad Suprema, copiando ese "Gobierno de Estado Universal". El caso de Hammurabi recibiendo las leyes del dios Sol, no se puede entender como una revelación puesto que Hammurabi se apropia dichas leyes como siendo propiamente suyas (ver sobre esto a Wright, *Arqueología Bíblica*, op. c., p. 146), dando a entender su *estirpe divina*.

[24] La variación con que se describe en Egipto la salida del caos por medio del combate que sostiene el Sol (Ra), y que es preciso renovarlo cada día y cada año no distingue diferencias esenciales de naturaleza entre los dioses y los hombres. De hecho el Faraón es una encarnación divina, directamente de Ra. Lo que ha existido y se ha hecho visible surge del sol divino como fruto de una especie de *masturbación* (ver sobre esto a Wright, *Arqueología Bíblica*, op. c., 146).

El panteísmo es aquí evidente como en Babilonia y en todas las concepciones fuera de Israel.

[25] Puede consultarse a Wright, *Arqueología Bíblica*, op. c., 147.

Sin embargo la revelación bíblica ni admite ese principio de orden universal cósmico ni el determinismo.

La mitología politeísta es sustituida por la literatura histórica: los hechos del pasado y del presente es lo que se valora tendiendo a que sirvan como confesión de fe del creyente.

El hombre no está sometido a un modelo cósmico intemporal y materialista. El hombre es una *criatura* de un Dios personal, trascendente e *increado*, y como tal, el modelo al que se ajusta, es el de depender de la obediencia a ese Dios que ha hecho y hace promesas que se cumplen en la historia. De ahí que la *naturaleza* pierde todo su valor frente a la *historia*, simplemente es el escenario del Señor de la Historia, del Dios que no se confunde ni con la naturaleza ni con ningún elemento mitológico personificado de ella.

Wright nos lo explica diciendo:

> «Israel no considera la creación como un combate sino como un acto de del Dios único (...) del Dios que existe antes de la creación.
>
> (...) El término que significa "profundidad" es *tehom*, cuya raíz original es la misma que la del vocablo babilónico *Tiamat*. Pero esa profundidad no es un dragón o una persona. Los hebreos desmitificaron la antigua versión politeísta de la creación. Dios dijo ... y existió; como Dios es bueno también es bueno todo cuanto hizo (...) al mismo tiempo que hacía el mundo también creaba el tiempo del mundo, que es el marco de la historia».[26]

Delimitemos el género literario de esta primera sección bíblica (Gn. 1:1-2:4a-25).

Gerhard von Rad nos advierte de este modo respecto a Génesis 1:

> «Hay algo que deberá tener bien claro quien acometa la exégesis de Génesis 1 (...); todo ha sido meditado y sopesado, y debemos recibirlo con precisión. (...). Cuanto ahí se dice, pretende ser tenido por válido y exacto, tal como ahí está dicho. El lenguaje es extremadamente amítico; tampoco se dice nada que haya de ser entendido simbólicamente y cuyo sentido profundo tengamos que empezar por descifrar».[27]

Von Rad reconoce que el texto ni es mítico ni simbólico, sino preciso y muy concreto a fin de que se le haga caso.

Este modo de concebir el texto nos predispone a encontrar el valor teológico del significado de la Creación, del Creador, de los días que se enume-

---

[26] Id., p. 149.

[27] *El Libro del Génesis*, op. c., p. 56.
Aunque el autor en su introducción se adscribe a la teoría de las fuentes modificada, y ya hemos tratado este asunto en otro lugar, es acertado en varias de sus interpretaciones cuando se ajusta exclusivamente a lo que dice el texto. Aunque no estamos de acuerdo con otras conclusiones motivadas por su dependencia al método histórico crítico en el que se inscribe la "crítica de las fuentes", lo utilizamos cuando nos sirve para nuestro cometido.

ran con el origen de la semana y del Sábado, de la creación del Hombre genéricamente, y de alimentación provista para el ser humano.

Si no es ni mítico ni simbólico, y debemos aceptar su contenido como algo real ¿qué es?

b) Creación inicial y estilo genealógico con realidades históricas integradas

El hebraísta Jackes Douckhan al hacer un análisis de los posibles géneros literarios del relato de la creación en su conjunto, descarta la posibilidad de que pueda encuadrarse dicho género en el poético ni en el propiamente histórico ni en el profético, género este último al que se adscribirían aquellos que pretenden ofrecer una medida de 7.000 o de 1.000 años para cada día de la creación.

Él se explica de la siguiente manera:

«el relato de la Creación no pertenece a ninguna de estas tres categorías literarias. No es ni una poesía, ni un relato histórico, ni una profecía -es una genealogía.

Tiene en efecto todos los caracteres, y esto sobresale claramente cuando se compara con la genealogía más próxima, a saber la de Génesis 5».[28]

El que no sea un género puramente histórico[29] no significa que los elementos históricos integrados no sean reales:

«Se trata de una genealogía, (...) la Creación no es concebida por el autor bíblico ni como un mito sobre el cual habría bordado algunos motivos poéticos, ni como una profecía a partir de la cual sería posible prejuzgar el futuro, ni como un relato exacto que permitiera comprender tal como se ha desarrollado la operación -sino como una realidad que se vierte en la historia humana, incrustándose para hacer cuerpo con ella. La Creación rinde cuenta al hombre de la intervención de Dios (...). Dios habla y las cosas que forman nuestra realidad, son. Todo lo que palpa y verifica nuestra experiencia humana no ha sido producido al azar sino que ha surgido de una incursión "verbal" de Dios. Y este acto es concreto, no es ni una idea, ni una visión, ni un sueño, es una realidad viviente de la misma naturaleza que la que nos presentan las genea-

---

[28] En *Creation et Littérature*, SdT, 1976, p, 5.
El autor alude tanto a Gerhard von Rad (*La Genèse*, p. 65, como a H. Cazelles, *Introduction critique à l'Ancien Testament*, pp. 232 y ss.) para encontrar confirmación a su concepción en los términos siguientes: "Es interesante notar que los dos textos han sido clasificados por la teoría de las fuentes en la misma categoría" (op. c., p. 5).

[29] Tal como ya estamos indicando no se trata de negar la historicidad de la creación, sino del método escogido por Dios para transmitir el hecho real de la creación. En Génesis 2:4a que la mayoría de las Biblias han traducido el término técnico hebreo *toledoth* por 'historia' significa **genealogía** (puede consultarse para este significado L. Ramlot, *les généalogies bibliques, un genre littéraire oriental*, en BiVC, 1964, pp. 60, 53-63; y H. Cazelles, o. c., pp. 162, 231 y 759. Citados ambos por Douckhan, op. c., p. 5).
El *CBA* (vol. I, p. 233), alude a la *The Jewish Encyclopedia* (art. *generation*) considera del mismo modo el relato como una **genealogía**. Se trata de mostrar la *descendencia* de los cielos y de la tierra (cf. PP, p. 103).

logías. El género literario tiene por objeto preparar al lector a recibir el mensaje como una realidad viviente (...).

»La misión de la genealogía no es tanto "informar" de una manera precisa y rigurosa sino de atraer nuestra atención sobre la realidad de su historia».[30]

Este método, el de la "genealogía", de transmitir Dios el hecho real de la Creación con sus contenidos reales evita que conozcamos no solo el cómo ha venido a ser (se trata de un hecho irrepetible y sin posibilidad de buscar su "rastro"), sino que, además, impide actuar a la intuición y a la conjetura. La sabiduría humana tiene unos límites prefijados con las realidades que la genealogía nos bosqueja. No hay lugar ni para los mitos ni para una posible interpretación simbólica ni profética.

Dios mediante esta genealogía hace incompatible su mensaje verbal sobre la creación con cualquier idea que altere mínimamente cualquier contenido real ahí expresado.

2. Estructura y Exégesis

Al aproximarnos al texto de la creación contenido en los capítulos 1 y 2, deberíamos agotar todas las fórmulas de comprensión tanto desde el punto de vista del lenguaje hebreo como racional, antes de lanzarnos a la aplicación de una hipótesis que se tendría que probar previamente.

El hecho de que aparezca una repetición de ciertos aspectos de la creación en el capítulo 2, y aparentemente con un orden cronológico distinto cuando se lee superficialmente, el que se presente un nombre de Dios diferente en uno y otro capítulo al referirse a la creación, no justifica ni uno solo de los argumentos de los partidarios de un doble relato de la creación compuestos en diferentes épocas y por autores distintos. El querer ver en el capítulo 1 a un Dios trascendente mientras en el capítulo 2 a un Dios antropomórfico es no querer ser coherente con todo el contenido de uno y otro capítulo.

a) Una Estructura de paralelismo directo que une e identifica los contenidos que sobre la Creación nos presenta el capítulo 1 y 2 de Génesis

A. Los Orígenes de los Cielos y de la Tierra .... *Gn. 1:1-5*

---

[30] J. Douckhan, op. c., p. 6.

Harrison, en *Introducción al Antiguo Testamento*, vol I, op. c., p. 475, prefiere denominar a los relatos del Génesis acerca de la creación y de la caída "*drama religioso*" en que la actividad era la preocupación suprema: «Esta definición ayuda a preservar la forma que es esencial al contenido, sin que al mismo tiempo se arroje dudas, históricas o de otro orden sobre las verdades comprendidas en los relatos mismos».

Esta interpretación se complementa adecuadamente con lo indicado por Douckhan, y respondería a otro aspecto a tener en cuenta cuando acometamos la exégesis y estructura que nos presenta el propio relato de la creación.

**B. La creación del ingrediente *tierra* con las Plantas
en el día tercero después del día segundo** .... *Gn. 1:6-9-13*
1. No hay lluvia aun cuando se han separado las
aguas quedando lo seco de la tierra.

**C. No hay Hombre todavía en la creación del Sol,
la luna, las estrellas, y de los animales en el día
cuarto y quinto** .... *Gn. 1:14-25*

**D. Creación del Ser Humano (Hombre-Mujer)
en el sexto día con las bendiciones
inherentes** .... *Gn. 1:26, 27-31*
1. La bendición de vivir en matrimonio .... Gn. 1:28
2. La bendición de la alimentación vegetariana
tanto para seres humanos como para animales .... Gn. 1-29-31

**E. La consagración del Sábado o Reposo en el
Séptimo día** .... *Gn. 2:1-3*

A'. Los Orígenes de los Cielos y de la Tierra .... Gn. 2:4a

**B'. En ese "día" en que fueron creados los Cielos y
la Tierra no había *Plantas* ni *vegetación*** .... Gn. 2:4b, 5 pp.

**C'. Cuando no habían brotado las plantas,
tampoco había *hombre* que labrara la tierra,
ni el ciclo de la lluvia** (por lo tanto ni sol ni luna
ni estrellas ni animales) .... Gn. 2:4b-6

**D'. Creación del Ser Humano (Hombre-Mujer)
con la implantación de un Huerto Edénico** .... Gn. 2:7-25

*D'1. La bendición de la creación del huerto
edénico* .... Gn. 2:8-17
*a. El árbol de la vida y el de la ciencia del
bien y del mal* .... *Gn. 2:9*
*b. La bendición de labrar la tierra y de
abstenerse de comer del árbol de la
ciencia del bien y del mal* .... *Gn. 2:15-17*
1. La Bendición del Matrimonio .... Gn. 2:18-25
a. El ser humano "hombre" pone nombre a los
animales .... Gn. 2:18-20
b. El ser humano "mujer" es creado a partir
del ser humano "hombre" .... Gn. 2:21, 22
c. Institución del Matrimonio .... Gn. 2:23, 24

b) Explicación y Justificación de la estructura

Cuando el escritor hebreo desea identificar conceptos, y aportar adicionalmente elementos que necesita por su importancia fijar en la mente del lector, utiliza el paralelismo quiásmico: versos o bloques que aparecen ordenados en forma "entrecruzada",[31] o bien emplea el paralelismo directo.

Si analizamos el primer bloque (**A-B-C-D-E**) en su conjunto (Gn. 1:1-2:1-3) con el segundo (**A'-B'-C'-D'**) vemos que responde a un ordenamiento esquemático en el que el paralelismo se ve orientado por la repetición de la creación de los Cielos y de la Tierra (Gn. 1:1 cf. Gn. 2:4a).

En efecto **A-A'**, los primeros extremos de cada bloque se identifican, lo mismo que los dos últimos (**D-D'**) ("**E**" no tiene correspondencia), envolviendo tanto a **B-B'** como a **C-C'** que también están entre sí en forma paralela identificada.

$$A \leftrightarrows A' \qquad C \leftrightarrows C' \qquad E$$

$$B \leftrightarrows B' \qquad D \leftrightarrows D'$$

Es interesante comprobar el primer mensaje que el paralelismo te ofrece, y es, que al identificar paralelamente a la manera indicada los elementos semejantes de cada bloque, te está traduciendo la **unidad** de los contenidos, tanto en el sentido del mensaje como en el cronológico.

El **Origen de los Cielos y de la Tierra** del primer bloque (Gn. 1:1-5) es coincidente con el *Origen de los Cielos y de la Tierra* del segundo bloque (Gn. 2:4a).

Lo curioso de este hecho es que en el segundo bloque te reafirma la consecución de los Cielos y de la Tierra **en un día,** en el primero (Gn. 1:1, 5 cf. Gn. 2:4b).[32]

---

[31] Esta técnica es utilizada en numerosos lugares como en los Salmos, en la apocalíptica (Daniel y Apocalipsis), en los Evangelios, etc., de lo cual rendiremos cuenta en los lugares correspondientes.

[32] Aun cuando algunos han querido encontrar en la expresión "en el principio" (cf. Gn. 1:1) un tiempo indeterminado para la creación de la materia del universo, separándolo en el tiempo del "primer día", la complementación que se adquiere por el paralelismo directo, y la identificación de los bloques, en este caso entre Génesis 1:1 y 2:4, impediría dicha conclusión, y debería llevarnos a corregir esa interpretación del texto, ya que parecería que no se contempla semejante explicación. A no ser, que persistiendo en dicha exposición demos un valor al "día" de Gn. 2:4b totalmente diferente a su concepción natural, asunto éste que rompería con el equilibrio normal con que aparecen las ideas y los términos. No hay razones en el texto para cambiar de significado a la palabra "día" simplemente estaría haciendo alusión al "día" primero en que fueron creados los cielos y la tierra (Gn. 1:1, 5 cf. Gn. 2:4).
La estructura literaria así lo exige. Más adelante cuando aludamos a la naturaleza de los días de la creación explicaremos que a pesar de la preposición constructiva (*be*) que antecede a *yôm* y de la forma infinitiva *asah* (hacer), *yôm* no pierde aquí su valor de día de 24 horas por estar ligado estructural y paralelamente a Génesis 1.
Ver la explicación de Roger E. Dikson (en *El Ocaso de los Incrédulos*, CLIE, Terrassa-Barcelona 1987, pp. 176-180), sobre la imposibilidad de un largo intervalo entre Gn. 1:1 y 1:2. Véase igualmente *CBA*, vol I, p. 220.

Al comparar **B con B'** (**Gn. 1:11-13 cf. 2:4b, 5 pp.**), uno descubre varios mensajes: 1) Al autor inspirado se le va a comunicar ciertos asuntos complementarios que entre el primer día de la creación (**A**) (cuando fueron los orígenes del Cielo y de la Tierra), y el sexto día (cuando fue creado el ser humano) (**D**), aparecen; y que por no romper la estructura literaria del primer bloque, se ve obligado a especificarlo en ese segundo bloque, utilizando para ello una técnica a la que el escritor sagrado suele estar supeditado.

2) El segundo aspecto que subyace, es el mensaje de *fijación*, en la mente del lector, de unas ideas claves:

a) El autor quiere **constatar** y **recalcar** que la existencia de los árboles y plantas no se deben a la mera creación de los Cielos y Tierra. Es preciso la actividad divina para que éstas se hagan realidad.

Cuando se originaron los Cielos y la Tierra por creación divina no había todavía plantas, y *mientras no las hubo*, Dios, ni hizo llover ni había creado al hombre que labraría la tierra cuando existiese.

La realidad de la existencia de esas plantas será cuando Dios las haya creado según Génesis 1:11-13, pero se añade una idea complementaria: va a ser preciso colocar los ciclos de la lluvia y de la labranza según Génesis 2:5 úp, 6, para que posteriormente de modo ordenado y organizado surjan y se recojan.

Pero se constata que este asunto de la labranza de la tierra es imposible por cuanto el hombre no ha sido creado todavía.

Al observar **C-C'** en paralelo, uno descubre, por un lado que el sol, la luna y las estrellas, junto con los animales fueron creados después de la vegetación, de las plantas y de los árboles, y antes que el hombre.

Cuando las plantas y árboles estuvieron, **no antes** sino **después**, es cuando Dios creó al hombre. Si no había plantas ni lluvia ¿para qué se iba a crear al hombre? (cf. Gn. 2:5).

Cuando se estudia en paralelo **D-D'**, uno se sorprende gratamente. Puesto que comprendemos más concretamente los motivos de la estructura de estos dos bloques trasmitiéndonos el mensaje de la Creación. En efecto **"D"** (cf. Gn. 1:26, 27-31) nos orienta en cuanto a la valoración de que el **ser humano** (*hombre-mujer*) fue creado en el *sexto día*, lo que quiere decir que todo el contenido de **" D' "** (cf. 2:7-25) aconteció en el *sexto día*.

Estamos comprobando la manera que tiene el escritor sagrado inspirado de comunicarnos el por qué de este mensaje adicional complementario del segundo bloque hablándonos de la creación.

Se nos había concretado que en el origen "de los cielos y de la tierra" no estaban las plantas ni el hombre, ni nada de lo que se dice que se creó entre los *"orígenes"* (primer día) y la *"creación del hombre"* (sexto día), y nos obliga a sobrentender lo que ya se nos informa en el primer bloque que el motivo de que se aluda a las plantas es para fijar la idea de que éstas se han creado por la actividad divina. Pero ahora hay un mensaje agregado: del mismo modo que cuando Dios dispuso que hubiera árboles y plantas y lluvia, y en un momento posterior que hubiera hombre que labrara la tierra, **ahora**, una vez creado el hombre, Dios va a crear un **huerto especial**, con unas características determinadas y unos contenidos.

La idea a recalcar, es, que eso (Gn. 2:8 y ss.), al igual que lo otro, lo ha hecho Dios directamente, colocando al hombre ahí, y que las plantas y árboles que creó en el día tercero (Gn. 1:11-13) *no tienen nada que ver* con las que existen en ese huerto singular; hecho exclusivamente para que el hombre lo labrara, y pudiera prolongar su existencia comiendo del A*rbol de la Vida* (Gn. 2:9 cf. 3:22-24), y demostrando su dependencia como criatura *no comiendo del árbol de la Ciencia del Bien y del Mal* (Gn. 2:15-17).

No hay medios, por el hecho irrepetible, de trasmitir esa verdad y realidad literal de la existencia del **huerto del Eden**, más que repitiendo "técnicamente" en ese segundo bloque lo que se dice y tal cómo se indica.

En el *relato objetivo* de Génesis 1, se expresa en un esquema la creación en general, y escuetamente la creación del ser humano (hombre-mujer), con la alimentación adecuada para dicho ser humano y para los animales (cf. Gn. 1:26-31). En Génesis 2:4 y ss., aparece un relato descriptivo, en el que las diferencias se miden por la temática y no por el estilo. Es preciso mediante el paralelismo estructural reflejar esta estrategia de la literatura hebrea: la de enfocar más detalladamente el punto principal del bosquejo anterior: el ser humano (hombre-mujer).[33]

El autor sagrado se ha visto obligado a cerrar el bloque con la culminación de la creación en el Séptimo Día. No podía de acuerdo a esta estructura literaria incluir los sucesos que aparecen relatados posteriormente. El artificio literario exige un segundo bloque, tal como se expresa a partir de Génesis 2:4. Para señalar la existencia del **huerto especial** (una situación ambiental terrestre perfecta), una **alimentación** que de consumirse *hacía vivir para siempre*, y la creación de la *varona* a partir del **varón** como una ayuda idónea, y la identificación de los animales por sus nombres descalificados como ayuda idónea, era preciso desarrollar complementariamente lo que ahí se expresa, y tal como se manifiesta.[34]

---

[33] Kitchen nos ofrece lo que la arqueología ha sacado a la luz respecto a este sentido literario de las repeticiones partiendo de algo general y deteniéndose en algo mucho más preciso de lo tratado anteriormente de forma general. El autor pone varios ejemplos de este asunto en *Ancient Orient and the Old Testament*, op. c. pp. 116, 117. Véase también el *CBA*, vol. I, p. 214.

[34] En cuanto a la hipótesis de que el hombre precedería a los animales en este segundo bloque (cf. Gn. 2:19), es querer ignorar que nos encontramos con un perfecto continuativo que por la wau consecutiva o conversiva, equivale a un pluscuamperfecto en castellano: "*había formado*" (ver sobre esto a *Ciencia de los Orígenes* (Geosciencie Research Institute-Loma Linda University, Loma Linda California). Respecto a esta inflexión verbal hebrea ver *CBA*, vol I, p. 237; también a Kitchen, en *Ancient Orient and the Old Testament*, op. c. p. 118. Dios –que ya había formado a los animales– se los presenta al hombre a fin de que les pusiera nombre.

La *reflexión* por parte de Dios en el v. 18, sigue la línea de la circunstancia nueva de encontrarse en un espacio limitado por un *paraíso*. Los animales que se encuentran fuera del contorno del *huerto*, y que ya habían sido creados (Gn. 2:19) (pluscuamperfecto), deben ser traídos de los diferentes lugares a Adán (2:19 sp.).

c) Dios y los nombres de Dios

La oposición que se quiere encontrar entre esos dos capítulos exagerando el concepto de Dios: en el capítulo 1 sería trascendente y en el capítulo 2 sería antropomórfico, es ficticia. Si bien en Génesis 2, Dios *modela, sopla, planta, pone, toma, forma*, pero como remarca Young, en el capítulo 1, a Dios se le adjuntan igualmente términos antropomórficos: *llamó, vio, bendijo, deliberó, obró y reposó*.[35]

La trascendencia tanto en un caso como en otro se comprueba representativamente en la Creación culminante del ser humano (hombre-mujer).

Respecto a la presentación de diferentes **nombres divinos** (*Elôhîm; YHWH*) y el compuesto *Elôhîm-Yhwh*, es un error el utilizar esa distinción como si tradujeran documentos diversos.

Es preciso comprobar, que de acuerdo al contexto del pasaje y al contenido teológico se utiliza con un propósito determinado por las referencias indicadas, uno u otro nombre divino.

El erudito judío, ya citado, Umberto Cassuto, nos habla del uso de *'Elôhîm* para referirse a Dios de modo común, mientras que el *tetragramaton* se emplearía de forma propia, pero nos descubre una serie de normas y de valores teológicos que explicaría el uso de diferentes nombres divinos.[36]

En Génesis 1 se estaría empleando el nombre *'Elôhîm*, según Cassuto, por cuanto se quiere expresar al Creador y Señor del Universo. Es por su orden que todo ha venido a ser, separado de la obra creada.[37]

---

[35] E.J. Young, *Una Introducción al Antiguo Testamento*, Wm. B. Eerdmans Publishing Co., Grand Rapids, Michigan, USA 1977, p. 43.

[36] Seleccionamos algunos de los motivos que nos describe Umberto Cassuto, en *The Documentary Hypothesis*, op. c., pp. 30-41:

Para YHWH

1) Para expresar el concepto israelita de Dios teniendo en cuenta los atributos que le adscriben especialmente en su modalidad ética.

2) Al expresar la concepción intuitiva de Dios tal como lo manifiesta la fe de la multitud o el espíritu profético.

3) Cuando el contexto traduce los atributos divinos trasmitiéndose a través de una clara imagen.

4) En la *Tora* cuando ésta hace surgir un sentimiento elevado de la Presencia Divina.

5) Cuando Dios se presenta de modo personal y en su relación con la naturaleza y los propios individuos.

6) En referencia al Dios de Israel en Su relación con el Pueblo de Dios o con lo más representativo de su Pueblo.

7) Cuando la temática tiene que ver con la tradición de Israel.

Para *'Elôhîm*

1) Cuando se expresa la idea abstracta de Dios, como siendo el Creador y la Fuente de la vida.

2) Al comunicar el pensamiento que intenta configurar los problemas que tienen que ver con la existencia del mundo y de la humanidad.

3) Cuando se expone de modo más general y superficial.

4) Cuando se manifiesta de modo ordinario sin estar vinculado a una reverencia especial.

5) Suele utilizarse esencialmente en un contexto de trascendencia divina.

6) Se usa en referencia a alguien que no es miembro de su Pueblo.

7) Dentro de una configuración universalista.

Cassuto repasa las diferentes formas literarias (profética, legal, sapiencial, poética, narrativa), y ciertos pasajes característicos judíos para justificar el porqué se utiliza una u otra nomenclatura del nombre de Dios.

[37] Id., p. 32.

Mientras que en la historia del paraíso edénico es el Gobierno moral de Dios que se proyecta en el hombre, por lo que es obligado utilizar *YHWH*.[38]

La combinación de *YHWH-'Elôhîm*, según Cassuto, sería porque las Escrituras quieren identificar a *'Elôhîm* con el propio *YHWH*.[39] Esto refuerza la idea de que no hay distinción, y la unidad de los bloques.

La idea del Creador y Señor del Universo sobresale en Génesis 1 mièntras que en Génesis 2 es la del Pacto.[40]

Cuando la arqueología puso a disposición de los estudiosos lo que proporcionó los hallazgos ugaríticos junto a lo que se presenta en Egipto y Mesopotamia respecto al uso de nombres múltiples de Dios, y términos compuestos para referirse al mismo Dios se comprendió, no sólo que la utilización de la combinación compuesta de *'Elôhîm-YHWH*, o por separado era una realidad en otras áreas distintas a la de Israel con su propia denominación de origen, sino que reforzaba la invalidez de los nombres divinos como criterio de fuente.[41]

Es preciso abandonar este argumento infundado de otorgar diversidad de fuentes por el hecho de que los nombres divinos aparezcan con diferente nomenclatura. La combinación de Amon-Ra se presenta frecuentemente en Tebas, e incluso por separado, por cuanto el primero era el dios de la ciudad, y el otro nombre recogía el valor universal del dios sol. Pero ambos nombres aparecen combinados refiriéndose al mismo dios. A nadie se le ha ocurrido el inventar dos o tres fuentes distintas respecto a la información que nos provee al dios Amón aislado de Ra, o cuando vienen en una fórmula compuesta. De ese mismo modo se debe contemplar la mención del único Dios hebreo con términos diferentes: independientemente de los otros aspectos que ya hemos indicado, el uno, *YHWH* está dando especificidad a la deidad, con *'Elôhîm* se está otorgando una designación más global o universal a la deidad.

La inconsistencia e improcedencia con que se utilizan los diferentes pasajes para enmarcarlos en distintas fuentes, responde a un criterio puramente subjetivo y falto de una guía uniforme, que demuestra que la hipótesis documentaria ya no puede sostenerse ni como conjetura.[42]

---

[38] Id., p. 33.

El pasaje cuando habla la Serpiente se evita el nombre de YHWH, precisamente por lo que implica el que pronuncia el nombre de Dios, y por reverencia al *tetragramaton* en boca del personaje maligno (ver íd., p. 33).

[39] Id.

Cassuto nos pone un ejemplo ilustrativo de cómo en el hebreo moderno «actuamos con precisión en nuestra elección de las palabras: empleamos el *Tetragramatón* cuando tenemos en mente la idea tradicional judía de la Deidad, y el nombre *Elohim* cuando queremos expresar el concepto filosófico o universal de la Deidad» (íd., p. 30).

[40] Véase a Gleason L. Archer, en *Reseña Crítica de una Introducción al Antiguo Testamento*, op. c., pp. 133, 134.

[41] Otro erudito judío, Cyrus H. Gordon en *Higher Critics and Forbidden Fruit*, en Christianity Today, November 23, vol. IV, USA 1959, pp. 132, 133.

Ver también a K. A. Kitchen, en *Ancient Orient and the Old Testament*, op. c., p. 121.

[42] Todavía habría que añadir dos asuntos importantes. El primero, consignado por Young (*Una Introducción al Antiguo Testamento*, op. c., pp. 142, 143) y McDowell (en *Evidencia que exige un Veredicto*, vol II, op. c.,

Terminamos este apartado con una cita de W. J. Martin:

«Génesis posee todas las características de una obra homogénea: su articulación, el empleo inconsciente de formas y pautas sintácticas que indican el medio lingüístico y geográfico del escritor, la función de las partículas, yn en concreto el artículo determinado que pasa a través de etapas desde el demostrativo hasta el defintivo, así como aquí el estado fluido del género gramatical. El escritor de Génesis fue un hombre tan dotado literariamente que casi sugiere una facilidad y dedicación a modelos en otros medios literarios. Tiene todas las características de un genio: variedad y diversidad, multiplicidad de alternativas, amplia gamas de colores, toda una escala de notas explotadas con una destreza admirable. Nadie soñaría ahora en deducir por la diversidad de estilo una diversidad de paternidad; la diversidad forma parte de la misma textura del genio. No es en la uniformidad de dicción o estilo sino en la uniformidad de la calidad que se disicierne la unidad. Es más fácil creer en un solo genio que creer que existió un grupo de hombres poseyendo dones tan prominentes que, habiendo producido tal obra, hubiera quedado en el anonimato».[43]

B. Los Días de la Creación[44]

Esta objetividad plasmada de una manera tan precisa por aquel 'único' Testigo de la Creación rechaza que se pueda entender que la realidad de los días creativos puedan valorarse en una escala distinta a la de las 24 horas.

---

p. 207), consistente en ver presente a 'Elôhîm que debería estar en fuente E, encontrarse en J (cf. Gn. 31:50; 33:5, 11).

YHWH de fuente J se encuentra en fuente P (antes de Éx. 6:3) en Génesis 17:1; 21:1.

YHWH de fuente J, se encuentra en fuente E en diversos pasajes: Génesis. 21:33; 22.4, 11; 28:21; Éxodo 18:1, 8, 9, 10, 11.

La clasificación no sólo tenía que ser arbitraria, puesto que no responde a una realidad estilística, sino que además en 20 capítulos del Génesis (1; 23; 33 al 37; 40 al 48; 50) no aparece el nombre YHWH y sin embargo se los califica como siendo de fuente J.

Y del mismo modo 'Elôhîm no se encuentra en 15 capítulos de Génesis (10 al 16; 18; 29; 34; 36 al 38; 47 y 49), a pesar de clasificarlos con siendo de fuente E.

La deidad a la que no se alude como tal en 5 capítulos del Génesis (23; 24; 36; 37 y 47) son distribuidos caprichosamente en fuentes como J; P; E. ¿Por qué esta anarquía y antojo abusivo?

El otro asunto a tener en cuenta nos lo proporciona la variedad de la nomenclatura Dios que se hace evidente consultando los diferentes manuscritos antiguos que poseemos (Septuaginta; de la Biblia hebraica, el rollo de Isaías del Mar Muerto): el nombre "Dios" se presenta de modo distinto en un mismo pasaje según se trate de un manuscrito u otro (ver sobre esto CBA, vol I, op. c., p. 214).

[43] William J. Martin, *Stylistic Criteria and the Analysis of the Pentateuch*, Tyndale Press, London 1955, p. 22.

Este autor es director del departamento de hebreo y lenguas semíticas antiguas en la Universidad de Liverpool, Inglaterra. MA del trinity College, Dublin, y PhD de la Universidad de Leipzig.

[44] En esta nota queremos informar de las líneas de interpretación que existen en la actualidad para rechazar, aun a pesar de la falta de base argumentativa y contra toda evidencia textual, la literalidad y *realidad* de los días de la Creación.

La base histórica, aunque propiciada por el llamado San Agustín (ver *La Ciudad de Dios*, XIV-4 de la BAC, op. c.) y Orígenes (ver por ejemplo *Contra Celso*, BAC, op. c.) con su método alegórico de interpretar la Escritura, no fue motivada por pensamientos evolucionistas sino por la idea filosófica griega de que Dios al estar *más allá o fuera del tiempo*, no precisaría de un elemento cronológico tan exacto para llevar a cabo la creación. Pero en el caso de San Agustín, como vemos en otra nota, se adhiere a la teoría de los 6.000 años, otorgando a cada día de la creación un valor de 1000 años, dentro de una tradición iniciada por un tal Bernabé.

Tanto el método alegórico como el modo de pensar filosófico pagano (griego en este caso), como el de la teoría especulativa de los 6.000 años, responde a una concepción extra bíblica de carácter puramente *mundano* (*humano*) y quimérico. Pero sirvió para influir en los teólogos medievales, y fijar la idea de que lo *imaginativo* y lo externo a la Revelación (cf. 1ª Co. 4:6), puede llegado el caso, influir sobre el texto bíblico, aunque sea creando unos soportes totalmente falsos o erróneos. En la actualidad, se comprueba, como ejemplo, este comportamiento, cuando mediante la hipótesis *científica* cimentada en el naturalismo, y orientada por la no probada teoría de la evolución, lleva a diversos intérpretes a tergiversar el sentido y significado del término común y normal de *día* (*yôm*) cuando se aplica a los días de la creación.

Tanto es así esto, que tras el período que introdujo la *reforma protestante*, con su vuelta a la Escritura, y su valoración precisa del principio de la *Sola Escritura*, y el sentido *literal* (cuando valorando los diferentes géneros literarios el contenido no te aclara otra cosa) y gramatical, lo que globalmente se denomina hermenéuticamente el método histórico-gramatical, el llamado *modernismo* hizo su aparición en el siglo XIX, intentando concordar los días de la Creación con largos períodos de tiempo, en base de nuevo, **no a una aportación que proviniera del texto bíblico mismo,** sino en base a un *uniformimo* indemostrable.

Martín Lutero (en *Lectures on Genesis*, Sant Louis, Concordia Pub., MS-USA, 1958) coherente, como en otras cosas, con el método resucitado por la reforma, sustenta lo siguiente:

«Afirmamos que Moisés habló en sentido literal, no alegóricamente ni figuradamente, lo que vale decir que el mundo, con todas sus criaturas, fue creado en seis días literales, como las palabras mismas dicen».

Sin embargo la interpretación de los días de la creación no puede estar supeditada, a la continua variación de las cambiantes hipótesis del *origen*.

No sólo porque éstas nunca pueden acertar sino sobre todo porque la *integridad* de las Escrituras demanda una independencia opuesta al carácter servil de la continua acomodación a la que se ven envueltas cuando se las manipula con el fin de adaptarse a las diversas interpretaciones desarrolladas por las diferentes ciencias y disciplinas auxiliares.

El adventista G. Hasel (en *Ciencia de los Orígenes*, GRI, Enero-Agosto 1995, pp. 3, 4) expresará que: «la autoridad de las Escrituras reside en sí; está basada en la revelación y fundamentada en la inspiración. La autosuficiencia de las Escrituras de la cual hemos hablado, no significa que ninguna pregunta puede hacerse proveniente de las áreas de la ciencia, o de la historia o de otra disciplina. Pero hay una vasta diferencia entre hacer nuevas preguntas a las Escrituras y sobreponer significados al sentido de las Escrituras».

1. Presentación de la conjetura concordista

Aunque la teoría concordista siempre tendrá sus adeptos se ha visto últimamente matizada con diferentes sentidos figurados y literarios, desde ser una parábola o una metáfora al estilo de la que propone J.C. Gibson (*Genesis* 1, The St. Andrew Press, Edimburgo 1981, p. 55), hasta afiliarse ,en un mal uso, al llamado *día divino* (cf. Sal. 90:4 y 2ª P. 3:8) (ver a Hansjörg Bräumer, en *Das erste Buch Mose*, caps. 1 al 11, Brockhaus-Verlag, Wuppertal 1993), pasando por la Teoría de los *días de Revelación* (resucitada por P. J. Wiseman (*Clues to Creation in Genesis*, reedición de Marshal-Morgan-Scott, Londres 1977), y la literaria de la *analogía* (ver a Victor P. Hamilton en *The Book of Genesis, The New Interpreter-Commentary of the Old Testament*, Grand Rapids, MI-USA 1990, pp. 55, 56). Todo para desechar lo que llana y claramente dice el Génesis. De nuevo las influencias para una u otra teoría son ajenas a la Biblia como evidencian los propios autores que se adhieren a la hipótesis (que ni si quiera puede llamarse así) de grandes épocas cuando manifiestan la influencia que el *naturalismo* les ha provocado (ver por ejemplo D. Stuar Briscoe en *Genesis, The Commentators commentary*, Word Book, Waco-TX-USA 1987; o a Hamilton, op. c., p. 56, n. 1, cuando alude a Hummel).

2. Una primera aproximación a la Imposibilidad de la teoría concordista en ninguna de sus formas

En general podemos decir sobre el intento concordista de dar un valor de época o era a los días de la creación que el hebreo posee términos como *olam* para hablarnos de tiempo indeterminado, o la misma palabra *yôm* cuando está desprovista de los elementos morfológicos, estructurales y contextuales que de estar presentes avalarían su literalidad radical, y en ausencia de esos dispositivos, cumpliría entonces, por el contrario, unas características semánticas y contextuales (se precisan que se den los dos aspectos) que ofrecería la posibilidad de una valoración no literal. Podemos adelantar ya ahora que en Génesis 1 y 2, el término *día* posee un valor y connotación estructural de 24 horas, y es imposible interpretarlo de otro modo a no ser transgrediendo todas las consideraciones de los comentaristas que se atienen exclusivamente al texto, las de orden de vocabulario, y las reglas morfológicas, semánticas y de estructura literaria y contextual que nos ofrece intencionadamente el texto y la lengua hebraica.

El querer encontrar en 2ª Pedro 3:8 y en su paralelo en Salmos una medida de tiempo, es no haber comprendido que no quiere darse una valoración en cuanto a lo que dura un día, sino más bien la duración relativa para Dios de cualquiera de las medidas de tiempo que emplean los seres humanos, ya que Dios no está limitado ni sujeto a tiempo para sus actividades y promesas como lo están los seres humanos. Se trata de un lenguaje figurado, no el de una tabla numérica de duración determinada en la que los seres humanos puedan basarse. Por otra parte *no hay relación alguna* de estos textos con la temática de la creación. Se evidencia de la falta de intención numérica valorable cuando a nadie se le ocurre utilizar ese mismo baremo en sentido contrario "que mil años es como un *día*". Y desde luego de nada serviría esta valoración de 1.000 años para

Hay evidencias decisivas para pensar que los días de la creación, tal como se relatan en el Génesis, son días literales de 24 horas. F. Michaeli dice:

cada *día*, para los millones de años que se introducen por los que sostienen la teoría de la evolución, además del orden distinto de la aparición de lo creado.

En cuanto a la teoría de la revelación, es fruto de un subterfugio teológico: según este invento, Dios habría reemplazado la realidad de una creación en varias *eras* por una explicación *revelada* en *seis días*. Se trataría de *días de revelación*. Es decir, los días de la creación son días de revelación. Dios revela en seis días lo que ya habría realizado en *millones* de años.

Hasel (en *Ciencia de los Orígenes*, Enero-Agosto, 1995, p. 5), comprueba el uso inadecuado del verbo hebreo '*asah* que Wiseman (en *Clues to Creation in Genesis*, op. c., pp. 132, 133), traduce por *mostró*, lo que nunca tiene ese significado ni sentido: siempre se traduce por "hacer, fabricar, realizar etc.".

El argumento de la *lectura literaria analógica*, lleva a sus defensores (de los que hemos presentado una bibliografía distintiva), a entender literalmente los días de la creación como siendo de 24 horas, pero no se pretendería aportar una medida cronológica determinada sino representativa: *una analogía de la actividad creadora de Dios*. De esta manera lo histórico no tiene ninguna importancia ni el registro cronológico. En este caso la información cronológica de seis días de trabajo y uno de descanso proveería el esquema para un modelo de trabajo y descanso que se ha de proyectar a la humanidad.

La aceptación de la literalidad de los días debería a la teoría analógica no rechazar el cómo la información cronológica está íntegramente incluida como necesaria y como mensaje dentro de los valores analógicos que podamos encontrar. El esquema trabajo/descanso no tiene porqué anular, la posición de la originalidad de la semana creativa, que la historia ha demostrado ser tan necesaria, sobre todo si estamos frente a un género de prosa narrativa histórica en la forma de *genealogía*, y que en lugar aparte explicamos más detalladamente.

Pero cuando el *analógico* se permite rechazar como inservible aquello que gracias a ello constituye su analogía ¿qué autoridad y valor podemos dar a esa analogía? Lo primero que se observa, es, el como se auto erige en el intérprete, sin la autoridad moral que le proveería el sentido y significado histórico de aquello que se presenta en un lenguaje literal. En segundo lugar, es preciso reconocer que la analogía trabajo/descanso es incompleta si uno se basa en el informe histórico que se provee lo que el *analógico* utiliza para su teoría. Efectivamente hay un espacio de trabajo y otro de descanso. Pero es imprescindible, que eso que va a ser aplicable para la humanidad, comunique la medida concreta del espacio de trabajo y de la del reposo. Sin ello el hombre se encontraría a merced de la especulación, de la injusticia y de la ignorancia, resultando pernicioso y catastrófico para su salud cuadridimensional ¿Se imaginan el trabajo continuado sin el descanso semanal? ¿qué ha acontecido a la humanidad cuando esto realmente ha sucedido u ocurre?

Si partimos de la base que el omnipotente Dios puede crear en un segundo ¿cual ha de ser el mensaje a descubrir en el hecho de que Dios haya decidido trasmitir el hecho de su creación con unos guarismos reales que producen una comprensión temporal de **seis días** y **un día de reposo** *en el séptimo*? ¿Se dan cuenta que la decisión que Dios tiene, de acuerdo a lo que Él revela, de crear en seis días, ya es una elección por parte de Dios, distinta a lo que su potencia puede lograr? Lo que quiere decir que si hubiera decidido crear en épocas o en segundos o instantáneamente, o de la manera en la que no fuera decisivo y definitivo el tiempo, Él hubiera tenido la libertad ineludible de expresarlo de ese modo, de la misma forma que escoge y lo hace marcando con seis días reales y literales para comunicar la duración de la creación. Al haber decidido llevarlo a cabo de ese modo es porque había un interés especial por parte de Dios en anunciar un mensaje revelador: la creación de la semana, que no tiene ninguna correspondencia en ningún ciclo astronómico; y en el contenido ideológico de dar base al **reposo** *en el séptimo día*, al final de los *seis días*, asunto imprescindible para una naturaleza humana en la que se advertía, desde ese principio, que se insertaba en ella la necesidad ineludible de **reposar** cada semana, al fin de los seis días del ciclo semanal. La ruptura de este ciclo, que enseña un esquema de **seis días de trabajo/con el séptimo de reposo** supondría una merma de las potencialidades, del hombre creándole enfermedad y confusión espiritual.

La propia posición de la historiografía que se basa en el principio de la analogía que pretende sostener que nada en la experiencia pasada puede ser considerada historia a menos que corresponda a una experiencia presente es irrelevante si con ello se ambiciona rechazar los hechos irrepetibles del pasado, y que por lo tanto no han tenido correspondencia en ningún presente. De este modo la creación no sería un hecho histórico acaecido, puesto que se interpreta que no se ha dado nunca posteriormente. Como Hasel argumenta (en *Ciencia de los Orígenes*, op. c., p. 8) ¿dónde está en la experiencia pasada lo que ha permitido que se haya subido a la luna, o el fenómeno catastrófico de la bomba atómica destruyendo, o el flagelo del SIDA? ¿De qué hecho del pasado se ha logrado esta analogía?

Del mismo modo que hay acontecimientos reales que no son analogía de ningún pasado, podemos pensar en singularidades en el pasado que no tienen analogía en el presente. Pero si profundizamos un poco más en la teoría histórica analógica, sus defensores tendrán que reconocernos bastante de lo que pretenden negar porque ¿a qué se debe la existencia de la semana actual? ¿si existe no será porque en el pasado existió? ¿dónde se originó? Hoy los historiadores saben que ni la cultura babilónica ni la egipcia tienen la respuesta tan sólo la semana creativa trasmitida por la literatura bíblica hebrea.

«Dar a la palabra día un significado seudocientífico correspondiente a un período o a una era geológica, es atribuirle un sentido moderno que ciertamente no tiene en el lenguaje bíblico».[45]

J. Chaine se expresa de forma parecida:

«Los seis días, pese a sus noches y sus mañanas, se convirtieron en seis períodos. Eso fue un grave error».[46]

Karl Barth nos asegura:

«¿qué quiere decir el término día? Lo mismo que lo que se describe con las palabras: 'Hubo una tarde, hubo una mañana'. En cualquier caso se trata de una grandeza limitada y definida por la tarde y la mañana,... uno no debería apartarse de este significado tan simple. (...) Dios ha creado todo simplemente para darnoslo, el día que es el nuestro, un día ordinario que no dura 1000 años sino venticuatro horas"».[47]

Gerhard von Rad:

«al insertar los acontecimientos creativos a lo largo de una serie de siete días, se realiza la separación definitiva de cualquier forma de pensamiento mítico. Trátase del relato de un acontecimiento ocurrido una sóla vez, y cuyos resultados son definitivamente irreversibles. Los siete días deben ser considerados indiscutiblemente como si fuesen días de verdad, y entendidos como un lapso irrepetible dentro de lo temporáneo».[48]

Diferentes autoridades están de acuerdo en admitir que la expresión bíblica hebrea "tarde y mañana", significa día de 24 horas.[49]

Diccionarios hebreos nos indican que el término hebreo *yom*, por el que se ha traducido día, no puede ser más que un período de 24 horas.[50]

---

[45] *Le livre de la Genèse*, París 1957, p. 20. Citado por J. Flori, *Los Orígenes*, op. c., p. 79.

[46] *Le livre de la Genèse*, Paris 1940, p. 44. Citado en Id., p. 79.

[47] *Dogmatique*, III, 1, op. c., p. 134.

[48] Op. c., p. 77.

Ver también *Bible de Pirot Clamer* (Letouzey et Ané, Paris 1953), I, primera parte p. 106; del mismo modo *La Biblia* de Editorial Labor de la Universidad Pontificia Urbaniana de Roma, vol. I, p. 17; al igual que *Comentario Sagrada Escritura de la Compañía de Jesús*, vol. I, p. 29 y ss. Todos ellos autores que expresan claramente que según el texto bíblico se trata de días naturales de 24 horas.

En la *Misná* Judía se deja traslucir claramente el valor de día de 24 horas que se le dan a los días de la creación (La Misna, op. c., *Yulin* 5:5, p. 906).

[49] Ver más arriba los autores ya citados, y entre muchos más al *Diccionario de la Biblia*, de Haag y otros, op. c., c. 462, donde se indica: «La expresión "tarde y mañana" (hebreo *ereb bóquer*) significa día de 24 horas». Esa misma idea en el *Diccionario Bíblico Ilustrado*, op. c., pp. 188, 248.

El comentarista católico de la *Biblia de editorial Labor* (vol. I, p. 17, dice:

«(...) viene la *tarde*, y luego se hace la noche hasta que surge la primera *mañana*. Se tiene así la primera pareja día-noche, o sea, *un día*, en este caso, de 24 horas».

[50] *The New Brown Driver-Briggs-Gesenius Hebrew and English Lexicon of the Old Testament*, pp. 398, 399.

Así lo atestigua también Jhon Skinner, *Genesis International Critic Comentary*, Edimburgo 1912. *El Comentario Bautista* de Jamieson-Fauset-Brown, vol. I, p. 20. También el *CBA*, vol. I, p. 222.

Se asegura que en todos los lugares donde las Escrituras utilizan la palabra hebrea *Yom* (día) acompañada de un adjetivo numeral específico (como es en el caso de los días de la creación) tiene un valor literal de 24 horas.[51]

Según los autores citados, no hay ni un sólo ejemplo de las 1181 veces en que esta palabra es traducida por día, que no tenga un valor literal de 24 horas cuando es acompañada de un numeral.

Lo que quiere decir que no sería necesario, en última instancia, que aparezca la expresión "tarde-mañana" para el séptimo día, puesto que por sí solo el *yom* del 7° precedido por un numeral significa día de 24 horas.

La única interpretación válida: la literalidad de los días de la Creación por lo morfológico, semántico, estructural y contextual

Con todo lo dicho ya podemos resumir el aspecto morfológico con una cita de Hasel en los siguientes términos:

«Tenemos que reconocer que el término *yôm* en cada uno de los seis días tiene la misma conexión: a) se usa en singular; b) lleva un numeral; c) va precedido por la frase "hubo tarde y mañana". Este triple eslabonamiento de conexión del uso singular, unido por un numeral, y la definición temporal de "tarde y mañana" mantiene la constancia del "día" de creación a través de todo el relato de la creación».[52]

Todo esto se interpreta por el propio texto sagrado como siendo cada día de un valor de 24 horas.

En el aspecto semántico habíamos indicado que la palabra *yôm* cuando está desprovista de los elementos morfológicos, estructurales y contextuales

---

J. Chaine comenta:
«Ante todo los días del Génesis son, tal como indica el contexto, auténticos días de 24 horas. Hay una noche hay una mañana (...). La traducción de la palabra *día*, *yom*, por período es insostenible» (*Le livre de la Genèse*. Citado en los Orígenes, op. c., p. 83).
Ver sobre esto a Roger E, Dikson, en *El Ocaso de los Incrédulos*, op. c. pp. 182-186, donde confirma que «*Yom* significa un día de 24 horas en casi todos los pasajes en que es utilizado», que «el uso de "tarde y mañana" con *Yom* significa un día de 24 horas», que cuando *yom lleva* un numeral es un día de 24 horas.
Y que *Olam* significa un largo período de tiempo y que sin embargo no es utilizado por Moisés.
[51] Ver el *Diccionario Teológico Manual del Antiguo Testamento* (editado por Ernst Jenni y la colaboración de Calus Westermann), op. c., vol. II, coln. 975 y ss.
En el reciente diccionario de Hartman-Reymond & Stamm, *Hebräisches und Aramäisches Wörtembuch*, Brill, Leiden 1990, se da un valor de 24 horas al día de la creación.
En un recorrido de todos los textos que se presentan en *The Englishman's Hebrew and Chaldee Concordance*, op. c., pp. 508-521, donde aparecen todos los textos con la palabra hebrea *yom*, y cada vez que acompaña un numeral, se traduce por período de 24 horas, teniendo por el contexto un valor literal de 24 horas.
Puede consultarse también a Hasel en *Ciencia de los Orígenes* (n° 40-41), op. c., pp. 9, 10; *La Revista Adventista Brasileira 'O Atalaia'* de Francis D. Nichol (Marzo 1975, pp. 13, 14); *Revista Adventista Juventud*, de F.L. Marsch (Junio de 1975 pp. 24, 25); Alcides Alba, *Ciencia y Religión* (Biología), op. c., pp. 84, 85.
Gleason Arche se equivoca y especula al querer despojar del valor cronológico a los días de la creación (ver *Una Reseña Crítica de una Introducción al Antiguo Testamento*, op. c., pp. 202-204).
[52] En *Ciencia de los Orígenes*, op. c., p. 9.

que de estar presentes avalarían su literalidad radical, y en ausencia de esos dispositivos, cumpliría entonces, por el contrario, unas características semánticas y contextuales (se precisan que se den los dos aspectos) que ofrecería la posibilidad de una valoración no literal.

Expliquémonos un poco más: Siempre que el término hebreo *yôm* carece de preposición y de una conexión preposicional con un verbo, y de otras construcciones similares, se puede dar como seguro que se trata de un día de 24 horas.[53] Este es el caso de los seis días primeros de la creación.

Esto no significa que en el caso contrario se tenga que dar una *no literalidad*. Es decir no siempre cuando está presente la preposición o una frase preposicional con un verbo apunta a un *día* figurado, o que no pueda ser también de 24 horas.

En el caso del séptimo día, aparece el término *yôm* acompañado de una preposición, sin embargo la conexión relacional con los seis días anteriores, y el propio contexto imposible de impedir sigue manteniendo el valor de 24 horas para el séptimo día.

Todavía más. Hemos consultado los 60 textos en que aparece la combinación de *yom* en singular con una preposición constructiva (*be-yom*) y con un infinitivo,[54] en una buena proporción tiene un valor de día de 24 horas,[55] y en otra más reducida el valor de *tiempo* indeterminado.

El valor teológico de estos días de la creación **supone el impedir** tres proyecciones que el pensar humano especulativamente podía hacer posible: 1) intentar identificar los días de la creación con largos períodos de tiempo de acuerdo a una hipótesis evolucionista que prescinde de Dios y de su Revelación; 2) cualquier cosa que pretenda evitar la existencia de la semana

---

[53] Ver a M. Saeboe en *Theological Dictionary of the Old Testament, Eerdmans*, Grand Rapids-MI-USA, 1990, pp. 14-20.
También a Hasel en *Ciencia de los Orígenes*, íd, p. 9.
Sobre los asuntos de semántica bíblica ver a James Barr, *The Semantics of Biblical Language*, SCM press, London 1991.

[54] Hemos consultado al *Diccionario Teológico Manual del Antiguo Testamento* de Ernst Jenni, vol. II, op. c., pp. 980-982, donde reconoce la conclusión a la que también nosotros hemos llegado que tanto puede tener el valor de *día* literal como de *tiempo*. Va a depender del contexto y si estuviera integrado a una estructura determinada.

[55] Ponemos dos ejemplos característicos y representativos. El uno es el relativo a Génesis 2:4b. Este texto está unido, tal como hemos demostrado en otro lugar, estructural y contextualmente a la semana literal creativa. Es decir ese día se identifica en la estructura de paralelismo directo entre bloques con el primer día de 24 horas de la semana creativa, al que alude. Por lo tanto tiene un valor de 24 horas, aun cuando aparezca la construcción *beyôm* más la forma verbal *infinitiva*. Del mismo modo sucede, entre otros, con Génesis 5:1, 2; ahí la preposición *be* con *yôm* (*beyôm*) se usa en una relación constructiva con una forma infinitiva. Nótese lo que dice el texto:
"Este es el libro de las generaciones de Adán. El (artículo) **día** (*yôm*) *en* (*be*, preposición) que creó (forma verbal infinitiva que se transforma en el tiempo verbal indicado) al hombre, a semejanza de Dios lo hizo (...) *el día en que fueron creados*".
¿Qué se nos informa respecto al día en que fueron creados Adán y Eva? Que fueron creados en el sexto día (cf. Gn. 1:26, 27-31). Y ese día es indudablemente de 24 horas, tal como ya se ha demostrado. Por lo tanto el día al que se alude con la construcción preposicional y la forma infinitiva, de acuerdo a la estructura y al contexto al que pertenece el día al que se alude y con el que se identifica tiene que ser de 24 horas.
En esta ocasión no podemos seguir a Hasel en su incompleta exposición semántica (ver *Ciencia de los Orígenes*, nº 40-41, op. c., p. 9).

literal que culmina con el día de reposo divino en el séptimo día con implicaciones y bendiciones para la humanidad; 3) el querer encontrar en la semana literal un prototipo de existencia en la tierra. Cada día de la creación representaría según cierta teoría mil años, y de la misma forma que el séptimo día cierra la semana, el comienzo del milenio cerraría la existencia en la tierra. Y del mismo modo que a dicho milenio le corresponde el séptimo día, los seis días anteriores representarían seis mil años.[56]

---

[56] Sobre la teoría inadecuàda de los 6.000 años puede consultarse *El Sábado de Jesucristo y la Ley de Dios Natural integrada por el Espíritu Santo*, publicado por el autor Antolín Diestre Gil, Barcelona 1999, p. 359 nota 55.

Capítulo III

El origen astral y babilónico de la Nueva Era y su proyección en la ideología espiritual que sobresale en el mundo occidental y oriental

Al estudiar los primeros textos del Génesis, uno descubre satisfactoriamente no sólo la distinción cualitativa y esencial en el concepto de Creación entre la Revelación Bíblica y las primeras culturas humanas sino especialmente se comprueba la diferencia fundamental en lo que se refiere al hombre, que en la Biblia es el resultado de una acción directa creativa del Dios único, personal y trascendente.

Parecería que en esas primeras páginas se nos quisiera prevenir de los peligros que supone desmarcarse de las orientaciones que ahí figuran.

No cabe duda que lo que ahí se revela sirve como un testimonio directo de Dios para que rechacemos cualquier injerencia ideológica contraria a lo que se nos transmite en el texto sagrado.

Los protagonistas que se reflejan en esa historia real sobre los orígenes tuvieron la oportunidad de trasmitir a sus descendientes lo que auténticamente sucedió y se comunicó por parte de Dios. El escritor sagrado, amparado por la inspiración y revelación divina supo plasmar lo que Dios le proveyó.

Debido a la trascendencia que tiene el contenido antropológico en su relación con Dios que la Revelación bíblica nos presenta, y teniendo en cuenta lo que se nos trasmite a través de los imperios universales (Babilonia, Medo-Persia, Grecia, Roma), recogido después, con ciertas matizaciones, tanto por Occidente como por lo que se llama hoy Oriente, analicemos las diversas corrientes que aparecen sobre el pensamiento antropológico, e intentemos construir, basados en esa Revelación divina, una concepción lo más acertada posible del hombre en su relación con el Dios que se revela, consigo mismo y con los demás.

A. ¿Qué es la Antropología?

Cuando el hombre se interroga sobre lo qué es el ser humano o sobre quién es, o sobre su relación con otras personas está surgiendo una ciencia humana la **Antropología**.[1]

Aunque hay muchas ramas del saber que intentan describir al hombre de acuerdo a sus propias materias (aspecto anatómico, biológico, psicológico, sociológico), es preciso explicar qué implica su existencia: su origen, naturaleza y destino. Nosotros, ante la dificultad insuperable que a la propia razón se le impone, tal como observaremos cuando aludamos a la filosofía platónica, aristotélica y cartesiana,[2] nos vemos obligados a estudiar al hombre desde una perspectiva en la que **él** *no sea* su propio *objeto*.

¿Por qué?

Porque inmediatamente se plantea una *dualidad* en el hombre ¿Cómo? Por un lado está el sujeto *como ser* que tiene conciencia de sí mismo, pero al interrogarse en un intento de conocerse a sí mismo, se le exige la condición previa a todo conocimiento: la presencia de un objeto dado. Pero en el caso de la interrogación sobre uno mismo, *no hay objeto* **a no ser uno mismo**.

Esta imagen que se hace de sí mismo le hace concebir un dualismo: por un lado un cuerpo que al analizar sus partes no responden completamente a porqué se piensa. Lo que se ha interrogado de sí mismo se aísla del propio sujeto que teniendo conciencia de sí mismo, pretende descubrir en el reflejo de uno mismo un otro «yo». Pero la realidad es totalmente otra: **no hay objeto real** en el conocimiento de sí mismo sino un auténtico misterio. No hay una respuesta definitivamente válida, mediante la razón por sí sola, a la pregunta: ¿quién o qué soy yo?

Todo intento de explicar al hombre que no respete su unidad indisoluble, y que no sacrifique su propio origen, está abocado al fracaso más estrepitoso, y a la confusión más tenebrosa.

Por otra parte vamos a comprobar que las tres o cuatro concepciones filosóficas representativas sobre el hombre cuando se interroga sobre sí mismo,

---

[1] Del griego **anthropos** (hombre) y **Logos** (tratado): estudio sobre el hombre.

Para nuestro trabajo hemos tenido en cuenta algunas obras que nos confieren una idea equilibrada antropológica. Algunas de ellas respetando adecuadamente el pensamiento bíblico sobre el origen y naturaleza del hombre; en otras se despierta en nosotros la precaución y la advertencia en comparación con el mensaje bíblico, de que su exposición no coincide con la presentación bíblica.

[2] Se está de acuerdo en considerar que únicamente existen tres concepciones filosóficas sobre el hombre: la platónica, la aristotélica, y la cartesiana (ver a Zurcher, *L'Hommme, sa Nature et sa Destinée*, op. c., pp. 11 y ss.). Todas las demás parten de esas tres concepciones aun cuando se haga desde una perspectiva humanística atea, o teológica. Cuando profundicemos nos daremos cuenta que las premisas de cualquiera de las tres, parten de un concepto sobre Dios especulativo y distinto al dato revelado, independietemente de no haber logrado la unión del cuerpo y del alma. La concepción materialista no ha sido más afortunada, aun cuando reduzca todo, incluso el "*espíritu*" a pura materia, y es que en el fondo no se diferencia esencialmente del origen cósmico, y de eternidad de la materia con que, tanto Pitágoras, Platón o Aristoteles, identifican al hombre.

De cualquier forma, habría que añadir una cuarta manera de concebir al hombre: la que nos presenta la *New Age* (recogiendo la vertiente budista) que ha sabido matizar y ampliar los supuestos babilónicos, persas, griegos, y católicos-romanos.

es un intento de justificar *racionalmente* lo que ha tenido un origen *teológico*, o de los dioses, o lo que cierta creencia religiosa comporta, y que el hombre copiando o imitando lo que esos dioses *proyectan*, puede obtener una imagen de sí mismo adecuada.[3]

Osea, que por una parte no hay posibilidad mediante el conocimiento de uno mismo, por la complejidad de la vida consciente, el tener seguridad de la certidumbre de la concepción antropológica filosófica. Por otra, aparecen, tal como documentamos en otro lugar, unos presupuestos relativos a lo que denominan como *divinidad*, o, de acuerdo al pensar de algunos, a la propia eternidad del Universo,[4] que *revelarían* la concepción antropológica: el origen, naturaleza y destino del hombre. Todo lo cual nos impone, tras nuestra postura convencida de **creyente**, que procura ser coherente y consecuente con su creencia personal, a hacer caso a lo que nos indujo a la seguridad de creer en el Dios Creador, Persona y Trascendente, a aquello que se nos revela, y que nos proporcionan los datos de las Escrituras.

Con ello marcamos una diferencia con aquellos que no pudiendo resolver filosóficamente las implicaciones antropológicas, ni de **origen** ni de **unidad** del hombre, parten de una concepción cósmica y divina con la que pretenden recibir una *información* que se inscribe, concretándose, en la propia naturaleza del hombre, pudiéndola conocer interrogándose y aoscultándose a sí mismo.

En efecto, hay una inspiración y proyección de lo que es objeto exterior a uno mismo (dios, dioses), y que tiene un origen en la propia Materia impersonal y eterna. Ante esto, el hombre se interroga para hacer coincidir la imagen dualista que los dioses o la deidad y el cosmos presentan: 1) hay algo perecedero que retorna, sin consciencia, a la materia, 2) hay una substancia inmortal que sigue pensando y existiendo a pesar de la desaparición del cuerpo como tal.

Sin embargo nuestro planteamiento es muy distinto: aunque partimos de una revelación exterior, nuestro auténtico objeto, es, el Dios Creador que ha dado *origen* a todo *de la nada*. La materia no es eterna. Dios es el increado, no tiene origen, y es distinto a su obra creada, entre las que principalmente me encuentro yo.

Ese Dios Creador y personal se ha revelado a la criatura humana y le ha comunicado en qué consiste su origen, cuál es su naturaleza, y cómo se hará

---

[3] Aquí comprobamos que hay un **objeto** distinto a uno mismo, al que el filósofo antiguo aludiría: los dioses, o la deidad, o el cosmos eterno.

Pero no olvidemos, tal como veremos más adelante la concepción panteísta de las culturas antiguas que dan base al hombre babilónico, platónico, aristotélico, al de los adeptos de dichas concepciones aunque sean matizadas, y al de la *New Age*.

Este origen panteísta transforma el *objeto exterior* al hombre en el propio *objeto* de sí mismo, puesto que el hombre se identifica con la naturaleza innata que cree que tiene: divina (todo: dioses y hombres, provendrían de la Materia eterna); hundiéndole en la desesperación que supone creerse lo que *no es*. La *realidad* es otra distinta a la que se imagina cuando acepta cualquiera de esas concepciones interrogándose a sí mismo.

[4] Aludiremos también a la variante que la *New Age* nos presenta sobre el origen, naturaleza y destino del hombre. Al ser una concepción humanística atea se han adscrito a ella la mayoría de los militantes ateos y agnósticos de otros tiempos.

su destino. Ante la incógnita de lo que es capaz de producir la mente humana, y la confusión e incongruencia que procede de creer en la existencia real de dos partes asociadas, promovida por una revelación de los dioses o de una deidad que se presenta como tal, hemos se puede comprobar la superioridad de la revelación escrita por parte del Dios Creador y personal, que mediante el Verbo eterno creador (cf. Jn. 1:1-3) se manifiesta a la humanidad, haciéndose real y visiblemente presente.

Todavía más, se comprobará, que cuando uno *no se atiene* al concepto antropológico que la revelación bíblica te propone, se proyecta una conducta social y política de acuerdo a una trayectoria que los *reinos de este mundo* han plasmado recogiendo el comportamiento y claves históricas promovidas desde la cultura Babilónica, pasando por Medo-Persia, Grecia, Roma, tanto en su vertiente imperial como en la Católica Romana, y que se inyectará en Occidente.

Cuando uno **se atiene** al concepto antropológico bíblico, se genera un comportamiento acorde y dependiente a los *principios* del **Reino de Dios**.

Analicemos las dos líneas conceptuales: la que nos ofrece fundamentalmente el pensamiento humano que prescinde de la Revelación Bíblica, y aquella que depende exclusivamente de lo que el Dios de los profetas y de los apóstoles ha manifestado mediante la **Palabra escrita** y *Encarnada*.

B. El prototipo antropológico ajeno a la Biblia

1. Mesopotamia-Babilonia

Cuando describíamos la existencia de la materia y el origen de los dioses de acuerdo a la cosmogonía babilónica,[5] nos encontrábamos con una materia eterna, y que los dioses (*Apsu* y *Tiamat*) que hicieron posible a otros, son elementos de la propia Materia, representándola, al igual que los propios dioses salidos de la unión sexual de aquellos. Primero surgirá *Anu* que a su vez engendra a *Ea*. Otros dioses irán surgiendo. Apsu pretende aniquilar a los dioses que había engendrado por cuanto no le dejan reposar ni dormir. *Ea* le destruye y entabla una lucha contra *Tiamat* dirigida por *Marduk* (hijo de *Ea*), que se ha asegurado ser proclamado dios supremo. Vimos que *Tiamat* es destruido (por *Marduk*), y dividido en dos su cadáver, una parte se convirtió en la bóveda celeste, y de la otra se formó la tierra.[7]

---

[5] Ver nota 23 del capítulo anterior, y a Wright, en *Arqueología Bíblica*, op. c., pp. 145-149.

[6] Ver cómo se trata de mostrarnos la inercia e inconsciencia de la propia Materia, aunque narrada mitológicamente, en Mircea Eliade, *Historia de las Creencias*, vol. I, p. 87.

[7] Nótese a qué destino llegan nada menos que los dos dioses progenitores de todos los demás. La idea sería cómo todo retorna a la materia eterna de la que se manifiesta ser. En el caso de *Apsu* es *Ea* de quien se reviste absorbiéndole. En el caso de *Tiamat* se convierte en partes materiales del cosmos: tierra y cielo.

Marduk erigido jefe de todos los dioses decide que los hombres vengan a la existencia mediante la sangre de uno de los dioses que estaba en el bando de *Tiamat (Kingu)*.[8] De esa sangre *Ea* forma la humanidad. Tanto *Marduk* como *Tiamat*, *Kingu* y los demás están sobrecargados de valores *demoníacos*.[9]

Es evidente que el *cosmos,* participa de una *materia* que a veces se presenta en *forma* de divinidad, y otras de una *sustancia* puramente material. Pero de cualquier manera tanto lo uno como lo otro tiene un origen exclusivamente material, de una Materia eterna, en la que no hay existencia personal y pensante previa. Parecería que ésta ha surgido al azar de la Materia eterna.

El hombre dispone de un elemento espiritual de naturaleza divina, "*su espíritu*", el *ilu*, (literalmente, *dios).*[10]

Ese espíritu o alma tendría que ser obligatoriamente inmortal, por cuanto es de naturaleza divina, sobreviviendo después de la muerte.[11]

Por otra parte, dentro de la relación que se va a poder obtener entre la antropología y la deidad politeísta babilónica, sepamos que los dioses con un dios que preside establecen un Gobierno de Estado Universal, y encargan a un hombre que cuide del Orden en la tierra, concediéndole la Autoridad Suprema, y mandándole que copie ese "Gobierno de Estado Universal".[12]

La unidad celeste tipo de la terrestre

La Necesidad de la Unidad y de una Autoridad Suprema

Vamos a comprobar que el hombre, según la concepción babilónica, se ha convertido en dios, que aunque inferior a sus formadores ha arrastrado la naturaleza divina y la eternidad de la materia de donde ha salido. Pero esto obliga a que sea controlado por los dioses que a partir del nombramiento de Marduk como dios supremo mantienen un orden o Estado universal, en el que la unidad alrededor de la autoridad suprema es preciso proyectar también en la tierra.

Cuando examinas la historia de la Humanidad los conjuntos humanos crean Imperios con la finalidad de alcanzar la Unidad:

«La historia de la Antigüedad abunda en imperios (...) proporcionan la trama de la evolución más inmediatamente visible, la evolución política. Cada

---

[8] Ver Mircea Eliade, *Historia de las Creencias*, vol. I, op. c., p. 88.

[9] Id.

[10] A. Leo Oppenhein, *Ancient Mesopotamia* 198-206, citado por Mircea Eliade, *Historia de las Creencias*, vol. I, p. 98.

[11] Puede verse a Zurcher, en *L'Homme* ..., op. c., p. 54; también a Vincent Ermoni, *La Bible et la Assyriologie*, París 1905, p. 55.

Y a Mircea Eliade, *Historia de las Creencias*, vol. I, pp. 83, 84.

Aunque esta inmortalidad está atestiguada por los sacerdotes caldeos, e independientemente de las matizaciones que se van haciendo, y el desarrollo de la trasmigración de las almas que Pitagoras recogerá de ellos, es preciso compaginar esa inmortalidad con la posible pérdida de la existencia con que se manifiestan en un momento determinado ciertos dioses, y la transformación en otra *cosa* integrada en la Materia eterna.

[12] Ver sobre esto a Wright, *Arqueología Bíblica*, op. c., p. 146.

uno de estos imperios, egipcio, asirio, persa, macedonio y romano, consiguió dominar un vasto territorio mayor que el de su inmediato predecesor. Se podría creer que, cada vez, salida de un centro nuevo y más fuerte que el precedente, el impulso se aproximaba más a un ideal común a todos los conquistadores: el imperio universal. Tanto más por cuanto este esfuerzo continuamente renovado podía en principio, representar una tendencia permanente a realizar una unidad no solo territorial, sino humana».[13]

El autor de esta cita no ofrece una afirmación de cómo podía esto ser así. Pero nosotros creemos que ha habido "una tendencia permanente a realizar una unidad de la humanidad". Que ésta no se haya logrado, y todo intento estará abocado al fracaso, no es un argumento para negar una realidad palpable de todos los imperios. La historia nos muestra que hay una intención en los gobernantes del mundo de convertir su imperio en algo imperecedero. La llamada 'estatua de las naciones,[14] es una imagen utilizada en el Oriente Medio, familiar a los astrólogos egipcios, representando metafóricamente el destino del mundo por medio de la Nación victoriosa. El rey de turno, de *origen divino* pensaba que su reino se prolongaría hasta el final del mundo. El arqueólogo Sir Leonard Woolley ha dejado constancia de que esta ilusión de representar por medio de una efigie el poder *eterno* de los reyes era algo común en la antigüedad, y que Nabucodonosor en Babilonia erigió la suya propia.[15]

Es evidente, y de fácil demostración, que independientemente de los aspectos económicos y sociales, los *reyes* o *gobernantes* idearán formas políticas con la pretensión de conseguir la *Unidad*. Todos son conscientes de que la cohesión perfilada por una Unidad única es lo que podrá otorgar estabilidad y seguridad en la existencia del imperio. La propia economía y sociedad que han creado un *estado de bienestar* podrán perpetuarlo si los criterios políticos e ideológicos se uniforman.

¿Cómo alcanzar esto?

a. Los conceptos de Autoridad Suprema y de Unidad en la civilización Mesopotámico-Babilónica[16] y el contenido ideológico fundamental que le da soporte

La civilización mesopotámica es contemporánea a la egipcia, y parece ser

[13] *Historia General de las Civilizaciones, Oriente y Grecia Antigua*, vol. I, op. c., p. 46.
[14] Ver a Y. Festugiere en *La Révélation d'Hermès Trismégiste*, París 1950, vol. I, pp. 92, 93.
[15] En su libro *Ur, la Ciudad de los Caldeos* (Fondo de Cultura Económica, México 1966, pp. 133, 134).
[16] En esta nota queremos aludir a Egipto porque aunque nunca llegó a ser un imperio universal al estilo de los que comentamos, y aun cuando se influya con Babilonia, aporta alguna matización que es preciso reseñar para comprender cierta evolución posterior; y dejando a un lado otras divinidades importantes (Osiris por ejemplo), y los procesos evolutivos que conlleva el contenido *religioso* todavía no aclarado plenamente, podemos seleccionar un sistema que influirá tanto en la política de Egipto como en otras de algunos Imperios que vendrán posteriormente. Se crea una *teología solar*, el dios-Sol, "Ra", que tendrá una trascendencia histórica en otras civilizaciones, y que se impone en todo Egipto, con la finalidad de afianzar la **monarquía absolutista** y omnipotente representada por el Faraón (*Historia General de las Civilizaciones*, vol. I, op. c., pp. 112, 119-123). El Faraón es dios, el hijo precisamente de "Ra" (Id., p. 63), y esto posee un valor político de primera magnitud. El Faraón representa la imagen de la omnipotencia y superioridad sobre cualquier otro hombre común,

que ambas tienen en común una civilización primitiva.[17] En ella se desarrolló y destacó Babilonia, no solamente desde el punto de vista de lo que significa ese nombre en cuanto a su hegemonía político-militar en el mundo conocido de entonces (605-539 a.J), sino por lo que representa en cuanto a aglutinar un sistema político-religioso que abarca todas las formas que tienen que ver con la creencia en los "dioses".

Alexandre Hislop ha demostrado la influencia mutua entre Babilonia y Egipto.[18]

Ralph Woodrow declara:

> «Bunsen dice que el sistema religioso de Egipto fue derivado de Asia y "del imperio primitivo de Babel". En su conocido trabajo titulado Nínive y sus ruinas, Layard declara que tenemos el testimonio unido de historia profana y sagrada, que la idolatría originó en el área de Babilonia el más antiguo de los sistemas religiosos».[19]

---

de este modo todos deben subordinarse. No puede haber Unidad sin Supremacía. El Faraón posee el título de "Sumo Pontífice" ya que tenía el encargo de ser la imagen de la divinidad, confiriéndose el atributo de la infalibilidad (Para este asunto puede verse a Alexandre Hislop, *Les Deux Babylones*, op. c., pp. 320, 321. Cita a Wilquinson que aporta documentación precisa sobre la temática expuesta).

Todo el sistema teológico y ceremonial se inventa con el objetivo de fijar cada vez más la divinización del faraón y la necesidad de la obediencia por parte de los súbditos que se unen alrededor de la 'persona divina' que es el rey. Para nosotros, aunque empleamos esta palabra (inventar), no totalmente sin razón, creemos que los monarcas antiguos eran dirigidos, de un modo o de otro, por aquellos *dioses* a los que decían creer.

El Faraón encarna al Estado (el Estado soy yo). De ahí que los propios cetros y coronas, atributos reales, sean representados por Osiris (*Historia General de las Civilizaciones*, op. c., p. 110), y que haya sido preciso afirmar la inmortalidad del alma, y el culto al Faraón muerto (Id., pp. 120, 124-128), ya que seguirá viviendo y ofreciendo bendiciones sobre el reino; además de que todo este engranaje perpetúa la fórmula política que hace posible la Unidad y la prolongación del reino.

¿Y qué hace el Faraón una vez subido al cielo? Si el reino terrestre es una imitación del celeste, es imprescindible que ahora el Faraón en el cielo se identifique con el dios Sol-Ra para gobernar el reino celeste (Id., p. 120).

Esta doctrina Solar, y la del reino terrestre-celeste, junto a la divinización del rey que orientan la Monarquía absolutista, la Autoridad Suprema, junto a la imposición de la Unidad de todos, subordinándose y obedeciendo incondicionalmente encontrará imitadores, o se complementará con el ideario Mesopotámico-Babilónico, traspasándose, con las matizaciones adecuadas, a una posteridad que hará uso de ese caudal ideológico para intentar acaparar la Supremacía Mundial.

Entresacamos unos párrafos a manera de conclusión de la aportación esencial egipcia a la marcha de la política universal, de la *Historia General de las Civilizaciones* dirigida por Maurice Crouzet:

«(...) la civilización egipcia (...) Debía su autonomía a la cohesión que unía todas sus manifestaciones con la omnipotencia del Estado y de los dioses. En otros lugares se puede encontrar el principio de una cohesión análoga (...)

(...).(...).

«Mucho tiempo antes de morir había influenciado algo a otras civilizaciones. Ofreció un ideal a muchos soberanos, tanto por la doctrina monárquica, que justificaba su absolutismo, como por la perfecta organización de la administración que canalizaba tantas riquezas hacia el gobierno central. En especial las monarquías helenística –una de ellas se instaló en Egipto–, y el Imperio Romano le copiaron al menos algunas tendencias y a veces instituciones precisas» (op. c., pp. 153, 154).

El aspecto religioso crea la urdimbre necesaria adquiriendo una política específica que permite al Soberano imponer un Estado y una Autoridad plenipotenciaria, descansando tanto el uno como la otra en la 'persona divina' del rey. Este tejido, como veremos, se hará permanente en la historia.

[17] Id., p. 155.

[18] *Les Deux Babylones*, op. c. Puede verse a lo largo de todo su libro.

[19] Ver *Babilonia, Misterio Religioso*, op. c., p. 15. La cita de Layard esta sacada del libro citado vol. II, p. 440.

Herodoto ya nos decía algo parecido. Y modernamente los estudios de historias de las religiones van por ese camino (ver Mircea Eliade, *Historia de las Creencias y de las Ideas Religiosas*, vol. I, op. c., p. 73).

De cualquier forma el conglomerado de ideas que nos vienen de Babilonia es fruto de la unión de dos etnias: la sumeria y la acadia, de donde se obtendrá la "cultura babilónica".[20]

No cabe duda que en la época de mayor esplendor universal de Babilonia (Nabucodonosor y su dinastía), cuando se ha recogido en una normativa 'teológica' todo un proceso de años que arranca de la cultura mesopotámica de Sumerios y Acadios,[21] debieron de darse entrada a otras influencias externas a las de la propia área mesopotámica, pero ha de tenerse en consideración lo que recoge la Historia Universal de Oncken, que vendría a coincidir, en lo esencial con lo que aquí hemos recogido de otros autores:

> «Hemos visto, pues, cómo las tradiciones de cultura, religión y arte confirman a una que es Babilonia, y no Egipto, el pueblo que más piedras ha llevado al portentoso edificio que llamamos la civilización, y que de Babilonia arrancó la corriente de cultura que, parte por mar, por mediación de los fenicios, y parte por tierra, a través del Asia Menor, alcanzó a griegos y romanos y con éstos posteriormente a la Europa romana y germánica».[22]

Lo que nos interesa aquí, no obstante, es comprobar cómo se hace permanente una idea político-religiosa en un Imperio considerado universal y hegemónico, asemejándose a algún otro contemporáneo, y que ha de recuperarse, por su utilidad, por otros imperios posteriores.

Hay una matización mucho más sutil en la concepción babilónica de la política en relación directa con lo ideológico-religioso, que nos ayudará comprender las fórmulas que se van adquiriendo a través de la historia con una finalidad puramente política. Desde una divinización casi esencial, como es el caso egipcio, hasta la personificación de la divinidad en el Soberano, que ocurre en Babilonia.[23]

Este matiz no impide ni el tratamiento de "dios" para el soberano,[24] ni la

---

[20] Ver Mircea Eliade,, vol. I, op. c., p. 73.

La unificación se realiza mediante la imposición de la supremacía acadia sobre los sumerios, aun cuando los vencedores aceptaron la ideología de los vencidos (íd.).

[21] El eminente orientalista S. N. Kramer, según Mircea Eliade (en *Historia de las Creencias y de las Ideas Religiosas*, vol. I, op. c., p. 73), demuestra que las primeras noticias contenidas en documentos escritos sobre diferentes concepciones religiosas y de otros ámbitos, se han conservado en textos sumerios del área mesopotámica, de cuya cultura surgirá Babilonia, la cual, de acuerdo a Joan Oates, adoptará casi completamente todo el contenido de los valores religiosos, mitológicos, artísticos, educativos y literarios (*Babilonia*, op. c., p. 26).

[22] Vol. II, op. c., p. 7.

[23] En La Historia de las Civilizaciones, vol. I, op. c.. se dice: <<Mientras que el rey egipcio, concebido por un padre divino, educado durante su juventud por las divinidades, en el momento de su ascensión es elevado al rango de los dioses, el rey mesopotámico es sólo el representante de la divinidad cerca de los hombres (...) el intermediario entre el mundo divino y el humano>> (p. 165).

Con relación a la personificación de la divinidad por parte del Soberano, Mircea Eliade consigna:
«Según una inscripción de Senaquerib, se puede suponer que había una representación de la batalla primordial, en la que el rey personificaba a Asur (dios que había sustituido a Marduk» (op. c., p. 91).

[24] Hammurabi se da el título de "dios de los reyes" (*Historia de las Civilizaciones*, vol. I, op. c., p. 165). A nivel personal alguien indica que "Hammurabi es mi dios" (íd.). Expresiones idénticas aparecen en la Baja Mesopotamia durante los milenios III y II, pero no nos debe confundir porque la idea, aun cuando no disminuya

utilización de títulos,[25] actitudes posturas y gestos[26] por los que se le identifica con los dioses, y se le otorga un culto.[27]

La sacralidad del Soberano está fuera de toda duda:

> «(...) la condición sacral del soberano mesopotámico está ampliamente atestiguada (...) Los sumerios consideraban la realeza como una institución descendida del cielo; tenía un origen divino, y esta concepción se mantuvo hasta que se extinguió la civilización asirio-babilónica.
>
> (...). Ya antes de nacer lo predestinaban los dioses para ejercer la soberanía».[28]

Era un hombre pero emparentado con los dioses de acuerdo al origen humano, pero había sido escogido por la divinidad para cumplir la misión del gobierno de *Estado Universal*, le confería una aureola "divina" con atributos distintos a los de los demás seres humanos.[29] Debido a las relaciones que existían entre el Soberano y los dioses, la infalibilidad era una consecuencia natural.[30] Esa intercesión entre los dioses y los hombres, a la que ya hemos aludido en nota aparte, tenía la misión especial "de expiar los pecados de sus súbditos".[31] La protección y prosperidad de éstos corre a cargo del Soberano.

Todo el sistema babilónico, se centraba como el egipcio (a pesar del tinte diferencial), en dejar claro ...

> «que el rey participa de la modalidad divina (...) Representaba al dios (...) y como mediador entre el mundo de los hombres y de los dioses, el rey (...) encarnaba en su persona una unión ritual entre las dos modalidades del existir, la divina y la humana».[32]

---

por eso el elemento idolátrico ni de "representación de la divinidad" viene a significar en el primer caso que Hanmurabi es como si fuera dios de los reyes. Su actuación en la que doblega a los enemigos, o en la que somete a otros reyes es un paralelo de la subordinación de todos a "dios".

Independientemente de que como todo ser humano ha salido de la misma esencia divina (recuérdese que sale de la sangre del dios Kingu), hay un matiz distinto respecto al Faraón que es hijo *engendrado del dios*.

[25] Las expresiones "rey del mundo" o "de las cuatro regiones del universo" se reservaban para los dioses (Mircea Eliade, vol. I, op. c., p. 92).

[26] En cuanto a las actitudes hacia el rey como si fuera un dios puede verse a Joan Oates, *Babilonia* (op. c., pp. 238-240).

[27] En cuanto a la peculiaridad del culto de adoración puede consultarse a Hislop (*Les Deux Babylones*, op. c., p. 20) cuando dice: «El rey de Babilonia como Sumo Pontífice era adorado (...) Los reyes (...) llevaban en los pies sandalias que los reyes vencidos tenían el hábito de besar».

En nota aparte trae el testimonio de Layard (*Ninive et ses ruines*, vol. II, p. 472-474 y *Ninive et Babylone*, p. 361), donde se demuestra que el Soberano babilónico recibía un culto.

[28] Mircea Eliade, vol. I, op. c., p. 92.

Esta sacralización se comprueba todavía más en la celebración del Año Nuevo, en el que el monarca sufría una especie de mutación en la que celebraba un matrimonio sagrado con la diosa Inanna. En dicha fiesta de Año Nuevo había una representación mítico-ritual en la que se pedía la regeneración del cosmos. En los últimos días del año se sucedían orgías con la anulación de todo el orden social. Esto se conocerá después con trazos semejantes en Egipto, en Irán, en Roma (las Saturnales) (ver Mircea Eliade, vol. I, op. c., p. 91).

[29] Id.

[30] Ver a Hislop, op. c., p. 320, y a Wilkinson en *Les Egyptiens* (libro. I, cap. 7, p. 57) citado por el propio Hislop en el mismo lugar.

[31] Mircea Eliade, vol. I, op. c., p. 92.

[32] Id., p. 93.

¿Para qué? Para que no se olvide, por parte de los súbditos la omnipotencia real. Puesto que su mediación, su inspiración de origen divino por la que gobierna a los hombres, su representatividad de la divinidad, aquí en la tierra exige una...

> «obediencia igualmente ciega que le deben sus subditos en el cumplimiento de las tareas que les incumben. De esta manera su autoridad se extiende a todos los terrenos de la vida colectiva».[33]

La relación entre el soberano y dios es tan estrecha, que no necesita aquél dejar de ser hombre para constituirse y ser aceptado como órgano de la divinidad. A través de la persona humana se trasluce una "majestad", una "sabiduría", un Poder y una Autoridad que reflejan a "Dios". Esto es lo fundamental para crear una fórmula política capaz de someter a todos:

> «(...) coronado con la alta tiara en medio de hombres (...) con largos vestidos (...) protegido por un parasol y seguido de servidores agitando mosqueros. Sentado o de pie (...) siempre representa, impasible y suntuoso, la omnipotencia del que ha sido escogido por la divinidad, entre los humanos, para ser su 'prepósito' en la tierra».[34]

La **influencia de Babilonia** es proverbial. Su sincretismo, y el haber sabido englobar en un sistema toda una serie de creencias ha propiciado la proyección en otros imperios posteriores. **El significado del dios-Sol**, que tendrá una continuidad en otros momentos trascendentales de la historia, *ocupando un lugar único en la época babilónica,*[35] y como siendo "el juez tanto del cielo como de la Tierra",[36] servirá como **modelo monoteísta** y tendrá una *inserción en el Imperio Romano* hasta la **época Constantiniana** e *incluso más allá.*

Además de todo el sistema astrológico (horóscopos), de adivinación y de otros aspectos del "ocultismo" que tanta influencia iba a tener en un futuro proyectado inclusive hasta nuestros días, dos elementos de la mitología mesopotámico-Babilónica nos interesa sobresaltar para recordar en otro momento. El primero es el origen en esta cultura de la representación del emblema divino en una tiara de "cuernos". La fuerza y la trascendencia divina se simbolizan mediante los "cuernos".[37] Por otra parte a cada planeta le correspondían un metal y un color. A cada planeta le pertenecía un dios que

---

[33] *Historia de las Civilizaciones*, vol. I, op. c., p. 165.

[34] Id., p. 170.

[35] Ver para el apogeo del dios-Sol en época babilónica a Mircea Eliade, vol. I, op. c., p. 80. Para su posición única ver a Joan Oates, op. c., p. 236.

En la época de la Babilonia semítica se adora como dios supremo a Ba'al (Bâlu) que suponiéndose que moraba en la luz, se le hizo considerar al Sol como su símbolo. En la propia Babel, la deidad local primitivamente solar es Marduk (ver *Historia Universal* de Oncken, vol. II, op. c., p. 183.

[36] Joan Oates, op. c., p. 236.

[37] Mircea Eliade, vol. I, op. c., p. 74.

se representaba por el metal coloreado respectivo. El individuo se sentía protegido manipulando ritualmente un objeto metálico y una piedra semipreciosa de un color adecuado.[38]

Lo que ha de quedar claro no obstante es el uso que de este ideario político realizaron otros con la tendencia siempre de asegurarse la supremacía sobre el mundo. Está claro, que la idea religiosa esencial que trasciende a la historia respecto a lo que aporta la ideología "mesopotámica" cuando el imperio babilónico alcanza la hegemonía mundial (605-539 a.J.) es el valor político de la representatividad plena de la divinidad en el monarca. Puesto, que tal como ya hemos visto, esto supone ser el intermediario único y eficaz entre la propia divinidad y el resto de los hombres, constituyéndose en un órgano infalible, todo un "vicario visible" de "Dios" en la tierra. Esta posición implica unas prerrogativas especiales para el "monarca" a la vez que unos objetivos políticos que se evidencian en un intento de perpetuar una hegemonía mundial mediante la Unidad y el dominio.

La concepción Unitaria del mundo está enclavada como consecuencia del culto a Tammuz,[39] y hemos de suponer que servirá como elemento programador en la actuación política.

Entre las atribuciones se encuentra el de "honrar" al monarca, de acuerdo a que es, entre todos los mortales, el escogido por la divinidad. En nota aparte[40] ya hemos aludido del culto de "adoración" a los reyes mesopotámicos, tanto de la época asiria como babilónica. Sin embargo es preciso recalcar este asunto por el tono ingenioso que encierra tal práctica, y por la trascendencia histórica que como veremos tendrá en el futuro. La teoría babilónica permite prescindir de una terminología cúltica hacia el Soberano aun cuando en la práctica se esté realizando al igual que la exigida por el Faraón. Mediante lo que la divinidad se ve obligada a conceder a su "escogido", puede ser adorada a través de la propia persona escogida a la que se le han otorgado facultades como a ningún otro ser.[41]

La distinción respecto a todos los demás seres humanos, la concepción del soberano por sus súbditos como si aquél fuera un talismán, el ser "el encargado de asegurar la buena voluntad de los dioses", pero sobre todo la propia pretensión de ser el sustituto de la divinidad en la tierra con un *Poder absoluto* y una **Autoridad suprema** concedida por "Dios", es hacer las veces de Dios en la tierra, constituyendo un objeto de culto y provocar de un modo natural

---

[38] Id., p. 99.

[39] Mircea Eliade, vol. I, op. c., p. 83. Según la mitología mesopotámica, Tammuz llega a encarnar a los dioses jóvenes cuyo destino era la muerte en cada año. Los reyes que compartían esta misma suerte les representaban, y celebraban cada año nuevo la recreación del mundo. Esto permitía concebir, en el proceso continuo y alternado de vida-muerte (con sus corolarios), al mundo unitariamente, de ahí, que entre los objetivos a conseguir estuviera el de la 'unidad' política y territorial.

[40] Ver notas 23 a la 28.

[41] El *Ludlul bel nemeqi* que contiene ciertas devociones que el hombre 'bueno' solía hacer, se dice en uno de los versos: "la majestad del rey equiparé con la de un dios" (contenido en Joan Oates, op. c., pp. 243, 244). Esa majestad podría adorarse por medio de la persona del rey que la posee.

el **culto a la persona**. Cualquier forma de Absolutismo, mitigada o no, de las ideas o de la fuerza bruta, o de ambas a la vez, por la que un individuo pretende diferenciarse de los demás aspirando ocupar el lugar de Dios en la tierra, queriendo imponer su ideología, estará usurpando el puesto al que solo el Dios verdadero tiene acceso, y por lo tanto la pleitesía se convierte en una sumisión incondicional, elemento exterior significativo de que se está ofreciendo una adoración, un culto, el de la persona, que sólo pertenece al único Dios Creador.

Los reyes babilónicos impondrán esta línea de actuación como medida política, y se traspasará a la posteridad de otros reinos seculares que llegarían también a la hegemonía mundial. Dos citas traemos ahora de este trasvase de la divinización o personificación de la divinidad en el hombre "escogido" como Jefe supremo, a semejanza del orden celeste donde hay un dios supremo que fue seleccionado y aceptado como tal por los otros dioses, desde Babilonia a los Persas, Griegos y Romanos:

> «Nosotros tenemos, en Jenofonte, la prueba en cuanto a que esta costumbre de los Persas venía de Babilonia. Es cuando Ciro entró en Babilonia que los Persas, por primera vez, dieron testimonio, por su adoración, del respeto que ellos tenían por él; antes de eso, dice Jenofonte, ningún Persa había adorado a Ciro».

> «La adoración reclamada por Alejandro el Magno, tenía evidentemente este origen. Fue directamente, en imitación de la adoración rendida a los reyes persas, que el pedía semejante homenaje».[42]

> «Cuando Roma se convirtió en un imperio mundial es un hecho conocido que ella asimiló dentro de su sistema a dioses y religiones de todos los países paganos sobre los cuales reinaba. Como Babilonia era el origen del paganismo de estos países, podemos ver cómo la nueva religión de la Roma Pagana no era más que la idolatría babilónica que se desarrolló de varias formas y bajo diferentes nombres en las naciones a las que fué».[43]

Aun cuando en la concepción antigua, como apunta Joan Oates[44] la distinción entre actividades sociales, religiosas y económicas no se da como en el mundo moderno, ya que en la antigüedad todo era un conjunto. La cohesión de un imperio parte de que los "dioses" lo hayan querido. Y esto se comprobará por las posibilidades que el "monarca" o dirigente encuentre. Pero no cabe ninguna duda que la realización de un Gobierno estable y hegemónico sólo se puede obtener proyectando la imagen de "un único reino celeste" en la tierra. Esto lo hemos visto con Egipto,[45] lo vemos con Babilonia cuando "Anu" hace descender desde el cielo a la humanidad la institución monárquica y sus

---

[42] cuerpo . Ese intelecto o alma en sí, es eterno e inmortal: "lo divino en el hombre". Esa alma es espiritual y de origen sobrenatural, lo que en él piensa ya que le viene de la actividad de Dios que es el pen*sar; y puesto que es* eterna, no ha sido cre

[43] *Babilonia, Misterio Religioso*, op. c., p. 15.

[44] Op. c., p. 36.

[45] Ver en nota 105 la referencia a *Historia de las Civilizaciones*, p. 120.

insignias.[46] Y por otra parte observamos, tanto en Egipto como en Babilonia, dos formas complementarias para conseguir la Unidad, la Autoridad Suprema y obediencia incondicional de los súbditos.

En la una, mediante la persona divina del Faraón se encarna al Estado endiosado al que todos deben obediencia incondicional. La gente se rige por el Estado. De este modo el Estado recibe un culto, y la "persona", que como el Faraón divino encarna al Estado recibe también culto. Es en Egipto donde se inventa realmente el significado de la frase "el Estado soy Yo". Egipto representa, por medio de la figura del Faraón, al Estado endiosado, que no reconoce otro "Dios" que él, si Este Dios se presentase como siendo superior al Faraón en sus funciones de único Gobernante que ejecuta como ser divino.

En el caso babilónico, hay una usurpación de la representatividad del verdadero Dios. Haciéndose pasar como si fuera la representación de Dios en la tierra, se camufla presentándose como si Dios estuviera en la tierra; el Poder, el Mando Absoluto, e incluso atributos divinos los recibe de parte de Dios para cumplir su tarea. En ese Absolutismo, el culto al Estado se desvía hacia la persona que habiendo sido escogida por Dios está por encima del propio Estado. No le haría falta ser divino para que con su Autoridad recibida de 'Dios' mismo abarque a todo y a todos.

Tanto en un caso como en otro, en la persona del rey o del mandatario, se concentran manifestaciones divinas especiales, que no corresponderían simplemente a su *naturaleza* divina que también poseen los demás. Dichas expresiones se reconocen por la duración de su existencia unida al éxito de la prosecución de las "órdenes" políticas o ideológicas emanadas de estos dos tipos de Individuos que imponen su ley, obligando a que todos la acepten.

Estos dos modelos sobrevivirán en la historia, e imprimirán como ya estamos viendo, un Sentido, una direccionalidad. Y no puede ser de otra manera porque cuando una "Persona", Sistema, Institución, Imperio, Reino o Poder considera realmente, aun cuando no fuere verdad, que ha recibido, auténticamente de Dios un objetivo o misión histórica a cumplir, del calibre y contenidos parecidos a los expuestos, se pone en marcha una maquina que solo se parará hasta haber puesto en funcionamiento aquello que le proponía la susodicha "divinidad", durando hasta que le funcione la "cuerda", destruyéndose, o hasta que caiga por el precipicio en menos tiempo del que se esperaba. A pesar de lo mucho o poco que pueda durar semejante propósito histórico tendrá un final no deseado.

b. El poder y protección de los dioses y su representación

Habíamos aludido anteriormente que Babilonia, entre otras, se había construido su *estatua de las naciones*.[47] Esto pretendía representar el poder eterno de ese imperio que los dioses habían otorgado al gobernante de turno.

---

[46] Ver nota 28, lo que motiva dicha nota, y a Joan Oates, op. c., p. 234.

[47] Sir Leonard Woolley, en su libro *Ur, la Ciudad de los Caldeos* (Fondo de Cultura Económica, México 1966, pp. 133, 134).

Otro aspecto importante del que se nos informa de Babilonia, y que se trasnmitirá a los imperios que la sustituyan, es el emblema divino de los *cuernos*[48] que pretendía simbolizar la fuerza y la posesión del espacio total de la deidad.

Todos, desde el monarca junto a los demás individuos, podían recibir la protección de los dioses. Varias ciudades babilónicas contenían santuarios que llevaban el nombre de "unión entre el cielo y la tierra". Ahí se practicaba una relación con los dioses del cielo, mediante la cual se comprendía la correspondencia e influencia de los prototipos celestes en la tierra.

Por medio de un ritual, que partía de la concepción de que a cada *planeta* le correspondía un **metal** con un color determinado, y *cada planeta* pertenecía a un *dios* **representado** por dicho **metal**, la persona se consideraba bajo la protección de un dios.[49]

Síntesis, Valoraciones y Conclusiones respecto a Babilonia

1) Los dioses son elementos del Cosmos, de la Materia que se le considera eterna. Incluso los dos primeros (Apsu y Tiamat) que sacan a los demás son de Naturaleza cósmica, salidos de ella.
   Parecería ser que este surgimiento lo consigue la propia Materia al *azar*.

2) Estos dos dioses mediante actividad sexual engendran a otros dioses, y posibilitan que se engendren más.

3) Los dioses deciden formar a los hombres de la sangre de un dios, para dirigirlos y utilizarlos. Por lo tanto el hombre, según esto, sería de naturaleza divina.

4) De todo esto se colige que todo es dios. No hay un único Dios Creador, Personal y Trascendente.

5) Lo Terrestre es una imagen de lo Celeste proyectándose una *teología solar*. Este postulado se observa en dos proyecciones:
   A nivel individual los seres humanos han salido, por voluntad de los dioses, de una materia eterna ambivalente que da base a un *dualismo*: Por un lado poseen un *espíritu* o *alma inmortal* que corresponde a un origen de naturaleza divina, una parte de la Materia eterna que ha dado lugar a la consciencia inmortal, y por otro se trataría de la propia materia imperecedera pero que no se da esa misma substancia consciente e inmortal.
   A nivel colectivo, se proyecta en la tierra el orden unitario o gobierno de Estado Universal del reino celeste, donde se ha impuesto la Unidad en base a la guerra entre los dioses arrogándose uno de ellos la autoridad suprema, relacionándose con el astro rey que es el Sol. De ahí la *teología solar* que hará acto de presencia y que se proyectará en el

---

[48] Ver Mircea Eliade, *Historia de las Religiones*, vol. I, op. c., p. 74.
[49] Id. p. 99.

futuro creando una direccionalidad y un comportamiento político-religioso.

Un hombre dotado por los dioses de la autoridad suprema y de atributos especiales, es seleccionado para controlar el orden en la tierra y conseguir la Unidad también, provocando un culto a la persona.

6) Los **cuernos** del animal que simboliza la fuerza de los dioses son presentados en la tradición bíblica[50] como representando a los poderes de los imperios universales, y que aludiendo a los dioses que protegen a dichas naciones se ven destruidos por la intervención invisible del Reino de Dios.

7) Los **metales** que simbolizan a los dioses protectores tanto de los gobernantes como de los individuos, junto a la estatua de las naciones que se erigía como representativa del poder eterno del imperio en cuestión, tienen su réplica en la estatua metálica de Daniel 2, donde los metales que simbolizan precisamente a los reinos que transmiten una direccionalidad en la historia y marcan las pautas de la hegemonía en la historia se ven aniquilados por la Piedra que da contra la estatua destruyéndola.

8) La concepción política que se desprende de semejante antropología es la de un poder absolutista.

9) Aunque hay trazos en la información babilónica respecto a los aspectos antropológicos, con los que se puede deducir una influencia sobrenatural maléfica de la que las Escrituras identifica con los poderes *satánicos* (Gn. 3:1-6 cf. Ap. 12:7-13; Ef. 2:1, 2; 6:12; 2ª Co. 4:4; Jn. 8:42-44) que se hacen pasar por *ángeles de luz* (2ª Co. 11:14), hay una exposición en la que se mezclan conceptos puramente humanos en lo relativo al origen de los dioses y de los seres humanos.

10) Toda la antropología babilónica descansa en la concepción de origen que sobre el hombre ofrecen los dioses. Es decir la antropología tiene una raíz religiosa relacionada con la deidad politeísta y sus implicaciones.

2. Medo-Persia[51]

La influencia de Babilonia sobre el imperio medo-persa ha quedado establecida. En principio digamos que será en la época persa donde aparecen desarrolladas, para dar base a su *teología politeísta* y *antropología*, las ideas

---

[50] Ver el libro de Daniel (7:7, 8, 23-27; 8:2-8, 19-25) y Apocalipsis (13; 17).

[51] Al principio, en la campaña expansionista que les dará la hegemonía mundial, vemos actuar juntos a los Medos y Persas formando un sólo Imperio, Ciro había sabido atraerse políticamente a los Medos (Ver a Antonio Tovar, *Historia del Antiguo Oriente*, op. c., pp. 280, 281.), y se encontró por diferentes circunstancias heredero del reino de Media.

La Historia de las Civilizaciones los introduce juntos en una primera etapa:

«Por una parte los Medos y los Persas, recien llegados a los conflictos políticos y militares del Oriente, aprovechaban el desgaste de los antiguos rivales y su fragmentación» (*Historia de las Civilizaciones*, vol. I, op. c., p. 242).

babilónicas[52] del macrocosmos y microcosmos con los opuestos del bien y del mal incorporados.

Vamos a comprobar también que con Persia se amplía el dualismo religioso añadiéndose elementos que se tendrán en cuenta posteriormente.

El **dualismo** *filosófico* va hundir sus raíces en el **dualismo** religioso.[53] Pero **¿cómo se obtiene y se describe ese dualismo religioso?**

En el 546, antes de que cayera Babilonia (539 a.J.) bajo Darío el Medo y Ciro el Persa, este último rey mencionado, comienza a moverse en el escenario mundial (*Historia del Antiguo Oriente*, op. c., p. 283).

Hasta después de pasada la caída de Babilonia, en el año 539, todavía los Medos y Persas aparecen juntos figurando como un Imperio a pesar del dominio Persa que se impondrá definitivamente (Id., pp. 184, 185).

Esta configuración política unitaria, en una etapa histórica, entre Medos y Persas, no debe sorprendernos puesto que se trata de dos pueblos "iranios" (del Irán) (*Historia del Antiguo Oriente*, op. c., p. 274), con una misma lengua (indoeuropea) (Id..), señalándose la vía del Caucaso como el trayecto originario por el que dichos pueblos habían llegado a esta región

(Id., p. 275). Mircea Eliade nos habla del acuerdo de los autores en fijar la localización de los pueblos de origen indoeuropeo, en las regiones del norte del Mar Negro, entre los Cárpatos y el Cáucaso (vol. I, pp. 203, 204).

Antes de expresar los conceptos que hacen pervivir un ideario que se va implantando en el mundo marcando un itinerario histórico específico, dejemos resuelto un asunto que puede obstaculizar una investigación de esta naturaleza.

Al mencionar pueblos Indoeuropeos, no nos debe llevar a confusión. Hoy sabemos que la cultura de la India no es propia sino precisamente de estos pueblos. Los Indoeuropeos entran en contacto con la cultura mesopotámica ya en el tercer milenio antes de Cristo:

«(...) los orígenes de la cultura indoeuropea (...) es igualmente seguro que durante su etapa de formación esta cultura experimentó los influjos de las civilizaciones superiores del Próximo Oriente» (Mircea Eliade, vol. I, op. c., p. 204).

Unos (arios) habían penetrado en la India y otros (también arios) en Irán (id., p. 203)

La primera civilización de la India la de los Harappa, según Fairservis tuvieron como antepasados a los agricultores prearios del Irán ((Id., p. 142). La religión harappiense forjará el hinduismo (Id., pp. 145, 146).

Todo esto nos está mostrando que «los diferentes contactos culturales realizados en el curso de las migraciones» (Id., p. 207), y que explicaría, a pesar de ciertas diferencias, una línea común en toda la humanidad respecto a los conceptos fundamentales que permiten una trayectoria histórica determinada.

Independientemente de los caracteres que imprimen estos dos pueblos iranios, ocuparán una hegemonía en el mundo conocido entre los años 539-331 a.J., habían recogido elementos de otras culturas como la de Oriente Próximo (Babilonia por ejemplo) (Ya habíamos visto esto en nuestro tratamiento sobre Babilonia. Puede verse un poco más arriba, y de nuevo a Mircea Eliade, vol. I, op. c., pp. 333-339, donde se observa las semejanzas con las actitudes y creencias religiosas babilónicas). Y trasmiten a la posteridad unos valores político-ideológicos que servirán para intentar afirmar la "Unidad Universal" que tanto el Imperio Neo-Babilónico anteriormente, como ellos, pretenden.

No podemos en el marco de este estudio entrar en una dinámica dialéctica respecto a lo que todavía se cataloga como enigma de la religión Irania, lo referente a la historicidad y obra de Zaratustra, ni a la consolidación del Imperio Medo-Persa. Solo ha podido conservarse una cuarta parte del Avesta antiguo. Aun cuando hay dudas en cuanto al momento de la intervención de Zaratustra, una tradición lo remonta al segundo milenio a.J., otra lo ubica entre el año 1000 y 600. Según la tradición Mazdeísta ("258 años antes de Alejandro"), puede situarse, de acuerdo a Mircea Eliade entre el 628-551 (vol. I, op. c., pp. 320, 321). Pero es preciso comprobar algunos elementos nuevos, o transformaciones de los antiguos, o el continuismo que hace posible una transmisión valedera para la marcha de la historia y de su direccionalidad y sentido, aparte del posible crédito de Zaratustra en este proceso político-religioso:

«No se puede separar la monarquía persa de sus orígenes iranios (...)

Pero al propio tiempo la civilización persa sufrió muchas influencias (...) e hicieron de ella (...) una civilización de confluencia (...)

(...) la conquista había instituido a los aqueménidas herederos de los más antiguos imperios (...) Aunque ya en decadencia, habían ido dejando sus tradiciones y aun se mantenían (...) muchas de sus grandiosas realizaciones. ¿Cómo sustraerse a su influencia? El esplendor (...) se afirmó preponderante, en especial el de Mesopotamia» (La *Historia General de las Civilizaciones*, vol. I, op. c., p. 244).

[52] Ver a J. Steed, *Dos=Uno*, op. c. pp. 25-27.

[53] Ver Zurcher, *L'Homme...*, op. c., p. 19.

Manteniendo un paralelismo de igualdad entre el Macrocosmos que es el universo y el microcosmos que es el hombre.

¿Cómo se concibe el Macrocosmos?

Mediante la reflexión teológica se reduce a las fuerzas que emanarían de una fuente superior al hombre, y que se encuentran en el macrocosmos contribuyendo a la experiencia de la bondad o maldad, a dos principios antagónicos el **Bien** y el **Mal** (la luz y las tinieblas; la verdad y lo falso).

La influencia de la *filosofía* transformará a las *fuerzas opuestas en espíritu* y **materia**.

Esta antitesis ha sido proyectada en el **microcosmos** que es el hombre en función de una **doble sustancia**: el *cuerpo* y el **alma** que se asemejarían a esos principios antagónicos de **Bien** y **Mal**.

El Zoroastrismo persa recoge y fundamenta lo anterior,[54] dando posibilidad al dualismo filosófico,[55] que Pitágoras y las religiones de misterios[56] basándose tanto en lo *babilónico* del sacerdocio caldeo[57] como en lo *Persa* de Zoroastro, influirá en la experiencia de ese dualismo filosófico.

El hombre estaría en la intersección de esos dos mundos antagónicos en su concepción de **cuerpo** y **alma**.

El *cuerpo* correspondería al mundo de abajo, el de las tinieblas, el de la fatalidad y del mal. El **alma** pertenecería al mundo elevado de lo alto, de la luz y del bien.

La *salvación* de esta *oposición* que encierra el *cuerpo* y el *alma*, consistirá en desatarse los lazos del mundo sensible, evadirse de su prisión carnal, mediante ritos y técnicas purificadoras (ascesis, gnosis, éxtasis, etc.), y de este modo el alma se liberaría retornando a su patria celeste. Al lograr esto se le reserva la inmortalidad.[58]

a) La Filosofía Político-Religiosa

Mircea Eliade reconoce que el estudio de la religión irania (la del imperio Medo-Persa) es de gran interés por su aportación a la religiosidad occidental[59] Y esto por dos aspectos fundamentales. El uno, por el aporte que se hace desde el punto de vista de lo puramente religioso que ayuda a crear un sistema político, el otro por la persistencia de una ideología política que tiene en cuenta principalmente las creencias "teológicas", y que se asemeja a lo ya indicado hasta aquí.

El primer asunto que nos llama la atención es en cuanto al origen y naturaleza de los dioses. Los antiguos dioses *devas* fueron demonizados, cuando paralelamente, esos mismos dioses en la India eran considerados los

---

[54] Id., p. 22.
[55] Id., p. 21.
[56] Id., pp. 21, 24.
[57] Id. p. 54.
[58] Id., p. 22.
[59] Vol. I, op. c., p. 319.

verdaderos. Los "asuras" son considerados demonios en la India cuando en Irán son los "buenos". Tanto es así que el gran demonio indú *Varuna* es el gran dios Ahura Mazda de Irán, adorado por los persas.[60]

Este *Ahura Mazda*, es el dios luminoso del cielo que con la "creación" de Mitra como dios-Solar le sustituirá en muchas de sus funciones. Su promoción es de tal naturaleza que aunque asociado a *Ahura-Mazda*, alcanzará el rango de gran dios.[61] Es interesante ver la queja de Mitra a *Ahura Mazda*, que siendo protector, pide que se le adore, recibiendo, a partir de entonces la adoración.[62]

Mitra llega a obtener la categoría del dios supremo. Para esta apoteosis el propio *Aura Mazda* oficia un culto para Mitra,[63] además de convertir al "glorioso dios-*Haoma*" (al que se le había dado un culto especial con sacrificios cruentos incluidos) en un sacerdote de Mitra.

Este ascenso, y culto de innovación, de Mitra como dios Solar, que marca por otra parte un continuismo desde las culturas Mesopotámico-Babilónica y Egipcia, ejercerá una influencia enorme en el futuro, además de constituir con todos sus contenidos con los que se le adornará, una "teología" que llegará a contaminar en el siglo IV d.J., a una rama denominada cristiana.

El dualismo es otro de los asuntos que se subraya en la religión persa. Parece ser que en la teología de Zaratustra se intenta afirmar que *Ahura Mazda* no tiene un antidios, sino que ha engendrado entre los varios dioses, dos Espíritus: el *Spenta Mainyu* (Espíritu bienhechor) y el *Angra Mainyu* (Espíritu destructor). Lo uno y lo otro se ha logrado por elección.[64] Sin embargo la oposición continua entre uno y otro Espíritu, y en un régimen de igualdad y perenne, proyecta una tensión de lucha entre los buenos y los malos, identificando para ello a los malos y los buenos, consiguiéndose una división a todos los niveles, tanto cósmicos como terrestres y antropológicos.[65]

Al inmortalizar los Espíritus como siendo una especie de emanación de 'dios', eternizas el Mal, y por lo tanto perpetuas el dualismo. Aparentemente la terminología procura dejar a un lado el dualismo estricto. En la practica, y en el propio vocabulario para explicar esa praxis se consagra el dualismo.

El argumento ritual por el que en el Año Nuevo era preciso renovar al mundo por medio de actos simbólicos, que bajo la influencia Mesopotámico-Babilónica cobrará en Irán un estadio político más claro, se precisa retener, por la importancia que reside en el hecho de que «el monarca iranio era responsable de la conservación y regeneración del mundo»,[66] y para ello era necesario luchar contra las fuerzas del mal y de la muerte. Esto se juntó con

---

[60] Ver íd., pp. 334, 335.

[61] Id., pp. 340, 341 cf. *Historia del Antiguo Oriente*, op. c., p. 293. El Sol aparece como la forma visible del "Señor" Aura Mazda, al igual que el fuego (Mircea Eliade, vol. I, op. c., p. 339).

[62] Id., p. 341.

[63] Id., p. 342.

[64] Id., p. 327.

[65] Id., p. 330.

[66] Id., pp. 336, 337. Puede verse nota 28.

el sacrificio escatológico que llegó a realizarse en el Año Nuevo, puesto que en la renovación escatológica se producirá la resurrección de los cuerpos muertos (recuérdese que las almas son preexistentes e inmortales (las *Fravashis* que incluso reciben culto de invocación) e incluso ayudan a *Ahura Mazda* a que la humanidad no desaparezca.[67]

Esto era de suma importancia para el Soberano Mazdeísta puesto que la renovación universal será fruto de un sacrificio, y para ello será preciso contribuir al objetivo, organizando y manteniendo la purificación e instauración de los fuegos sagrados que facilitan dicho sacrificio, y la creación de complejos urbanísticos (templos) con la dotación de rentas y sacerdotes que perpetuaran así todo el ciclo imprescindible para esa renovación universal.[68]

Todo esto supone una motivación política de primera magnitud, e inserta en el programa de cualquier monarca iranio la búsqueda y consolidación de un Imperio Universal para atajar mejor los poderes del Mal y colaborar en esa restauración universal y escatológica.

b) La Autoridad Suprema del Soberano y el Culto a la Personalidad

Ya hemos visto cómo se alimenta Persia de las culturas universalistas precedentes: la Mesopotámico-Babilónica y de la Egipcia.[69]

Las ideas religiosas juegan un papel importante en el plano político del monarca. Una vez más se contempla como la mitología y la concepción "teológica" son un vehículo apropiado para que el Dirigente pueda asumir una Autoridad Suprema con el fin de conseguir los objetivos propuestos de renovación Universal. Sólo mediante un Absolutismo es posible mantener la Unidad y alcanzar un destino Universal:

«La religión persa presentaba al rey como actuando "por el favor de Ahuramazda", y esta referencia divina daba sentido moral al gobierno» (...).

Los mitos que transmiten las luchas de los héroes contra los dragones (símbolo del Mal). El propio rey, en las tradiciones tardías aparece en el día de Año Nuevo venciendo al dragón *Azdahak* (ver Mircea Eliade, vol. I, op. c., pp. 336, 337).

[67] Id., pp. 344, 343.
Retengamos la idea de las almas preexistentes, y de su viaje una vez muerta la persona, y su vagar durante los diez últimos días del año, con la posterior resurrección del cuerpo al final de los tiempos. Todo ello era preciso fijarlo mediante las fiestas del Año Nuevo tal como hemos dicho (ver Mircea Eliade, vol. I, op. c., pp. 345-349).

[68] Id., pp. 342-344.
Recojamos en esta nota el ocultismo y esoterismo que se manifiesta entre los magos persas (ver *Historia del Antiguo Oriente*, op. c., p. 293), y que pasará de diferentes maneras a la posteridad. Recuérdese aquí lo dicho para Babilonia respecto a las artes adivinatorias, y a otras actividades ocultistas, y a la existencia de 'magos' en la época Caldeo-Babilónica (ver *Libro bíblico de Daniel* capítulo 2).
Ver también, sobre el ocultismo, de los magos a *Historia General de las Civilizaciones*, vol. I, op. c., p. 256.

[69] Nos atenemos exclusivamente a exponer aquello que de algún modo ha tenido una trascendencia universal. En el caso de Egipto, aun cuando nunca, ni en su máximo esplendor traspasó apenas sus fronteras desde el punto de vista militar, ejerció una influencia considerable en cuanto a su cultura, bien adaptando la que le venía de "Babilonia" o añadiendo elementos nuevos.
En cuanto al aspecto político los aqueménidas <<se limitaron a recoger, perfeccionándolos, los métodos de sus predecesores>> (*Historia General de las Civilizaciones*, vol. I, op. c., p. 247).

«El gran rey era el dueño absoluto del poder en paz y en guerra (...) Era el representante de Ahuramazda, el sumo dios sobre la tierra, y tenía honores divinos. Ante él debía hacerse la *proskynésis* (...), esto es, protesnarse ante sus pies poniendo el rostro contra la tierra».[70]

Era preciso, de acuerdo a esa direccionalidad que estamos viendo que se proyecta en la historia, y que tanto se relacionará con la historia hegemónica de Occidente, que observemos, como el siguiente "imperio universal" (el Griego-Macedónico) que sostendrá su predominio mundial tras la conquista del imperio Persa, del 331 al 212 a.J., aproximadamente, adquiere el significado ideológico de la "deificación del rey" traspasándolo a Occidente por medio de Alejandro el Magno:

«(...) Alejandro se consideró el heredero, más que el vencedor, de la dinastía aqueménida. Transformó su vida y la institución de la monarquía que asumió características teocráticas, desconocidas en la realeza griega. Se convirtió en rey supremo, encarnación viviente de la divinidad y alrededor de su persona creó un mito donde confluían los temas dionisíacos y los ritos persas. Por último, pretendió de los suyos la *proskynésis* gesto típico de la adoración oriental».[71]

No fue esto lo único que se heredó del Oriente próximo a través de la conquista de Persia por Grecia. A pesar de los conflictos que mantuvieron en una segunda etapa tanto griegos como persas, los contactos se mantuvieron; ahora con Alejandro, se consigue, al menos en una gran parte «fusionar en el plano cultural los componentes griegos y persas orientalizantes y legó al mundo la (...) herencia espiritual del Helenismo».[72]

Podríamos caer en la tentación, cuando estudiamos la historia desconectada del propósito que subyace en el sentido que imprime la ideología humana que "parece dirigida" hacia una meta determinada, que el fracaso de los diferentes imperios en cuanto a obtener esa Unidad Universal que buscan, a pesar de lo significativo de su ideología político - religiosa, sería una evidencia de la falta de un programa, y de la ausencia de un valor medible y activador en los contenidos de lo que permanece repetitivamente fundamental en ese Ideario político-religioso.

Ya habíamos dicho en otro lugar que la insuficiencia en cuanto a lograr esa Unidad plena a nivel mundial, no impide la aspiración y la programación para ello. Pero no nos debe cabe la menor duda, a tenor por lo que estamos examinando, que se nos está queriendo comunicar, mediante el trayecto histórico un mensaje en clave. Hay unos Imperios que dominan la situación del mundo conocido merced a un comportamiento que se basa en un contenido ideológico que esencialmente es aprovechado respecto del anterior o antece-

[70] *Historia del Antiguo Oriente*, op. c., p. 291.
[71] *Alejandro el Grande*, obra editada por Sarpe, op. c., p. 38.
[72] Id.

sores por el posterior. Dándonos a entender que la posibilidad de la realización histórica de esa Unidad ideal bajo una Autoridad Suprema que domina el escenario mundial, está en formación mediante la subida y caída de los imperios que mantienen una hegemonía mundial durante una etapa, pero que a pesar de su desvanecimiento, inyectan la fórmula esencial que dará el resultado apetecido por aquel que sepa emplearla. Estamos viendo que cada vez, conforme el tiempo transcurre, los Imperios son más certeros en su cometido. Lo veremos ahora mejor con Grecia (quien se supo aunar con lo imprescindible de Oriente Próximo), y posteriormente con un Imperio, el Romano, que todavía subsiste hoy, gracias al legado del Helenismo Griego, en una etapa final de su intento constante de restauración, a través de aquellos Componentes que el Ideario Romano forjó, y que se transformaron en dignos herederos del llamado "Sacro Imperio Romano".

En conclusión que sirve para todos aquellos que en Oriente mantuvieron una hegemonía en el mundo conocido, y que imprimieron unas características esenciales para la marcha de la historia, podemos añadir antes de nuestro análisis del mensaje central, en relación a lo que nos ocupa, del legado de Grecia y del Helenismo, lo siguiente: que pese a los inconvenientes que se suscitan en una historia, como la de la humanidad, representada por los Imperios Neo-Babilónico y Medo-Persa, que impusieron su hegemonía como nunca antes, marcaron *unas pautas "político-doctrinales"* que se transmitieron a la posteridad con la idea, siempre rejuvenecida, de que la Unión de la humanidad es posible, y que una Autoridad Suprema concedida por "Dios" o los "dioses" es imprescindible para legitimar dicha Autoridad, y la exigencia de la obediencia incondicional de los súbditos.

Esa clave política está basada en una concepción sobre los dioses (teológica) proyectando un ideario religioso que aporta una antropología determinada que hilvana a su vez una ideología político-religiosa.

Síntesis, Valoraciones y Conclusiones

a) Se perpetúan los conceptos del *Macrocosmos* y *Microcosmos* en el sentido ya expuesto, junto a lo que estos implican de unión de los contrarios (Bien y Mal), y que tienen un origen babilónico.

b) La diferencia entre el cuerpo y el alma es fruto de un profundo **dualismo** basado precisamente en el antagonismo de esos dos principios del Bien y del Mal.

c) La creencia de la inmortalidad del alma con su preexistencia y transmigración, y que tiene también un origen babilónico, se desarrolla matizándose ciertos aspectos.

Retengamos la idea de las **almas preexistentes**, y de su viaje una vez muerta la persona, y su vagar durante los diez últimos días del año, con la posterior **resurrección del cuerpo** al final de los tiempos.

d) El dios principal sigue estando representado en el monarca que de acuerdo a su origen divino, y a haber sido escogido de forma especial recibe culto.

e) Se oficializa de modo extremo la *proskynesis* (arrodillarse cúlticamente) hacia el monarca persa. Siendo el gesto un elemento político fundamental, en el que se reconoce la **autoridad suprema** en la tierra.

f) La comunicación de los monarcas con los dioses, y la actuación de los sacerdotes tanto para la corte como para los súbditos, y los ritos de purificación que todos pueden llevar a cabo para conseguir la inmortalidad, nos provee la base del reconocimiento de la existencia de una ideología de origen *extra-terrestre* que se comprueba opuesta a los contenidos bíblicos.

g) La influencia de las fórmulas político - religiosas de Persia y Babilonia sobre Grecia salvaguardan el hilo conductor de un ideario que una vez analizado se descubre un origen y contenido distintos a la *tradición bíblica*.

h) La **Teología Solar** con Mitra ocupa un lugar preponderante. El dios absoluto y supremo que consigue ser Mitra como representativo del Sol, desarrollándose una concepción política religiosa consistente, en un **orden unitario** establecido por lo que implica el *astro* Rey Sol, en todo un ritual *sacramental* que fija la **autoridad suprema salvadora** de Mitra, y en una *ideología doctrinal* que incluye concepciones propias, implicando una ética y espiritualidad acorde a lo que supone dicha teología.

3. Grecia y el Helenismo

Es en esa reflexión sobre la división bipartita del mundo que ya los sacerdotes babilónicos y los órficos habían puesto su fundamento,[73] y que la religión persa con Zoroastro matiza y amplía, que se funda el dogma de la inmortalidad celeste y consciente de las almas.

La admisión de esa posición sobre la inmortalidad del alma se hace a manera de postulado, y en base a la reflexión teológica. Será en la reflexión filosófica griega que se enunciará dicho postulado como consecuencia de la *naturaleza divina del alma*.

Es importante, antes de seguir adelante, valorar este momento del pensamiento, puesto que las bases son éstas y no otras, de donde se construye todo un edificio filosófico que no puede probar nada respecto a esa inmortalidad ni explicar de modo satisfactorio.

El hecho de que su origen, el del dualismo e imortalidad del alma, sea puramente religioso demuestra la imposibilidad de que pueda deducirse del

---

[73] Zurcher, en *L'Homme* ..., op. c., p. 54.

pensamiento, fundamentarse y demostrarse filosóficamente. Podrá la filosofía racionalizar los datos pero no podrá proveer ninguna seguridad de que eso haya sido y sea así.[74]

a) Pitágoras

Es Pitágoras, bajo la influencia babilónica y órfica,[75] que concibe al alma como la verdadera substancia inmortal, fundamentando su afirmación en dos aseveraciones que los imperios universales anteriores a Grecia habían sostenido: esa dualidad del mundo, en la que el Bien y el Mal se encuentran en permanente conflicto, y la divinidad de los astros que la cultura mesopotámica había desarrollado; y en una tercera que deduce el propio Pitágoras de las otras dos: el parentesco de almas y astros.[76]

b) Platón

Con Platón[77] se intenta racionalizar lo que teológicamente se había postulado anteriormente: la inmortalidad del alma, aunque filosóficamente parta de un *a priori*.

Usando el método socrático *conócete a ti mismo*, en el que el sujeto es el propio objeto, funda, su concepción de hombre, sobre la teoría de las ideas, estableciendo una distinción radical entre el mundo sensible y el inteligible. Esta dualidad que arranca del propio cosmos, demanda una dualidad antropológica. De este modo el **alma** es semejante a las ideas inmortales del mundo inteligible de las ideas del que ha obtenido su origen, y al que ha de volver, una vez que se haya liberado, mediante la purificación y expiación de la falta cometida. Si lo consigue, por ser eterna, como eternas son las Ideas, se unirá eternamente con el Ser inmortal.[78]

El **cuerpo** por el contrario pertenece al mundo de lo sensible, al de las cosas mortales, y es la prisión del alma, un castigo. Si la persona muere sin haber logrado su objetivo de liberación del cuerpo porque no haya realizado lo

---

[74] Ver sobre esto en íd., pp. 19, 20.

[75] El Orfismo deriva del culto a Dionisios. Este, con las prácticas orgiásticas suscitaba estados visionarios cayendo en éxtasis, la persona tenía la impresión de que el alma escapaba del cuerpo para unirse con la divinidad. En esta experiencia se intuía que el alma era inmortal (ver a Erwin Rhode, en *Psyché*, París 1893-1894, cap. 8, p. 264 ss.).

El orfismo recurre a expiaciones y purificaciones para que el alma pueda desatarse de las trabas que el cuerpo le pone para vivir una vida divina (íd., pp. 371 y ss.).

[76] La idea sería que el alma "está animada del mismo movimiento que los astros eternos", y si estos astros poseen *espíritu divino,* los hombres también, por lo tanto, según Pitágoras el alma es inmortal. Ver sobre esto al propio Aristóteles aludir a este argumento de Pitágoras en *De anima* 405 a, 30 de la traducción y comentario de G. Rodier, 2 vols., París 1900.

También a Werner Jaeger, *La Teología de los Primeros Filósofos Griegos*, Fondo de Cultura Económica (edic. España), Madrid 1977, pp. 77-92 (sobre la doctrina divina del alma en los griegos).

[77] Ver en *Obras* sobre Platón, *República* 611b; *Timeo* 34 c; *Fedón*, 79b-80b; *Fedra* 245c-246a, 250c.. Todas traen la misma numeración de la primera edición puede consúltarse Platon *Oeuvres Complètes*, texto establecido por A. Croiset (Les Belles Lettres, París 1936).

[78] Platón no explica cómo se hace esa unión, ni qué significa. Pero no es necesario, la unión con el Ser inmortal absolutamente perfecto sólo puede hacerse perdiendo la individualidad personal y consciente ¿y cómo si no? Esta idea de unión con el Ser inmortal está siendo recogida por la filosofía del Movimiento del Potencial humano adscrito a la *New Age*.

necesario para su purificación, tendría que entrar en un nuevo ciclo de nacimiento con otro cuerpo.[79]

El *a priori* es evidente: aunque se pretenda racionalizar que la unión del alma y del cuerpo es una necesidad inherente a la propia existencia del individuo, no resulta en una explicación probatoria. Parte de supuestos que no se pueden demostrar: es la voluntad de los dioses que deciden que el alma esté naturalmente asociada al cuerpo. Con la propia división del mundo de las ideas y del mundo de las cosas, implanta otro supuesto, imposibilitando la unidad de lo ideal y de lo real, y no nos puede, ni lo intenta siquiera, explicar esa unidad íntima de alma y cuerpo con que aparece la persona.

Cuando no se racionalizan los datos, se plantea a nivel emotivo, basándose en la mística que supone la necesidad de la unión del alma y del cuerpo por una falta original que es preciso expiar.

c) Aristóteles

Platón había basado su método en el principio socrático de interrogarse a sí mismo. Pero este método es muy peligroso, puesto que el ser pensante queda a merced de sus conjeturas y subjetividad. El "alma sólo puede ver el alma", dirá Platón; pero, ¿de dónde obtiene semejante afirmación? ¿cómo se puede asegurar de que fruto de una experiencia íntima puede contemplarse la inmaterialidad y eternidad del alma?

Aristóteles sin ignorar el valor de la facultad de observar prefiere proyectar en el *acto* el sentido del conocimiento. Escoge la observación objetiva sobre otros y no sobre uno mismo.

Aristóteles criticará duramente la concepción de las Ideas de Platón arrinconándolo como inservible.[80]

Con el método sintético, Aristóteles, considera al hombre compuesto de **materia** y *forma.*[81]

La forma es el principio de la determinación, la verdadera causa que decide la realidad, y lo verdaderamente substancial. Sin embargo la forma no puede separarse de la materia, su unión es imprescindible para que se produzca la substancia de las cosas y existan los seres.

Aunque la forma es el principio que determina al ser, es inmanente a la materia, puesto que lo que está en potencia (la forma), y lo que es en acto (la materia) no pueden existir lo uno sin lo otro, porque ¿cómo llegar a ser en acto lo que no haya sido simultáneamente orientado por lo que es en potencia (la forma), gracias a lo cual lo que es en acto (la materia) se hace visible? Obligatoriamente se han de presentar conjuntadas materia y forma para constituir la unidad de la substancia.

---

[79] Notemos la teoría de la reencarnación o de la transmigración de las almas, pero justificándola.

[80] Ver a Alfredo Fouillée, *Aristóteles y su Polémica contra Platón*, colección austral, Espasa Calpe, Buenos Aires 1948.

[81] Ver *Phisique* I, 5-7, 9; 192a, 16-25; II, 7; *Metaphisique*, VIII, 1:1042a. 29; 1:30, 31; 6:1045b, 17-19.

Aristóteles aplicará esto al asunto del **alma** y el *cuerpo.*[82] Y rechaza, en principio, la teoría de Platón en el sentido de que el alma pueda vivir sin el cuerpo. Si la forma no existiría sin la materia, el cuerpo no puede existir sin el alma que le hace posible cumplir los diversos cometidos de la vida. Tanto es así esto, que en la muerte, la materia, es decir el cuerpo, pierde esas funciones vitales, y por lo tanto la *forma* (el alma) deja de ser, por cuanto son inseparables para que haya ser.

Independientemente de que esta concepción no es tampoco la bíblica, podríamos considerarla, si acabará aquí, como un intento de explicación de la unión del alma y del cuerpo. Y en este caso no hace al alma, algo separado del cuerpo que pueda vivir sin él. Pero Aristóteles está tratando el tema del alma en relación al cuerpo desde un punto de vista de las Ciencias Naturales y de acuerdo a una explicación *física* del motivo, como lógico y fisiólogo, pero como metafísico tenía una sorpresa: el nos dirá que el hombre está conformado para la vida del pensamiento. El *intelecto* es totalmente independiente del cuerpo a diferencia de las otras funciones del alma que sí necesitan del cuerpo.

De ahí que establezca otra *alma* distinta que le viene de fuera, de naturaleza divina, y que no se funde con el alma humana: el *intelecto* como **alma en sí** que es plenamente *diferente* del *alma* forma del *cuerpo.*[83] Ese intelecto o alma en sí, es eterno e inmortal: "lo divino en el hombre".[84] Esa alma es espiritual y de origen sobrenatural, lo que en él piensa ya que le viene de la actividad de Dios que es el pensar; y puesto que es eterna, no ha sido creada y por lo tanto nunca muere, es inmortal.

De nuevo Aristóteles, no ha sabido desprenderse del sustrato mitológico de Platón y se ha adaptado a su dogmática inventando otra *alma*, reafirmando no sólo la dualidad sino mostrando la crisis de lo insuperable: mantener la unidad del ser humano, la necesidad ineludible de aceptar de que la persona es un individuo completo y real, con la posibilidad de que *algo,* distinto al ser completo, y habiendo desaparecido el cuerpo, pueda representar realmente a la persona pensante y consciente después de la muerte. Ambos aspectos son incompatibles.

d) *Grecia y la Razón Humana al servicio de los dioses y de los hombres*

En un libro, en cierto sentido *apasionante* Werner Jaeger[85] intenta explicarnos que el primigenio pensamiento griego sobre la naturaleza del universo

---

[82] El alma correspondería al principio de la vida, a los pensamientos (*De Anima*, II, 2:413a, 20-22; b, 11-13; 414a, 12, 13); es la esencia, el principio sustancial por la que el ser viviente es lo que es (II, 1:412a, 19; 4:415b, 12-14); no puede haber separación de alma y cuerpo si hay existencia o ser: (II, 2:414a, 20; 1:413a, 4; 2:413b, 27-29; 414a, 19, 20; 641a, 18; II, 1:412b, 6-9).

[83] *De Anima* III, 4:429a, 23; II, 2:413b, 25.

[84] *De anima* I, 4:408b, 18-29; *Génesis anima* 736b, 28.

[85] En *La Teología de los Pensadores Griegos*, Ediciones Fondo de Cultura Económica, Madrid 1978.

era fruto del modo de concebir, lo que se hace sobresalir como "Dios" o como lo 'divino'. Poco importa saber aquí la concepción que se tiene sobre ese 'dios', lo interesante es conocer como la construcción de las ideas, y el propio lenguaje filosófico, o la misma manera de hacer filosofía crea toda una terminología 'teológica', que es preciso tenerla en cuenta si se quiere entender la base de la ideología antropológica y la política.[86]

La 'teología' es una producción del espíritu griego, y que tiene mucho que ver con la importancia que se le atribuye al 'logos'. Y siendo el politeísmo lo que caracteriza tanto a Platón como a Aristóteles,[87] los dos grandes pensadores universales griegos, considerarán a la teología como <<la aproximación a Dios o a los dioses por medio del *logos* ('palabra').[88]

Esta concepción implica toda una reflexión especulativa. La teología en el sentido griego, es un razonar, partiendo de la propia mente del individuo, que considerada como de realización divina, precisa llegar al máximo conocimiento y saber: 'Dios'.

¿Cuáles son los móviles? ¿Y cuál será el resultado de tal razonamiento? La historia es la que tiene respuestas a estos interrogantes.

En efecto, es preciso ver aquí, los elementos que se unen tanto de la propia cultura griega como de la oriental, y comprobar en qué se relacionan y qué es lo que nos muestra la historia en cuanto a lo que subsiste fundamentalmente respecto a las claves antropológicas y políticas.

En la concepción que Platón tiene del Estado hay dos puntos que debemos tener en cuenta a tenor por la cita de una de sus Cartas:

> «Vi que el género humano no llegaría nunca a libertarse del mal si, primeramente, no alcanzaban el poder los verdaderos filósofos, o los rectores del Estado no se convertían por azar divino en verdaderos filósofos».[89]

Para Platón únicamente la filosofía puede inspirar una comunidad humana fundada en la justicia. Pero obsérvese, que de acuerdo a lo que ya nos decía Warner Jaeger («Tanto en la *República* cuanto en las *Leyes* se presenta la filosofía en su más alto nivel, como teología en este sentido»[90]); como por lo que se suscribe en los párrafos anteriores: se trataría de que los *dioses* conviertan a los rectores del Estado en *teólogos* aparece según nuestro criterio una articulación que es necesaria tenerla en cuenta para comprender el uso que de ésta pudo hacer Alejandro el Magno discípulo de Aristóteles como éste lo fue de Platón.

---

[86] Id., p. 10.

[87] Véase sobre el politeísmo de Platón y Aristóteles la *Historia de la Filosofía* de Nicolás Abbagnano, vol. I, op. c., pp. 108, 141.

[88] Ver para la definición a Warner Jaeger, *La Teología de los Pensadores ...* op. c., p. 10. En cuanto a la traducción de "logos" por palabra, no tiene en cuenta todo el sentido y significado que dicha expresión pudo tener para el helenismo griego.

[89] *Carta* VII, 325 c, citada en *Historia de la Filosofía*, vol. I, op. c., p. 74.

[90] Ver Jeager, op. c., p. 10.

Para comprender dicha articulación empecemos por decir que la causa del mundo (no te explica cómo) es una divinidad (formada por varios dioses) o demiurgo.[91] Este demiurgo es una especie de jefe jerárquico que no impide la existencia eterna de otros dioses, y que ha realizado una naturaleza a semejanza del mundo del ser. Todo lo bueno: el orden, la razón, la belleza pertenece a esa *causa divina*. Los astros serían los cuerpos visibles de los diferentes entes divinos que existen.[92]

Es en esta visión cosmológica que nosotros nos vemos obligados a resumir, que Platón tiene en cuenta en su República.[93] Pero si la "razón" y la "inteligencia" de la que participan los seres humanos ha sido originada, preparada y orientada para este mundo de aquí abajo por el "demiurgo" causador, quiere esto decir que la reflexión mediante "razonamientos", filosofando "teológicamente", se puede obtener una especie de seguridad en tus asertos por cuanto utilizas un instrumento, que si haces un buen uso, (y en esto la "educación" en el filosofar es un requisito), puedes lograr el máximo saber sobre "Dios", y sobre el Bien, y aplicarlo adecuadamente a la Política y al Estado.

De Pitágoras tomó Platón ideas fundamentales. Aquél había creído en la inmortalidad del alma, su preexistencia y transmigración, e incluso el castigo y expiación de esas almas en el "Hades".[94] Pitágoras había sabido mezclar en una misma estructura los conocimientos científicos con los valores éticos, metafísicos y religiosos, consiguiendo una "ciencia total". Platón descubrió el sentido salvador y existencial además de lo puramente científico del armazón que Pitágoras le presenta.[95]

Se trata de agrupar todos los saberes y ponerlos al servicio del hombre, del Estado. Pero es la concepción pitagórica de la *unidad universal*, y el **origen celeste** del hombre mediante el alma que se supone pertenecer al mundo ideal y eterno lo que le permitirá a Platón junto a ciertas fuentes orientales (babilónicas) que utiliza, elaborar una mitología del alma que le servirá para, además de conseguir elementos escatológicos, mostrar en su República la homología entre Alma, Estado y Cosmos.[96]

No olvidemos del mito de la 'caverna' la diferencia que existe entre el mundo sensible y el mundo real del ser, y es a esto que, mediante la educación, es preciso llegar, y de este modo conocer que el mundo del ser es el mundo de la **unidad** y del **orden absoluto**.

En su concepción del Estado Platón tendrá en cuenta una ideología político-religiosa coherente con su teoría, adaptada de Pitágoras, de Unidad Universal y de Orden Absoluto, que la religión astral solar desprende.

En su República nos comentará que la Justicia es imprescindible para que

---

[91] Historia de la Filosofía, vol. I, p. 109.
[92] Id., p. 110.
[93] Id..
[94] Mircea Eliade, vol. II, op. c., p. 195, 196.
[95] Id., pp. 196, 198.
[96] Id., pp. 201, 202.

pueda subsistir cualquier Estado, y es la única (junto a varias virtudes que abarca) que puede garantizar la unidad y la fuerza del Estado.

Su criterio de Estado justo, y por lo tanto de garantía de Unidad, es aquel en el que el individuo desarrolla la tarea que le es propia. Pero para ello el Estado va a ser el que va tener que tomar decisiones por el individuo, porque ¿quién decide lo que le es propio? Otro de los aspectos es la abolición de la vida familiar por el Estado. Lo relativo a la procreación de tan sólo hijos sanos está regulado por el mismo Estado quien establece las diferentes uniones entre hombres y mujeres. La crianza y educación corre también a cargo del Estado.

Aun cuando admite la propiedad y los medios de producción y distribución, considera necesaria la eliminación tanto de la pobreza como de la riqueza, puesto que éstas impiden cuidarse de la misión encomendada.[97]

El gobierno debe darse a los filósofos si se quiere alcanzar el objetivo de un Gobierno justo, pero entiéndase aquí, una filosofía "teológica".

Con semejantes condiciones, y teniendo en cuenta la "unidad universal" y el "orden absoluto", Platón, a pesar de su gobierno perfecto esbozado en La República, escogerá como siendo el mejor el *monárquico*.

Platón introduce un Ideario Político-religioso que junto a la reforma profunda que su discípulo Aristóteles hará, será aprovechada por conveniente, y con la depuración adecuada por el mundo occidental.

Aristóteles incluye una cierta desmitologización cuando pone el mensaje del mito en el vehículo de la filosofía. Su idea del "primer motor" o de la "primera causa" como un intento especulativo de demostrar a "Dios",[98] con sus implicaciones y razonamientos, tuvo por Agustín de Hipona, y la escolástica una buena acogida, al igual que los escritos de Platón. Independientemente del uso o del abuso del filosofar como un elemento "técnico" alcanzando un aparente rigor científico, Aristóteles no pudo escapar para la prosecución de su filosofía científica, de los antecedentes históricos que se encuentran en los sistemas religiosos del Oriente.[99] Y en sus escritos esotéricos expresa que tanto el filósofo como el político debían tener en cuenta los "modelos eternos" de los que lo "sensible" no era más que una pura imitación.

Con Pitágoras y su escuela se hará una crítica del mito que aparece mezclado con el poema poético y que convertían a los "dioses" con los mismos problemas que los seres humanos.[100]

---

[97] Las ideas "socialistas", en su origen, pudieron tener algún tipo de inspiración en la República de Platón. Lo que no ha tenido ninguna imitación es la idea de que tanto los gobernantes como los guerreros no deben tener posesiones de ningún tipo ni recompensa económica fuera de lo estipulado como suficiente para vivir.

[98] En las lecturas de Platón y Aristóteles no encontramos que el Dios que se presenta tenga una trascendencia y personalidad del estilo "judeo-cristiano". La diferencia que se hace entre la creación del orden de este mundo pero no del "ser" de dicho mundo, y que la superioridad de Dios no consiste ni en su realidad ni en su ser sino en una especie de perfección de su vida nos debe de poner en guardia respecto de todo su sistema filosófico (ver sobre esto a *Historia de la Filosofía*, vol. I, op. c., p. 141).

[99] Ver respecto a esta idea a Werner Jaeger, op. c., p. 11.

[100] Jerónimo de Rodas cuenta la bajada al infierno (hades) de Pitágoras, y de como comprobó el castigo expiatorio que tanto Homero como Hesíodo experimentaban por todo los malo que habían dicho de los dioses (Mircea Eliade, vol. II, op. c., p. 195).

Con Platón y Aristóteles se da explicación a las crisis político-religiosas, puesto que al razonar sobre la existencia de un principio absoluto e inmutable se recupera la posibilidad del conocimiento objetivo, y el ataque al relativismo y escepticismo de los sofistas.[101] Por otra parte al no desdeñar la mitología, y presentando un misiva razonada con la que se pretende llegar a una conclusión semejante al contenido esencial del mito, se descubre en éste como una especie de historia sagrada, en el que las "verdades" se historizan con un ropaje fabuloso.[102]

La **mitología griega** *influida* en numerosos aspectos por la de *Oriente Próximo* tendrá junto con la oriental una *importancia* capital en *Roma*.

Todas estas ideas nos muestran un plan que proveerá al futuro de una conducta que podrá servir para convencer a los habitantes de un Estado de la necesidad y obligatoriedad de un tipo de política determinado.

e) Enseñanzas que se aplican para la Política de Estado

En principio, digamos que si con los pueblos orientales prácticamente se daba todo hecho al Soberano por parte de los dioses, quienes entraban en contacto con el Soberano escogido, ahora se involucra a la razón humana (se supone que dirigida por los dioses) para que mediante la 'teologización' (el conocimiento de "Dios", y de uno mismo), pueda aportar los elementos necesarios para que el "monarca" o el gobierno cumplan adecuadamente.

La idea de la omnipotencia del Estado permanece inalterable, incluso se vigoriza tanto por Platón[103] como por Aristóteles.[104]

La filosofía le sirve a Platón para establecer y mantener la **unidad** del *Estado*, y como quiera que Platón vincula el mundo a Dios, y hace del **principio divino** una *unidad*, y como todo tiene su "ser" en Dios,[105] el *Estado* es también de origen divino, y debería *ser uno* para todo el mundo, aun cuando el hombre, sea en última instancia responsable de la buena marcha o no de ese Estado.

El Estado (como formando parte de lo "sensible") debe responder a lo que Aristóteles llama "el modelo eterno", de ahí que se ajuste adecuadamente a la Ley, a la Moral, a la Justicia, a la Virtud, al Orden, al Bien. Sin embargo de ninguna de estas categorías se sabe ofrecer una definición correcta de su contenido.

---

[101] Ver para esto a íd., vol. II, op. c., p. 198.

[102] Sobre el mito y su "realidad", ver *Mito y Realidad* de Mircea Eliade, ed. Labor (Guadarrama/punto omega) Barcelona 1981.
De cualquier forma se distinguen dentro de la propia mitología historias 'verdaderas' y falsas. Todas aquellas que tratan de los orígenes del mundo en la que intervienen como protagonistas seres divinos, sobrenaturales, celestes o astrales estarían en el primer grupo (para esto ver Mito y Realidad, op. c., pp. 15, 16.

[103] Sobre esta afirmación ver a Henry Joly, *Obras Clásicas de Filosofía*, colección austral, Espasa Calpe, Madrid 1948, pp. 42, 43.

[104] Id., p. 90. Aristóteles considera a la sociedad civil y al Estado «un todo en cierto modo último, definitivo, para el cual parece haber nacido por entero el individuo» (Henry Joly, op. c., p. 98).

[105] Id., pp. 60, 66.

La idea del primer motor o de la primera causa con que Aristóteles pretende encontrar el "principio divino', a pesar de la pluralidad con que concibe la deidad, proyectará en el mundo político la necesidad del "Uno", del Único, del Primero, dando base filosófico-teológica, a las matemáticas de Pitágoras (todo depende del Uno), y al idealismo de Platón respecto del sumo y único Bien, y de la ventaja del "Alma" en cuanto al "cuerpo".

Ahora, el mundo iba a aprender a conjugar lo que se había provisto mediante la civilización Mesopotámico-Babilónica y Persa con el sentido de la mitología griega influida por aquella y lo que resultaba de dar rienda suelta al intelecto, filosofando o teologizando. En definitiva, se había abierto una brecha al misterio de lo religioso puesto que ahora al individuo se le permitía penetrar, mediante el razonamiento y la reflexión en aquello que hasta entonces estaba limitado a una casta sacerdotal y al Soberano, los cuales por medio de mitos, de mensajes cerrados y de rituales esotéricos y ocultistas se iniciaban en lo desconocido y "celestial"; pero por otro lado se abría una puerta al peligro de la "razón": a la de construir mediante complicados mecanismos "pensantes" unas alternativas tanto de Poder como de Autoridad, con las que se pudiera crear el vehículo adecuado por el que se erigiera un moderador y arbitro de lo que es "verdad" o de lo que no lo es, en virtud de una supuesta Autoridad inspirada, o seleccionada por "Dios". Además de proveer una línea "teológica" determinada en la que el razonamiento filosófico pudiera desvincularse de una posible revelación divina efectiva, distinta a la que dicha línea propugnase.

El Estado de la "República" de Platón es omnipotente, teniendo el derecho de intervenir hasta en los mínimos detalles. En semejante Estado no hay libertad ni de vida privada ni de educación, y ni mucho menos libertad de conciencia o religiosa. Ante los intereses del Estado y de la Autoridad todo debía de ceder.[106] Aristóteles había escrito en su Política, pensando sin duda en Alejandro, del que era maestro, y del que estaba viendo como sucesor de Filipo V de Macedonia que, "cuando llegara el soberano supremo sería un dios entre los hombres".[107] Alejandro el Magno se valdrá de todo lo que la cultura griega le otorga, y es evidente que la lección que tanto Platón como Aristóteles le han dado se apreciará en el mundo surgido a partir de él. Supo amalgamar lo que pudiera servir de los Imperios universales precedentes, con lo que le proporciona Grecia, para crear una política ecuménica, un vehículo de Unión de todo el género humano. Entendió que con la conquista militar se podría poner en práctica la conquista moral del mundo mediante la "helenización". En esa helenización no tiene inconveniente en recuperar toda la "orientalización" que sea necesaria junto a la fusión étnica:

[106] Id., pp. 42, 43.
[107] _Política_ III, 13 (citado por Mircea Eliade, vol. II, op. c., p. 205).
De cualquier forma tanto en los escritos de Platón como en Aristóteles aparece el "ser humano" por excelencia dotado por los dioses de carismas especiales de gobierno.
Para esta idea puede consultarse _Historia Universal, El Mundo Griego_, equipo Pal de redacción, vol. II, op. c., p. 169).

«fuese cual fuese la civilización a la que quería reservar el principal lugar, estas medidas eran indispensables para crear la unidad humana>>.[108]

Mircea Eliade ha dejado constancia de esta obra iniciada y programada por Alejandro el Magno:

«(...) independientemente de la perspectiva desde la que se juzguen las campañas de Alejandro el Magno, hay que admitir que sus consecuencias fueron profundas e irrevocables. Después de Alejandro quedó radicalmente alterado el perfil histórico del mundo. Las estructuras políticas y religiosas anteriores (...) se hundieron en su totalidad. En su lugar se imponen progresivamente la noción de *oikoumenê* y las tendencias cosmopolitas y universalistas. A pesar de ciertas resistencias, era inevitable el descubrimiento de la unidad fundamental del género humano».[109]

«La unificación del mundo histórico esbozada por Alejandro se realizaría en un primer momento por la emigración masiva de los helenos hacia las regiones orientales y por la difusión de la lengua griega y la cultura helenística».[110]

Esta concepción de Alejandro implicaba el proyecto de un Estado supranacional, además de un sincretismo cultural y religioso que fusionaba lo que se consideraba más valioso. Este respeto trazó las líneas de una asimilación del significado de los dioses egipcios, babilonios y persas. Pero esto no impedía la exigencia de una estricta centralización del Poder en el Jefe Absoluto que era su persona:

«Tolerante en materia de religión y costumbres, Alejandro no lo era en modo alguno cuando se trataba de autoridad política. Bajo esta luz ha de verse su pretensión de ser rodeado de honores divinos según la tradición oriental, bajo esta luz deben juzgarse iniciativas (...) como la imposición de la *proskynésis* (...): un poder absoluto de origen divino corre menos riesgos que una autoridad humana, por grande que sea».[111]

Alejandro murió a los 33 años, y después de 20 años de luchas entre sus generales con el poder central que mantenía la autoridad de los sucesores legítimos de Alejandro (primero una regencia y después un reinado del propio hijo de Alejandro) se produjo una división en el Imperio Griego con una desvalorización del poder, de la que en su momento se aprovecharía el Imperio Romano.[112]

---

[108] *Historia General de las Civilizaciones*, vol. I, op. c., p. 148.
[109] Vol. II, op. c., p. 204.
[110] Id., p. 205.
[111] *Alejandro el Grande*, de Sarpe, op. c., pp. 50, 51.
[112] Ricardo Vera Tornell, *Historia Universal de la Civilización*, ed. Ramón Sopena, Vol. I, Barcelona 1972, pp. 233, 234, explica de este modo dicha división:
«Cuádruple división del Imperio de Alejandro (...).
«(...) Estas luchas (...) duraron más de veinte años (...)

De esta división nos interesa conocer aquello que supo recoger lo esencial de la herencia de Alejandro, y que después se trasmitiría como un proyecto político válido para la posteridad.

Aun a pesar de la debilidad que llevaron consigo estos reinos, los que destacaron, dentro de esa flojedad, intentaron imponer su Autoridad utilizando el significado e implicación política de la deificación del Soberano.[113] De este modo el Estado es una posesión de la Autoridad personal constituida. La dinastía de los Lágidas (Ptolomeos) en Egipto, y la de los Seléucidas (en Siria y Asia Menor) aprovecharon y ampliaron el derecho y las costumbres monárquicas que Alejandro había sabido incorporar de la cultura mesopotámico-babilónica y persa, por la que, tal como ya hemos visto, se arrogó ser la personificación de "dios", imponiendo el culto a la personalidad mediante la *proskynêsis* (postración).[114]

Estas monarquías pretenderán conquistar el "espacio total", y para ello deben corregir, no sólo la propia ideología sino añadir un principio de legitimidad en beneficio de la dinastía. Esto lo consiguen aplicando al soberano la cualidad de superior humanidad que se reconoce mediante la intervención de un dios en su nacimiento o con el propio favor divino.[115] La traducción que resulta es un hombre, el rey, "verdaderamente libre", el único capaz de alcanzar el pleno desarrollo de la naturaleza humana de origen divino.[116]

Esta "libertad" y capacidad de actuación le permite al Soberano ser el que dictamina las leyes, la moral, la conducta de todos. Su "sabiduría", al gozar de la verdadera libertad, no puede equivocarse, y por lo tanto puede imponerla a los demás, porque, entre otras cosas "los demás", no son libres. La conclusión a la que llega el autor de los párrafos que tratan este asunto en la Historia de las Civilizaciones es que con estas acciones se establece el Absolutismo monárquico:[117] "Ordeno y mando", y es preciso hacerlo, por cuanto todo lo que dimane de esa Autoridad legítima es justo.

El Absolutismo, aun cuando no se predique con una terminología apropiada, desemboca irremisiblemente en el culto a la personalidad y del Estado, ya que este culto está integrado en la fórmula absolutista.

Era lógico que tanto los Ptolomeos en Egipto como los Seléucidas en Babilonia (Siria y Asia Menor), herederos primarios del Imperio griego-macedónico, y propagadores del helenismo, recibieran un culto de adoración, la deificación, puesto que implica un tipo de gobierno y de política:

«Por fin, en 301, se libró una gran batalla en Ipso (Frigia) (...) el resultado de esta batalla fue un nuevo reparto de las provincias del Imperio en la siguiente forma: Lisímaco obtuvo casi toda el Asia Menor; Casandro continuó en posesión de Grecia y Macedonia; Seleuco recibió Siria y Oriente; Ptolomeo quedó con Egipto y Palestina (...).

«De todos estos reinos sólo son dignos de mención: el de los Ptolomeos en Egipto y el de los Seléucidas en Oriente» (Ver *Alejandro el Grande*, de Sarpe, op. c., pp. 56, 57, 51).

[113]   Mircea Eliade, vol. II, op. c., p. 205.

[114]   Ver nota nº 71 y 72 y lo que las motiva.

[115]   *Historia General de las Civilizaciones*, vol. I, p. 460.

[116]   Id., p. 461.

[117]   Id.

«En Egipto, al culto al soberano (...) vinieron a sumarse (...) cultos griegos: el culto a Ptolomeo I, los cultos de la serie de parejas reales difuntas y por último el de la pareja reinante, hermano y hermana, unidos por matrimonio y asociados en el poder.

Entre los seléucidas (...) conocemos (...) el culto de los antepasados, el del rey viviente y el de la reina organizados por el Estado, con un sumo sacerdote y una gran sacerdotisa en cada satrapía. De este modo, por lo menos los lágidas y los seléucidas superpusieron a una serie de cultos de extraordinaria variedad, un culto de estado uniforme, generalizado a toda la extensión de la monarquía (...) con un clero especial cuyas jerarquías tenían quizá el encargo de vigilar las clerecías y los cultos locales, con obligaciones impuestas al conjunto de los subditos. Esta etapa es la consecuencia final y lógica del sistema: la fidelidad dinástica postula la devoción hacia el soberano reinante».[118]

El autor ve como una consecuencia lógica que la fidelidad a un tipo de dinastía absoluta lleve a la "veneración" de un hombre *como si fuera* un dios. Y es que para hacer permanente el absolutismo es necesario crear todo un ceremonial tanto civil como religioso que se adapte a lo que implica un culto a la divinidad, y el súbdito aprenda que esto debe hacerse porque el gobernante en cuestión ha sido escogido por la divinidad para representarle, y, por lo tanto para ejercer la Autoridad Suprema que obliga a todos, a la obediencia incondicional.

f) Significado Fundamental del Helenismo

El helenismo se convirtió en un vehículo excelente, no sólo de lo puramente griego, sino de todo aquello por lo que se sintió influido por Oriente Próximo. No pudo sustraerse de la supremacía religiosa del Oriente, y supo amalgamar, aprovechándose de esa autonomía cúltica oriental, en un sistema bien estructurado, todo aquello, griego y oriental, que serviría para la creación del mundo occidental, a través del Imperio Romano y del de la Iglesia Católica Romana.

Primero rescató en su irrupción aquello religioso y filosófico que dio base a una antropología que subsiste hoy en el espectro religioso y teológico más representativo y popular del mundo actual tanto occidental como islámico. Puso los fundamentos a una política y a una vocación de poder que duró imperturbable hasta la Revolución Francesa:

«A pesar de las precauciones tomadas para salvaguardar la parte de los elementos helénicos, la autonomía y supremacía religiosa del Oriente persistieron de manera indiscutida. (...) sus cultos atrajeron fieles griegos. Por su mediación, éstos ganaron terreno hacia el Oeste, primero las islas, (...) después la propia Grecia. (...) Babilonia (...) aportó algo a esta invasión (...).

Todas las religiones orientales que más tarde afluirán a Roma y, desde ella, se difundirán por las provincias occidentales del Imperio, empezaron su tras-

---

[118] Id., p. 478.

lación hacia el Oeste antes de la conquista romana: en éste, como en tantos otros aspectos, la dominación romana no hizo más que ensanchar el campo de la evolución anterior.

Por ello no parece excesivo hablar respecto a los griegos, de una revolución religiosa impulsada por las conquistas de Alejandro. (...). Instalándolos en un mundo ensanchado del que pudieron sacar enseñanzas (...) Descubrieron al propio tiempo las riquezas materiales y espirituales de Oriente, que les fascinaron de manera duradera. (...) fue necesario que en su calidad de novicios aceptasen las enseñanzas de sus súbditos».[119]

En segundo lugar, el helenismo griego recuperó la estructura política que Oriente había formalizado con la ayuda de lo religioso:

«En Oriente, la monarquía combina la ideología del hombre superior con la doctrina jurídica de la legitimidad (...).

Esta teoría constituye una base sólida para el absolutismo de derecho divino y humano al mismo tiempo y para la sucesión hereditaria que evita la anarquía y permite conjurar los desastres. Fundada sobre el absolutismo, pero también consolidándolo y permitiéndolo funcionar, se edifica toda una organización administrativa, financiera y militar, coronada por el culto dinástico, con el fin de asegurar el cumplimiento de las decisiones del rey y de concentrar en las manos de éste las fuerzas materiales y morales de sus territorios (...)».[120]

En tercer lugar, el componente griego de la teología filosófica es trasmitido a una posteridad que inventará Occidente y su hegemonía, por medio del Imperio Romano y de la heredera de éste: la Iglesia Católica Romana:

<<Partiendo de estos heroicos comienzos fué desonvolviéndose la transformación y reavivación filosófica desde la religión en la teología de Platón, en los sistemas de Aristóteles y de las escuelas helenísticas (estoicos, epicúreos, etc.), y sobre todo en el sistema de teología que fue producto del conflicto y la compenetración de la tradición griega y la religión judaica y otras orientales hasta, por último, la fe cristiana. Las bases espirituales de esta creciente unidad humanista del mundo fueron 1) el *Imperium Romanum*, mientras se sostuvo apoyado en la idea de un gobierno mundial de la ley y de la justicia; 2) la *paideia* griega, mientras se la concibió como el punto de partida de una cultura humana universal, y 3) una teología "universal" (católica) como armazón religiosa de semejante civilización. La teología de los primeros pensadores griegos representa, como reconoce claramente y proclama altamente San Agustín en su De civitate Dei, el hontanar de esta teología universal que fue desarrollándose paulatinamente».[121]

A pesar que pudiera parecer un fracaso definitivo la división griega, se

---

[119] Id., p. 549.
[120] Id., pp. 480, 481.
[121] Citado por Werner Jaeger, op. c., p. 15.

hicieron más permanentes los factores necesarios para marcar perpetuamente la direccionalidad histórica:

> «(...) A partir del año 212 a.C. comenzó Roma a intervenir en los asuntos de los reinos helenísticos. Terminaría por absorver el mundo mediterráneo en su totalidad (...)».[122]
>
> «El mundo tenía un nuevo amo: (...) Roma».[123]

Síntesis, Valoraciones y Conclusiones

1) La influencia de los sistemas tanto babilónico como el Persa influyen considerablemente tanto en Pitágoras como en Platón, y este último en Aristóteles.

   La Religión Astral Solar se transmite a Grecia, a través de lo que Pitágoras recoge de Babilonia, y de la influencia de Persia sobre Grecia en la conquista de ésta sobre aquella.

2) Se recoge tanto la dualidad del mundo como la del ser humano.

3) Se proclama el parentesco de las almas y de los astros, con la la divinidad de estos que ya anteriormente se indicaba.

4) Platón racionaliza el conflicto de la dualidad del Bien y el Mal aplicándolo al ser humano.

   Diferenciando el mundo sensible (las cosas que son mortales) del inteligible (las Ideas que son inmortales) proyecta su concepción antropológica: el cuerpo pertenece al mundo sensible y por lo tanto es perecedero; el alma por el contrario forma parte del mundo inteligible, al de las Ideas inmortales, y por lo tanto el alma es eterna e inmortal.

5) Se cree en la preexistencia de las almas (Platón), o en el alma eterna no creada (Aristóteles).

6) Retorna, si consigue liberarse del *cuerpo,* en unión al ser inmortal, absolutamente perfecto, si no, se *reencarna* en otro cuerpo (Platón); el alma es eterna e inmortal por lo tanto es como dios, una *parte* de él, por lo tanto cuando muere el cuerpo, ella permanece emparentada con la actividad pensante que es dios (Aristóteles).

7) Pero ¿qué tipo de personalidad es ese *algo* que ya existe y que durante un tiempo reside en un cuerpo que ni siquiera le confiere nada? No desde luego un ser humano ni real ni aproximado. En el caso de Platón el *cuerpo,* llegado el momento de la muerte, desaparece totalmente como tal; en el caso de Aristóteles su materia y forma dejan de ser con la muerte, y por lo tanto no queda vestigio humano, porque esa otra *alma,* la espiritual, la divina, la que piensa, existía desde la eternidad, y no tiene nada que ver con la **materia** y la **forma** que comportan la vida humana.

---

[122] Mircea Eliade, vol. II, p. 205.
[123] *Alejandro el Grande,* op. c., p. 51.

8) La influencia tanto de Platón como Aristóteles, con matizaciones y adiciones, es plena tanto en la Iglesia Católica Romana como en Descartes del que surgirá el moderno racionalismo, como incluso en el actual Movimiento del Potencial Humano adscrito a la *New Age*, y que recoge, amparándose en la filosofía atea del Budismo, el pensamiento agnóstico en su vertiente espiritual.

9) De nuevo se reafirma la antropología partiendo de conceptos relacionados con los *dioses o la deidad*.

10) La razón humana se consagra para alcanzar el conocimiento sobre Dios y la existencia, pero ¿qué tipo de razón humana es esa que procede de esa alma preexistente o de esa alma divina, eterna e increada? Si las cosas fueran como las que describen e intuyen tanto Platón como Aristóteles: "el alma que sólo puede ver el alma" (Platón), o el alma en sí, el intelecto que se debe al pensamiento porque es divino y eterno (Aristóteles), se trataría más bien de lo que le confiere e inspira el ser *divino* platónico o aristotélico.[124]

11) La centralización y unidad que existe en el cosmos bajo la dirección de un *ser supremo* que remite a una concepción panteísta y confundido con la materia eterna, pero que suscita un orden unitario hace concebir que la existencia y sociedad terrena participe también de un orden único y unitario, por ello la ideología política debe tender a proyectar esa **unidad** y **autoridad suprema**, escogida e inspirada por la deidad, que conduzca a lo que se llama *humanidad* a la unión.

Del mismo modo que la antropología lleva al alma a retornar a la unidad perfecta del dios o del *ser supremo*, de ese mismo modo debe tender todo el mundo en su conjunto hacia la unidad perfecta.[125]

12) El Helenismo se constituye en el vehículo ecuménico por excelencia, y reitera una direccionalidad en la historia que había empezado con Babilonia, y que es preciso interpretar para comprender la propia historia y el destino de la humanidad.[126]

4. El Imperio Romano y la herencia constantiniana

a) La antropología dualista romana influida y obtenida por el helenismo griego y las religiones de misterios

La influencia de Grecia y después del helenismo griego sobre Roma respecto a lo religioso es un hecho incuestionable.

---

[124] En el caso de Platón hay que admitir la injerencia de espíritus o dioses "malos", puesto que el alma ha venido a parar a un cuerpo como castigo, y que ha de cumplir liberándose de él, haciendo el bien. Con Aristóteles este asunto no aparece.

[125] Es evidente que esa unidad ideal es opuesta e incompatible con la unidad que el Dios que se revela ha establecido ya, a través del Reino de Dios cuyo punto de referencia y aglutinador es Jesucristo. De esto hablaremos en su momento.

[126] Puede consultarse a A. Diestre, en *El Sentido de la Historia y la Palabra Profética*, op. c. en Bibliografía, para comprender esa direccionalidad y destino.

Se adoptan con nombres latinos los mismos dioses griegos,[127] la religión astral que Platón había desarrollado en los mitos alados,[128] la promueve Cicerón en *El Sueño de Escipión el Africano* bajo la forma de un apocalipsis neo-pitagórico,[129] y se celebró como el testamento religioso del helenismo.[130] No olvidemos que el mistraísmo persa ya la tenía con sus genes que se habían amoldado por la cosmología babilónica.

Cicerón nos transmite la creencia de que después de la muerte pervive la consciencia y la existencia.[131] Y en su disputa con los epicúreos, expresa una concepción antropológica, argumentando pitagórica y platónicamente que el alma es inmortal y que "cada hombre es su propio espíritu... y que tú no eres mortal sino tu cuerpo".[132]

Virgilio, en la *Eneida*, adopta, respecto a los muertos, la posición pitagórica.[133]

Según la concepción romana:

> «el alma, al morir, se unía a los manes (almas deificadas de los ancestros difuntos) (...) y estos eran reverenciados por el grupo familiar o gens. En Propercio (Elegía, IV:7) se declara abiertamente que los manes existen y que la muerte no es el fin de todo».[134]

a1) El Imperio Romano como culminación de la historia pasada e inicio del futuro: La deificación del emperador y la autoridad suprema como claves históricas de la religión astral y de la unidad política

La concepción antropológica, como estamos viendo, no queda agotada por la exposición de lo que se entiende respecto a los componentes de lo que se denomina ser humano, sino, además, por la relación del hombre con la deidad.

Esa relación muestra un comportamiento social y político por parte del hombre y de la humanidad en general.

La deificación del emperador no sería otra cosa que la evidencia del origen y naturaleza esencial *humana:* proveniente de la misma esencia divina. Para ello se escoge al hombre prototipo: el que ha de dirigir los destinos de otros hombres. Con ello se abunda en la idea de que todos son de esencia divina, con la diferencia de que el que ha sido seleccionado por los dioses como jefe

---

[127] Ver a Mircea Eliade, *Historia de las Creencias Religiosas*, vol. II, op. c., pp. 115-141.

[128] Ver a Zurcher, *L'Homme...*, op. c., p. 27, en nota 2.

[129] Id.

[130] Id. Esto se hizo por el emperador Juliano.

[131] En *Tusculanae Disputationes*, 1, 12:27 (recogido en *Vida después de la muerte*, de Arnold Toynbee) y otros, Edhasa, Barcelona, 1978, 130).

[132] *De República*, libro VI /recogido en íd.).

[133] 6:735-751 (recogido en íd.).

[134] *Vida después de la muerte*, de Arnold Toynbee y otros, op. c., p. 130. Las almas, después de la muerte, eran divinizadas. A los Emperadores, al morir, se les hacía una apoteosis pública como demostración de que su alma o persona había ascendido al mundo de los dioses (íd., p. 133).

tiene el rango superior salido del dios supremo, y que lo representa en la tierra exigiendo adoración, como los demás dioses del Cosmos rinden adoración y obediencia al dios supremo.

Poco importa que esto sea cierto o no, independientemente de que ciertos puntos de vista cambien en cuanto a la descripción de nuestro origen y naturaleza; es suficiente con mantener las ideas fundamentales: la deidad ha escogido a un representante suyo en la tierra para ejercer la Autoridad Suprema, se le ha dotado de atributos divinos, y es preciso que se le rinda obediencia. Esa posición resultará, del mismo modo, en un culto a la persona que se arrogue tal dimensión. En cualquier lugar y momento que esto aparezca se está haciendo sobrevivir lo que los imperios universales desde Babilonia hasta Roma nos transmitieron.

La terminología puede variar en algunos aspectos, pero la idea permanece.

De igual manera, cuando se presenta una concepción de inmortalidad, esencial del alma, en la que la consciencia persiste aun después de haber muerto el cuerpo, se está utilizando de acuerdo a las diferentes matizaciones, lo que la corriente antropológica pagana desde Babilonia, pasando por Medo-Persia y Grecia, hasta Roma legaron.

Teniendo todo esto presente, estudiemos cómo se hicieron los trasvases de lo que Grecia con su helenismo, transmite al Imperio Romano, y cómo es recogido por el Catolicismo Romano, tanto la antropología individual como política.

En principio, digamos que:

«La unificación del mundo histórico por Alejandro se culmina por el Imperio Romano».[135]

La historia nos confirma que Roma, tras apoderarse de las potencias helenísticas, se constituyó en el nuevo Imperio hegemónico mundial:

«Roma cierra el ciclo de las grandes culturas e imperios de la antigüedad. Tras el ofrecimiento de la inigualable genialidad creadora de Grecia, empezó a forjarse el poder de Roma (...) en Roma se despierta un incontenible espíritu imperialista, y a ritmo rápido e ininterrumpido incorpora uno tras otros a todos los países del Mediterráneo hasta conformar en los siglos II y I a.C. el Imperio más extenso de cuantos le precedieron y siguieron el el curso de la historia».[136]

Roma recoge todo aquello del pasado que dará consistencia a la consolidación de un Imperio. Su legado no surge como una casualidad, Sufrió la influencia tanto de Babilonia y Egipto como de Persia, y en especial el helenismo griego que había sabido fundir en una sola cultura todo lo que consideraron aprovechable para la proyección de la idea "ecuménica".

---

[135] Mircea Eliade, vol. II, op. c., p. 208.
[136] *Gran Historia Universal*, vol. IV, op. c., p. 11.

Los **cultos orientales** fueron adicionándose en Roma merced a los "contactos comerciales, culturales y militares".[137]

La *religión astral* –que había tenido su origen en la cultura mesopotámico-babilónica– pasó a Grecia y, por lo tanto, a todo el mundo helenístico y "se desarrolló ampliamente por el Imperio Romano".[138]

Según el criterio de los redactores Pal de la *Historia Universal*, el "Sol" era la divinidad suprema.[139] Ya hemos visto el lugar preponderante que ocupa tanto en Egipto como en Babilonia y después de la volución que experimenta en Persia prácticamente se erige junto a *Aura Mazda* como el dios supremo. Aquí y en Roma recibió el nombre de Mita, aunque también "Apolos" el "dios Sol" de Constantino (el *Sol invictus*). Su día de fiesta en domingo, junto a su aniversario el 25 de diciembre, además de los usos sacramentales del pan y del agua mediante los ritos del baustismo y de una especie de eucaristía nos ponen sobre aviso.[140]

El historiador comprueba que "la idea de un Imperio de extensión universal, de eterna duración, con un gobierno de origen divino y rigiendo en paz permanente a los pueblos hermanos no nace en Roma, sino en Oriente" y sintetizado por obra del pensamiento griego,[141] pero que Roma sabrá sacar partido.

No cabe duda de que si Roma fue maestra en el arte de gobernar, y ella traza las líneas para una eficaz realización política, social y económica, que servirá de modelo para el futuro, se debe a que supo aglutinar con un poder sin igual la idea de la Unidad, del Orden y de la Paz. Los llamados pilares básicos de la estructura del Imperio Romano (extensión ilimitada mediante la conquista y romanización, hermandad de todos los pueblos, integración de todos en una ciudadanía romana, una paz romana, y el derecho romano) sería una tarea imposible de cumplir si no se tuviera un objetivo claro y concreto: imponer una Autoridad Suprema mediante una Unidad ideológica. Roma poseía el poder y fuerza suficiente para intentar llevar a cabo lo que otros no habían podido.

Roma ha aprendido la lección del fracaso de los imperios anteriores. Lo que realmente ha faltado es poder y Unidad. El helenismo ha actuado como vehículo que le otorga los ingredientes ideológicos necesarios para perpetuar esa Unidad. Será con César Augusto que se inicia y establece un Ideario Imperial que hará posible una obra que se extiende hasta el día de hoy:

---

[137] *Historia Universal*, equipo redacción Pal, vol. II, op. c., p. 164.
[138] Id., p. 165.
[139] Id., p. 166.
[140] Sobre el domingo ver a Alistair Kee, *Constantino conta Cristo*, op. c., pp. 58, 71, 72, 113. Sobre la significación religiosa de los ritos mitráicos (bautismo y eucaristía) ver Mircea Eliade, vol. II, p. 321.
Sobre los misterios de Mitra y su difusión en el Imperio Romano es obligado remitirse a F. Coumont, *Textes et monuments figurés aux Mystères de Mithar*, Bruselas 1896, 1898. En 1975 se publicó su último trabajo, acabado en 1974, The Dura Mithraeum, en Mithraic Studies, Manchester, 1975.
Este asunto lo vamos a desarrollar un poco más adelante por cuanto implica un compotamiento social del *anthropos* derivado de la relación con el Dios del *Die Solis* (día del sol).

«El ideal del Imperio Universal romano, sin abandonar los principios teóricos griegos, adquiere un sentido más positivo y concreto bajo el impulso de César y Augusto».[142]

«Para nosotros, los occidentales, es doblemente sugerente este análisis del roceso histórico que contempla tales logros por Roma. Primero, por el valor intrínseco y propio, que venimos anotando, de las ideas que asumió de las culturas de Oriente y del helenismo, y que nos transmitió añadiendo no pocas aportaciones originales. En segundo lugar, por el hecho de ser la más directa inspiradora de nuestro particular devenir histórico occidental, al que transmitió lengua, religión, las bases de las estructuras nacionales, urbana y familiar, régimen de propiedad».[143]

Pero, ¿cuál es ese Ideario que ha sido capaz de tener una influencia capital en el sistema político-regligioso de Occidente?

«Es evidente que la actuación monárquica de César viene determinado por un ideario político, por un programa que hizo realidad (...)

(...) César se situó por encima del *princeps* ciceroniano (...) Y siempre fue decidido adversario del Senado, al que atacó y cercenó sus poderes (...) César, más sinceramente debido a las clases populares es más dictador o rey (...) Es un convencido de la necesidad de una monarquía para Roma que (...) buscó (...) para sí. Entonces se apoyó en la *auctoritas* que le dieron sus victorias militares, en su poder sacrosanto de *pontifex maximus*, en su mandato tribunicio y en la ascendencia divina de la *gens Iulia* que para su familia proclama César por doquier (...)».[144]

«(...) aportaba César la *auctoritas* que le daba el Sumo Pontificado y su entronque, aceptado por la creencia generalizada entre los ciudadanos, de su vinculación a los divinos fundadores de Roma».[145]

«Así pues, poder monárquico de origen divino y amplia base popular serán ideales del cesarismo en el camino de un Imperio universal y eterno».[146]

«Este imperio, nacido según el poeta del providente destino de los dioses, será universal y eterno bajo el cetro de la divina raza de los emperadores de la estirpe del divino César, descendientes de Venus y Aenas; ellos, *la gens Iulia*, recibirán culto entre los dioses, que les será tributado por todos los pueblos, asegurando el Culto Imperial que se extenderá en todas las provincias como principio sustentador básico de la *auctoritas imperial*».[147]

La conducta de César corresponderá a su ideario y transmitirá uno y otro a la posteridad, que serán reorientados y proyectados por el Imperio:

[142] Id.
[143] Id., p. 16.
[144] Id., p. 174.
[145] Id., p. 158.
[146] Id., p. 174.
[147] Id., pp. 174, 175.

«En su calidad de *dictador* desde el año 49, disponía del ejército y tomaba decisiones de guerra o paz sin previa consulta al "Senado" o al "Pueblo". Además, recibió el título de *Imperator perpetuo* (...)».[148]

«Él mismo deseaba ejercer el consulado de modo casi permanente y sin colega: Dictador en el año 49, cónsul en el 48, de nuevo dictador por un año en el 47, dictador y cónsul por diez años en el 46; en las monedas del año 44 aparece la efigie de César con el título honorífico de *Dictator perpetuus* (...)

De este modo César acaparó de hecho y de derecho todas las principales prerrogativas, autoridad y mando efectivo y directo de los poderes vigentes en la Roma republicana y que heredarán sus sucesores del período imperial de Roma; así se hizo titular con los nombres familiares ennoblecidos (...) a los que añade el de *Pontificex Maximus* en su calidad de sacerdote supremo, y asumió el título honorífico de *Pater Patriae* (...)

(...) y situó sus estatuas en los templos y plazas de Roma, junto a las de los dioses. Y (...) habituaba a las gentes a ver a su *Imperatur* ocupar un sitio entre los dioses».[149]

«La hábil propaganda de César (...) buscó (...) inculcar al pueblo sus antecedentes divinos y el apoyo de los dioses romanos a su estirpe Iulia. Propaganda que no fue inútil, pues permitió a Augusto en sucesor predestinado, como hijo adoptivo y heredero de César. Esta pretendida divinización es cierto que aunó las adversas voluntades de los más reticentes entre la aristocracia romana, pero le investió de una aureola popular que se definiría como decisiva desde Augusto en la vinculación de las provincias a Roma y a su mperador conjuntamente divinizados».[150]

En los párrafos que hemos seleccionado de la historia se comprueba que Augusto es el auténtico heredero de César y que inaugura la época imperial haciendo desaparecer la república, en detrimento todo ello, tal como lo iniciara César, del poder del senado. Esta nueva orientación política, basada en las líneas maestras diseñadas por Julio César, llegarán hasta Constantino sobrepasándole de un modo especial, como veremos, en el "heredero" del Imperio Romano.

«Ya hemos visto a César asestar serios golpes al sistema tradicional de la Re'ública Romana; Augusto consumará este desmantelamiento de las instituciones para configurar la nueva etapa del Imperio Romano.

En efecto, Autusto será el verdadero artífice, al menos el sistematizador, de estas reformas institucionales y del nuevo orden jurídico destinado a pervivir con escasas variantes durante casi cinco siglos (...) Cierto que buena parte de estas reformas venían ya preconizadas de tiempos atrás, particularmente desde César. Pero una serie de circunstancias permitieron consolidar las innovaciones de Octavio: los cincuenta y siete años de gobierno con cuarenta y cuatro de

---

[148] Id., p. 175.
[149] Id., pp. 176, 177.
[150] Id., p. 177.

poder monárquico y personal; el indiscutible prestigio alcanzado ante su pueblo; la paz dentro de las fronteras, la elevación generalizada del nivel de vida y cultura que haría de la Roma augustea el ideal de todos los tiempos del Imperio».[151]

«La omnipotencia de Octavio emanaba legalmente».[152]

«(...) será ante todo el *Princeps*. El principado supone una concentraciòn en su sola persona de los poderes reales y efectivos por encima de toda eventualidad y de todos los colegas de mando: poderes supremos».[153]

«(...) justifican estos poderes por la *auctoritas* de que está revestido, y que hace que su prestigio, su condición sobrehumana, sus atribuciones de todo tipo, sobrepasen a todos los demás. En última instancia esta condición de Octavio surge de su origen divino heredado de César y que (...) le hace acreedor al sacrosanto título de Augustus».[154]

«(...) era especialmente significativo el que Augusto, epíteto sacrosanto aplicado a los dioses (...) y era expresivo de que en su persona se concentraban poderes mágicos y la "iniciativa" en toda acción, que conlleva los mejores auspicios y garantizaba el éxito de toda empresa emanada de esta su iniciativa».[155]

Augusto no sólo es el heredero del ideario político de César, sino que, además, supo y pudo ponerlo en práctica.

Todavía más, Augusto recoge la herencia de todo el espacio Norte-Sur, incluido todo el programa ideológico que esto implica. Consolidó la hegemonía mundial de Roma en todo el mundo conocido, y de acuerdo a las citas históricas ya plasmada con ocasión de nuestro planteamiento sobre César al Estado mediante la divinización del Emperador con el objetivo primordial de instaurar permanentemente la Unidad del Imperio, salvaguardando la Autoridad Suprema en la persona del Emperador. De este modo se convierte en un Signo de Unidad y de Supremacía, puesto que como representante efectivo de Dios, dado el origen divino de los poderes que sustenta, debe ser también el dueño absoluto de sus súbditos. Es el ejemplo visible del "gobierno de dios" entre los hombres, de acuerdo a la religión astral.

Aristóteles, a pesar de su politeísmo, había llegado a la conclusión, como Platón, de la existencia de una jerarquía en los "dioses" necesaria para organizar el "orden", y en su cita famosa cerrando el libro 12:10 de su Metafísica, que nos recuerda a su primer motor inmóvil, indica que "no es bueno que manden muchos, sino que hay un solo señor".

Es de Aristóteles la idea de que el mundo tiene una constitución monárquica, y que "dios" la dirige, ya que en la divinidad reside el único poder del principio supremo. Aristóteles ayudó a que, si dios es la *potestas* y *auctoritas*,

---

[151] Id., p. 223.
[152] Id.
[153] Id.
[154] Id., p. 224.
[155] Id.

se proyectara en una **auctoritas política**. Se contribuye a *racionalizar* el Culto al Soberano, puesto que esa *potestad* y *autoridad* suprema residiendo en un hombre no puede engendrar otra cosa que el Absolutismo y el Culto a la persona.

El Culto al Soberano,[156] que como ya hemos documentado suficientemente se ha originado en Oriente Próximo, se recoge por César plenipotenciario de Roma en sus contactos con los diádocos, y de ahí lo heredará Augusto creando la Idea Imperial.

Esta se prolongaría hasta la época constantiniana en la que experimentaría una matización como consecuencia del entronque del Imperio Romano con una iglesia que se denminará Católica (Imperial) y Romana.

a2) Consecuencias de la actitud histórica de los Imperios que tuvieron una hegemonía universal: El Legado de Oriente Próximo y el Sentido de la Historia

El cordón umbilical ha seguido unido desde la temprana fecha de los albores de la historia de la cultura mesopotámico-babilónica (el "rey del norte"), con los ingredientes propios de Egipto (el "rey del sur"), que aunque no tuvo un imperio de caracteres univerales, supo entroncarse en la marcha de la historia mediante las adaptaciones "babilónicas" y originalidades religiosas. Ese cordón ha permanecido firme, a pesar de los avatares, y nos dio a conocer después del Imperio Babilónico y de su "cabeza" ideológica un nuevo Imperio y una nueva cabeza ideológica, Medo-Persia, que incorporó lo aprovechable para su intencionalidad política universalista. Después, el mundo quedó absorto por Grecia cuando lo dominaba militar y culturalmente. La cabeza griega había sabido hacer una pasta de todo el sistema religioso precedente y le había añadido un nuevo elemento "divino-humano": la teologización, el acceso a "Dios" mediante la razón humana.

Nunca antes el mundo había contemplado la posibilidad de la realidad de su Unidad. Jamás tampoco se habían dado una confluencia de tan diversas

---

[156] Sobre el Culto al Soberano puede verse *Le Culte des Souverains*, por L. Cerfaux y J. Tondriau, op. c. Con una bibliografía excelente puede consultarse a Günther Hansen en *El Mundo del Nuevo Testamento*, vol. I., op. c., pp. 141-158.

Hemos repetido con bastante asiduidad en nuestro escrito que el Culto al Soberano sólo puede venir como fruto de una Autoridad Suprema que implanta una política absolutista.

Las bases de este absolutismo no pueden encontrarse en la teocracia judía ni en la época de la desaparición de ésta, y mucho menos en la concepción del Reino de Dios que nos ofrece Jesucristo. Ningún Gobierno humano puede pretender ser el reflejo de Dios. Eric Peterson (*Tratados Teológicos*, ed. Cristiandad, Madrid 1966, p. 29) expone de Filón que éste creía en a constitución monárquica del mundo, pero esto es una mera ilusión teórica inventada por el hombre. El sistema de gobierno entre Iglesia y Estado presupone en todas páginas de dicho libro normativo, la incompatibilidad e imposibilidad de la constitución de un Gobierno o Estado como cristiano, de ahí que nos parezca inverosímil una concepción como la que Peterson manifiesta en su tatado telógico.

El Reino de Dios es totalmente ajeno a los reinos y monarquías de este mundo, aún cuando alguna de ellas se llame religiosa o cristiana.

Ver, para las relaciones entre la Iglesia Cristiana y el Imperio, *Evangile et Labarum*, de Jean-Michel Hornus, op. c.

características: La conquista militar había sido acompañada, como anteriormente no se había conocido, de una ideología que, respetuosa con otras formas de pensamiento, era fruto de una amalgama, pretendiéndose convertirla en ecuménica.

Grecia puso al alcance del mundo todos los medios para demostrar que esa Unidad universal podía lograrse. La muerte de Alejandro trastocó momentáneamente este objetivo. Los diádocos (sucesores de Alejandro) al no ponerse de acuerdo quisieron imponerse unos a otros. No solamente lo consiguieron, sino que se deterioraron hasta el extremo de su destrucción.

Aparentemente, la Unidad universal parecía perdida. La recuperación del espacio total del mundo que imponía una dirección a la historia, a saber, la de imponer una Autoridad Suprema simultáneamente a una Unidad por la que todos rinden obediencia se esfumaba por momentos.

Al estudiar todo este tiempo de historia, uno comprueba que hay unas constantes que se repiten sin cesar, esperando que alguien las "entienda" y que las utilice en su provecho.

En principio tenemos una serie de "contactos" que se dice que son con la "divinidad", y que vemos que poducen un sistema ideológico coherente. Esto es lo mismo en Egipto como en Babilonia y en Persia o en Grecia.

Se observa, en estas Naciones que sobresalen por su predominio, un comportamiento semejante, en el que destacan tres conductas inalterables: De acuerdo a un modelo astral con el que se configura la deidad, aparece una vocación de Poder que se evidencia mediante la imposición de una Unidad de todos; una Autoridad Suprema con un sistema político Absolutista que dice ser de "origen divino", y que está representada en la persona de un Soberano, y que exige la obediencia de cada uno; y, por último, una comunicación entre sí que permite conocer puntos esenciales del otro, que se incorporan, usándose aquellos que son más útiles a su acción histórica.

Esa actividad parece programada y responde siempre al mismo esquema: la "divinidad", una Autoridad Suprema de origen divino, un sistema político absolutista, una imposición de la Unidad del género humano alrededor de una ideología y criterios que surgen de un Poder Temporal orientado, diseñado con una ideología político-religiosa o conteniéndola, en la que resltan elementos morales y espirituales.

Es verdad que, si miramos simplemente el final de la "historia" de cada Imperio por separado, podemos concluir que se ha fracasado en el intento, pero si contemplamos panorámicamente el escenario, visto desde donde nosotros estamos ahora, el veredicto cambia de color, aun cuando nunca se logre dicha Unidad.

Ahora bien, ¿de dónde surgen esas entrevistas con la Divinidad, y las proyecciones de ésta en la vida de los hombres que les enseña una ideología y una motivación suficientemente impotantes como para conquistar el mundo? ¿O es todo una ficción, a pesar del encadenamiento, de la solidez de los contenidos, de la unidad sustancial en los diferentes pueblos? ¿O es todo puramente un invento de la mente humana? No podemos en estos momentos responder de forma satisfactoria a estos interrogantes, pero el planteamiento y la respuesta forman parte del sentido de la Historia.

Lo que se observa desde aquí es que el propio deseo de alcanzar la Unidad y de imponer una Autoridad Suprema Mundial ha creado la propia existenica dinámica de la Historia. Y esto es preciso resaltarlo, por cuanto en el legado de Grecia y de Roma el problema de la Unidad y de la Autoridad Suprema actúan como motores para su realización histórica, y en la herencia que dejan vuelve a sobresalir la vocación vuelve a sobresalir la vocación universalista por la Unidad, y la imposición por todo lso medios de la Autoridad Suprema, y todo ello en imitación a una proyección religiosa basada en la unidad y orden que los dioses han fijado en los astros que los representna y con los que se identifican.

b) El culto solar romano en referencia a la influencia del Mitraísmo, y su proyección político-religiosa

Mitra es llamado el *Sol invictus*. El Mitraísmo, tal como ya hemos señalado en otro lugar, desarrolla una religión de misterio que envuelve conceptos astrológicos y escatológicos[157] que desembocan en posiciones antropológicas de cuya influencia en el mundo romano daremos cuenta. El Sol aparece como el astro Rey, el Absoluto. La teología solar que se desarrolla alrededor de este asunto es trascendental para comprender tanto la antropología individual, como política y social.

Mircea Eliade nos pone un ejemplo de los *Misterios de Mitra:* el monarca en la víspera de su entronización se introducía en una gruta, «mientras que sus súbditos le veneraban (...) como a un niño de origen sobrenatural» merced a su identidad con Mitra.[158]

Es indudable que con la asunción por parte de Roma del culto Solar patrocinado por el Mistraísmo[159] o por cualquier otro culto oriental se está queriendo proyectar el valor de la Unidad y de la Autoridad Suprema que el *Sol Invictus* (Mitra, Helios o Apolos) representa a nivel celeste y entre los demás dioses.

---

[157] Günter Haufe, en *El Mundo del Nuevo Testamento*, vol. I., op. c., p. 133, nos dirá:

«Mitra penetró en Occidente con la expansión del Imperio persa, en Babilonia la creencia en Mitra se combinó con toda suerte de ideas astrológicas y escatológicas (...) llegó por último al Asia Menor. Prestigiosos magos fueron allí activos misioneros suyos. Presumiblemente fueron ellos los que de manera gradual dieron forma mistérica al culto de Mitra».

[158] *Historia de las Creencias religiosas*, vol. II. op. c., p. 315.

En otro lugar el nuevo rey era considerado Mitra reencarnado (íd., p. 316).

Cuando Ciro es proclamado rey es deificado como hijo de Mitra (íd., vol.I, p. 335).

[159] El Mitraísmo se introduce en Roma por primera vez en la época de Pompeyo (s. I a.J.), según Plutarco en *vida Pompeyo* XXIX, 5.

Mircea Eliade nos dirá: «En cuanto a la difusión del mitraísmo resultó verdaderamente prodigiosa: desde Escocia a Mesopotamia, desde África del Norte y España hasta Europa Central y los Balcanes» (*Historia de las Creencias religiosas*, vol. II. op. c., p. 320).

En cuanto al culto de Mitra en España, incluso en zonas escasamente romanizadas como Galicia, Asturias y Lusitania puede verse *Historia de España*, de España Calpe, Madrid 1999, vol. II, p. 150.

En Mérida se ha encontrado una capilla mitraica del siglo II (íd.).

La revista *Arqueología* (año II,. nº 13, Barcelona), nos dirá que «la avalancha de seguidores de Mitra no se da hasta el siglo I d.J.».

Poco importe el nombre (latino, griego o persa) que se le dé al dios *Sol Invictus*; lo importante es comprobar el valor de este culto Solar que se introduce en el Ideario Imperial Romano, y que desde Augusto (dicho Ideario), recogido de César, se extenderá con las matizaciones que el Culto oriental al *Sol Invictus* le provee, hasta Constantino y su herencia.

Ya Augusto, a partir del 31 a.J. dedica dos obeliscos al Sol.[160]

Y el calendario de su época lleva una dedicatoria al Sol como una demostración más de la importancia que se le daba en su panteón de los dioses.[161]

Desde entonces el culto Solar se proyecta de un modo prácticamente natural,[162] siendo contemporánea al cristianismo.[163]

Mircea Eliade nos dirá:

«Los cultos oriundos de Egipto y del Asia Menor gozaban de una sorprendente popularidad y contaban además con la protección imperial (...)».[164]

«Muchos emperadores apoyaron al mitraísmo especialmente por motivos políticos...».[165]

¿Cuáles son estos motivos políticos?

Ese culto solar público es el resultado de la identificación del Emperador con el dios Sol: si el Sol preside a los demás astros de acuerdo a la religión astral oriental, y da unidad y orden, se está ofreciendo una fórmula política de primera magnitud,[166] máxime que el misterio de Mitra involucra en su exposición un interés espiritual y político de acuerdo a la proyección del mundo celeste en el terrestre.

---

[160] CIL, VI, 701.

Sobre ese culto al Sol por parte de Augusto, ver a A. Piganiol, *Histoire de Rome*, 1954, p. 229; también a Gaston H. Halsberghe, *The Cult of Sol Invictus*, E.J. Brill, Leiden 1972, p. 30 –n° 6– (citados ambos por Bacchiocchi, *Du Sabbat au Dimache*, op. c., p. 198).

[161] El *Fasti de Philocalus*, CII, 1, 2, 324 o *Fastid´Amiternum*, CII IX, 4192 (recogido por S. Bacchiocchi, *Du Sabbat au Dimache*, op. c., p. 198).

[162] M.J. Vermaseren (en art. *"Mithra-Mithraísmo"* de *Enciclopedia Cattolica*, 1952: «Mitra penetró en Roma con los prisioneros de Cilicia (67 a.J.) (...) su difusión aumentó bajo los Flavios y todavía más bajo los Antonios y Severos» (citado por S. Bacchiocch, íd., op. c., p. 199, nota 17).

[163] Esta afirmación del sabio especialista F. Cumont (en *Textes et monuments figurés relatifs aux Mystères de Mithra*, 2 vols., H. Lamertin, Bruxelles, 1896, 1898, vol. I, p. 338) basada en las pruebas históricas que aporta, sigue sin refutarse. Mircea Eliade (*Historia de las Creencias e Ideas Religiosas*, op. c., p. 494, nota 217) considera que esos dos volúmenes de Cumont continúan siendo indispensables.

Los historiadores en su investigación se ha visto obligados a reconocerlo: «Bajo el mandato de los emperadores de la dinastía Flavia, se difundió por gran parte del Imperio el culto de Mitra (...)» (en *El imperio Romano* de ed. Sarpe, Madrid 1988, p. 82).

«Las campañas orientales de Flavios (desde el año 69) y Antoninos (todo el s. II., d.J.) contra los Partos originaron una amplia difusión del Mitraísmo (...)» (*Gran Historia Universal* de ed. Nájera, Madrid 1988, vol. IV, p. 431).

[164] *Historia de las Creencias e Ideas religiosas*, vol. II, p. 357.

Citamos algunos ejemplos además de los ya indicados: Cónmodo (185-192) se inició en los misterios de Isis y de Mitra; Caracalla (211-217) fomenta el culto solar al *Sol Invictus*; Aureliano incide en la teología solar en el culto al *Sol Invictus*, Diocleciano eleva un altar a Mitra y Constantino se identifica con el propio *Sol Invictus* (ver sobre esto a Mircea Eliade, *Historia de las Creencias e Ideas Religiosas*, op. c., pp. 357, 358, 321 y Alister Kee, *Constantino contra Cristo*, ed. Martínez-Roca, Barcelona 1990, p. 31).

[165] Id., p. 321.

La *existencia* de este *culto Solar* público se *prueba:*

1) por la existencia de *lugares* para ese culto;[167]
2) con *celebraciones* de alto significado religioso a través de los banquetes sagrados donde se profundizaba en el misterio de acuerdo a un modelo divino y que tendrían que realizarse en el día apropiado al culto solar;[168]
3) por la existencia de una *semana planetaria* donde aparecen los días de la semana afiliados a un dios determinado, en el que sobresale respecto de todos el *Solis Dies;*[169]

---

[166] Aureliano sirve como representativo, cuando expresa la necesidad política de integrar la tradición romana en la teología solar de estructura monoteísta (ver Mircea Eliade, *Historia de las Creencias e Ideas Religiosas*, vol. II, op. c., p. 358).

[167] De lo cual no hay ninguna duda de acuerdo a la documentación que nos provee F. Cumont (ver nota 17) y otros (ver Mircea Eliade, vol. II, pp. 319, 320) que nos transmiten la existencia de satarios en diferentes lugares.

[168] Mircea Eliade, íd., p. 321. Describimos a continuación la exposición en resumen que ns hace la revista Arqueología (año II, n° 13) sobre el significado del culto a Mitra:

«El otro gran acto cultual que se llevaba a cabo... era el banquete sagrado, en el que los mystas ingerían pan y vino como representación de la carne y la sangre del toro inmolado por Mitra (...)

El Pater pronunciaba unas palabras de bendición (...) "Salvaste a los hombres con el derramamiento de sangre eterna" (...) la participación en la comunión permitía... el nacimiento de una nueva vida, es decir, pocuraba... la existencia eterna.

Por consiguiente, el sacrificio del toro tiene un doble sentido de salvación: por una parte, representa una soteriología intracósmica, relacionada con la concepción escatológica mitraica, es decir, con la salvación en el Más Allá, facilitada a los iniciados por el sacrificio que permite un banquete en el que la consumición de la sangre y la carne del toro conlleva una fusión mística con la divinidad y una participación en la vida de ultratumba».

Es indudable que el autor de esta cita note el parecido con la Eucaristía católicorromana a la que se le considera también un sacrificio y misterio a través de la Misa (*Ecclesia*, 29-3-1980, p. 16, 34; *Guía del Cristiano, Devocionario Popular*, ed. Balmes, Barcelona 1960, p. 210), y que concuya diciendo: "en la mayor parte de los casos los sacramentos (...) son préstamos paganos, esencialmente de la religión mitraica".

No cabe duda que el significado de la Eucaristía se identifica con la Eucaristía mitraica; no sucede lo mismo con la Santa Cena evangélica que tiene un valor puramente simbólico y no *sacramental*.

Es imprescindible retener, no obstante, un asunto que llama poderosamente la atención desde un punto de vista antropológico y soteriológico, la vida de ultratumba con la divinidad se asegura mediante la realización de esa *obra sacrificial*, y en su participación.

Ya sabemos la concepción antropológica en la qu se sobrentiende la inmortalidad del alma, y la resurrección del cuerpo al final de los tiempos, dentro del contexto religioso persa, donde se promociona el culto a Mitra.

[169] La existencia y el uso de la semana planetaria en el siglo I de nuestra era, está fuera de toda duda, puede verse documentación presica sobre este asunto por S. Douglas Waterhouse en el excelente trabajo *The Planetary Week in the Roman West*, en el primer apéndice de *The Sabbath in Scripture and History*, Review and Herald Publishing Association, Washington 1982, pp. 308-322.

Nos presenta la evidencia de la llegada de la semana planetaria o astrológica en la época de Augusto en el s. I a.J. (íd., p. 309), y en el s. I d.J. en Italia y en la época de Nerón (íd.). Varios otros testimonios tanto de la India, s. II a.J,. como de Babil0onia (íd., pp. 310, 311).

La cita del historiador romano Dion Cassius es definitiva. En su *Historia Romana 37, 18* (escrita entre 200 y 222) nos confirma que la semana planetaria estaba "por todo lugar establecida y que se trataba de una costumbre antigua" (cf. S. Douglas Waterhouse, p. 313).

Bacchiocchi nos alude al calendario de Nola (op. c., p. 201), y a la opinión del arqueólogo A. Degrassi (*Un nuovo frammento di calendario romano e la settimana planetaria dei sette giorni*, Atti del Terzo Congresso Internazionale di Epigrafia Greca et Latina, Roma 1957, pp. 103, 104) para ratificar el uso de la semana planetaria en la época temprana de Augusto.

La religión del Dios Mitra exaltaba el domingo (el día del sol) como el màs importante de la semana (S. Douglas Waterhouse, op. c., p. 314, cita a Gastón H. Halberghe, op. c., p. 120).

El predominio del *Solis Dies* (*día del sol o domingo*) es la consecuencia lógica, tal como indica S. Bacchiocchi (*Du Sabbat au Dimanche*, op. c., p. 203) de la existencia simultánea de la semana planetaria en la que los astros son presididos por el Rey-Sol. De este mismo modo argumenta F.H. Colson en *The week*, University Press, Cambridge 1926, p. 75.

4) por la conmemoración en ese *solis dies*, que corresponde al *primer día de la semana o domingo*, la fiesta semanal para los *ciudadanos romanos* desde el s. II d.J., e incluso para los miembros que se identifican con la *Iglesia de Roma*;[170]

En la siguiente nota 170 lo atestiguamos con documentos que demuestran al *Solis Dies* o domingo como festivo en el Imperio Romano en el contexto del culto Solar.

[170] Justino, de los llamados *Padres Apologistas* (ver edición de Daniel Ruiz bueno, op. c., pp. 258, 259) escribe, entre otros escritos, lo que se denomina *1ª Apología* y es enviada alrededor del año 140 d.J. al emperador Antonino Pío.

En esa *Apología* (67:3-7) se menciona por primera vez el **día del sol** como el día que conmemoran ciertos cristianos, los de la Iglesia de Roma, en los términos siguientes:

«El día que se llama del sol se celebra una reunión de todos los que moran en las ciudades, o en los campos, y allí se leen, en cuanto el tiempo lo permite, los Recuerdos de los Apóstoles o los escritos de los profetas (...)

Y celebramos esta reunión general el día del sol, por ser el día primero, en que Dios, transformando las tinieblas y la materia, hizo el mundo, y el día también en que Jesucristo, nuestro Salvador, resucitó de entre los muertos; pues es de saber que le crucificaron el día antes del día de Saturno, y al siguiente al día de Saturno, que es el día del sol, aparecido a sus apóstoles y discípulos, nos enseñó estas mismas doctrinas que nosotros os exponemos para vuestro examen».

No vamos a entrar en detalles en relación al *día de reposo*, ni como institución divina en la época de la creación, ni como momento especial y actitud en la época de la Iglesia Apostólica. El motivo principal de traer a colación esta cita de la patrística, junto a otras, es para comprobar cómo el *día del sol* que correspondía al primer día de la semana era un día festivo en Roma como consecuencia de la influencia del culto Solar mitraico. A la vez que verificamos los efectos de esta costumbre en la concepción antropológica tanto Imperial romana como católicorromana, dado que esta última se erige como heredera y continuadora, y proyecta a su vez su influencia en el mundo occidental posterior.

Bacchiocchi ha sabido presentar, como portadora de un mensaje subyacente, la reiteración de Justino en la expresión *"día del sol"* que le hace al Emperador. Éste podía comprenderle, porque durante el período de los Flavios y Antoninos se había extendido el culto a Mitra por el que también se reunían en el primer día de la semana para celebrar su culto.

Quiere dejar bien claro su desmarque de los judíos, y su acercamiento al paganismo para un posible mejor entendimiento.

También es de reseñar que emplee el término *Saturno* para referirse al Sábado. Es evidente que Justino desea dejar bien claro al Emperador que ellos guardan el **día del sol** como lo están haciendo un buen número de conciudadanos romanos adscritos al culto de Mitra.

Su argumento se basa fundamentalmente no en la resurrección de Cristo, sino en el hecho de que en el primer día de la semana de la creación, Dios quitó las tinieblas.

Tertuliano, en el 197 d.J., presenta en su *Apologia ad Nationes* 1:13, y en respuesta a la acusación de que los cristianos adoraban al sol por orar vueltos hacia Oriente y habiendo hecho del primer día de la semana o domingo su día de fiesta, la confirmación de que esas mismas costumbres las tenían los paganos, y lo aclara diciendo:

«(...) de todos modos sois vosotros los que habéis admitido el sol en el calendario de la semana; y habéis escogido su día (Domingo) en preferencia al día precedente (Sábado) como el más conveniente en la semana, sea para una abstinencia de baño, sea ara el reposo y los banquetes».

Lo que nos interesa del pasaje en cuestión es la ratificación de que, en Roma, los paganos tienen el domingo como día de fiesta, y ésta relacionada con el Solis Dies, o Día del Sol.

Constantino, practicante de la religión solar, y que como veremos en otro lugar las causas de su legislación a favor del **Solis Dies** o *domingo*, manifiesta la idea de que la festividad del Día del Sol es una costumbre relacionada con el culto solar. en efecto, si se observan los términos no hay más remedio que interpretar que se trata de una celebración que tiene su origen en el día de la semana que se consagra al sol:

«Sencillamente porque nos parece de las más indecoroso que el Día del Sol que se celebra por su propia veneración, se ocupe con querellas jurídicas» (Clyde Pharr, *The Theodosian Code and Novels and the Simondian constitutions*, libro 2, título 8, sección 1), Princeton University Press, 1952.

Cumont ha dejado bien claro en sus estudios sobre Mitra, y en relación a sus lugares de culto y al tiempo en que se reúnen, lo siguiente:

«Cada día de la semana, el Planeta al cual estaba consagrado era marcado en un lugar determinado de la Cripta, y el domingo el que presidía el Sol era particularmente santificado» (*Les Mystères de Mithra*, Bruxelles, 3ª edición, 1913).

«El *Dies Solis* era, evidentemente, el día más sagrado de la semana para los fieles de Mithra y (...) debían santificar el domingo» (*Astrology and religion among the Greek and Romans*, 1912, p. 163). Ver sobre estas

5) por la consagración del 25 de diciembre como la fecha del nacimiento de Mitra, el *Sol Invictus*;[171]

6) por la adaptación de ese *culto solar* por los *emperadores* que se identifican con el *dios Sol*, con un pograma de alta significación político-religiosa;[172] la Unidad y Universalidad que les provee la estructura Solar;

7) y que culmina con la etapa Constantiniana por la trascendencia que supone para el futuro: creando una Iglesia de acuerdo al Ideario Imperial Romano[173] que asume en su ideología las características esenciales de la Religión Astral.[174]

Teniendo en cuenta las notas a pie de página que hemos desarrollado, probando las aseveraciones que preceden, podemos concluir afirmando que el Imperio Romanos ha experimentado, a través de la sociedad, la influencia de los cultos orientales, especialmente del Mitraísmo. Dentro de ella, lo más representativo del Gobierno adopta la teología Solar, aprovechándose de esta coyuntura socio-religiosa, proyectando una estructura política unitaria y absolutista, ordenada de acuerdo a la Religión Astral. Las implicaciones en la *antropología* individual y en el comportamiento social y religioso de este tipo de práctica, se trasluce en las creencias religiosas de los ciudadanos y paralelamente en la Iglesia de Roma que, como veremos seguidamente, se ve, en

---

citas al propio Franz Cumont en *Textes et Monuments figurés relatifs aux mystères de Mithra*, Bruxelles 1899, pp. 325, 339).

S. Jankélévith afirma:

«Si hay un punto sobre el cual la mayor pate de los historiadores están de acuerdo es sobre el lazo estrecho que existe entre el Domingo cristiano y las concepciones astrológicas de la mitología del Mazdeísmo» (Prefacio del libro *Le Sabbat* de William-Oscar-Emil Oesterley, París 1935, pp. 45, 46).

Si ya cuando se introduce el culto solar por los seguidores de Mitra (en el s. I a.J. y s. I d.J.) viene precedido por un *día* de la semana que se consagra el *sol* tanto en Persia como en otros lugares (ver S. Douglas Waterhouse, en *The Planetary Week in the Roman West*, primer apéndice de *The Sabbath in Scripture and History*, p. 314), si la existencia de la semana planetaria, en la que cada día de la semana coresonde a un planeta, siendo el domingo o primer día de la semana ocupado por el Sol, que adquiere un rango preferencial sobre los demás días, si además hay referencias claras históricas en el sentido de que los ciudadanos romanos celebraban y veneraban el *día del sol* como siendo el primer día de la semana, se está demostrando que una asunción de la teología solar con todas las implicaciones socio-antropológicas que esto conlleva tanto a nivel particular como colectivo.

[171] Una connotación más de la influencia del culto solar sobe la Iglesia de Roma es que el *dies natalis Solis Invicti* (nacimiento del Sol Invencible) que se celebra anualmente en honor a Mithra corresponde al 25 de diciembre, el día escogido para la celebración de la Navidad, del nacimeinto de Jesús (ver sobre esto a G.H. Halsberghe, *The cult of Sol Invictus*, op. c., p. 174).

[172] Nótese, en esta cita de Mircea Eliade (*Historia de las Creencias e Ideas Religiosas*, vol. II, op. c., p. 398) la impotancia del culto solar desde un punto de vista político, y las implicaciones en el aspecto socio-religioso y antropológico en el Cristianismo:

«Aureliano había comprendido la importancia de una teología de estructura solar monoteísta para asegurar la unidad del Imperio (...) Se fijó el aniversario del Deus *Sol Invictus* el 25 de diciembre, "día natalicio" de todas las divinidades solares orientales (...)

El carácter universalista del culto y de la teología solares había sido reconocido o presentado por los devotos griegos y romanos de Apolo-Helios, así como por los adoradores de Mitra y de los Baales sirios. Aún más, los filósofos y los teólogos eran en gran número adeptos de un monoteísmo solar (...) Los numerosos sincretismos religiosos, los misterios, el desarrollo de la teología cristiana del *Logos*, el simbolismo solar aplicado a la vez al Emperador y al *Imperium* ilustran la fascinación que ejercían la nación del Uno y la mitología de la Unidad».

[173] Ver nuestro desarrollo a continuación.

[174] Id.

un proceso histórico influida por lo fundamental del Mitraísmo, culminando en la época Constantiniana, en la que en virtud del Emperador, adorador del Sol y dependiente de esa teología Solar, hace surgir una Iglesia imperial, en la que, como vamos a ver, las transformaciones que se han operado son evidentes.

Veamos todo esto más de cerca, especialmente lo relativo al comportamiento de Constantino y a esa Iglesia de Roma que confluyendo ambos en esa etapa histórica se visualiza el resultado evolutivo de toda una serie de actitudes y de manera de pensar.

b1) El significado del Culto Solar Constantiniano en su relación con la Iglesia de Roma

b1.a) La actuación de Constantino como representante del Ideario Imperial Romano y de su proyeccción en la Iglesia

Constantino, como sus predecesores, sigue siendo Augusto: un Emperador que encarna en su persona todo lo que significa "Roma".[175] Es, además, un puente tendido y comunicativo hacia una Iglesia, en la que sus máximos representantes en Roma son proclives a un entendimiento con el Imperio,[176] y que terminará claudicando y aceptando el envite Constantiniano.

Desde el famoso edicto de Milán acontecen toda una serie de eventos que los historiadores no han tenido más remedio que señalarlos como los causantes del engendro de un tipo de Iglesia Imperial, a imagen y semejanza de la propia apostasía romana, y que corrompe las estructuras esenciales de la doctrina cristiana.[177]

Los autores de *La Historia de la Iglesia Católica*[178] dicen del edicto de Milán:

> «En el programa de Milán es evidente el sello de la voluntad constantiniana configuradora que, de acuerdo con la concepción antigua, consideraba al cristianismo como garantía de bienestar público y lo vinculaba a su política Imperial».

¿Qué implicó esta vinculación de la *representación eclesial*, llamada cristiana, a la política Imperial?

Sólo el comportamiento y actitudes que Constantino encarna, y que de

---

[175] Aunque la Soberanía única no la conseguirá hasta haber vencido a Licinio en el 324 a.J. (ver *Atlas Histórico Universal*, vol. I, op. c., p. 105), a partir del edicto de Milán en el 313 favorece a una Iglesia transformada por él.

[176] Lo hemos visto ya con la adopción del *Solis Dies*, y co ntoda una serie de acomodaciones doctrinales y políticas que iremos descubriendo.

[177] Lo veremos más adelante. Puede consultarse sobre esto a A. Diestre en *El Sentido de la Historia y la Palabra Profética*, op. c. en biliografía. Recuérdese, no obstante lo comprobaremos, que esto no hubiera sido posible sin una evolución por parte de esa Iglesia de Roma.

[178] Ed. Herder, op. c., p. 117.

ningún modo abandonará, es suficiente como para poner en entredicho a ese tipo de Iglesia y a lo que resulte de la integración.

En principio nos llama la atención la cantidad de favores, mercedes, dinero, edificaciones, autoridades, prefecturas, etc., que a partir del edicto se otorgan a una Iglesia que ah perdido la orientación de quien es su auténtico Jefe.

> «Este edicto (...) fue seguido de muchas otras mercedes a favor de la Iglesia (...)».[179]
>
> «Desde el año 313 Constantino manifestó una "simpatía activa" hacia el cristianismo que se expresó en muchas ocasiones y de formas diversas: proporcionó (...), considerables sumas de dinero (...), puso a disposición de la Iglesia el palacio de Letrán (...) participó en la edificación de muchas iglesias (...). Los cristianos pudieron asumir los cargos estatales más altos (...).
>
> (...) manifestó su interés por la Iglesia legislando a su favor y llegando a reconocerle un estatuto particular (...)».[180]

En segundo lugar, descubrimos una Alianza que supone un compromiso de esa Iglesia:

> «Por tanto, se puso a la cabeza del nuevo movimiento (...) Aliándose con la Iglesia podía esperar que, usando de prudencia al mismo tiempo que de energía, la haría servir de instrumento para la consolidación y revivificación del imperio (...).
>
> Estas fueron las ideas que determinaron a Constantino a promulgar el edicto de Milán y que inspiraron su política en adelante».[181]

Este tipo de compromiso vendrá marcado y creará un contenido, por las actitudes manifestadas tanto por Constantino como por esa Iglesia que está admitiendo su integración. Observamos en toda la conducta de Constantino la idea de someter a la Iglesia al servicio del Imperio, más o menos como el Sacerdocio pagano de la época imperial lo había estado al Emperador.

En un recorrido de la vida de Constantino, de acuerdo a las tesis que sostienen diferentes investigadores, se revela un tercer aspecto que encierra varias de sus actitudes y posiciones que nos permiten saber lo que supuso esa vinculación de la Iglesia al Imperio.

b1.b) No hubo ruptura con la religión pagana de la que Constantino era adepto, gestándose un entendimiento con una Iglesia que había evolucionado de acuerdo a las pretensiones de Unidad Ideal que el Imperio Romano exigía

El edicto de Milán se había dado a primeros del año 313; en el verano moría Diocleciano:

---

[179] *Historia Universal* de Oncken, vol. IX, op. c., p. 409.
[180] Marcel Simon-André Benoit, *El Judaísmo y el Cristianismo Antiguo*, op. c., p. 129.
[181] Oncken, vol. IX, op. c., p. 409.

«Constantino permitió que el Senado en Roma declarara divino al difunto (...)».[182]

Esto con el proceso que se inicia y desarrolla, sirve para catalogar la Ideología Constantiniana y lo que se obtendrá de su alianza con la Iglesia.

b1.c) Se constituye en Jefe y Pontificex Maximus (Sumo Pontífice), órgano visible de la divinidad, de una Iglesia de la que ni tan siquiera es miembro

«Rompió por tanto, el primer emperador cristiano con el paganismo tradicionalmente unido al Estado romano? Sería excesivo afirmarlo: el prìncipe continuó siendo pontificex maximus (...)».[183]

Ya sabemos, por lo que hemos documentado en otros lugares, de las connotaciones que posee dicho título con el culto al Emperador, y con la Jefatura absoluta tanto de lo temporal como de lo religioso; ahora comprobamos que Constantino se erige, de acuerdo al Ideario Imperial Romano, en la Autoridad Suprema de la propia Iglesia.

«(...) bajo la presión de las necesidades políticas e impulsado también por una actitud religiosa (...) Constantino llegó a ser, sin embargo, el primer jefe de la Iglesia del Imperio, sosteniendo y regentando esta Iglesia con una ausencia de escrúpulos tan grande como peligrosa (...)».[184]

«Con la subida de Constantino y con la fusión de la Iglesia cristiana y de sus intereses con el imperio y los suyos, adquirió la contienda nueva importancia, y la política imperial tuvo que influir forzosamente en ella. Constantino (...), aprovechando el cisma, logró someter a sus plantes políticos a la Iglesia vencedora y hacer de ella un instrumento importante de su autoridad imperial».[185]

«Entonces se vio que el emperador, sin ser miembro de la Iglesia, ni siquiera exteriormente, era el centro directivo de los debates. Él había convocado este primer concilio ecuménico fijando lugar y tiempo de la reunión (...); y él abrió y presidió los debates (...) Además, sobre la decisiòn dogmática final de este concilio ejerció Constantino una influencia decisiva».[186]

Esta jefatura no es simplemente honorífica, es fruto de la Autoridad que le otorga el título Pontifex Maximus:

«(...) él vuelve, pues, a tomar (...) la idea del Pontifex Maximus imperial, que Decio y Diocleciano habían intentado aplicar unificando la vida religiosa del imperio sobre la base de la antigua religión nacional de Roma (...)

---

[182] Id., p. 410.
[183] J.-R- Palanque, *De Constantin à Charlomagne à travers du chaos Barbare*, París 1959, pp. 13, 14.
[184] H. Rahner, *L'Eglise et l'Etat dans le Christianisme Primitif*, París 1964, p. 70.
[185] Oncken, vol. IX, op. c., p. 418.
[186] Id., p. 419.

Exactamente como el Pontifex Maximus del pasado, él se siente llamado, en su calidad de emperador divino, a ser, en la tierra, el órgano visible de la Divinidad (...)».[187]

b1.d) Esto implicaba perpetuar de algún modo el culto al Emperador, mostrar un continuismo de la religión solar de Constantino, e introducir una direccionalidad "Ecclesiástica" acorde al paradigma Imperial
Los historiadores católicos dirán:

«Constantino era adepto al culto solar como forma más elevada del monoteísmo; el cristianismo le parecía como una de las formas de la religión solar de la que era adepto, y lo integró en sus concepciones religiosas».[188]

¿Por qué le parecería a Constantino que el *"cristianismo"* de la Iglesia de Roma *era una de las formas de la Religión Solar*?

¿No sería porque algunas de las marcas identificadoras de esa religión solar estaban integradas de algún modo en la ideología de la Iglesia de Roma y que con las adiciones y retoques que se pueden dar en su época permitiría un entendimiento y emparejamiento?

El especialista sobre el significado de Constantino para el Cristianismo, Alistair Kee, recoge una afirmación probada:

«Fue durante el reinado de Constantino el Grande que el culto del Deus *Sol Invictus* alcanzó cotas exraordinarias, de tal modo que incluso se decía que su reinado era el imperio del Sol. Constantino era la personificación del Deus *Sol Invictus* en la tierra, y podía considerar que la estatua del sol que había en el Foro y llevaba su nombre era una estatua de él mismo».[189]

No solamente hay una asimilación del cristianismo dentro de su religión solar, sino que consecuentemente hay una paganización de lo cristiano, hasta el punto que hay una matización sutil entre el culto al Emperador y lo que resulta de poner a esto en concordancia con la nueva religión.
Obsérvese lo que los historiadores dicen sobre el particular:

«No sólo Constantino no abolió el culto del Emperador, sino que lo puso en armonía con el cristianismo y consiguió que la Iglesia lo aceptara».[190]

¿De qué forma lo puso en armonía con el cristianismo? ¿Y qué tipo de cristianismo podía ser ese que permitía semejante actitud?

---

[187] H. Rahner, op. c., p. 71.
[188] Marcel Simon-André Benoit, *Judaísmo y Cristianismo Antiguo*, op. c., p. 131.
[189] Halsberghe, Gaston H., *The cult of Sol Invictus*, Leiden E.J. Brill, 1972, p. 167. Citado por Alistair Kee, Constantino contra Cristo, op. c., p. 31.
[190] L. Brehier-P. Batifol, *Les Survivances du Culte Impérial Romain*, París 1920, p. 17.

Alistair Kee, en una tesis ejemplar por su rigor, nos lo explica de un modo sorprendente:

«A partir de Alejandro el Magno existió una tradición de culto imperial en la cual el Emperador era divino. A pocos emperadores les interesaba ser divinos. Lo importante para ellos era si a su política se le podía conferir la categoría de divina, es decir, si podía reclamar una fuerza absoluta. Este es el propósito que subyace en el culto imperial; no el absurdo de considerar que un hombre es divino, sino el de ocultar el otro absurdo, el de aceptar la política de un hombre como divina y, por ende, merecedora de aceptación absoluta».[191]

¿Y cómo se podía reconocer la política de un hombre como divina?

«El logos dirige el cosmos desde el cielo, pero –y llegamos ahora al centro del argumento de Eusebio– el Logos tiene un representante en la tierra.
"Y este mismos Único que sería el Gobernador de todo este cosmos, el Único que está por encima de todo, a través de todo y en todo, visible e invisible, el omnipresente Logos de Dios, de quien y a través de quien llevando la imagen del reino superior, el soberano querido de Dios, en imitación del Poder Superior, lleva el timón y endereza todas las cosas de la tierra".
(...) ¿Había perdido su divinidad (...)? Pero, ¡Qué ganancia! Ahora se le declaraba **"soberano querido de Dios"**, la **"imitación"**, el agente y homólogo del Logos divino aquí en la tierra».[192]
«(...) Constantino pudo alcanzar su objetivo. Por medio del gran cambio, su política pasó a ser considerada la voluntad del Logos (...)
(...) Renunció gustosamente a la deificación personal en aras del objetivo más importante: la deificación de todo lo que él representaba».[193]

Todavía no comprendemos por qué se le otorga ser el representante del Logos o el "amigo de Dios".[194]

---

[191] *Constantino contra Cristo*, op. c., p. 181.

[192] Id., p. 41. La cita del obispo Eusebio de Cesarea está sacada de *De Vita Constatini* (1, 81), traducciòn inglesia: *The life of Constantine*, eds. Wace, Henry y Schaff, Philip; *Nicene and post-Nicene fathers* (serie nueva), vol. 1, Eusebius, Oxford 1840.

[193] Id., p. 181.

[194] Independientemente de la actitud "abominable" de Constantino, su moral queda reflejada por numerosos incidentes a lo largo de su vida. *La Historia Universal* de Oncken se expresa de este modo al describirnos su talante:
«Casi inmediatamente después, Constantino, el verdadero vencedor de esta crisis religiosa tan famosa en la historia, horrorizó a paganos y cristianos con los actos más siniestros y tenebrosos de su vida (...)
(...) fue muerto por orden del emperador (...) su hijo mayor (...)
(...) añadiendo la muerte de su sobrino Licinio (...) y la de otras muchas personas que por sus relaciones y alta posición le hacían sombra (...) su octogenaria madre Elena (...) le indujo a matar a su esposa Fausta» (vol. IX, op. c., p. 420).
Las costumbres paganas con el uso de sus ritos mezclados con cristianos, coronadas con fiestas públicas y funciones de circo romano que nada tienen que ver con el cristianismo genuino, la erección de templos paganos al igual que de iglesias (íd., p. 421).
La misma *Historia* lo retrata finalmente de este modo:
«Satisfecha su grande ambición, volvióse vanidoso y sediento de alabanzas y adulaciones (...), se mostró a menudo caprichoso (...)

Alistair Kee nos da la clave a través de la propia explicación de Eusebio en su Vida de Constantino:

> «Del mismo modo que el Logos ha gobernado en el cielo siglo tras siglo, "Su amigo... gobierna en la tierra duante largos períodos de años".[195]
> "Del mismo modo que el Salvador Universal hace que todo el cielo y toda la tierra y el reino más elevado sean dignos de su Padre, también su amigo, conduciendo a sus súbditos en la tierra al Unigénito y Salvador Logos, los hace idóneos para su reino"».[196]

El paralelismo constante que realiza Eusebio entre la actuación del Logos desde un punto de vista cósmico y espiritual, y las actividades de Constantino en favor de la "Iglesia", bien legislando a favor de ella, bien defendiéndola mediante guerras victoriosas frente a sus enemigos, es lo que le permite denominarle el Representante del Unigénito Logos en la tierra, como podemos ver:

> «Eusebio retorna al tema de que la victoria que el Logos consigue en los asuntos espirituales es alcanzada pro el soberano, su amigo, en el mundo material contra los enemigos de Dios (...).[197]
> «Su amigo, armado contra sus enemigos con el estandarte de Él, que está arriba, sojuzga y castiga a los oponentes visibles de la verdad por la ley del combate».[198]

Todos estos elementos y la temática forman parte de la *religión astral o cósmica*, de la que el Mitraísmo ha dejado constancia.

El Ser Superior del Cielo, el Logos tiene un representante en la tierra el Emperador Constantino.

Nótese cómo la guerra se hace necesaria para imponer el orden en la tierra de acuerdo a la proyección de la religión astral.

Todo esto nos enseña una matización del culto Imperial, pero no una ruptura. Constantino, junto con sus "Consejeros" supo mediante un cambio de terminología mantener las mismas costumbres que antes en lo relativo a este culto. Se puede hasta negar con la palabra que se esté ofreciendo una adoración a la persona, pero se pueden asumir todos los ritos del mismo, mediante el truco teológico de cultos "inferiores" (que no por eso dejan de ser cultos de adoración), pretendiendo diferenciarlos del culto superior. En el culto al Emperador existían títulos como salvador, santísimo, Pontifex

---

(...) A la menor sospecha de infidelidad (...) o abuso de posición (...)(le costaba poco dar trabajo al verdugo. Sus contemporáneos criticaron también su desmesurado fausto y liberalidad a costa del tesoro y de los contribuyentes (...).

(...) Constantino era en el fondo romano pagano y jamás comprendió los ideales del cristianismo (...)»

[195] *Constantino contra Cristo*, op. c., p. 41, cf. *Vita de Constantini*, op. c. (II, 85).

[196] Id.

[197] Id., p. 43.

[198] Id., p. 41, cf. *Vita de Constantini*, op. c. (II, 86).

Maximus, etc., saludo cúltico como el de la genuflexión, todo esto y mucho más Constantino sigue admitiendo para su persona:

> «(…) Constantino (…) haciéndose llamar salvador designado por Dios, enviado del Señor (…), ordenó que se le rindieran honores como "representante de Cristo" (*vicarius Christi*) y que le enterrasen como "decimotercer Apóstol"».[199]

No sólo se hace llamar *"Vicario de Cristo"*, sino que, superando a los emperadores anteriores, denomina a su palacio *"templo divino"* (domus divina), por cuanto de algún modo va a cobijar a *"nostrum numen"* (nuestra divinidad), además de adjuntarle el predicado de *"sacratissimus"* (sagradísimo).[200]

Mediante los reconocimientos que la Iglesia Imperial le hace, nada menos que como el "representante en la tierra del Unigénito Logos",[201] "obispo de todos, nombrado por Dios",[202] y el consentimiento de la permanencia de actitudes y manifestaciones paganas, del título Pontifex Maximus (con todo lo que implica),[203] se nos descubre lo que su religión solar que nunca abandonó configura y orienta: su comportamiento político-religioso, arrogándose en su figura histórica la representatividad de Dios en la tierra al que se le puede adorar mediante su persona que le representa.[204]

Es de este modo que puede erigir, en la nueva Constantinopla, una estatua que primero llevará la representación de la cabeza de Apolo y después la suya propia,[205] estatua a la que se le dará adoración tanto por paganos como por cristianos,[206] y al final de una vida de adepto Solar matizado con terminología cristiana, y aquello que se puede incorporar, recibe el bautismo de la Iglesia Imperial que él mismo había forjado, de acuerdo al Ideario Imperial Romano y a su teología solar;[207] después, el Senado votó su deificación,[208] la Iglesia Católica griega lo declara un nuevo apóstol, y la Iglesia Católica de Armenia y la Rusa lo veneran como Santo.[209]

Desde la deificación, en el verano del 313 de Diocleciano por orden de Constantino hasta su bautismo y deificación en el límite anterior y posterior

---

[199] Ver a Karlheinz Deschner, vol. I, op. c., p. 192. El autor trae abundante bibliografía donde apoya su aserto.

[200] Id.

[201] Ver Alistair Kee citando a Eusebio de Cesarea, op. c., pp. 65-94.

[202] Ver a Karlheinz Deschner, vol. I, op. c., p. 194.

[203] *Historia Universal* de Oncken, vol. VIII, op. c., p. 444.

[204] Id., op. c., p. 193.

Brehier y Batiffol (op. c.) recoge el acto histórico, según el testimonio de San Ambrosio, de cuando la madre de Constantino le colocó "sobre la diadema imperial una cruz, para que Cristo fuera adorado en la persona del príncipe".

[205] Ver *Historia Universal* de Oncken, vol. VIII, op. c., p. 422.

[206] Brehier-Batiffol, op. c., p. 43.

[207] Oncken, vol. VIII, op. c., p. 448.

[208] Id.

[209] Id.

a su muerte está evidenciando que Constantino no rompió con la religión pagana ni aceptó un cristianismo genuino, tan sólo aplicó una fórmula de concordia entre una y otro, sacrificando lo más esencial de la fe cristiana y primitiva.

b2) Resultados de la aplicación de su Teología Solar

b2.a) Valor del Solis Dies como representativo de la permanencia de las implicaciones de la Ideología Solar

Según el criterio de los expertos, la religión (esencialmente) ocupaba el último lugar en el tratamiento de Constantino, ya que ésta se integra perfectamente como un elemento de maniobra política.

> «La política de Constantino no está determinada po la religión, sino que ésta viene determinada por la política imperial. (...) la religión forma parte de su estrategia».[210]

Cuando los investigadores consultan el Codex Theodosianus (recopilación de edictos imperiales) se sorprenden de la ausencia de ejemplos de compromiso cristiano po parte de Constantino, "del amigo de Dios" como le llama Eusebio (cosa que sí se encuentra en sus sucesores). Y llama poderosamente la atención la crónica relativa a la legislación sobre el *Dies Solis*. Primero, por cuanto se trata de la primera imposición oficial del domingo o primer día de la semana como día de reposo de acuerdo a la religión solar de la que Constantino era adepto. En segundo lugar, porque Eusebio (el obispo amigo de Constantino) ensaya constantemente...

> «de imponer una interpretaciòn cristiana a las leyes constantinianas relativas al domingo (...). Sin embargo, cuando Constantino promulga un edicto que aclara lo que se puede o no se puede hacer en dicho día, utiliza la fórmula pagana "dies solis" para describirlo: "Sencillamente, porque nos parece de lo más indecoroso que el Día del Sol, que se celebra por su propia veneración, se ocupe con querellas jurídicas..."».[211]

Las permutaciones que suceden se hacen mediante la cristianización terminológica de lo pagano.[212]

Alistair Kee ha probado sobradamente que el amigo de Constantino, el obispo Eusebio de Cesarea, es el falsificador más grande de toda la historia;[213] hace aparecer a Constantino como un cristiano devoto y convertido, pero

---

cuando se profundiza en el texto y en las alternativas que poseemos sobre la vida y hechos de Constantino, el asunto cambia de cariz.

No olvidemos, como ya hemos visto, que la religión de Constantino no es la de un adorador de Cisto, sino del Sol.[214] Y conjuga su religión personal con la de un Cistianismo transformado a su imagen y semejanza para alcanzar permanentemente su objetivo: la conservación de la "**unidad del imperio**" y, por ende, del mundo.

La *actitud antisemita* del emperador Constantino es obligadamente política. Las raíces del cristianismo están en el judaísmo bíblico, pero la política de Constantino exige que los cristianos olviden esas ascendencias, puesto que algunas de sus doctrinas, comunes a los cristianos, no son adecuadas para la política del emperador basada en la teología solar que ofrece la unidad necesaria. En su epístola al Concilio de Nicea expresa:

«No tengamos, pues, nada en común con la detestable multitud judía...».[215]

Constantino ha comprendido que para su política de *"unidad"* es conveniente no dividir a la sociedad, y la religión minoritaria judía lo hacía.

Es interesante compobar un ejemplo representativo de la política unionista Constantiniana mediante una legislación en relación al día de fiesta que se había de guardar con escrupulosidad en todo el Imperio.

El día del Sol, afín al Mitraísmo (de origen persa), religión astral y de misterios que en el primer siglo a.J. ya se había introducido en las legiones y sociedad romana,[216] y que en una evolución antijudía por parte de ciertos cristianos encuentra su culminación en la legislación imperial de Constantino, adepto de la religión solar que admite el *Solis Dies o domingo* como día de fiesta, obliga a deshacerse del Sábado y aceptar el Domingo.

Constantino, como adorador del Dios Sol, prescribe ese día como el único festivo semanal. Obsérvese parte de su decreto del 321:

«Que todos los magistrados y ciudadanos reposen en el venerable día del sol y que cesen todos los trabajos».[217]

---

[213] Id., op c.

[214] Véase sobre esto, además de la exposición amplia de Alistair Kee, al católico Norbert Brox, *Historia de la Iglesia Primitiva*, op. c., pp. 75-77.

[215] Eusebio, *De Vita de Constantini*, III, 18. Citado en Alistair Kee, op. c., p. 117.

Vamos a comprobar en otro lugar cómo la aceptación del **día del sol o domingo** por el cristianismo de Roma sigue la orientación política del Imperio Romano: la teología solar. En el caso de la Iglesia de Roma tiene un asunto adicional a la hora de aceptar el Domingo, y es despojarse del Sábado, que se considera exclusivamente judío. De ahí que ahora Constantino, al legislar a favor del domingo, tenga en cuenta el rechazo de los judíos.

[216] Ya lo hemos comprobado más arriba con documentación profusa.

[217] Decreto del 7 de Marzo del año 321, promulgado por Crispus II y Constantino II (contenido en *Corpus juris civilis*, *Codex Justinianus*, Libro II, tit. XII, *De feriis*, 2, 3). Citado por Paul Nouan, *Le septième Jour*, op. c., p. 167.

«Sencillamente, porque nos parece de lo más indecoroso que el Día del Sol, que se celebra por su propia veneración, se oupe con querellas jurídicas...».[218]

Constantino utiliza en todo su decreto la fórmula pagana *Dies Solis*; sin embargo, Eusebio de Cesarea, en su afán de que aparezcan los trueques cristianizados, bautiza al *"día del sol"* como siendo el *"día del Señor Jesucristo"*.[219]

Se trata realmente de un soberano de la casa del *"Sol Invictus"* que impone para todo el Imperio la observancia pagana del "Día del Sol", extendido ya en todo su Imperio, en lugar del día del Sábado observado por los judíos, y de los que el cristianismo primitivo heredó.

La supervivencia del Sábado, día de reposo anclado en la tradición judía y cristiana primitiva, suponía una división demasiado flagrante para la religión "pagana" que Constantino está creando removiendo los pilares ideológicos y organizativos principales del Cristianismo.

b2.b) Estructura monárquica absolutista a través de la Autoridad Suprema mediante el título Pontifex Maximus, y Orden Unitario que se proyecta desde el Cielo a la Tierra: Desvalorización y corrupción de la persona de Jesucristo y de la Iglesia por Él fundada, y oposición a la naturaleza y sentido del Reino de Dios

No cabe ninguna duda que en la transformación de una Iglesia que tiene como Jefe absoluto al Emperador que es, según Constantino y Eusebio de Cesarea, el representante legítimo del Unigénito Logos en la tierra, ha tenido que haber un despojo de lo que entiende la Escritura sobre el propio Jesucristo y la Iglesia novotestamentaria. En principio, hay un solo representante en la tierra del Logos Jesucristo, y este es el Espíritu Santo, que se manifiesta en la Iglesia toda entera. El representante visible de Jesucristo no es ningún hombre, sino la Iglesia.[220]

En la oración de alabanza hacia Constantino, Eusebio, que sigue las directrices de éste, afirma descaradamente la filosofía política del nuevo imperio "cristiano" de la forma con que nos lo describe Norman Baynes:

«La base de esa filosofía política se encuentra en la concepción del gobierno imperial como copia terrenal del gobierno de Dios en el cielo; hay un Dios y una ley divina, por cnsiguiente en la tierra tiene que haber un solo gobernante y una sola ley. Ese gobernante, el emperador romano, es el vicerregente del Dios cristiano».[221]

---

[218] Citado por Alistair Kee, op. c., p. 114.

[219] En *Vida de Constantino* (IV, 18), citado por Alistair Kee, op. c., pp. 71, 113.

[220] Ver, en índice, las páginas donde tratamos el tema de la naturaleza y sentido de la Iglesia. Asuntos que coinciden con las afirmaciones que motivan esta nota.

[221] *Eusebius and the christian empire*, reimpresión en Byzantine studies and other essays, The Athlone Press 1955, p. 168. Recogido y asumido por Alistair Kee, op. c., pp. 149, 150.

Eusebio considera en esa alabanza al rey Constantino inspirado desde el cielo por Cristo el Logos.[222] Y presenta el reino en la tierra tomando como modelo lo que él supone que dicho reino es en el cielo.[223] La Monarquía absoluta aventaja a cualquier otro tipo de constitución de gobierno[224] (según la concepción de la religión astral teología solar), es por ello que el Logos ha ofrecido un modelo de poder real al hombre,[225] y ese hombre es Constantino. Todas las cosas que ha realizado, matanzas y asesinatos, habían sido decretadas por "el Supremo Soberano desde el cielo cuando presentó a un guerrero invencible como ayudante suyo".[226]

Los autores se han percatado de que nada de esto procede del pensamiento bíblico, sino de la filosofía helenística de la dignidad real influenciada con la *religión astral.*[227]

Para esta concepción ha tenido que haber un desplazamiento tanto de los contenidos y valores de Jesucristo como de la Iglesia.

La Iglesia se ha transformado en una parcela del Imperio, dominado y dirigido por un hombre que se autoarroga la *Autoridad Suprema* sobre todos, tanto lo relativo a lo religioso como a lo político, exteriorizándose por medio del título *Pontifex Maximus*. A la vez, es inspirado desde el cielo por el Logos constituyéndole (a Constantino) en su representante en la tierra, para consolidar la **Unidad del Imperio**, tanto en materia política, militar como religiosa, de ahí que se autoproclame **Vicario de Cisto** y *Vicerregente de Dios*. Esto evidencia que se está exhibiendo un Jesucristo totalmente distinto y opuesto al espíritu y la letra del Evangelio. Ya no cuenta para nada el Jesucristo Pacificador ni Redentor. El plan de la Salvación se ha sustituido por un Mesías terreno, Constantino, que libera a los cristianos de sus enemigos,[228] y salva al mundo y a la Iglesia,[229] **desplazando al verdadero Cristo del *lugar* que le corresponde**.

Y lo más peligroso, por la confusión que entraña: el **Reino de Dios** *ha sido "usurpado"* por una *"monarquía absoluta"* que pretende generosamente imitarle. Dios ha establecido claramente que el Reino de Dios viene al final de los tiempos y no por mano humana, siendo total y absolutamente ajeno a cualquier cosa de esta tierra.

Incluso la propia Iglesia evangélica, genuina, llena de la esperanza del Adviento, no se identifica con el Reino de Dios, sino que es salvaguardadora de los principios que rigen en dicho Reino, anunciadora y experimentadora

---

[222] Ver Vida de Constantino, de Eusebio, op. c., I, 85; III, 87; IV, 88; Alistair Kee, op. c., p. 150.
[223] Id.
[224] Id., III, 87 (Citado por Alistair Kee, op. c., p. 158).
[225] Id., III, 88.
[226] Id., VII, 97 (recogido por Alistair Kee, op. c., p. 160).
[227] Alistair Kee, op. c., p. 150.
Sobre la influencia de la religión astral, tanto en Grecia como en Roma, ver más arriba cuando tratamos precisamente este asunto en los apartados correspondientes.
[228] Id., op. c., pp. 47-64.
[229] Id., p. 176.

de ellos, de acuerdo a la predicación de Jesucisto cuando en su primera venida inauguró el Reino de Dios en su fase de la gracia.[230]

b2.c) Culto a la Persona

Hemos visto la deificación del Emperador, y el paralelismo entre lo celeste (el Sol) y el reino terrestre, representado por el Emperador que se acoge a la religión astral.

El culto a la persona es el resultado normal de aquel que se arroga la *Autoridad Suprema* concedida por la deidad, representada en el título *Pontifex Maximus*.

Al saludo que dirigen a Constantino los ex-soldados: «"¡Constantino Augusto! ¡Que los dioses te guarden para nosotros! Tu salvación es nuestra salvación"»,[231] no se le pone ningún reparo y los que lo efectúan no ven en ello amenaza o contrasentido para la religión que Constantino tiene.[232]

Delante de las esculturas de su persona se ponen "lámparas y cirios y se oa para solicitar la curación de enfermedades".[233]

b2.d) La creencia en la inmortalidad de su persona, presencia personal en los cialos al morir y su culto

Las imágenes y su culto, y la creencia de la entrada en los cielos al morir,[234] aparecen como formando parte de la ideología de Constantino.

Esta actitud era lógica, por cuanto según la **religión astral** el hombre posee un alma inmortal, y de acuerdo al ideario imperial romano los Emperadores son divinizados, y, por tanto, al morir ocupan un lugar preferencial en el cielo, recibiendo culto.

b2.e) Violencia, Guerra y Persecución Religiosa

El castigo infligido contra el esclavo o el liberto que acusa a su amo o patrón es la crucifixión.

Como cristiano me es imposible concebir o aceptar la pena de muerte ni la crueldad de la que Constantino hace gala por diferentes causas, pero que además la penalidad sea la de la crucifixión manifestaría lo que los investigadores ven en Constantino: una simple fachada en la que se esconde un odio secreto hacia los valores y doctrinas auténticamente cristianas.

Ahora bien, esta legislación constitución o conductas no corresponden a los contenidos de la Ley divina manifestada en el Decálogo y ratificada en el Nuevo Testamento (Éx. 20:1-17; Jer. 31:31-34; cf. He. 8:8-10; Stg. 2:8-12), simplemente atañe a un pagano.

---

[230] Sobre el Reino de Dios, su concepto y naturaleza, lo estudiamos en *El Sentido de la Historia y la Palabra Profética*, op. c.

[231] Alistair Kee, op. c., pp. 114, 115.

[232] Id.

[233] Karlheinz Deschner, vol. I. op. c., p. 194.

[234] Id., pp. 193, 194.

La actitud manifestada contra lo que él interpreta ser herejía, o cuando creía amenazada su Autoridad Suprema,[235] mediante el uso de la persecución religiosa,[236] o matando, es un argumento más en cuanto a que los valores cristianos respecto a la no violencia, libertad de conciencia, y el "no matarás" ya no tienen la misma vigencia.

Las doctrinas evangélicas han sufrido un deterioro tan palpable que los autores relatan la degeneración en la Fe evangélica alcanzada en la época Constantiniana.[237]

> «Mas pronto se vio que esta misma Iglesia había renunciado a su independencia primitiva y había entrado en un período nuevo, en el cual el poder terrenal, el imperial, empezó a ejercer influencia sobre su vida interior y aun sobre su esencia dogmática».[238]

Sin embargo una vez que Constantino se ha identificado un tanto con el cristianismo reúne un concilio, en el año 314, en la ciudad de Arlés.[239]

Este concilio, que se reunió principalmente para tatar el cisma donatista, examina la cuestión del Servicio Militar. El canon 3° rezaba así: "Los que lanzan las armas en tiempos de paz sean excomulgados".[240]

La declaración de Arlés es un paso más en la configuración de una Iglesia Imperial que se despoja de lo más emblemáticamente cristiano: ser Pacificador.

---

[235] Entre las cualidades que dominaban el carácter de Cnstantino sobresalía según la *Historia Universal* que dirige Oncken "la sed insaciable de mando, y no de un mando cualquiera, sino del supremo" (íd., vol. VIII, p. 446); y no conocía "piedad ni consideración ni misericordia cuando creía amenazada su autoridad suprema" (íd.).

[236] Para la persecución religiosa, ver Alistair Kee, op. c., pp. 120-136.

[237] Ver la tesis defendida por Alistair Kee. Tambièn F. Arranz Velarde, *Resumen de Historia Universal*, Santander 1932, p. 153. Citado por Pedro de Felipe en *La identificación del Cuerno Pequeño* de Daniel 8, Madrid 1970, nota 89.

[238] *Historia Universal* de Onckken, vol. VIII, op. c., p. 419.

[239] Ver Previt-Orton, *Historia Medieval*, vol. I, pp. 282 y ss.

En su lugar, comprobaremos la actitud de Jesucristo frente a la violencia. También analizaremos que en los principios de Reino de Dios por los qu se ha de regir el cristiano en este mundo, no se admite nada que tenga que ver con la guerra o el empleo de las armas.[240] Se han presentado varias interpretaciones pretendiendo anular el verdadero sentido del canon (véase Hefele-Lecrercq, *Histoirs des Conciles*, vol. I, op. c., pp. 282ss.) Una que ha sustituido las alabras "in pace" por las palabras "in praelio" o "in bello".

Ahora bien, esto se sabe que ha sido una corrección arbitraria debido a un lector que deliberadamente ha modificado el texo (Albert Bayet, *Pacifisme et Christianisme aux premiers sièeles*, Bibliotequc Racionaliste, París 1934, pp. 9, 13, 16 y 17).

Una segunda interpretación nos mostraría que el concilio de Arlés no castigaría a los desertores, sino a los que hacen culpables en plena paz de una agresión a mano armada. Otros dicen que se refiere simplemente a los gladiadores; según Bayet, Hornus y otros, estas interpretaciones son inaceptables. Las palabras "arma proucere" designan el acto del soldado que lanza sus armas delante de él mostrando que no quieres servir más.

Ahora bien, nosotros, aunque aceptamos el sentido de esta interpretación, no seguimos a aquellos que admiten que el concilio de Arlés es simplemente un paso más del partido oportunista "cristiano", pero que continuaría aceptando la posición de la Iglesia Primitiva en cuanto a la NO-VIOLENCIA (así opina H.F. Secretan, *Le Christianisme des premiers siecles et le Service Militaire*, París 1914, p. 364; del mismo modo Hornus, *Evangile et Labarum*, op. c., p. 129).

Creemos que lejos de ser superflua la precisión "in pace" es esencial, ya que no hay posibilidad para la idea de que en tiempos de guerra es siempre permitido e incluso recomendable al cristiano rehusar las arma. Una actitud de esta naturaleza en tiempos de paz marca lo que debe ser en tiempos de guerra. si no puede el soldado cristiano en tiempos de paz rehusar las armas, cuánto menos en tiempos de guerra.

Ese paso es decisivo. En él se manifiesta un claro cambio de posición respecto a los principios del Reino de Dios. Es el sentir de quien orientó semejante propuesta: Constantino.

Heering se explica adecuadamente cuando afirma:

> «El Jesús histórico era un Mesías de paz, que nos ordenó amar a nuestros enemigos hasta el máximo, y hasta el tiempo Constantino sus seguidores –con algunas excepciones– practicaron sus enseñanzas. Pero entonces llegó el punto decisivo, ejemplificado por la decisión del concilio de Arlés el año 314 que decía: los que tiren sus armas en tiempos de paz serán excomulgados. Este cambio radical en la fe cristiana, en un asunto tan fundamental como la guerra, debemos verlo como una caída desastrosa, una caída en un estado tal que la iglesia primitiva no habría vacilado en llamar un estado de pecado».[241]

Por otra parte, comprendamos el contexto histórico de la declaración del concilio de Arlés. Ha sido decretado, dentro del apoyo y favor que Constantino está otorgando a la Iglesia. El imperio se encuentra en paz gracias a las victorias de Constantino. Ahora se pide no arrojar las armas en tiempos de paz, y sobre todo de esa paz que gracias a las circunstancias y características del Imperio Romano se ha logrado. Si a los soldados se les exige no arrojar las armas en esa paz que se ha logrado, ¿qué se les pedirá cuando un enemigo cualquiera pretenda perturbar esa paz del Imperio?

Concluyendo este apartado podemos decir que la **religión astral** en su vertiente *solar* exige, por parte de la *deidad*, un comportamiento como el que se observa en el emperador Constantino, y que aquí hemos pormenorizado.

b3) La asunción de la Religión Astral y la influencia de la Teología Solar en la Iglesia de Roma

Ya hemos visto la unión que se da entre Iglesia e Imperio Romano en la época Constantiniana. También, cómo son aceptadas las creaciones que se dan

---

La dureza de dicho canon va en contra de la opinión improbable en cuanto que simplemente se quiera prohibir al cristiano en tiempos de paz arrojar las armas. ¿Cómo es posile semejante castigo como el de la excomunión? Si arrojar las armas en tiempos de paz fuera tomado por los que elaboran el canon como de poca monta y teniendo en cuenta el que el cristino n debe matar ni emplear el arma, ¿cómo es posible tal dureza e intransigencia? Si tienen en cuenta todavía la prohibición de matar y de hacer uso del arma del período anterior, ¿por qué obligar bajo pena de excomunión a los cristianos en tiempos de paz a permanecer con las armas? Sólo cabe una explicación; que el canon ha provisto en principio una solución al problema que hasta entonces se había planteado entre Cristianismo e Imperio respecto al servicio militar. Esa provisión la efectúa para tiempos de paz. Ahora bien, esto no excluye que continúe para tiempos de guerra. Es cierto que no lo menciona, pero la intolerancia con que castiga la deserción en tiempos de paz es sufciente para comprender que si en tiempos de paz el cristiano no debe arrojar las armas, en tiempos de guerra todavía menos. Por los sucesos posteriores que documentaremos después, en cuanto a la conducta que se siguió por parte de la Iglesia Católico-Constantiniana nos avalan que este canon fue decisivo para la conducta "militarista" del llamado cristiano que ha aceptado, a despecho de los principios del Reino de Dios, las directrices "pagano-constantinianas".

[241] G.J. Heering, *The Fall of Christianity*, Fellows Publications, American edition 1943, p. 57.

Los escritos patrísticos hasta Constantino son explícitos en lo referente a esta cuestión. En otra sección presentamos la posición de la patrística hasta Constantino. Toda ella nos manifiesta una posición contraria al servicio y al empleo de las armas.

por parte de Constantino en la constucción de una Iglesia imperial sin dejar su religión solar.

Lo que haremos a continuación es mostrar que la Iglesia de Roma, en aquella época, con sus dirigentes más representativos ha evolucionado paralelamente al Imperio en un proceso de asimilación de lo fundamental de la Religión Astral o Solar, que pudiera confluir en el momento histórico oportuno con el Imperio Romano. De este modo comprobaremos que los elementos **antropológicos** tanto individual como socialmente responden a una concepción que, como hemos estudiado, parte de Babilonia, pasando, con las matizaciones adecuadas, por Medo-Persia, Grecia y que, recogidos por Roma Imperial, influye en la Iglesia de Roma. Simultáneamente observaremos que dicha orientación antropológica es opuesta e incompatible con la que se propone en la Revelación bíblica.

b3.a) La aceptación del Solis Dies (Día del Sol o Domingo) y el simbolismo del Sol para identificar a Cristo

«Constantino era adepto al culto solar como forma más elevada del monoteísmo; el cristianismo le arecía como una de las formas de la religión solar de la que era adepto, y lo integró en sus concepciones religiosas».[242]

Los autores de esta nota suponen, al menos, que Constantino confundió el *cristianismo* de su época como una de las formas de la religión solar. La cuestión es saber si había motivos para ello.

El *Solis Dies* semanal y su contenido político-religioso

Por la cita de Justino y Tertuliano[243] se mostraba que a partir de un cierto momento la Iglesia de Roma se adscribe al **Solis Die**s de acuerdo a lo que resulta ser tradicional en la sociedad romana.

Ahora podemos comprender, a tenor de lo expuesto, que la elección del Solis Dies por la Iglesia de Roma es una medida política de primer orden. Con el Sábado como día de *fiesta* no puede otorgar esa Unidad que Roma Imperial ha encontrado en el culto oriental de Mitra. Puesto que el Sábado[244] rompe con la sociedad romana que se opone a un judaísmo, por otra parte rebelde, y que tiene como día de reposo el Sábado. El Sábado, según el tipo de sociedad mundana que ha configurado la teología Solar que proveen las religiones astrales, entre las que destacan el Mitraísmo, no tiene ese carácter universalista

---

[242] Marcel Simon-André Benoit, *Judaísmo y Cristianismo Antiguo*, op. c., p. 131.

[243] Ver nota n° 170.

[244] La primera mención respecto al *día del sol* aceptado por la Iglesia de Roma aparece alrededor del año 140. El conflicto entre Judaísmo y Cristianismo se agudiza aproximadamente a comienzos del S. II. Ciertos escritos patrísticos critican bien la *forma judía* de guardar el Sábado (Pseudo-Ignacio *Magnesios* 9) o un rechazo de plano del judaísmo como contenido teológico (incluyendo el sábado) y actitud social (Bernabé, Epístola 172¨1-8).

y profundo en la sociedad romana que la política del momento demanda. El Domingo, con lo que implica ideológicamente, ha echado raíces tan profundas en la sociedad romana que el que quiera ganarla ha de ser involucrándose en los elementos fundamentales que la religión astral representada fundamentalmente por el Mitraísmo ha depositado en los conductos que adhieren al árbol sólidamente sobre la tierra.

De ahí que, a partir del S. II d.J., determinados autores de la Iglesia de Roma adviertan de la necesidad de esa involución.

En un proceso, al principio lento aunque visible, y que recibirá plena forma con Constantino, se va adaptando ese cristianismo al paganismo de Mitra, aceptándose varios elementos principales que demuestran esa dependencia a la religión solar que el Imperio Romano proyecta en su situación política-religiosa.

Aceptar el **Solis Dies** supone reconocerlo como representativo de Unidad con el Imperio y desmarque con el Judaísmo.[245] Unidad con los ciudadanos del Imperio donde se había propagado el Culto Solar, y con los Gobernantes romanos que han aceptado ese día como festivo y litúrgico.

El Cristo Sol y el Solis Dies

No era difícil tampoco identificar a Cristo con el Sol. La intencionalidad de esa confluencia se manifiesta cuando comparas las pinturas paganas mostrando al *sol o Mitra* bajo la forma de un hombre con un disco detrás de la cabeza con el antiguo mosaico de origen cristiano representando a Cristo con el Sol, subido sobre una cuádriga, y con un limbo detrás de la cabeza.[246]

El simbolismo solar es empleado por los llamados *Padres de la Iglesia* para hablar de Cristo como *Sol de Justicia*, como *Sol de Oriente*, como el único *Sol que se levanta en el cielo.*[247]

Aunque trataremos este asunto en otra sección, es evidente que estas recomendaciones manifiestan que la costumbr de guardar el Sábado se mantiene todavía en ciertos sectores de la Iglesia de Roma y que, como veremos, su rechazo fue gradual y durará, todavía, algunos siglos en Oriente. Sócrates el Escolástico (s. V), en su *Historia Eclesiástica*, libro V, cap. 22 manifiesta: <<Casi todas las iglesias del mundo entero celebran los santos misterios el sábado de cada semana, sin embargo los cristianos de Alejandría y de Roma, en razón de una vieja tradición, han dejado de hacer lo mismo. Los egipcios de la vecina Alejandría y los habitantes de Tebas tienen sus reuniones religiosas el Sábado>>.

[245] Es muy instructivo comprobar cómo el Imperio Romano, desde la destrucción de Jerusalén inicia una corriente anti-judía, apartándose de todo lo judío. El día destacado que se conmemoraba como festivo en una primera época, en el Imperio era el Sábado en honor a Saturno. Se va realizando un proceso en el que el día consagrado a Saturno va perdiendo importancia en lugar del día del Sol o domingo. Paralelamente a esta corriente anti-judía por parte del Imperio, se da también una corriente anti-judía en el Catolicismo Romano y se va abandonando el día del Sábado por el día Domingo en línea con el Imperio Romano. La documentación precisa sobre todo esto puede encontrarse en *El Sábado de Jesucristo*, de Antolín Diestre (Terrassa, Barcelona 199, pp. 383-430).

[246] Véase la parte posterior del altar de San Pedro en la necrópolis del Vaticano. Está fechado en el año 240 d.J.

[247] Ver Bacchiocchi, *Du Sabbat au Dimanche*, op. c., p. 208, nota 63, donde se traen las citas de la patrística: Meliton de Sardis (*De Baptismo*); Clemente de Alejandría (*Protrepticos* II, 114:1; *Stromates* 7, 3, 21, 6; *Pedagogo* 3, 8, 44, 1); Orígenes (*In Numeros Homilia* 23:5 e *In Leviticum homilia* 9.

Independientemente del contenido apologético de las predicaciones cristianas a los paganos para que se conviertan al *verdadero Sol*, no se puede evitar la confusión.[248] Y todavía menos si ésta procede de una base que no es coherente con el texto bíblico. Se había manipulado el *día del sol* pagano haciéndolo coincidir con el día de Jesucristo (*"el día del Señor"*). Era lógico que si se quería ser consecuente con el paralelismo entre la religión astral y los que promueven semejante comparación, había que llegar a la celebración de ese *día del sol* como festivo: si los adoradores de Mitra, el *Sol Invictus* consagrna un día especial para su Dios Sol, el Solis Dies o Domingo, y vosotros adoráis al Dios Sol Jesucristo, es lógico que celebréis vuestro culto en un día especial también. Pero, ¿qué día se estipula para el Sol? ¿El sábado judío que según la semana planetaria pagana corresponde a Saturnos? ¿O el domingo, que de acuerdo a esa misma semana planetaria le corresponde el Sol?

Para Justino, tal como indicábamos, no había duda:[249] la creación de la luz en el primer día de la semana, y la resurrección del Sol de justicia en el primer día de la semana es suficiente para adoptar el *día del Sol como día del Señor*.[250]

Eusebio de Cesarea, amigo y consejero de Constantino, que vive en el contexto de alguien (Constantino) adorador del *Sol Invictus* con todo lo que implica el culto Solar, y que según manifiesta en la epístola al Concilio de Nicvea: "No tengamos nada en común con la detestable multitud judía",[251] es de esperar que siga los caminos del Emperador Romano y retome los argumentos de Justino:

> «Por la nueva alianza, el Logos ha transferido la celebración del Sábado *a la eclosión de la luz*. Nos ha dado una imagen del verdadero reposo en su día de salvación, el primer *día de la luz... En ese día de la luz, primero y verdadero día del sol*, bien que nos reunimos después de un intervalo de seis días (...) Todo lo que estaba hasta entonces prescrito para el Sábado, nosotros lo hemos transferido al día del Señor, mucho más digno de honor que el Sábado judío. De hecho, es en este día de la creación del mundo que Dios dice: *"Que la luz sea, y la luz fue"*. Es también en este día que el Sol de justicia ha resucitado para nuestras almas».[252]

---

[248] Hay que añadir que está constatado, por la propia documentación patrística, que una buena parte de los que se denominan cristianos llevan a cabo celebraciones paganas en sus propias comunidades locales y que hayu por parte de una mayoría de cristianos una veneración al sol y a las prácticas astrológicas (ver a Tertuliano *De Idolatria* 14 y al autor moderno J. Lindsay, *Origin of Astrology*, USA 1972, en su cap. 20).

[249] Ver nota 170.

[250] Independientemente de los contenidos bíblicos y exégesis es evidente, que si no hubieran existido las dos circunstancias históricas, a saber: la de un Judaísmo del que es preciso desmarcarse para no ser confundido por Roma Imperial y cargar con las medidas políticas adversas que las actitudes judías provocan: y una religión Solar que provee al Imperio Romano de una configuración político-religiosa unitaria, no habían surgido semejantes argumentos, puesto qu surgen en el tiempo (s. II) y, como consecuencia, de la influencia ajena a la Escritura, Escritura que no podría sostenerlos.

[251] Ver *De Vita de Constantini* III, 18, citado por Alistair Kee, op. c., p. 117.

[252] Eusebio de Cesarea, Comentario a los Salmos 91 (en PG).

Si se observa la cita se notará que se trata del criterio de Eusebio cuando dice que el Logos ha transferido la celebración del Sábado a la eclosión de la luz. No se presenta ninguan prueba de la Escritura, sino que debido

Si se analiza convenientemente el texto, tanto de Eusebio como después de Jerónimo[253] y Agustín de Hipona,[254] que mantienen la misma explicación, lo que se pretende es encontrar para el Día del Sol que ya estaba establecido por la religión de Mitra antes del siglo I, algo que presentar que justifique la adopción del **día del Sol**.

Si bien la Iglesia apostólica no necesitó semejantes argumentos, la coyuntura socio-política atrapó a ciertos representantes de la Iglesia de Roma.

Se habían dado dos pasos previos: el uno, el rechazo de lo judío, incluyendo el Sábado, aun cuando su origen no sea judío, sino que se origina en la misma Creación; el otro, intentar sustituir a Mitra con Jesucristo. El peligro de esta situación es el considerar a Jesucristo como *no judío*, **que lo era**, e identificarlo dentro de la Teología Solar.

Esta contradicción, con lo que implica, como veremos, no sólo llevó a la adopción del Solis Dies, sino a otros aspectos que denotna la mezcla de la religión solar con elementos cristianos.

La Salida del Sol y la Oración orientada hacia el Este

Una vez más la confrontación Cristianismo y Judaísmo se exterioriza por la elección de orar hacia el Este u Oriente por parte de los primeros en oposición a la costumbre judía de hacerlo hacia Jerusalén.

Este asunto que no pasaría más que por ser anecdótico, porque los verdaderos adoradores adoran *en espíritu y en verdad* (cf. Jn. 4:21-24), aporta un elemento más de la influencia del culto solar sobre la Iglesia de Roma por cuanto la patrística se ve obligada a justificarlo:

«*El Este simboliza al alma que se vuelve hacia la fuente de la luz*».[255]

Esta particular forma de adorar es una asimilación del modo pagano de efectuar su culto solar en el *Solis Dies*.

No es de extrañar que los cristianos que adoptan esta costumbre pagana para la oración, cuya práctica es diaria y no semanal, proyecten todo el recorrido de la *estructura* solar: del mismo modo que se cambia de Jerusalén

---

a la existencia del Logos ha sido posible el conocimiento de la Luz, y esto ha supuesto, según Eusebio, que del Sábado se pasara a la eclosión de la Luz. Es puramente una interpretación personal. En segundo lugar, se crea al día del Sol o de la luz como siendo el día del Señor. En base a que el Señor es la luz y es el Sol de justicia. En tercer lugar, se reconoce en el Sábado el día verdadero de reposo para la antigüedad per que *"nosotros"*, dice Eusebio, *"hemos traspasado lo que se refiere al Sábado al día del Señor"*. Por último, según Eusebio, por si fueran poco estos argumentos, coincide, que la creación se hizo en el primer día y la resurreción del Señor mismo.

[253] Jerónimo en *In Dia Dominica Pachos Homilia*, CCL 78, 550, 1, 52:

«Si es llamado día del Sol por los paganos, nosotros lo reconocemos como tal, puesto que es en este día que la luz del mundo ha aparecido, y ha sido en ese día que el Sol de Justicia ha resucitado» .

[254] Contra Fausto, 18¨5.

[255] Ver a Orígenes, *De Oratione* 32; también a Clemente de Alejandría en *Stromates* 7:7, 43; Tertuliano, *Ad Nationes* 1:13, etc.

(símbolo de las raíces cristianas) hacia el Sol para orar, con lo cual ha tendo que haber una teologización (de acurdo a la teología solar) y programación, es preciso llegar con el culto a un día especial, donde el Sol preside la semana planetaria (el Domingo), y así también abandonar el Sábado judío por el Día del Sol, representación del Sol de justicia que se adorna a Jesucristo, *del levantamiento de la Luz de la muerte* **por la resurrección en el primer día de la semana** *que coincide con el Solis Dies o Domingo.*

F.A. Regan, tras analizar los textos patrísticos sobre el particular, concluye diciendo:

> «Se puede encontrar un ejemplo claro de la influencia pagana en la costumbre adoptada por los cristianos de volverse hacia Oriente, lugar de la salida del sol para ofrecer su oración... porque en esta época de transición del Sábado a la celebración del día del Señor, no solamente los primeros cristianos reemplazaron el séptimo día por el primero, sino que, además, modificaron la práctica tradicional judía de orientación hacia Jerusalén para la oración».[256]

El Solis Dies Anual y el Nacimiento de Mitra

Anteriormente ya hemos aludido a la fecha de Navidad adoptada por la Iglesia de Roma. Se trata del día del nacimiento del *Sol Invictus* celerado el 25 de Diciembre en honor al dios Sol Mitra. Todo esto nos muestra que la adopción de la teología solar por parte de la Iglesia de Roma alcanza exteriormente el recorrido que el Mitraísmo manifestaba en su dedicación al Sol.

Se puede obtener por las Escrituras que el nacimiento de Cisto debió ser aproximadamente a finales del verano o comienzos del otoño,[257] por descontado que nunca a finales de diciembre.

Es evidente que la elección de esta fecha es fruto de la influencia del culto Solar de Mitra.[258]

---

[256] El autor de esta cita (F.A. Regan, *Dies Dominica and Dies Solis: The beginin of the Lords´day in Christian Antiquity*, unpublished doctoral dissertation Catholic University of America, Washington D.C. 1861, p. 196. Citado por Bacchiochhi, *du Sabbat au Dimanche*, op. c., p. 21) adopta, por sobreentendido aunque no sea así, el término *día del Señor* para el primer día de la semana.

[257] Sabemos que su muerte fue en primavera, y de acuerdo a la profecía de las 70 semanas de años se favorece finales de verano comienzos de otoño su nacimiento.

Sobre la imposibilidad de esa fecha como nacimiento de Jesús, véase a O. de la Brosse, en *Diccionario del Cristianismo*, ed. Herder, Barcelona 1974, art. Navidad; también Teófilo Gay, *Diccionario de Controversia*, Junta Bautista de Publicaciones, Buenos Aires 1960.

Conviene conocer que la noción de fiesta conmemorando un nacimiento es ajena al cristianismo primitivo (*The Encyclopedie Americaine*, Nueva York 1956, vol. VI, p. 622). Ver también, sobre esto, la *Encyclopedie Britanica*, Nueva York 1910, vol. VIII, p. 828, donde se cita al historiador del s. V d.J., Sócrates, indicando que no había ninguna prescripción ni por Jesucristo ni por los apóstoles que ordenase festejar dicho nacimiento. Es evidente que el que no se ponga su fecha de nacimiento es porque no se le daba ninguna importancia en cuanto a tenerla que recordar festejándola (cf. Eccl. 7¨1, 8).

Mario Righetti, en *Historia de la Liturgia*, BAC, Madrid 1955, p. 688, nos dice que "en aquellos primeros siglos no sólo no existía una tradición en torno a la fecha de Navidad, sino que la iglesia no celebraba la fiesta".

[258] Sobre la transferencia y conveniencia de la adopción del cambio del nacimiento de Jesucristo al 25 de diciembre como correspondiendo al día de Mitra, ver Mario Righetti en *Historia de la Liturgia*, BAC, op. c., p. 689.

Valoraciones de este apartado sobre el Culto Solar en relación al *Solis Dies* y a los otros aspectos que le acompañan

Por este primer punto estamos comprobando que no es una circunstancia casual, sino causal la que lleva a un sector cristiano representativo a adoptar un comportamiento social distinto al de sus raíces. La aceptación de un día de *fiesta* semanal o de *reposo*, diferente al que se expone tanto en el Nuevo Testamento como en el Decálogo, responde a una postura político-antropológica *romana* que rompe con una *postura antropológica judía –Jesús de Nazaret.*

No es simplemente el cambio de un día por otro, es el canje que resulta de una manera de pensar que discrepa con lo anteriormente establecido. En definitiva, se permuta la relación con la deidad, provocando un *Dios* que ya no es el mismo.

Externamente aparece un día en lugar de otro. Pero esto no se efectúa si no hay motivos profundos, que el que lo hace cree que están justificados. Será la orientación teológica que aparece simultáneamente, y que la historia revela, las que nos expresará el valor e importancia de ese cambio. El descubrir esa direccionalidad nos aportará el conocimiento de las consecuencias contraídas, y nos podrá señalar, una vez más, los efectos en la antropología de la asunción de ciertas conductas.

Vamos a comprobar, a continuación, que la adopción del *Solis Dies* es la manifestación externa de la supeditación a una **teología solar** de origen Romano, recogido de los Imperios de las *cabezas universales* anteriores, y estaba suponiendo una pendiente en la que se trastocaban todos los elementos fundamentales de la **teología cristiana**.

b3.b) Aceptación de una Liturgia identificadora con las religiones de Misterios: Valores Sacramentales

No podemos pensar de modo altruista en el sentido de la cita que a continuación exponemos:

> «Los gentiles eran idólatras adoradores del sol; el domingo era su día sagrado. Ahora bien, para alcanzar a las gentes en su nuevo campo, parecía a la vez natural y necesario adoptar el domingo como día de reposo para la Iglesia. En este momento era preciso que la Iglesia adopte el día de los gentiles, o bien llevar a éstos a cambiar el día. Cambiar el día de los gentiles hubiera constituido una injuria y una piedra de escándalo. La Iglesia podía alcanzarles mejor observando el día gentil».[259]

---

[259] William Frederick, *Three Prophetical Days*, 1900, pp. 169, 170.

Me hace mucha gracia leer que "cambiar el día de los gentiles hubiera constituido una injuria y una piedra de escándalo" mientras que sustituir el día que Dios ha establecido no supone ni injuria ni escándalo.

Por descontado que había una estrategia para ganar a los gentiles, pero por medio de un procedimiento que suponía sacrificar lo esencial del cristianismo.

¿Quién se iba a creer un mensaje o aceptarlo pro el mero hecho de cambiar de día de fiesta, si con ese día no se lleva implícito una ideología en muchos aspectos idéntica a la religión astral o mitraica?

¿Tan *tontos* suponían a los paganos esos artífices del plan para ganarlos? Tenía que haber algo más. Un cambio de día no convence a nadie. Ahora bien, si ese día lleva consigo variantes en la propia liturgia, el asunto podría ser considerado de modo favorable por los propios *gentiles*. En este caso, el cambio de día nos estaría traduciendo que la elección de ese día distinto es la prueba de que han habido modificaciones sustanciales.

Para tomar la determinación del cambio de *día* tienen que haber unos motivos con los que se pretende alcanzar unos objetivos. La *Historia Universal* de Walter Goetz nos transmite que el culto y la liturgia habían cambiado:

> «El culto de los santos, de las reliquias y de las imágenes, el calendario de las fiestas eclesiásticas y algunos elementos del ritual y del ceremonial eclesiástico proceden de concepciones y de costumbres de la religión antigua anterior al cristianismo y prolongna en realidad lo que pretenden sustituir».[260]

Los sacramentos han llegado a serlo como consecuencia de que han sido transformados desde una significación puramente simbólica, de acuerdo al texto bíblico, hasta un sentido mágico mítico y misterioso.[261]

En el *Solis Dies* se celebraba una *eucaristía* y otros rituales que se identifican con lo que la Iglesia de Roma denomina sacramentos:

> «en la mayor parte de los casos los sacramentos (…) son préstamos paganos, esencialmente de la religión mitraica».[262]

Se trata de una liturgia de *misterio,* en la que la influencia **mitraica** es evidente: el valor sacramental tanto del bautismo como de la llamada eucaristía, y otros ritos paganos que patrocinan con su promoción la adaptación a una sociedad que no quiere despegarse definitiva y totalmente de algunas de las implicaciones de su culto Solar.

Aquí vemos de nuevo que toda la concepción solar asumida por la Iglesia de Roma, el hecho de a adopción de las fiestas y costumbres de la religión solar, está implicando toda una ideología diferente; tan distinta como lo es el pasar del Sábado al Domingo: dos días totalmente distintos que reclaman una ideología diferente para sostener uno u otro día.

En este caso se observa una alteración e innovación sustancial: dar un valor soteriológico y místico, a la manera de las religiones de misterios,a las prác-

---

[260] Vol. II, p. 617.
[261] Ver Mircea Eliade, en *Historia de las Creencias y de las Ideas Religiosas*, vol. II, op. c., pp. 315-321.
[262] *Arqueología* II, n° 13; ver nota n° 170.

ticas relativas a la celebración de la *Santa Cena*, donde oficiando un sacerdote, al igual que en el ritual pagano, transforma el pan y el vino en la carne y sangre real del *dios*, y que tomado por el participante se encuentra totalmente en gracia de Dios y, por lo tanto, salvado.

b3.c) Una concepción monárquica absolutista de la Iglesia: la aceptación del Culto a la persona, y la adopción del Pontificex Maximus o de la Autoridad suprema, y el método coercitivo para imponer su ideología

La Teología Solar, tal como ya hemos ido describiendo, exige que alguien presida y mantenga una Autoridad Suprema sobre los demás, del mismo modo que el Sol preside y da orden a los Planetas.

La Iglesia de Roma ha ido experimentando una evolución de acuerdo a la influencia de la Teología Solar, que, como se ha visto, se remonta a Babilonia y se transmite, con las matizaciones de cada momento histórico, a través de Medo-Persia, Grecia y Roma Imperial.

Un cambio en el *día de reposo* con la adopción del Solis Dies demuestra una motivación y estrategia subyacente que tiene que ver con pretensiones de dominio y poder. La ganancia de almas se debe llevar acabo mediante la predicación del Evangelio y la instrucción de la persona que se presenta como accesible, haciéndola discípulo (cf. Mr. 16:15, 16; Mt. 28:19, 20), pero nunca transigiend con algo qu se opone al texto bíblico.

Una vez más vamos a descubrir que la Teología Solar demanda una concepción **monárquico-absolutista** de la Iglesia y que esto aparece ya en el siglo II en la Iglesia de Roma en un proceso evolutivo que culminará con Constantino, y en contra de la orientación democrática de la Iglesia del Nuevo Testamento.[263]

La aparición y Evolución de una concepción monárquico-absolutista en la Iglesia de Roma

El autor católico Eric Peterson llega a la siguiente conclusión:

> «El concepto de monarquía divina, en cuanto se amalgamó con el principio monárquico de la filosofía griega, cobró para el judaísmo la función de un slogan político-teológico. La Iglesia, al expandirse a través del Imperio Romano asume esa propagandístico concepto político-teológico».[264]

El autor reconoce que sin la mezcla que la filosofía griega aportó hubiera sido imposible una noción monárquica para el gobierno de la iglesia cristiana; y y que, añadimos nosotros, con la influencia de la Teología Solar del propio Imperio Romano asumió la fórmula que le propio Imperio proyectaba.

---

[263] Un estudio sobre la Iglesia y su naturaleza de acuerdo al Nuevo Testamento lo hacemos en *El Sentido de la Historia y la Palabra Profética*, vol. I, op. c.

[264] En *Tratados Teológicos*, ed. Cristiandad, Madrid 1966, p. 61.

W.R. Inge expresa lo siguiente:

> «(...) porque si tuviéramos que elegir un hombre en cncepto de fundador del catolicismo como sistema teocrático, no citaríamos a San Agustín ni a San Pablo, y menos aún a Jesucristo, sino a Platón».[265]
>
> «(...) al llamar a Platón (...)».
>
> «descubrió en él, lo mismo que en Grecia las raíces de la religión y de la filosofía política de la Iglesia (...)».[266]

En efecto, la religión astral ha sido recogida por Platón y utilizada para su concepción monárquica de la Autoridad que preside ante los hombres. El sistema teocrático de la Iglesia de Roma evoluciona a partir de la asunción, en lo fundamental, de esa misma religión astral, que anteriormente en el Ideario Imperial Romano se ha incorporado, con la influencia del culto Solar de las religiones de misterios, entre los que destaca el Mitraísmo, y que por lo que estamos viendo produce una fascinación en la Iglesia de Roma, influyéndole en los órdenes más significativos, haciéndole cambiar en su estructura administrativa, hasta el punto de negar sus primitivas raíces novo-testamentarias.

La manera de decirnos la historia que esos cambios se produjeron es la aparición de una evolución que nace en el siglo II sin origen ni autoridad bíblica, transformando al episcopado como una institución eclesiástica en detrimento del presbítero que se le considerará inferior al obispo.

En Ignacio, hacia el año 115, encontramos una idea de **sucesión apostólica** ajena a la revelación. En opinión de Ignacio cada obispo representaría a Cristo y el colegio de presbíteros a los apóstoles.[267]

Los autores católicos de la *Historia de la Iglesia* anteriormente citada, notan aquí el nacimiento del episcopado monárquico según el cual «un obipo está en el vértice de la comunidad y un colegio de presbíteros y diáconos le está subordinado».[268]

Sin embargo, esta dirección colegial no significaba todavía lo que se pretendió extraer posteriormente de las famosas palabras *"tú eres Pedro..."* (cf. Mt. 16:16); como dicen los autores católicos precitados, a mediados del siglo II no existe aún una sucesión expresa de obispos monárquicos o de "Pedro".[269] Sin embargo, Ignacio de Antioquía quiere dejar claro el prestigio de Roma por cuanto fue ocupada por la autoridad de Pedro y Pablo.[270]

Esta relación de Roma y de la Autoridad de Pedro será aprovechada por Víctor I, obispo de Roma (años 188-189). Dicho personaje dará lugar a la

---

[265] En *El Legado de Grecia* (editado por Sir Richard Livingstone, Universidad de Oxford), ed. Pegaso, Madrid 1944, p. 33.

[266] Id., p. 36.

[267] Ver *Historia de la Iglesia Católica* (varios autores), editada por Herder, Barcelona 1989, p. 53.

[268] Id.

[269] Id., p. 56.

[270] Id.

primera manifestación escrita que se conozca, por la que mediante una controversia sobre la pascua se quiso imponer un decreto, amparándose en la pretensión de un primado por parte del Obispo de roma. Las críticas que recibe son la evidencia de unos límites que por el momento se pueden poner a la ambición Romana. Pero no olvidemos que esas críticas proceden principalmente de los obispos de Oriente.

Esteban (años 254-257), al querer imponerse, se presenta como el Obispo preeminente y con autoridad sobre todas las Iglesias,[271] haciendo alusión a la sucesión de Pedro,[272] sin embargo Cipriano sale al paso de las pretensiones del obispo de Roma. El católico Julio Campos[273] comenta como resumen de la controversia entre Cipriano y el Obispo de Roma:

> «Debemos, pues, concluir y deducir que Cipriano concedía a la Iglesia de Roma y a su Obispo una primacía, pero de antigüedad y de preeminencia de honor, no de jurisdicción y poder».[274]

Esta aceptación suponía conceder un derecho que Roma no lo interpretaba del mismo modo que el resto de las iglesias. De ese modo Cipriano se identifica con la administración Romana en su concepción monárquica episcopal: la unidad de la Iglesia aunque fundada en el apostolado se ha de basar en el episcopado, y aún cuando la promesa de Cristo a Pedro en Mateo 16:18 no fue dada como si aquél fuera jefe de los apóstoles, el oficio apostólico se transmite mediante la ordenación a los obispos. Y es este oficio monárquico lo que representa la unidad de la Iglesia. Cada obispo, en este caso, sería sucesor de Pedro, colocando en un plano de igualdad a todos los obispos.[275]

Esa concepción monárquica es ajena a la Escritura, y si bien Cipriano rechaza el contenido de un _obispo monárquico_ por encima de los demás, su propia argumentación obliga a una estructura de naturaleza absolutista y presidencialista.

Paralelamente a estos hechos suceden tres acontecimientos que son los que orientan una interpretación de Autoridad eclesiástica inadmisible por la Revelación bíblica. El primero es la aplicación de los concepto del Antiguo Testamento a los que presidían en las Iglesias. La distinción entre el clero y el resto de los membros de la iglesia lleva inherente la deformación en cuanto a considerar la preeminencia de aquéllos. Se introduce una idea ajena al Nuevo Testamento con unas reprecusiones negativas respecto a la autoridad eclesiástica reflejada en el Nuevo Testamento. Los autores católicos de la _Historia de la Iglesia Católica_[276] afirman lo siguiente:

---

[271] Véase Norbert Brox, especialista católico en historia de la Iglesia, de la Universidad de Ratisbona, en Historia de la Iglesia Primitiva, Herder, Barcelona 1986, p. 136.

[272] _Historia de la Iglesia Católica_ de Herder, op. c., p. 57.

[273] _Obras de San Cipriano_, BAC, Madrid 1964, p. 54.

[274] Sobre lo mismo, ver a J. Quasten, _Patrología_ vol. I, op. c., p. 652.

[275] Cipriano _De Unitate_, Ep. 71:3 y ss; también a Julio Campos, op. c., pp. 53, 54.

«La originaria reserva en la aplicación del término "sacerdote" (...), que en el Nuevo Testamento estaba reservado a Jesucristo (He. 5:6, 7:24 y otros) y a los fieles en el sentido de un sacerdocio universal (1 P. 2:5, 9; Ap. 1:6, 5:10 y 20:6), desaparece y se aplica, no sólo alegóricamente, al obispo o al presbítero (...) Esta función cultual le otorgaba una cualidad sacerdotal, la cual a su vez la distinguía del resto de la comunidad eclesial».[276]

Simultáneamente aparecen las preeminencias de las urbes, entre las que se colocan en primera fila las llamadas sedes apostólicas. Se tenía el criterio de haber sido fundadas por los apótoles. Lógicamente, la opinión no probada fehacientemente de que Roma hubiera podido ser fundada por Pedro, dio a esta comunidad un desarrollo monárquico particular, configurándose junto a la importancia de la capital del Imperio y de la autoridad suprema del emperador "pagano", una autoridad eclesiástica, que ajena al Nuevo Testamento parece querer asemejarse a la composición monárquica del Estado Imperial Romano.[277]

En tercer lugar, son ciertas relaciones con la Autoridad Imperial que se irán haciendo más fructíferas conforme el cristianismo avance. Dos ejemplos pueden citarse, el de Aureliano (a. 270-275) con su decisión histórica al otogar al Obispo de Roma y a otros obispos de Italia la posibilidad de dar su veredicto respecto a un asunto administrativo de la Iglesia de Antioquía,[278] y los contactos con el Imperio Romano tras la persecución de Diocleciano que culminarán con la apostasía Constantiniana.

Por descontado que no vamos a encontrar ningún lugar donde se nos diga: "y ahora dejo la posición novotestamentaria y acepto la que se me propone por la *teología solar*". No es preciso. Con nuestra perspectiva histórica somos capaces de descubrir que hay una adopción para el gobierno y administración de la Iglesia cada vez más parecida a la del Imperio Romano: la de una concepción monárquica. Vamos a comprobar que en ese proceso evolutivo de abandono de las premisas novotestamentarias se alcanza el punto culminante con el emperador romano Constantino, fiel al Ideario Imperial Romano y adscrito a la Teología Solar, tal como sus predecesores, y que erigiéndose en Pontifex Maximus o Autoridad Suprema transforma definitivamente a la Iglesia de Roma engendrando una Iglesia distinta, ajena al Nuevo Testamento.

La Presencia de las Claves político-religiosas fruto de la influencia de la Teología Solar en la Iglesia de Roma, como resultado de la Transferencia y Pervivencia del Ideario Imperial Romano-Constantiniano en dicha Iglesia

---

[276] Op. c., p. 55.

[277] Así se opina en la *Historia Universal* de Walter Goetz, vol. II. op. c., pp. 614-616.

[278] Ver a Olsen en *Suprema Papal*, op. c., p. 22.

Se ha llegado con Constantino a un prototipo de Iglesia y de vivencia religiosa en declive[279] y esencialmente transformada.

En una tesis magistralmente defendida y expuesta, Alister Kee[280] ya citado en otros lugares, demuestra con un estudio profundo de las fuentes, el cambio sufrido por un cierto Cristianismo, que se autoerige como representativo, en ocasión de la subida al poder del Imperio Romano el llamado Constantino el Grande. Cambio que supuso, según el autor una transformación fundamental de la ideología cristiana. He aquí algunas citas de dicha tesis:

«Algo ocurrió en el reinado del emperador Constantino que tranformó tanto la política como la religión de Europa, y si queremos comprender por qué estamos donde estamos, ya sea por suerte o por desgracia, entonces debemos analizar esta transformación. Europa como entidad política cambió debido a ella, pero lo mismo le sucedió al cristianismo»

«al recoger hilos del pensamiento que a menudo ya estaban presentes en la Iglesia y desarrollarlos de cierto modo, se unieron para hacer algo que hasta entonces jamás se había hecho: sustituir las normas de Cristo y de la Iglesia primitiva por las normas de la ideología imperial. El motivo de que anteriormente se haya creído que Constantino era cristiano no es que él creyera serlo, sino que las cosas en que él creía acabaron llamándose "cristianas". Y esto representaba el "triunfo de la ideología"»

«Una cosa sería que la historia de Europa fuera guiada por los valores de Cosntantino en vez de por los de Cristo; y una cosa muy distinta sería que fuese guiada por los de Constantino al mismo tiempo tiempo que se suponía erróneamente que los dos eran lo mismos. Y lo más trágico de todo sería que la propia Iglesia, siguiendo el argumento de Eusebio, hiciera suyos los valores de Constantino y con ello negara los de Cristo. Aunque esto pueda parecer inconcebible, es lo que realmente ha sucedido desde el siglo IV (...) dedicaremos tiempo a contrastar los valores de Constantino y los de Cristo ya que, fuera cual fuese su religión, el emperador contradecía las enseñanzas fundamentales de Jesús de Nazaret».

«Eusebio presenta a Constantino como el nuevo Mesías, un proceso en el que de hecho Constantino sustituye a Cristo (...) se produjo un fenómeno mucho más sutil e insidioso. Los valores de Constantino sustituyeron a los valores de Cristo dentro del cristianismo».

---

[279] La religiosidad cristiana se mundanaliza a la par que el grupo dirigente y representativo, especialmente en Roma, ha aceptado la apostasía Imperial Romana. Veamos algunos trazos aportados por el historiador:
«(...) vio afluir a su seno en muchas partes del imperio grandes masas de nuevos adeptos, no siempre movidos por el impulso de la fe interior, sino en gran parte por motivos exteriores (...) iba visiblemente menguando la fuerza moral regeneradora (...) mientras sus prohombres instruidos empleaban su inteligencia y saber en controversias dogmáticas. Los cristianos (...) estaban persuadidos con orgullo mundano de su fuerza moral y material. Este orgullo despertó en ellos desde el primer instante el sentimiento de la intolerancia (...)» (Oncken, vol. VIII, op. c., p. 418).

[280] *Constantino contra Cristo*, ed. Martínez Roca, Barcelona 1990, pp. 9, 12, 13, 163, 178, 179, 181, 182, 187, 190.
La tesis del autor, aunque correcta en sus trazos más sobresalientes, no tiene en cuenta el proceso evolutivo que experimenta la Iglesia de Roma desde la segunda década del s. II en relación a la influencia de la religión astral, y que ya hemos visto con suficiente documentación.

«El imperio romano desapareció hace ya muchísimo tiempo, y lo mismo el bizantino. Antes de que el siglo tocara a su fin, ya no fue posible contener a los godos, por lo que el imperio quedó a su merced. Pero Constantino consiguió una conquista cuyo efecto continua vivo en nuestros días, su conquista más sorprendente y a la vez menos reconocida. Al convertirse, Constantino abrazó su nueva religión pactada y personal, simbolizada por el lábaro del propio emperador (...) (...) Conquistó la Iglesia cristiana. La conquista fue total y abarcó la doctrina, la liturgia, el arte, la arquitectura, la urbanidad, el *etos* y la ética (...) Sin amenazas ni golpes (...) los cristianos fueron llevados al cautiverio a la vez que su religión era transformada en un nuevo culto imperial (...)

(...) Pero esta hazaña (...) representa la mayor conquista de Constantino, la única que ha perdurado de forma indiscutible a lo largo de los siglos en Europa y dondequiera que el cristianismo europeo se haya propagado».

«Era tanto lo que ofrecía el Emperador, ofrecía tantas cosas que no podían ni soñar unos cristianos que poco antes se encontraban bajo una amenaza constante. En efecto, les ofrecía, como mínimo, participar en los reinos de este mundo. Cuando es Satanás quien ofrece semejantes recompensas, se rechaza la tentación (...)

No es que la traición tuviera lugar en un momento. Fue un proceso gradual (...)

(...) se llevó a cabo la transformación completa. La Iglesia pasó a ser totalmente leal al emperador, al nuevo salvador que había logrado desplazar al Jesús histórico».

«Constantino siguió con gran eficacia una política que le permitió conquistar a la Iglesia, que era la mayor de todas las presas, una presa que se le había escapado a sus capacitados predecesores (...) Lo que hizo de ello una victoria no fue el hecho de que Constantino se granjeara el apoyo de la Iglesia, sino que en el curso del proceso alteró por completo la naturaleza y la base de la fe cristiana».

«(...) Constantino no solamente derrotó a la Iglesia (...) sino que consiguió que la Iglesia le ayudara a unificar el imperio. Y por si esto fuera poco, cuando Constantino reconstruyó el culto imperial, en virtud del cual la sabiduría del mundo y la ambición de un sólo hombre recibieron el estatuto absoluto de ley divina, la Iglesia proclamó de hecho, que este culto era el cristianismo!»

«(...) ¿Se convirtió el imperio en un Estado Cristiano? No; el cristianismo vendió sus derechos de nacimiento por una persona y se transformó en la religión del Estado. De hecho, fue el comienzo de la historia del cristianismo tal como lo conocemos. Estableció las nuevas normas para interpretar el cristianismo (...)».

«La progresión era lógica e inevitable. La Iglesia comenzó a imitar al Estado. Se aceptó el modelo imperial de autoridad, de manera que los príncipes de la Iglesia vivían en palacios y ejercían dominio sobre un distrito administrativo (...) Aceptaban estipendios del Estado y adoptaban el tren de vida propio de quienes servían a Constantino. Una vez quedó terminado este traspaso de valores, todo lo demás vino automáticamente: cristianos que poseían esclavos y reclutaban sus propios ejércitos y, finalmente la aparición de los Estados pontificios».

«El reinado de Constantino es un momento crítico, fundamental en la historia de Europa y no sólo de Europa. Desde aquel tiempo la ideología imperial, con todo lo que significa para la acumulación de riqueza y el ejercicio del poder sobre los débiles, recibió legitimación religiosa de la Iglesia (...) A fin de legitimar los valores imperiales, era necesario que el cristianismo, se transformase por completo desde dentro».

La historia nos confronta una vez más con la realidad, y nos pone al descubierto una conducta que dará sus frutos para el futuro, y que marcará unas pautas originando un sentido imparable e irreparable.

Constantino mantuvo las prácticas y costumbres del antiguo culto imperial, lo barnizó con una terminología cristiana e hizo que una Iglesia que se auto-denominaba cristiana se convirtiera en una religión de un Estado que imponía una apostasía en el seno de esa Iglesia, que la asumirá y la proyectará en la historia.

Esta Iglesia tendrá el sello característico de lo que Constantino con su Ideario Imperial Romano le imprime.

La historia nos demuestra que la idea de Constantino fue «la de neutralizar la peligrosidad de la Iglesia para el Estado uniéndose con ella».[281]

Anthony Burgess nos dirá que, para Constantino,

«Cristo era un Dios útil, pero sólo uno entre muchos. Constantino fue el primer gran cristiano pagano».[282]

La Iglesia de Roma como fruto de su propia evolución basada en la influencia que le proyecta el Ideario Imperial Romano y que entronca con la *teología solar,* confluyendo en última instancia con la Idea Imperial que Constantino ofrece, basándose en la **religión astral o teología solar,** aparece en un momento determinado de la historia como la heredera de Constantino[283] y de Roma:

«La caída del Imperio Romano en el siglo V llevó a los papas a asumir progresivamente los poderes ejercidos hasta entonces por los emperadores de Occidente».[284]

En efecto, todo el invento Constantiniano tiene una perfecta continuidad en Iglesia de Roma.

Todo será calcado. Cuando se estudia lo que aquí hemos indicado de Constantino en relación con su política, y con la Iglesia, se descubre que eso mismo aparece en la Iglesia planeada y presidida por él.[285]

---

[281] *Historia Universal* dirigida por Walter Goetz, vol. II, op. c., p. 594.

[282] Citado en el *País*, 22-2-1987, p. 11.

[283] Son muchos los que participan de la herencia Constantiniana (ver *Historia Universal* de Walter Goetz, vol. II, op. c., p. 596).

[284] *El Poder de los Papas*, Sarpe, op. c., p. 20.

[285] Sobre la creación de la Iglesia Imperial o Iglesia Católica por Constantino pueden verse numerosas

¿Qué va implicar?

Recordemos y adicionemos algunos aspectos importantes de la ideología político-religiosa imperial de Constantino.

Mediante una gestión de Constantino que dará su fruto en el concilio de Arlés (a. 314), indica que el Concilio recomiende al obispo de Roma la promulgación de los decretos de la mencionada asamblea, de este modo se le está concediendo a dicho obispo un poder espiritual virtualmente superior al de los demás,[286] aun cuando siempre inferior al de Constantino que sigue ostentando el de Sumo Pontífice de los cristianos;[287] cuando desaparezca el "katejon" u obstáculo que supone la Roma secular, representada ahora por Constantino, aquello se usará por el Obispo de Roma para exigir su supremacía.

Cuando Constantino se retira a Constantinopla podrá ser interpretado como que se deja también la autoridad civil al Obispo de Roma. En efecto, el acto de Constantino en el 330, en cuanto a pasar la capital imperial a Bizancio favoreciendo al obispo de Roma con la donación del palacio del Emperador es muy significativa.

El cardenal católico Edward Manning reconoce el valor subyacente y trascendental que reside en el hecho de que el emperador trasladándose a Bizancio deje al Obispo de Roma ocupar con su autoridad única la capitalidad del Imperio, símbolo de la supremacía "político-religiosa". El autor nos muestra que con esa acción Constantino está traspasando al Obispo de esa ciudad los poderes que el emperador tenía en Roma.[288]

Constantino, continuador del Ideario imperial iniciado con Julio Cesar y consolidado y dado a la posteridad por Octavio Augusto, se arrogará el título de **Augusto**,[289] como también hemos visto el de **Pontifex Maximus, Vicario de Cristo, representante del unigénito Logos, Obispo de los Obispos**,[290] al concluir la reforma de Diocleciano alcanza el apogeo del absolutismo con un «riguroso ceremonial cortesano tendente a destacar el carácter divino del emperador (túnica de oro, diádema, **proskynesis**) y subordinación a su persona».[291]

Hemos comprobado también un totalitarismo imperial romano manifestado en una monarquía absoluta:

Historias: la de Oncken, vol. VIII, op. c., pp. 417-422; la de Walter Goetz, vol. II, op. c., pp. 593-618; el *Poder de los Papas*, op. c., pp. 16-20, 23-25, 28-30.[286] *El Poder de los Papas*, op. c., p. 17.

[287] Id.

[288] Henry Edward Manning *The Temporal Power of the Vicar of Jesus Christ* (2ª ed., 1862, pp. 11-13). Citado por F. Yost (M.A. mayo-junio 1954, pp. 9, 10).
Es así cómo ha sido interpretado: <<Después del Concilio de Nicea se retiró a Constantinopla y dejó que, de hecho, el Papa fuese también la máxima autoridad civil de Roma>> (ver El *Poder de los Papas*, op. c., p. 23).

[289] Ver entre otros, *Historia Universal* de Walter Goetz, vol II, op. c., p. 504; *El Imperio Romano*, Sarpe, op. c., pp. 103, 106.

[290] Ver notas nº 272, 273, 275 276; 279, 281-283, 288, 290, 291, y el texto que las provoca.

[291] *Atlas Histórico Universal*, vol. I, op. c., p. 105.

«Constantino llevó a término parte de la ideas renovadoras de Diocleciano (...) desde el punto de vista de la filosofía política, lo más importante es que el nuevo emperador institucionalizó el absolutismo».[292]

Löwe[293] dirá algo muy significativo:

«(...) Constantino (...) se convirtió en figura ideal, no sólo de un emperador cristiano, sino del príncipe cristiano por autonomasia».

La continuidad en el Papado del culto a la persona y significado de los títulos que Constantino se asigna: Pontifex Maximus y Augusto.

Hay tres tesis importantes mantenidas en la configuración imperial romana influida por la *teología solar*, de las que Constantino se hará portador y transmisor, y que son reinterpretadas y asumidas por el Obispo de Roma, dando un fruto histórico en el que la Iglesia de Roma aparece como portadora del máximo poder.

La *primera* es la **pervivencia** de la *unión del trono y del altar* que mediante el título *"Pontificex Maximus"*, los emperadores romanos habían mantenido, reuniendo en su persona tanto el poder civil como el religioso.

Pontifex Maximus y Augusto

No hay posibilidad de una interpretación a posteriori como válida del título Pontificex Maximus o Sumo Pontífice.[294] Su origen y trayecto es plenamente pagano.

El título *Pontifex Maximus* se lo atribuirá el Obispo de Roma[295] tras haber abdicado de él el emperador Graciano en el 378, siendo asumido a partir de entonces por todos ellos. Los títulos de Augusto y Vicario de Cristo igualmente.

El mismo título de Augusto y el de Vicario de Cristo aparecen adosándoselo el propio Obispo de Roma. En una cita del teólogo e historiador católico Josef Lenzenweger se recogen éstas como formando parte de una tradición que culmina en los *Dictatus Papae* de Gregorio VII. Merece la pena traerla en consideración:

---

[292] *El Imperio Romano*, Sarpe, op. c., p. 109.

[293] Recogido por Karlheinz Deschner, op. c., p. 194.

[294] Si el significado de "Pedro", según las posibilidades de la Iglesia que Constantino ofrece, no la Escritura, confiere al Obispo de Roma ser el mismo representante de Dios en la tierra, es imprescindible que "encarne" en su persona el poder total, tanto el trono como el altar (así razona el católico Norbert Brox, *Historia de la Iglesia Primitiva*, op. c. p. 41). Y si a Jesucristo se le ha dado toda la 'potestad' tanto en el cielo como en la tierra (cf. Mt. 28:18), ¿cómo, -de acuerdo a esta conjetura- al Vicario del Hijo de Dios en la tierra, del mismo Jesucristo, no va a disponer también de ese "poder" en la tierra?

No obstante, una vez implantada sobre el Estado la Autoridad Suprema espiritual de acuerdo a la clave que el Obispo de Roma ha recogido del artífice Constantino, y el representante del Gobierno terrenal la reconoce, es lógico que esa Autoridad sea suprema respecto a la temporal. Así lo entenderá el Obispo de Roma, y así lo explicará convirtiendo al poder temporal como una delegación suya, y puesto al servicio del Poder Espiritual que siempre es superior. Nada de esto impedirá una lucha constante entre el sistema Papal y el poder temporal del "Emperador" que se supone inferior.

[295] Ver a Javier Gonzoaga, *Concilios*, vol. I, op. c., p. 27.

«Manifestó con creciente claridad y rotundidad la pretensión de que, como papa, era el vicario de Cristo (...) en la tierra. Este Cristo era en su opinión, sucesor del emperador Augusto. Por consiguiente, el papa es competente no sólo en las cosas espirituales, sino también en los asuntos seculares».[296]

Eric Peterson deja bien claro la creación del título "Augusto":

«(...) entrelazó Imperio y Cristianismo como tal vez nadie hizo, y los relacionó de manera impresionante, vinculando Augusto a Cristo. Evidentemente con ello se cristianiza a Augusto y se romaniza a Cristo que resulta ser *civis Romanus*. El sentido político de tal construcción es obvio (...)». [297]

La confluencia Constantiniana, arranque de una constante histórica en la que se dibuja, por un lado, el dominio del Emperador si éste asume lo que Constantino representa como Autoridad civil y lo que simboliza como poder absoluto temporal y que se trasmitió de acuerdo al sentido histórico impuesto por él y por lo que supuso la existencia de la Iglesia Constantiniana; y por otro, la supremacía de la Iglesia sobre la Autoridad civil, si el Obispo de Roma absorbe en su totalidad lo que Constantino encarna: el *Pontifex Maximus*, que reúne tanto la supremacía temporal como la espiritual.

Hay un punto de llegada a causa de los prolegómenos planteados con anterioridad. En Constantino se entronca un tipo de Iglesia que ha ido evolucionando desde una concepción puramente bíblica hasta una monárquica sin que haya una autorización textual a semejante configuración. Los obispos romanos utilizan el desarrollo monárquico que se experimenta a partir del siglo II relacionándolo con una primacía de la Iglesia de Roma y del que la preside.[298] Constantino hará posible un modelo de Iglesia monárquico absolutista en cuya cúspide se encuentra el "Pontifex Maximus".

Por otra parte no es más que el indicio de lo que se conseguirá posteriormente a la desaparición del Imperio Romano representado por el poder del Cesar que mantiene tanto el título de máxima Autoridad Civil como Espiritual dentro del título *Pontifex Maximus*, y que tanto una como otra será asumida por el Obispo de Roma.

Sentido y Significado del Pontifex Maximus: Culto a la Persona y Autoridad Suprema

Habíamos hablado de tres tesis: la primera la de la adopción del título *Pontifex Maximus* que se remonta a Babilonia y que de acuerdo a la *Teología Solar*, que desde entonces se trasmite hasta llegar a Roma Imperial, implicaba

---

[296] *Historia de la Iglesia Católica*, Herder, op. c., p. 263.
[297] *Tratados Teológicos*, op. c., p. 59.
[298] Ver más arriba.

la **Autoridad Suprema** y como consecuencia el **Culto a la persona,** la *deificación.* Esta será la **segunda** tesis: la **deificación** del emperador produciendo el *culto imperial* en la representación más significativa de la Iglesia de Roma[299] que evidencia la implicación de la **Autoridad Suprema.** Esto supuso, como ya hemos indicado, un elemento político de primera categoría en manos de los antiguos emperadores romanos que pasará igualmente al Obispo de Roma.[300]

El culto a la persona que conlleva un Poder Absolutista, plenipotenciario, alcanza momentos culminantes donde literalmente se endiosa al Papa. El que se adquiera todo un ceremonial, y se exijan gestos cultuales como el de la genuflexión, el de postrarse e hincarse totalmente en tierra, o el de besar los pies, al igual que a los emperadores romanos, son posturas de una subordinación total e incondicional hacia la persona del Papa.

Cuando se pretende tener una **Autoridad Suprema** a la que todos deben obedecer; cuando se cree uno con el derecho divino de otorgar, por esa Autoridad Suprema, el poder temporal a los reyes y príncipes de este mundo; cuando se asumen posiciones por las que un ser humano se atribuye características que pertenecen a la Divinidad, como el de poseer un magisterio infalible; cuando alguien se cree dotado de una facultad con la que puede perdonar pecados, o crear cultos nuevos que no estaban contemplados, mediante la materialización de la Eucaristía, o la declaración de que a tal hombre o mujer se le pueden elevar plegarias, oraciones y honores cúlticos; cuando se pretende, basándose en esa Autoridad Suprema, la Unión del género humano imponiendo, por todos los medios habidos y por haber, una ideología que se supone venida de Dios mismo, pero que no puede probarse, como siendo así, por los procedimientos que tenemos a nuestra disposición; cuando todo eso se está llevando a cabo bajo una Autoridad humana, se está promoviendo un culto a la persona, al tiempo que se está trasladando la esencia del Ideario

---

[299] L. Homo, *De la Roma Païenne à la Roma chretienne,* París 1950, pp. 45-48, 154.

[300] La pretensión del Obispo de Roma de ser la "encarnación" de Pedro en un ministerio continuo de sucesión a través de la historia (cf. Mt. 16:16-18), con el instrumento adicional de ser el sustituto de Dios y de Cristo en la tierra, dotado con una primacía sobre todos y del atributo de la infalibilidad, le otorgaba un poder sobre lo civil y lo eclesiástico. Es en esa "primacía" donde encontramos la semilla de esa "vicerregencia" de Dios en la persona del Obispo de Roma que contribuirá progresivamente a imponerse en "todo el mundo", y a desplegar todo su contenido.

El especialista católico en historia de la Iglesia Primitiva, Norbert Brox, (*Historia de la Iglesia Primitiva,* op. c., pp. 133-135) se explica de este modo en relación a la supremacía papal:

«Desde el siglo III los obispos de Roma esgrimieron de forma explícita la pretensión de una preeminencia supreregional y después sobre la iglesia toda, que con el paso de la historia condujo al papado romano».

(...).

(...). (...)

(...) los textos de Mt. 16:18-19 y Jn. 21:15-17 (...). (...) demuestran, a una con otros textos neotestamentarios, únicamente la circunstancia de que la figura de Pedro tuvo una importancia destacada en el cristianismo primitivo. Pero en su origen esa importancia nada tiene que ver con el papado».

«La afirmación de que Pedro había sido el primer obispo de Roma surgió en el siglo II (...). (...) Que fuera su obispo está excluido, ya que por la historia del ministerio episcopal monárquico consta con toda certeza que hasta aproximadamente el 140 d.C. en Roma como en otras iglesias regionales, no hubo obispos únicos sino siempre un colegio episcopal».

Imperial Romano.[301] Poco importa que falten ciertas posturas o que se niegue la realidad del significado de toda esta acción. Las actitudes y declaraciones del Papado a través de su historia confirman con toda seguridad que con estos comportamientos se estaba haciendo realidad el engendro de Constantino, y por ende el **continuismo Romano.**[302]

El gran problema de la obra de Constantino es la inducción, de manera automática y programada, a que se acepte una línea de actuación que jamás será abandonada por la Iglesia Católica Romana.

La lección es aprendida de tal modo que el Obispo de Roma va reemplazando al Cesar en una evolución en la que el "**Poder espiritual**" se *impondrá* al **Estado** en un conflicto continuo, y bajo el ideal de la **unidad.** El poder religioso católico aducirá siempre que posee los elementos unificadores necesarios para el buen funcionamiento de la idea Europea y Occidental.

El español y poeta Antonio Machado había dicho que "Roma había tomado de Cristo lo imprescindible para defenderse de él".[303]

Esa Roma que había tomado del cristianismo lo imprescindible para producir, mediante una simbiosis, la corrupción del cristianismo, representado desde entonces, por los más destacados lugares jerárquicos e influyentes de la masa maritoria, dio como resultado la Iglesia Católica Romana.

Con la cesión del título de *Pontifex Maximus* al que el emperador Graciano renuncia[304] en el 378, atribuyéndoselo el Papa Dámaso (366-384),[305] notamos

---

[301] Los historiadores católicos L. Brehier et P. Batiffol reconocen sin sonrojarse en *Les Survivances du Culte Impérial Romain* (Auguste Picard éditor París 1920), que el Papa recibe adoración por parte del Emperador Justino de Constantinopla como una evidencia de la supervivencia de ese culto imperial romano (íd., p. 20). También admiten que ese culto imperial sobrevive perpetuando el mismo lenguaje cúltico, que ahora se aplica al Emperador y al Papado atribuyéndoles títulos que son atributos divinos (íd., pp. 21, 27-29).

Los argumentos que ofrecen para explicar esta incoherencia con una actitud cristiana genuina, es en principio el hecho de que nadie proteste y se ofenda (íd., p. 20 y ss.).

Esta ingenuidad por parte de los autores nos confunde ¿cuántos protestaron en el culto obligado por Nabucodonosor de acuerdo a Daniel 3?. Si hubieron protestas no lo sabemos, pero eso no es un razonamiento válido. Lo que es incorrecto no lo decide la existencia o no de protestas. Por otra parte el carácter de control que se opera en esa época, y el asentimiento al que se ha llegado tras una apostasía, impide el que se puedan transmitir noticias particulares sobre este aspecto.

Después añade el de la separación, en estos actos cúlticos, de lo civil y político respecto de lo religioso (íd., p. 29), como si una u otra manera pudiera hacer menos idolátrico una práctica de esta naturaleza. Precisamente, desde el momento en que lo "civil" o "político" exige una medida o una actividad como la que estamos tratando la convierte en algo auténticamente religioso. En el caso de Nabucodonosor o en el de Diocleciano es una obligación puramente política en la que, como en todos los casos donde aparece una exigencia semejante, se encuentran involucrados los principios del Reino de Dios de los que un cristiano no puede desertar.

Y por último se indica que ciertos actos que demandan un culto a la persona desde un punto de vista civil, con tal que no entre en la superstición se podría llevar a cabo (íd., p. 29-33). ¿Cómo se definiría eso? La palabra de Dios prohibe cualquier acto que pueda estar asociado con lo que ella denomina idolatría, y punto.

Sobre el culto a la persona que recibe el Papado a través de la historia, su actitud y conducta en relación a su exigencia de que se subordinen a su Autoridad puede verse en un capítulo posterior donde describimos todo el historial del culto que se desarrolla a la persona del Papa.

[302] Ese continuismo del Culto a la persona se prolonga hasta la época del Papado actual. Lo que importa de todo esto es la ideología que mantenida y orientada a través de la historia permite reconocer una situación por la que Dios queda usurpado y sustituido. Ver sobre esto Sección Conclusiva nota.

[303] Ramón Comas, op. c., p. 53.

[304] Javier Gonzaga (Jorje Grau), *Concilios*, vol. I, Michigan, USA, 1965 p. 27.

[305] F. Yost, MA., Mayo-Junio 1954, II, p. 10 (cita el *Código de Teodosio*, Libro 16, tít. 1).

las directrices impuestas por el poder papal para que se acepten sus prerrogativas y privilegios, y se le confiera la máxima autoridad.

Queremos insistir en el hecho de que la primacía reclamada por el Obispo de Roma no pertenece a la simple categoría de "honorífica", lleva en si misma como si de un "embrión" se tratase todo lo que puede suponerse respecto a la autoridad máxima, a la que todos, clérigos y civiles, obispos y emperadores de todo el orbe deben sujetarse.

Reivindicar ese "algo único" para la sede de Roma, por Dámaso, junto con la adopción del *Pontifex Maximus*, infiere constituirse como órgano de la divinidad, tal cual asumían los emperadores romanos, dejando en suspenso el culto al emperador que esto implicaba, y sin anularlo se intenta poner en concordancia con el cristianismo.[306] Lo implícito de este acto, lo vamos a ver explícitamente desarrollado cuando esto sea necesario. Por lo pronto Dámaso utiliza nuevas formulaciones con argumentos teológicos de un marcado carácter jurista. Y como hace notar el profesor católico Norbert Brox, se adoptan "las formas del decreto autoritario, que eran habituales en el campo de la política; la cancillería papal habló entonces en el estilo de las decretales del emperador; es decir, en el tono autoritario y superior de decretos y edictos".[307]

Siricio, obispo de Roma (a. 384-399) después de Dámaso, se intitula oficialmente "Papa",[308] constituyéndose en el "padre venerable" de todo el mundo, será el primero en manifestar las primeras legislaciones pontificias, que pretenden, con su autoridad, imponerse a todos.[309]

Con Teodosio (a. 391) el Catolicismo Romano es declarado religión de Estado, a estas alturas según el católico A. Borrás *el mensaje evangélico se ha helenizado y romanizado*.[310]

El afianzamiento del papado se va consolidando con expresiones que identifican a la máxima autoridad sometiendo a todos los demás a ella, incluso al propio emperador.

Cuando Bonifacio I (418-422) elige "la categoría política de poder mediante el término *"principatus imperial"*,[311] está arrogándose lo "que en la teoría monárquica del Imperio designaba la suprema autoridad del emperador".[312]

El emperador Valentiniano III que interviene a favor del Papa León I (440-461) en su disputa con Hilario de Arlés, deja establecida la supremacía de Roma, confiriéndole al Obispo de esa ciudad, *"el primatus Sedis Apostolicæ"*, además de conceder en el 445 el que las leyes de la Iglesia tuvieran fuerza

---

[306] Véase a L. Brehier et P. Batifol, *Les Survivances du culte impérial romain*, París 1920, pp. 17, 38.

[307] *Historia de la Iglesia Primitiva*, op. c., pp. 137, 138.

[308] Maurus Schellhorn OSB, *San Pedro y sus Sucesores*, Plaza-Janes, Barcelona 1967, p. 67. También a Marcel Pacau, *La Papauté*, des origines au Concile de Trente, Fayard, Lyon 1976, p. 35. Norbert Brox, op. c., p. 138.

[309] Id.

[310] *Curso de Historia de la Iglesia Antigua y Media*, Facultat de Teologia de Catalunya, Sant Cugat del Vallés (Barcelona s/f.), pp. 14 y 2 (Edad Media).

[311] Norbert Brox, op. c., p. 138.

[312] *Relaciones entre la Iglesia y el Estado en la Edad Media*, op. c., p. 18.

civil.[313] Sin embargo, en su momento, León I hace valer su *"principatus"* y asume la sucesión del emperador y del imperio.[314] Aludiendo a Pedro, pide para su sucesor la *"plenitud de potestad"* (*plenitudo potestatis*).[315] Esta matización concuerda con los elementos que definen los conceptos de la ideología imperial romana, evidenciándose mediante la asunción del propio ceremonial palaciego, y traduciendo la "soberanía" alcanzada.[316]

En la doctrina del primado romano, establecida claramente por el Papa León subyace la teoría del poder absoluto del Obispo de Roma ratificada por el emperador Valentiniano III que pone al Estado en servicio de la Iglesia Católica (445 a.J.) y aun cuando aparece una gran resistencia en Constantinopla mediante la creación del *sacerdos-imperator*, dando lugar al cesaropapismo,[317] la direccionalidad está ya creada. Todo lo demás serán trazos que afirman la orientación que Roma exige.

Con la caída del Imperio Romano en el 476 d.J., no hubo variaciones importantes. La Supremacía Papal sigue su curso, a pesar de la oposición de aquellos pueblos bárbaros convertidos al seudocristianismo arriano. Frente a éstos pedirá la ayuda de la espada del Estado hasta que en el 538, una vez vencidos los Lombardos por los generales de Justiniano, dejen de ser un serio obstáculo.

El autor de una *Historia de los Papas* dirá:

> «Los bárbaros, que habían invadido las provincias del Imperio, buscaban, igualmente, la amistad del Pontífice. Entonces el Santo Padre lisonjeaba la ambición de los principes rivales, y vendía su alianza a uno y otro partido.
>
> (...) las quejas eran favorablemente acogidas, siempre y tanto que favoreciesen el orgulloso proyecto de convertir el mundo en la monarquía universal, tan soñada por los pontífices».[318]

Ramón Comas dirá que con la irrupción de los bárbaros la Iglesia se erige en protagonista y heredera del Imperio Romano.[319]

El papa Gelasio I (492-496) en una carta enviada al emperador Anastasio le explica una lección que la historia no debe olvidar: que si bien hay dos poderes, el eclesiástico y el civil, el primero era mayor que el segundo.[320]

---

[313] Id..Complétese con A. Borrás, íd., p. 15.

[314] Norbert Brox, op. c., p. 138.

[315] Id., pp. 138, 139.

[316] Id., p. 139.

[317] *Relaciones entre la Iglesia y el Estado en la Edad Media*, op. c., p. 18.
En un sermón el papa León declaró: «(...) de modo que siendo constituida en una nación santa, un pueblo escogido, un Estado sacerdotal y real, y la cabeza de todo el mundo a través de la Santa Sede del bienaventurado Pedro, obtuvieras un más dilatado imperio (...)» (Philip Schaff, *History of the Christian Church*, vol. IV, Mediaeval Christianity, Gran Rapids, Michigan: Wm. B. Eermans Publishing Company, 1957, p. 212). Citado en *Supremacía Papal y Libertad Religiosa*, op. c., p. 26.

[318] Mauricio de la Chàtre, op. c., vol. I, p. 343.

[319] *El Estado y las Iglesias por Separado*, op. c, pp. 57, 58.

[320] *Relaciones entre la Iglesia y el Estado en la Edad Media*, op. c., p. 19.

Del Papa Símaco (498-514) en un discurso por Eunodio se dice que "el Pontífice romano fue constituido Juez en lugar de Dios" y "vicerregente del Altísimo".[321] Esas atribuciones divinas que se han incorporado al Papado, y que su título de *Pontificex maximus* la justifican, no son otra cosa que consecuencias normales de la "teoría del primado". Una vez que se han puesto ciertas bases todo entra en una lógica necesaria.

Los cultos estacionales del papado que ocupan un lugar importante ya, a finales del siglo V y comienzos del VI,[322] en los que intervienen rituales y posturas que nos recuerdan los honores cúlticos recibidos por los emperadores, y que el Papa adopta, como "Soberano Supremo" que supone ser en "lugar de Dios", es el gesto que se inculca a las multitudes para que comprendan donde reside la verdadera autoridad.

En estos cultos se incluye el sacrificio de la misa como una repetición que incluye la conversión material en el cuerpo y la sangre de Jesucristo del pan y del vino, gracias al poder de las palabras del Sacerdote que oficia.

Jungmann nos los describe del siguiente modo:

> «Son notables los honores que se tributan al papa al comenzar la función religiosa. Por él se usa el thymatarium, lo mismo que los siete cirios de los acólitos; es una distinción que se tenía antiguamente para con los emperadores (...).
>
> El papa alarga ambas manos a los diáconos que le acompañan, quienes se la besan y le sostienen al andar (...)».[323]
>
> «(...) El diácono se acerca a la cátedra y besa el pie del papa, que le da la bendición».[324]

Este "beso" es muy significativo, pues se trata de un ósculo que se tributaba antes sólo al emperador, y que ahora se tributa sólo al Papa.[325]

Esto no debería extrañarnos ya que es una constatación de la ideología que subyace en el hecho de que el Papa haya reemplazado la Autoridad Suprema del Emperador Romano, adjudicándose el valor político que suponía el recibir un culto a la persona.[326]

Pontifex Maximus: Imposición de la Autoridad Suprema mediante el método coercitivo

---

[321] *Reseñas de Daniel,* de E. R. Thiele, op. c., p. 34.

[322] En *El Sacrificio de la Misa,* BAC, Madrid 1963, pp. 81-98. Dichos cultos se celebraban en diferentes lugares en los siglos IV al VI, dejándose entrever connotaciones paganas (id. pp. 82, 92-97).

[323] Id., p. 92.

[324] Id., p. 94.

[325] Id.. (Ver nota a pie de página).

[326] Breier-Batifol indican que el papa recibe adoración del propio emperador de Constantinopla (Op. c., p. 59). Aun cuando el emperador también reciba honores del Papa, las diferencias que se imponen, marcan una distinción de grado en el caso del Papa. Hemos aludido al ósculo especial que se le tributa a él sólo. Podríamos aludir a varios aspectos más.

La **tercera** tesis a la que aludíamos es el **método coercitivo** que el Imperio Romano supo utilizar para destruir a cualquiera que se interpusiera en los objetivos imperialistas y de dominio mundial: la persecución religiosa, o el empleo del ejército y de la guerra se institucionalizan para hacer prevalecer la "orientación ideológica romana".[327] El Obispo de Roma, como "defensor de la fe católica" adoptará esta medida para evitar y combatir lo que se presume como herejía, o para promover la "conquista espiritual" de los "paganos" o "infieles".

La Continuidad en el Papado del Instrumento de la Persecución Religiosa para la obtención de la Unidad

Si Roma persiguió, su heredera debía hacerlo también. Si Constantino, para salvar la Unidad del Imperio en el que estaban indisolublemente unidos lo político y lo religioso, promovió, cuando fue necesario para su criterio ideológico, la persecución, tanto violenta como no, su Iglesia, la que él fundara valiéndose de una mezcla del Ideario Imperial Romano y de ciertos aspectos cristianos sería también el arma que desde la fecha temprana Constantiniana, el Papado usaría con una mayor prodigalidad que la del propio Imperio Romano.[328]

La Justificación, a partir de Constantino, de la Guerra y del Servicio Militar

Primero ratificó lo relativo a la guerra y al servicio militar tratado en el concilio de Arlés, que al fin y al cabo se llevó bajo el beneplácito de los obispos reunidos alrededor de Constantino.

La conducta posterior no podía ser otra que una lógica consecuencia de ese acto.

Hubo una gran intolerancia contra el paganismo hasta el extremo de ordenar matanzas increíbles. Incluso en el breve paréntesis del llamado "Juliano

---

[327] Véase cualquier historia sobre Roma.

[328] Ver *Historia Universal* de Walter Goetz, vol. II, op. c., pp. 598 y ss. Oncken, vol. VIII, op. c., pp. 502, 503-512.

Son muchas las notas sangrientas que tiene en su haber, pero lo que destaca es su falta de respeto por la libertad de conciencia, aun cuando en la actualidad, la generación posterior a la década de 1960, debido a las circunstancias históricas, no conozca la verdadera historia de todo lo que antecede a esa fecha. Aun ahora, cuando se profundiza, se descubre lo coyuntural y estratégico del momento.

El Barón Hans de Soden en la *Historia Universal* dirigida por Walter Goetz se explica de este modo: «Debe observarse que en el derecho eclesiástico católico y en su principio, tan dilatado como elevado, de la autonomía, se oculta efectivamente un buen trozo de derecho político imperial antiguo, cuya incorporación a la Iglesia ha tenido por supuesto histórico la estatificación de la Iglesia y ha contribuido por su parte a la emancipación eclesiástica respecto a todo derecho político del Estado» (Vol. II, op. c., p. 617). Esto sirve para las horas en las que la Revolución Francesa y Norteamericana impusieron un sistema político distinto al Papal.

el apostata" el nuevo "cristianismo" o catolicismo ataca al paganismo incendiando uno de sus centros.[329]

El obispo de Alejandría, Teófilo, en 391, organizó una matanza, donde destruyó también el Templo de Serapis y la Biblioteca de reputación Universal.[330]

También una persecución sin misericordia usando el ejército contra los propios cristianos que disentían de las opiniones "católicas":

> «Respaldado por el poder del imperio se introdujo cierto espíritu de persecución. No solo se castigó a los judios, maniqueos y paganos sino a los herejes. Es decir a los cristianos con opiniones disolventes. El despotismo del imperio sobre la Iglesia en la empresa de controlar el pensamiento de los hombres tanto como sus actos».[331]

Aún más, no solamente se contentaron con pertenecer al ejército imperial sino que en el 416 el emperador Teodosio II llegó a expresar un decreto según el cuál únicamente los cristianos podían en lo sucesivo formar parte del ejército.[332]

En efecto, como nos dice Harnack en *Milicia de Cristo*:

> «Después de la victoria de Constantino fué quitada la barrera entre el soldado cristiano y el ejército. El soldado de Cristo se transformó "ipso facto" en un soldado del César...».[333]

Atanasio dice:

> «El asesinato no es permitido, pero matar en guerra al enemigo es acto tan legal como digno de alabanza».[334]

Atanasio vivió del 300 al 373; ¿cómo entendió él las palabras del concilio de Arlés para atreverse a pronunciar lo mencionado?

Ambrosio, que vivió entre los años 330 y 397, se explica en parecidos términos:

> «El valor que protege a nuestra patria contra los bárbaros, que defiende a los débiles de nuestros hogares y que salva a nuestros camaradas de los bandoleros, ese valor está plenamente justificado».[335]

---

[329] Para esto puede verse T. Zielinski, *Historia de la Civilización Antigua*, 4ª edición, edt. Aguilar, Madrid 1963, p. 698.

[330] Id., p. 699.

[331] Previte-Orton, *Historia Medieval*, vol. I, op. c., p. 119.

[332] *Código de Teodosio*, XVI: 10, 21.

[333] Harnack, *Militia Christi*, op. c., p. 87.

[334] Atanasio, *Carta a Amun*, citado por Millard Lind (en *Respuesta a la Guerra*, op. c., p. 55).

[335] Ambrosio, *Cartas*, citado por Millard Lind (en Respuesta a la Guerra, op. c., p. 55).

Atanasio y Ambrosio preparan el camino a Agustín de Hipona (a. 354-430), el cuál pondrá las bases de la teoría de la *guerra justa.*[336]

Conclusiones y Valoraciones de este apartado

Estos tres matices se funden dando como resultado un **poder político religioso**, que intenta, por todos los medios a través de la historia, el ser reconocido como *potestas auctoritas* (que es fuente de derecho) a diferencia del poder del Estado que es simplemente *potestas*, la cual no crea, sino que ejecuta lo ordenado por la *auctoritas.*[337]

Esta unión de la Iglesia y del Estado, que con Constantino se produjo, pasó en los primeros estadios por diversas vicisitudes en cuanto al dominio de uno y otra. A veces es el "cesaropapismo" lo que parece primar (el caso de Constantino y Justiniano), pero es plausible interpretar posteriormente a Constantino que esto sea fruto de la puesta en práctica de las posibles competencias de la esfera civil y eclesiástica, además del proceso lógico que llevó consigo el alcanzar por parte del Obispo de Roma su primacía en el orbe "cristiano».

Un estudio atento de la época Constantiniana, tal como ya hemos presentado, nos muestra que, dado el proceso que la Iglesia de Roma ha ido realizando teniendo en cuenta la influencia que sobre ella ejerce la Teología Solar, fue el propio Constantino el protagonista principal de ese cambio prodigioso por el que se consigue sustituir las leyes de Cristo y de la Iglesia primitiva por las leyes de la ideología imperial,[338] ideario basado en la Teología Solar.

Este logro se hizo mermando profundamente la doctrina y el sentido cristiano tal como ha probado Alistair Kee en su libro ya citado.

El católico Ramón Comas habla de "la gran mutación que experimentó la Iglesia".[339]

Este autor, teniendo en cuenta a otros, considera que lo que importa realmente a Constantino "es su dogma político de unidad",[340] "la confusión

---

[336] Tanto para una discusión de los conceptos sobre la *guerra justa* de Agustín de Hipona, y las *guerras del Antiguo Testamento* puede verse A. Diestre, *El Sentido de la Historia y la Palabra Profética*, vol. I, op. c., pp. 161-168.

Si no hubiera habido Iglesia Constantiniana no se habría dado ningún comentario, por parte de personas que se dicen cristianas, respecto a si una guerra puede ser justa o no.

Tanto el Nuevo Testamento como la patrística anterior a Constantino no se planteará está cuestión puesto que por un lado, la guerra es de origen satánico o fruto de las propias concupiscencias humanas, y por otro se ha dejado bien claro que los principios del Reino de Dios son totalmente incompatibles con un proceder como el de la guerra o la violencia.

Hablar de Guerra de Justa solo cabe cuando alguien está comprometido con los poderes de este mundo. Aparcar el evangelio de Jesucristo en este punto es mortal de necesidad para una vida consecuentemente cristiana.

[337] *Relaciones entre la Iglesia y el Estado en la Edad Media*, op. c., p. 19. Esto lo obtiene el autor de la doctrina Gelasiana, sacada de la carta enviada por el Papa Gelasio I al emperador Anastasio I (año 494).

[338] Ver a Alistair Kee, op. c.

[339] *El Estado y las Iglesias por Separado*, op. c., p. 34.

[340] Id., p. 30.

de la Iglesia y el Estado está comenzando a fraguar".[341] Lo más grave, según este autor, siguiendo a Heer[342] ha llegado: "la politización de la religión". Y esto con toda la pérdida de la ortodoxia que supone. La herencia de Constantino es la de "hacer adorar" lo político con el beneplácito de una religión que deja de ser cristiana. El sometimiento de lo cristiano a las ideas políticas del Imperio, mediante la desnaturalización de lo más genuinamente cristiano "ha ejercido una intensa y perdurable influencia en la historia europea. (La misma idea del Imperio es literalmente consagrada) y" hasta muy tardíamente "oiremos hablar del Sacro Imperio".[343]

Constantino tenía un sólo propósito con el cristianismo, y que deja entrever Lactancio; «conducir a todas las naciones hacia la unidad religiosa, y por este medio, devolver la salud al mundo enfermo».[344] Para ello era preciso vencer al cristianismo desde dentro. No todo lo cristiano le era útil en su política de dominio y de "unidad del imperio", de ahí que el propio Constantino, granjeándose la amistad de los cristianos, y con una política favorecedora del cristianismo permite la entrada a la carrera eclesiástica de "ricos" que no buscaban otra cosa que el poder y la riqueza.[345] De este modo se pudieron colocar en lugares estratégicos, clérigos, con afinidades hacia su "política religiosa".[346]

Constantino influía tanto en nombramientos como en deposiciones de cargos importantes: «La Iglesia pasó a estar organizada en un sistema jerárquico de gobierno que corría parejo a la administración del Estado»,[347] y todo ello por "obra y gracia" de Constantino.

Las permutaciones que suceden se hacen mediante la cristianización terminológica de lo pagano.[348] Alistair Kee ha probado sobradamente que el amigo de Constantino el Obispo Eusebio de Cesárea, es el falsificador más grande de toda la historia.[349] Hace aparecer a Constantino como un cristiano devoto y convertido, pero cuando se profundiza en el texto y en las alternativas que poseemos sobre la vida y hechos de Constantino el asunto cambia de cariz.

No olvidemos, como ya hemos visto, que la religión de Constantino no es la de un adorador de Cristo, sino del Sol.[350] Y conjuga su religión personal con la de un Cristianismo transformado a su imagen y semejanza para

[341] Id., p. 31.

[342] Id., p. 34.

[343] Id., pp. 35, 58.

[344] Backhouse-Tylor, *Historia de la Iglesia Primitiva*, vol. II, op. c., p. 155.

[345] Id., vol. II, op. c., p. 156.

[346] Id., pp. 156, 157. *Concilios* de Javier Gonzoaga, op. c., pp. 88, 89.

[347] Alistair Kee, *Constantino contra Cristo*, op. c., p. 189.
Ya hemos visto la evolución que la Iglesia había realizado para estas fechas.

[348] Id., op. c., pp. 73, 74, y ss.

[349] Id., op. c.

[350] Véase sobre esto además de la exposición amplia de Alistair Kee, al católico Norbert Brox, *Historia de la Iglesia Primitiva*, op. c., pp. 75-77.

alcanzar permanentemente su objetivo: la conservación de la "unidad del Imperio" y, por ende, del mundo.

Tal como estamos observando se nos está comunicando que la idea Constantiniana se había trasmitido de manera conveniente a través del Obispo de Roma.

El **Poder Temporal y Espiritual** los recoge una *Iglesia Imperial* creada por Constantino con la finalidad de que se mantenga la **Unidad del Imperio**. El Sistema Papal encarnará fielmente a esa Iglesia Imperial y se encargará de hacerla permanente con la Autoridad Suprema que implica el llevar a cabo esa gestión: La de la Unidad con el acceso directo y utilizable tanto del poder temporal y espiritual.[351]

He aquí los dos aspectos fundamentales que Constantino, con el ideario Imperial Romano, matizado con el entronque de un cristianismo transformado por la propia apostasía Romana que el mismo Constantino dirige, traspasa a la posteridad: Una actitud política capacitada y generadora de la Unidad con el "premio" del poder temporal y el espiritual.

Ambos serán recogidos por el Papado, creando una fórmula infeliz: la posibilidad de la existencia de un Estado sometido a una Iglesia que le delega el poder temporal siempre y cuando resucite el Imperio Romano en Occidente, y se supedite, con ese poder temporal delegado, al Poder espiritual del Papado que es Supremo.

Aún cuando la antigua Roma desapareciese, si la idea Constantiniana ha sido construida sobre bases firmes tendría que dar su fruto. Es necesario que la Unidad se mantenga a toda costa. Si esto se logra, la idea Imperial Romana no desaparecerá. Para ello se precisa lo que desde César y Augusto se nos está queriendo difundir: que la **Unidad** será posible si se mantiene una **ideología** tanto política como religiosa *sometida* a una sola **Autoridad Suprema** y Absoluta que *representa* a la *Divinidad* en la tierra. Y esto de acuerdo a lo que desde Babilonia se transmite en relación a una Teología Solar que proyecta una fórmula política terrestre, y que será recogida por los imperios universales hasta Roma y posteriormente por la heredera de Roma.

El Ideario Imperial Romano, encarnado en esta ocasión por Constantino, encontró en el Papado el sustituto idóneo.

La Idea Imperial alcanza su objetivo de invariabilidad hasta finales del siglo IV.

Por otra parte, el desmoronamiento del Imperio se está produciendo ya alrededor de ese momento. No es preciso esperar al 476 d.J., para comprobar que el Ideario Imperial Romano ya no es aplicable más que en el sentido que la Iglesia Católica Romana impone como heredera de esa Idea Imperial Romana.[352]

---

[351] Sobre esto ver Alistair Kee, op. c., p. 180.

[352] Se ha propuesto el 476 d.J., como la fecha de la caída del Imperio Romano, pero si bien puede servirnos como referencia, no lo es tanto cuando se requiere una matización para una mejor comprensión de la realidad. Los historiadores coinciden con lo que a continuación exponemos:

«Cuando el poder del último emperador de Roma fue aniquilado, el obispo de la ciudad permaneció, adquiriendo el título de papa y el rango máximo entre los restantes obispos de la Iglesia. Además, mientras la administración del Imperio romano se hundió en todo Occidente –hecho que se inició antes de las invasiones de los bárbaros–, el Papado se convirtió en la institución más estable de Italia, y en muchas cuestiones asumió el papel de los antiguos emperadores (...) "El Papado no es más que el espectro del desaparecido Imperio Romano, y su corona se sustenta sobre la tumba de aquél". El papa hereda de la Roma pagana el boato de los ropajes, las ceremonias y las instancias administrativas. (...) era (...) la semilla de la civilización romana (...)».[353]

«El legado de la antigua Roma fue conservado (...) por (...) la Iglesia católica del Medioevo, centrada en Roma, que preservó la mayoría de las lenguas, las leyes y el sentido de la unidad romana; y el Sacro Imperio romano, que se esforzó por resucitar el Imperio en Occidente».[354]

«Pero hacia el 400, esa unidad se resquebrajaba por todas partes. La grieta más visible era la que se había abierto entre Oriente y Occidente; la bipartición definitiva en el 395, entre un imperio de Oriente y un Imperio de Occidente, no hizo sino sancionar en el plano político un completo divorcio a nivel de lenguas, costumbres, mentalidades y actividades económicas. Incluso en Occidente la unidad era una mera fachada. El gobierno imperial, que hubiera tenido que mantenerla, iba perdiendo toda autoridad>> (Jackes Verguer, *La Alta Edad Media*, op. c., p. 30).

«Esta emigración lenta (...) se aceleró bruscamente a finales del siglo IV con la llegada de los hunos (...)

«En el 375 quedó barrido el reino ostrogodo (...)

«Alarico expuso nuevas exigencias (...) los visigodos sitiaron Roma que cayó el 24 de agosto del 410 y fue saqueada» (Id., pp. 35, 36).

«El siglo V conoce la penetración masiva de pueblos germánicos en el interior del Imperio Romano de Occidente y el desmoronamiento de ésta como realidad política» (Id., p. 29).

«Resumiendo: hacia el 400, romanos y germanos no se presentaban como dos mundos estables y radicalmente opuestos. Por el contrario, hemos visto por un lado una sociedad decadente, un imperio cuya frágil cohesión se agrietaba por todas partes y cuya capacidad de resistencia se estaba diluyendo; por otro lado, unos pueblos dinámicos, belicosos, en plena evolución (...)» (Id., p. 35).

«476, con la deposición de Rómulo Augústulo por su rival Odoacro, se extingue definitivamente el Imperio Romano de Occidente» (*Atlas Histórico Mundial*, vol. 1, op. c., p. 105).

[353] *El Imperio Romano*, Sarpe, op. c. p. 134.

[354] Id., p. 133.

Hay tres aspectos, a decir de Puente Ojea, que han diseñado "una poderosa organización con vocación de hegemonía universal" (*Imperium Crucis*, op. c., p. 132), desde las fechas de la "era Constantiniana", a saber: la vocación de poder de la Iglesia Católica como un hecho histórico incuestionable. ¿Por qué? En principio porque uno de los ejes por el que gira la existencia del Catolicismo es su estructuración dogmática y sacramental. La Iglesia Católica Romana se cree depositaria de una "gracia institucionalizada y objetivada". Su ideología (doctrinas, moral, creencias) respondería, según esta corriente, a un legado que procede de Dios mismo.

El segundo eje, es el resultado obtenido como fruto de la pretensión de estar investida con la *plenitudo potestatis* en la figura del "Obispo de Roma", que encarna en su persona el sumo poder.

El tercer eje es su aparato jurídico y administrativo que utilizando como modelo al Imperio Romano ha conseguido influir considerablemente, mediante el orden espiritual, a toda una totalidad de sociedad.

Ante estos tres ejes es lógico que trace su necesidad de supremacía mundial, manifestada ésta en numerosas alocuciones papales, y por medio de una trayectoria histórica manifestada en su relación con el poder civil, o el Estado, que de acuerdo a ese sentir, deben permanecer unidos, siendo el Estado el que debe supeditarse a la Iglesia mediante las directrices y orientaciones que ésta le ofrece.

Puede consultarse sobre esto a Enrique Gallego Blanco, *Relaciones entre la Iglesia y el Estado en la Edad Media*, en Revista de Occidente, Madrid 1973.

Gonzalo Puente Ojea, *Imperium Crucis (Consideraciones sobre la vocación de poder en la Iglesia Católica*, Kaideda ediciones, Madrid 1989.

Pierre Lanfrey, *Historia Política de los Papas*, Producciones Editoriales, Barcelona 1976.

Alistair Kee, *Constantino contra Cristo* (el origen de la Alianza entre la Iglesia y el poder político, Martínez Roca, Barcelona 1990.

Al hacer este recorrido histórico hemos comprobado que la influencia de la Teología Solar, que además del *Solis Dies* (Día del Sol o Domingo) que preside sobre los Planetas, y que simboliza al Dios Sol en la religión astral que se transmite, tal como ya vimos, desde Babilonia, **exige**, adicionalmente, la aceptación de una liturgia mitraica de tradición Solar; observándose la adopción por parte de la Iglesia de Roma de dicha liturgia, transformando los ritos cristianos meramente simbólicos de acuerdo al contenido ideológico y sacramental de la religión Solar; conservando la terminología cristiana.

Todavía más. La Teología Solar impone una concepción monárquica absolutista de Gobierno, con una Autoridad Suprema como fruto de ser Pontifex Maximus, abarcando tanto el poder temporal como espiritual, y el objetivo de alcanzar la Unidad Mundial. Asuntos que hemos comprobado que aparecen en la Iglesia de Roma tras un proceso evolutivo, y que culminan con la creación Constantiniana de una Iglesia imperial y el Sistema Papal en la figura del Obispo de Roma.

b3.d) El surgimiento de una Antropología ajena a la Revelación bíblica

La aprobación de una antropología distinta a la de la revelación bíblica: la inmortalidad del alma, y de la resurrección de los cuerpos al final de los tiempos, asuntos pertenecientes a la *religión astral* que desde Babilonia hasta Roma Imperial, se recoge con matices tanto por *Platón-Aristóteles* como por *Persia*, prosélitos de dicha religión, y que unos y otros sabrán utilizar para una mejor explicación de su nueva posición.

Nuestro cuarto punto va evidenciar uno de los cambios fundamentales que ha supuesto la influencia de la Teología Solar en la Iglesia de Roma: la aceptación de la inmortalidad del alma al morir, y de la resurrección de los cuerpos.[355]

El especialista en la religión de Mitra, Franz Cumont, nos dice respecto a la creencia en la inmortalidad del alma y resurrección del cuerpo que los adoradores de Mitra:

«creían en la supervivencia consciente (...), en los castigos y en las recompensas de ultratumba.

«La doctrina de la inmortalidad del alma era completada por la de la resurrección de la carne».[356]

Ramón Comas, *El Estado y las Iglesias por Separado*, editorial Nova Terra, Barcelona 1971.

A. Borrás (profesor de la Facultad de Teología de Catalunya-Sant Cugat, *Curso escrito de Historia de la Iglesia Antigua y Media* s/f.).

[355] Leonardo Boff, en su libro, *La Resurrección de Cristo, nuestra Resurrección en la Muerte*, ed. Sal Terrae, Santander 1981, pp. 100 ss., basándose en varios autores, comenta: «el tema de la inmortalidad del alma no pertenece al kerigma fundamental del Nuevo Testamento. El Nuevo Testamento conoce y profesa su fe en la resurrección de los muertos» (op. c., p. 100, 101). «El Nuevo Testamento jamás proclama en su mensaje central, la inmortalidad del alma, sino la resurrección de los muertos como el gran futuro del hombre para después de la muerte» (íd. p. 107).

[356] *Les mystères de Mythra*, 3ª edic., París 1913, pp. 144, 147.

Como ocurriera tanto en la adopción del *Solis Dies* como en la cuestión **litúrgica**, y en **la transformación monárquica** de la Iglesia, que apareció una evolución en el sentido impuesto por la *Teología Solar* hasta que llegada la época de Constantino, perteneciente a la religión Solar se consigue una Iglesia distinta a la de los orígenes, vamos a observar también en este caso un proceso de cambio en la concepción antropológica de la naturaleza humana, y del modo en que se efectúa su destino eterno.

Era lógico que si se aceptaban las premisas fundamentales de la Teología Solar se vieran afectados, los que se dejan influir, por la filosofía antropológica que dicha *teología* propone.

Con la sustitución de la teología del Día *Dominical* por el *Solis Dies* de la teología solar aparece una modificación en su relación con *el Dios de ese Día Señorial*. Hay algo a donde no pueden llegar en esa relación con el Dios de la Creación: y es en la fidelidad a una institución divina, con lo que ello pueda implicar. Este vacío, por insignificante que se le quiera considerar, tiene que reflejarse de algún modo. Puede ser que no podamos explicar toda la dimensión de semejante acto, puesto que en principio nosotros no lo hemos experimentado, pero la historia nos confirma que se va notando un alejamiento en asuntos esenciales, tal como estamos viendo, para acabar siendo una Iglesia cuyas raíces no están en el Nuevo Testamento, aún cuando se maneje con arte la terminología cristiana.

Paralelamente se comprueba los otros cambios sustanciales que tienen que ver como ya hemos indicado con la liturgia sacramental, con la concepción monárquico-absolutista de la Iglesia, la adopción de la Autoridad Suprema por la implicación del Pontifex Maximus, y la imposición de la persecución religiosa o de la guerra cuando eso se ha considerado necesario.

Veamos el proceso evolutivo que se da en los llamados Padres de la Iglesia respecto a la aceptación de la teoría de la inmortalidad del alma.

Los Padres Apostólicos y Apologistas Griegos

Ciertos autores, cuando analizan a los *Padres Apostólicos*, llegan a la conclusión que nos expresa Petavell-Olliff:

> «Los Padres apostólicos no hablan jamás de una inmortalidad innata. Una vida inmortal es a los ojos de ellos el privilegio exclusivo de los rescatados. La pena de los reprobados consiste en una destrucción gradual y finalmente total de su ser. Esta pena se le llama eterna en tanto que definitiva e irremediable. Por otra parte, los Padres apostólicos no hablan tampoco de una salvación universal (...) en una palabra todos de común de acuerdo parecen ser condicionalistas».[357]

---

[357] Enmanuel Petavel-Olliff, *Le problème de la inmortalité*, vol. II, Paris 1892, p. 50.
Ver sobre esto el estudio de Alfred Vaucher, *Le problème de la Inmortalité*, SDT, op. c., pp. 25-51.

Desde **Clemente de Roma**[358] hacia el año 100 hasta alrededor del año 155 de **Polycarpo**[359] pasando por la **Didache**,[360] la epístola de **Barnabás**[361] y del **Pastor de Hermas**,[362] aunque parecen manifestar una actitud en la que la inmortalidad no depende de la subsistencia del alma al morir, y el destino para los que aceptan a Jesucristo es la vida eterna mediante la resurrección de todo el ser, es preciso tener en cuenta que el condicionalismo que se les aplica por los autores, se basa más bien en el hecho de la falta de contenidos antropológicos suficientes que nos expliquen claramente qué piensan respecto del alma, espíritu y de la consciencia después de la muerte. Si bien parece entenderse, como ya hemos indicado a pié de página una idea de *vida eterna* como fruto del don de la inmortalidad no dependiendo de un alma inmortal, no hay una seguridad respecto a que ese don de la inmortalidad se aplique con efectividad al final de los tiempos.[363]

Los **Padres Apologistas**, con algunas excepciones, muestran ya desde **Justino** (a. 130) que han experimentado una influencia griega. Si bien Justino no utiliza el término inmortalidad del alma,[364] y niega que las almas al morir sean elevadas al cielo,[365] las almas de algún modo, al morir el cuerpo, siguen existiendo,[366] las de los justos quedan en un lugar mejor donde no morirán ya, esperando la entrada en el cielo, las de los impíos en otro peor donde serán

---

[358] Ver *Epístola a los Corintios* cp. XXIII-XXX, XXXV:1, 2 (edic. Daniel Ruiz Bueno, *Padres Apostólicos*, op. c., pp. 202-210), como manifiesta que la inmortalidad es un don de Dios y no algo consustancial al alma.

También puede verse a *Ignacio de Antioquía*, en *Carta a Policarpo*, II:3 (edic. Daniel Ruiz Bueno, op. c., pp. 462, 467, 468, 471-477-498).

[359] En *Filipenses* II:2; V:2 (ver en edic. Daniel Ruiz Bueno, op. c., pp. 662, 665, 680, 682, 684, 686); también *Diogneto* (edic. Daniel Ruiz Bueno, op. c., pp. 856-858).

[360] Ver edic. Daniel Ruiz Bueno, op. c., pp. 77-82, 83-87-92, 93.

[361] *Epístola Barnabás*,XVI y XX:1 (edic. Daniel Ruiz Bueno, op. c., pp. 772, 774, 780, 781, 788, 789, 795, 808-810). Se habla de la "destrucción del alma".

[362] El Pastor de Hermas en *Similitud*, IV:4, dice que los pecadores serán destruidos (edic. Daniel Ruiz Bueno, op. c., pp. 945, 946-955-966, 967, 968-977-1000-1005-1013-1023-1025-1031, 1073, 1074).

[363] La cita de *Ad Corintios* I, 5,4.7 de Clemente (versión de Daniel Ruiz Bueno, *Padres Apostólicos*, op. c., p. 182) puede dar pie a confusión cuando refiriéndose a Pedro y a Pablo como estando "en el lugar de la gloria" "en el lugar santo", lo interpretamos en el sentido que posteriormente tomaron esas expresiones, con la idea de la inmortalidad innata del alma. ¿De qué modo están en el lugar Santo? ¿conscientes o inconscientes? ¿con alma inmortal?. De cualquier forma la interpretación es plausible en el sentido católico.

Lo mismo sucede con Policarpo en *Ad Philipenses*, 9,2 (*Padres Apostólicos*, Daniel Ruiz Bueno, op. c., p. 668) cuando expresa que los mártires y los apóstoles "están ahora en el lugar que les es debido junto al Señor, con quien juntamente padecieron".

¿Esto nos mostraría que si bien no utilizan una terminología estilo platónico o aristotélico, sí que añaden concepciones ajenas a la Escritura respecto al destino de los apóstoles o de los mártires?

La expresión "el lugar que les es debido", como no viene especificada en ninguna parte qué significa, no podemos explicarla con una interpretación influida por nuestro propio punto de vista escatológico.

Ya vemos, en algunos Padres, que ese *lugar* es un lugar de espera y en situación inconsciente.

Más adelante, en un intento de conciliar está confusión o la falta de claridad en la exposición, e influidos por la concepción helénica respecto del alma, surgiría la aceptación de la inmortalidad del alma.

No obstante hay que dejar espacio a la hipótesis de que los escritos de los llamados Padres de la Iglesia fueran manipulados, y se añadieran elementos ajenos al pensamiento patrístico. Estas contradicciones y confusiones que aparecen, con una falta de coherencia en ciertos temas podría ser un indicio de posibles adiciones posteriores.

[364] *Diálogo con Trifon*, V, 1.I.

[365] *Diálogo*, LXXX, 3, 4. II..

[366] *Diálogo* VI, 1, 2.I.

castigadas y destruidas al final.[367] En definitiva, él cree en la supervivencia consciente tanto de los justos como de los impíos.[368]

Alguien ya había notado que la "doctrina de Justino es la de la filosofía griega aplicada ingeniosamente al dogma cristiano".[369]

Tanto **Taciano**[370] como **Teófilo**[371] y **Arnobio**[372] rechazan la idea de que el alma sea inmortal por naturaleza, sin embargo no manifiestan claridad y pueden sus puntos de vista ser objeto de confusión.

Taciano tiene claro que las almas que no han conocido la verdad se disuelven con el cuerpo para resucitar más tarde y recibir con su cuerpo el castigo de la destrucción.[373]

Pero cuando el dice que:

> «el alma humana, en sí misma no es inmortal (...) ella es mortal; pero esta alma es capaz de no morir. Ella muere y se disuelve con el cuerpo si no conoce la verdad, aunque debe resucitar más tarde, al fin del mundo (...) Y por otra parte, ella no muere, fue disuelta por un tiempo hasta que haya adquirido el conocimiento de Dios»...[374]

nos demostraría que el **alma** es considerada como un elemento constitutivo e independiente del ser humano. No nos explica la naturaleza de esa *disolución* de las almas de los justos que están *disueltas* pero *no muertas*.

Teófilo y Arnobio parecen ajustarse mejor a la posición que nos ofrece la Revelación bíblica, al no creer en la inmortalidad del alma[375] pero no explican con suficiente claridad una antropología basada totalmente en la Escritura.

Atenágoras de Atenas, alrededor del año 180, es el primer escritor eclesiástico que menciona al alma como inmortal y al igual que Justino considera que al morir el cuerpo hay una supervivencia consciente.[376]

---

[367] Id., V, 3.I; VI, 1, 2 I. Aunque indica que las almas no son recibidas en el cielo al morir, admite su supervivencia consciente (*Diálogo* 80). ¿Estaría dejando la posibilidad de la necesidad de una espera purificadora?

[368] *Primera Apología* XVIII, 1, 2, 3; XX, 4.

Para todas las citas de Justino ver edic., Daniel Ruiz Bueno, op. c., pp. 269, 311-313, 446, 447, 506.

[369] Etienne Vacherot, en *Histoire Critique de l'Ecole d'Alexandrie*, I, Paris 1846, p. 229.

Ver también a Eugène de Faye, *De la Influence du Timée de Platon sur la théorie de Justin Martyr*, Paris 1896. Ambos son citados por Alfred Vaucher en *Le Problème de la Inmortalitée*, SDT, op. c., pp. 27, 28.

[370] *Oratio Adversus Graecos*, cap. 13, edición francesa, traducción de Aimé Puech, París 1903, pp. 125-128.

Puede consúltarse en castellano en la edición de *Los Padres de la Iglesia* de José Vives, Herder, Barcelona 1982, pp. 84-88 (Taciano, *Discurso contra los Griegos*, caps. 5, 6 y 13), donde trata el asunto de la resurrección y de la inmortalidad del alma.

[371] *Ad Autolycus*, II, 27 (traducción francesa de G. Bardy-J. Sender, *Sources Chrétiennes*, 20, París 1948). Versión castellana de Daniel Ruiz Bueno, Padres Apologistas Griegos, BAC, Madrid 1954, pp. 818, 819.

[372] En *Adversus Nationes*, 2:14, 31-33. Ver en castellano de Arnobio (*Contra los paganos*) a Quasten, *Patrología*, vol. I, pp. 683, 684.

[373] *Oratio Adversus Graecos*, cap. 13.

[374] Id., (traducción Aimé Puech, p. 125).

[375] Ver sobre Arnobio a Questen, *Patrología* I, p.

[376] *De la Résurrection*, cap. 15 (La traducción castellana en Daniel Ruiz Bueno, *Apológistas Griegos*, 729-750).

Tertuliano (hacia el 208-211) acreditará definitivamente la idea de la inmortalidad del alma en la Iglesia latina. No sólo proclamará la inmortalidad del alma y la supervivencia consciente sino que confunde, haciéndolos la misma cosa, el espíritu y el alma.[377]

La idea tertuliana de que las almas de los *justos* entrarían a un lugar de espera para una especie de purificaciones, pone las semillas para la creación de la doctrina del purgatorio,[378] a la vez que crea una diferencia entre los mártires y los cristianos que no experimentan el martirio. Las almas de aquellos tienen derecho a ir al cielo, más bien a un Paraíso,[379] a diferencia de los otros que han de esperar a su purificación.

Son enseñadas la doctrina de un infierno con penas eternas[380] y la oración por los muertos.[381]

Lactancio (entre el 307 y 311), muestra, como nunca antes, la adopción del pensamiento griego para explicar lo que el cree equivocadamente ser dogmas cristianos: utilizando a Platón plantea la inmortalidad del alma estableciendo con criterios puramente humanos la necesidad moral de una vida futura después de la muerte acompañada de castigos o de premios.[382]

Los Doctores de la Iglesia

Se reconoce comúnmente que **Ireneo** no acepta la inmortalidad innata del alma.[383]

Según Ireneo (entre los años 179 y 185) la inmortalidad y la entrada a la gloria no se reciben más que a través de la resurrección al final de los tiempos.[384]

La opinión de ser el primero respecto a esas consideraciones indicadas ver a Jean-Vincent Bainvel en el *Dictionaire Theologique Catholique* I, art. *Ame* (1903), col. 983.

[377] *De anima*, cap. X (en Traducción de Antoine-Eugène de Genoude, *Oeuvres de Tertullien*, II, 2ª edic. París 1852, p. 19).
Ver extractos *De anima* en José Vives, *Los Padres de la Iglesia*, op. c., 393, 394. Vives cita *De anima* 22:2, donde Tertuliano la declara inmortal.

[378] *De anima*, cap. LVIII (Traducción de Genoude, II, op. c., pp. 114, 115).

[379] *De anima* cap. LV., Traducción de Genoude, II, op. c., p. 107.

[380] *De la Résurrection de la chair*, XXXV (Traducción de Genoude, I, 2ª edic., París 1852, p. 489). Ver en castellano, a Quasten, *Patrología* I, p. 582.

[381] *De la Couronne*, III (Traducción de Genoude, II, 2ª edic., p. 132)

[382] *Instituciones Divinas*, libro VII, cp. 5, 8, 9, 13 (Migne, PL., op. c., VI, col. 750, 761-779). Ver a Questen, *Patrología* I, op. c.

[383] Ver en castellano a Questen, *Patrología*, I, op. c., p. 311. Donde el autor, tras traer el extracto de los párrafos fundamentales sobre su concepción del alma, dice de Irineo que está equivocado por negar la inmortalidad del alma.
Según Ireneo cada vez que se forma un cuerpo Dios crea un alma (Alfred Vaucher, *Le problème de la Inmortalité*, op. c., p. 38).
A pesar de que Ireneo mantiene una posición correcta respecto al estado de los muertos y al destino del ser humano, manifiesta una concepción del alma independiente del cuerpo como elemento constitutivo, y no como resultado de la unión de la materia y el espíritu (Contra las Herejías, V, 31) ver Questen, *Patrología* I, op. c., p. 311.

[384] *Demostración de la Predicación Apostólica*, cp. 41; *Contra las Herejías...*, V, 31.
En castellano puede consultarse a José Vives, *Los Padres de la Iglesia*, op. c., pp. 166-174.

Atanasio (entre el 310-318), habiendo sufrido la influencia platónica, basa sus argumentos en Platón exponiendo la creencia en la inmortalidad innata del alma,[385] según la cual seguirá existiendo después de la muerte del cuerpo.

Con **Clemente de Alejandría** (s. IV) aparece una mezcla aparentemente perfecta entre la filosofía griega y los principios griegos tocante al aspecto antropológico. No sólo enseña la inmaterialidad e inmortalidad del alma, sobreviviendo después de la muerte, sino, además, la salvación universal.[386] Su discípulo Orígenes todavía perfeccionará más estos asuntos.

Para **Orígenes** (s. IV) no sólo el alma es inmortal sino que además cree en la preexistencia de las almas.[387] Todas las criaturas, incluyendo a Satanás, acabarán por reconciliarse con Dios, y serán salvos.[388]

En este mismo s. IV Agustín de Hipona expondrá las bases y contenidos de la creencia en la inmortalidad del alma[389] que servirán definitivamente a Tomás de Aquino.

Es del todo necesario comprender la raíz, tanto maniquea como neoplatónica de San Agustín[390] para su punto de vista dualista y de inmortalidad del alma.[391] La escolástica con Tomás de Aquino reafirmará la inmortalidad

---

[385] *Contre les Païens et sur l'Incarnation du Verbe*, cp. 33 (Traduction P. Th. Camelot, Paris 1947, p. 175-177).

[386] *Stromates* VI, 6.

[387] Ver *Patrología* de Questen, vol. I, op. c., pp. 398-401. También a Charles Martin, *Exposition du Système d'Origène*, Genève 1866, p. 92.

[388] Questen, vol. I, op. c., p. 399.

[389] En el intervalo entre Agustín de Hipona y Tomás de Aquino es preciso mencionar al Obispo **Nemesios** (s. V), que cree igualmente tanto en la inmortalidad del alma como en la preexistencia de las almas. Ha escrito el primer manual, que se conozca, sobre antropología: *"Sobre la Naturaleza del hombre"* (Jean-Vincent Bainvel en el *Dictionaire Theologique Catholique* I, art. Ame, op. c., col. 1002).

También un tratado *"De Statu Animae"* (alrededor del año 469) del sacerdote en Vienne en Dauphiné, en III, 3 (edic. August Engelbrecht, Wien 1885, pp178-180), expresa que el hombre está compuesto de dos substancias diferentes, la una inmortal (el alma), la otra mortal (el cuerpo).

Zurcher nos recuerda que «de la antigua creencia pitagórica en la transformación de las almas en astros se ha constatado muchas supervivencias. Hemos notado ya su persistencia a través del cristianismo medieval. Notemos todavía que el Papa Gregorio el Grande (590-604) sanciona personalmente esta creencia esforzándose en probar, a partir de los *Evangelios*, que las estrellas son las almas de algunos hombres distinguidos por su virtud (Moralia XVII, 16)» (citado en *L'Homme, sa Nature, et sa Destinée*, op. c., p. 56).

No olvidemos que todo esto refuerza la idea de la influencia de la religión astral en la Iglesia de Roma.

[390] Ver a Steven Runciman, *Le Manichéisme médiéval. L'Hérésie dualiste dans le Christinisme*, París 1949, p. 21; y a Adrien Naville, en *S. Agustin. Etude sur le developpement de sa pensée jusq'a l'époque de son ordination*, Généve 1872, p. 115.

Marie-Nicolas Bouillet (en *Les Ennéades de Plotin*, vol. II, París 1857, p. VIII) dice que Agustín ha copiado casi toda la doctrina de Plótino referente al aspecto *sicológico* (recogido por Alfred Vaucher, en *Le Problème de la Inmortalité*, op. c., p. 45).

[391] Tanto el alma del impío como la del justo perviven después de la muerte (ver Sermon CCXL, 4; Carta CXXXVII, 12; 2º Libro de los *Soliloques, III*, y en el *De la Inmortalidad del Alma*), puede consultarse en castelllano, *Obras Completas de San Agustín*, BAC, Madrid 1950 y ss.

En un estudio del Institutum Patristicum Augustinianum de Roma (ver *Diccionario Patrístico de la Antigüedad Cristiana* vol. I, pp. 87, 88) se concluye respecto a la inmortalidad del alma:

«En el cristianismo antiguo fue una conquista gradual debida sobre todo a Orígenes y a San Agustín» (íd., p. 87). Se reconoce que la posición sería la de "no la inmortalidad, pero se podía adquirir la inmortalidad como un don (tesis de Ireneo), y de los cristianos en general que creían en la resurrección" (íd., p. 88).

del alma, aseverando y especulando ser el alma una forma que subsiste por sí misma siendo incorruptible.[392]

El argumento básico no tiene un cimiento demostrativo:

> «Todo ser inteligente desea naturalmente existir siempre. Y como un deseo natural no puede ser vano, se sigue que toda sustancia intelectual es incorruptible».[393]
>
> «La forma del hombre es el alma racional, que es, por ella misma, inmortal».[394]

A partir de aquí la Iglesia Católica Romana, aun cuando mantenga esta creencia sobre la inmortalidad del alma y la consciencia del individuo después de la muerte, en un proceso evolutivo que se inicia en el siglo II, y que cada vez más, como fruto de la influencia de la Teología Solar y de las matizaciones que tanto Platón como Aristóteles, y otros van realizando, la oficialización dogmática llegará con el Papa León X, en la 8ª sesión del V Concilio de Letrán en diciembre de 1513.[395]

Hemos alcanzado nuestro objetivo. Podemos comprobar que los elementos fundamentales de la *religión astral o de la teología solar* se presentan en la concepción ideológica esencial de la Iglesia de Roma.

Hemos visto que la Teología Solar originada en Babilonia y transmitida a Medo-Persia, y posteriormente a Grecia y Roma es recogida, en lo esencial, con las debidas matizaciones, por la Iglesia de Roma.

No queremos entrar en ninguna discusión casuística ni tampoco histórica que no admita las evidencias que resultan como fruto de ciertos cambios significativos. No importa que pudiéramos o no explicar todos los detalles de los porqués. Lo real es que se adoptan formas de la Teología Solar, y que aparecen modificaciones sustanciales con el contenido antropológico bíblico.

Se querrá justificar, con argumentos, por fuerza todos débiles, que el motivo de tal o cual variación fue para esto o lo otro, que se supone positivo para la predicación del evangelio. Pero el principio de fidelidad (cf. Gá. 1:8, 9), y el de no ir más allá de lo que está escrito (cf. 1ª Co. 4:6) es fundamental si no se quiere sacrificar la **verdad**. Estamos comprobando que el no respetar ese principio de fidelidad y transigir con un concepto ajeno a la Escritura, desencadena una *teología* afín al nuevo concepto adoptado. El rechazo de una institución o de una doctrina por insignificante que parezca, engendra una direccionalidad de acuerdo a la causa que ha originado dicho rechazo: es inevitable.

---

[392] Ver *Suma Teológica* (Selección), Espasa Calpe (colección austral), Madrid 1979, p. 71. También *Suma Teológica*, 1ª Parte, questio 75, art. 6 (en ed. de la BAC, Madrid 1956 y ss.).

[393] Id. Ver pp. c. (selección), de la pp. 69-82.

[394] *Suma Teológica*, 2ª Parte, 2ª Sección, question 164, 8 (íd., edic. de la BAC).

[395] Recogido Karl-Josef von Hefele, *Histoire des Conciles*, op. c., VIII, 1, pp. 419, 420.

Descartes como base y traspaso del Dualismo antiguo al moderno

Zurcher nos explica en qué consiste el origen y postulado del dualismo moderno. Remontándose a Pitágoras observa que éste dedujo la inmortalidad celeste de las almas y de los astros por la identidad de sus movimientos circulares.[396]

Esta concepción se deshizo cuando Galileo, de acuerdo a la afirmación de Kepler, llegó a hacer la prueba del movimiento elíptico de los planetas.[397] La sustitución del sistema circular por el sistema elíptico trastornó la concepción del mundo.

Cuando Galileo pudo demostrar que los Planetas no describen movimientos circulares, sino más bien rectilíneos, y que como consecuencia del principio de inercia y de la ley de la caída de los cuerpos se producía la trayectoria elíptica, ya no había lugar para mantener la doble especulación de Pitágoras sobre la divinidad de los astros y de la naturaleza celeste de las almas. Todo, tanto lo celeste como lo terrestre respondía a una misma ley, a la que uno y otro estaban sometidos. La dualidad desaparecía, y se daba entrada a la unidad y universalidad.[398]

Parecía que se iba a triunfar sobre la concepción dualista del mundo que había salido de la religión astral y teología solar Babilónica, y que Pitágoras había recogido acomodando la *astronomía* y la *antropología*.

¿De dónde procede la concepción dualista moderna?

De una interpretación errónea de una idea de Galileo.[399] Por razones científicas separó lo *cuantitativo* de lo **cualitativo**.

Aunque para Galileo lo que prevalecía era lo que se hacía matemáticamente asequible, es decir lo que se puede medir, lo cuantitativo, no ocurre así con el propio hombre que precisamente **lo que no se puede medir,** *lo cualitativo,* es más importante que lo que se mide, que lo *cuantitativo.*

La separación que hace Galileo de lo cuantitativo y de lo cualitativo, no dando valor a esto último, por considerarlo secundario y fuera de lo científico, produjo, especialmente a partir de Descartes, una división mucho más profunda entre lo cuantitativo y lo cualitativo, cuando simultánea y paralelamente opone al **pensamiento** la *substancia extensa*, renovando de otra forma el dualismo de la *materia* y del **espíritu**, del *cuerpo* y del **alma**.

Como vamos a comprobar, en lugar de tener una base religiosa y cosmológica, Descartes pone al dualismo un cimiento subjetivo.

---

[396] En *L'Homme, sa Nature et sa Destinée* ..., op. c., p. 55.
[397] Id..
[398] Las manchas que en el sol Galileo observa con su modesto telescopio dio al traste con la incorruptibilidad del sol; y las asperezas y crestas que de modo semejante a la tierra se notan en la luna, muestran la unidad material sin que se pueda encontrar superioridad en la luna como si fuera un Dios que domina a la tierra (ver Zurcher, *L'Homme, sa Nature...*, op. c., p. 56).
[399] Ver Zurcher, *L'Homme, sa Nature...*, op. c., p. 57.

Descartes plantea primeramente lo que el llama *el cogito*. Lo define como la **conciencia de sí,** considerándolo como siendo de todos los actos del pensamiento, el único que nos permite alcanzar al ser en su fuente misma.

El **"Pienso"** es la primera toma de conciencia de uno mismo: es el *cogito* definiendo un primer comienzo del yo, desde un punto de vista gnoseológico más que ontológico.[400]

Pero a Descartes le interesa el **cogito** *en su acto.*[401]

El hecho de pensar debe pasar al momento preciso en que la **conciencia de sí** se modifica en una *reflexión* **sobre sí:** es decir un sujeto reflexionando, proyectándose fuera de sí para llegar a ser un **objeto** o un **hecho de conocimiento: del "pienso" al "luego existo".**

El pensamiento no puede ser sin una cosa sobre la que pensar, y si soy capaz de dudar de lo que observo como verdad, me demuestra que **"yo soy"**, y si soy, me muestro que soy una substancia: la del ser que piensa.

Pero claro, hay algo en mi que evidentemente no piensa: ni los brazos ni las piernas, en suma, según Descartes el cuerpo. De lo cual se desprende para Descartes que existe por un lado, **la idea clara y única de nosotros mismos,** *como de algo que piensa*; por otra parte tenemos *una idea clara y única, la del cuerpo, que no piensa.*

Descartes basándose en la autoridad de su conciencia, obtiene, lo que él denomina, **dos substancias:** la *substancia pensante*, a la que llama espíritu o alma, y la *substancia extensa*, a la que llama cuerpo.[402]

Ante esta distinción del alma y el cuerpo, considera que el pensamiento se basta por sí mismo para existir, es en este **pensar** que Descartes constituye su **verdadero yo**, identificando *el ser que piensa* con el **ser en sí mismo**, llevándole en última instancia a postular la inmortalidad del alma.

Partiendo de la idea de que el alma es de naturaleza distinta a la del cuerpo, como una substancia, la del intelecto, que existe por sí misma y siendo simple e indivisible, ante la corrupción del cuerpo, el alma no puede morir, y por lo tanto es inmortal.[403]

Pero la unión del alma y del cuerpo queda misteriosamente sin explicar en Descartes.

Una vez más se comprueba que toda la argumentación de Descartes sobre la distinción de la substancia pensante y la corporal reposa en la intuición e imaginación. Descartes no comprende, como tantos otros, de que la posibilidad del pensamiento reside y radica precisamente en el cuerpo que aporta un cerebro capaz de pensar.

Se ve obligado a tener que afirmar la unión del alma y del cuerpo como algo que surge como necesario ante la aseveración, no probada tampoco, de

---

[400] Sobre esta diferenciación entre gnoseológico y ontológico ver a Zurcher, *L'Homme...*, op. c., p. 59.
[401] Sobre René Descartes ver *El Discurso del Método*, 4ª parte.
[402] *Discurso del Método* 4ª parte.
[403] *Réponses aux 2es. objections*, vol. IX, en Oeuvres de Descartes publicadas por Adam y Tannery, París 1897-1913, p. 120.

la distinción radical y substancial del cuerpo y el alma. La separación entre ser pensante y no pensante, considerándolos como constituyentes del ser total, que Descartes ha llevado a cabo y desarrollado, descansa en una mera suposición. De ahí que se vea obligado a aceptar que el hecho de la unión del alma y el cuerpo se trataría de un dato dado inmediatamente al estudio realizado sobre el alma y el cuerpo, reconociendo que ningún razonamiento podría explicar dicha unión.

Como nos dirá Zurcher:

> «Cualquiera que sea la doctrina cartesiana de la unión del alma y del cuerpo permanece ante todo un carácter contradictorio y verbal por relación a la concepción dualista del pensamiento y de la extensa. La incompatibilidad radical de las dos substancias opuestas hacen del tercer orden de cosas, constituido por la unión del alma y del cuerpo, un ser quimérico».[404]

Lo último que nos quedaba por probar para concluir que la Iglesia de Roma había asumido la **teología solar** era el cambio radical en el concepto antropológico relativo a la naturaleza y destino del hombre. Nos damos cuenta de que la Iglesia de Roma, en lo tocante a la inmortalidad del alma, ha aceptado las premisas de Platón y Aristóteles, basados estos en la **religión astral de origen babilónico**, y que influirán en Roma Imperial junto a la **teología solar** que las religiones de misterios le proporcionan mediante el helenismo, y que está incluida dicha teología en la religión astral mencionada. Todo ello, tras una evolución y adaptación al sistema Romano primero, y después de acuerdo al cauce Constantiniano, se transmitirá al Sistema Papal engendrado por Constantino.

El Heredero de Grecia y Roma y el Sentido de la Historia

> «La Civilización del Imperio Romano no era italiana sino griega».[405]

Con estas palabras, el autor de una aguda y penetrante obra sobre el legado de Grecia quiere dejar constancia de como por medio de Roma se va a transmitir elementos importantes que influirán en lo que vendrá después de Roma. Este mismo autor considera tanto a Roma Imperial como a la Iglesia Imperial Romana como un todo, especialmente al describirnos las raíces y las actitudes:

> «(...) porque si tuviéramos que elegir un hombre en concepto de fundador del catolicismo como sistema teocrático, no citaríamos a San Agustín ni a San Pablo y menos aun a Jesucristo, sino a Platón».[406]

---

[404] En *L'Homme*, ..., op. c., p 81.

[405] W.R. Inge, *El Legado de Grecia* (editado por Sir Richard Livingstone, Universidad de Oxford), edic. Pegaso, Madrid 1944, p. 32.

[406] Id., p. 33.

«(...) al llamar a Platón (...)»

«descubró en él, lo mismo que en Grecia las raíces de la religión y de la filosofía política de la Iglesia (...)».[407]

Otro autor refiriéndose a la civilización griega, y a Roma como puente, dice:

«Esta fue una civilización que continuó en Occidente merced al Imperio romano, quien lo divulgó aun más allá de las estrictas fronteras del imperio, mátriz del concepto histórico y geográfico de Europa y Occidente».[408]

Estamos comprobando que los historiadores reconocen una continuidad del Imperio Romano que había absorbido lo fundamental de lo griego y de lo oriental para la prosecución de su idea Imperial, en el Catolicismo Romano. Todavía lo podemos concretar más:

«Tampoco tiene el catolicismo nada específicamente medieval. Mantiene la idea del imperialismo romano después de la desaparición del secular Imperio de Occidente y aun conserva viva la tradición del Imperio secular».[409]

«Toda su estructura está modelada conforme al patrón del Imperio Romano y consagró la aspiración de Roma hacia un dominio universal, enfrentando el derecho romano contra todo el que disputara su autoridad».[410]

«El cristianismo se encontró frente a frente con el paganismo de Babilonia establecido en diversas formas en el Imperio romano (...).

«Tan alarmante como pueda parecer, el mismo paganismo que se originó en Babilonia y se había ya esparcido por las naciones fue simplemente mezclado con el cristianismo –especialmente en Roma–. Esta mezcla produjo lo que hoy en día se conoce como la Iglesia Católica Romana (...)».[411]

Es asombroso que descubramos que los conceptos importantes para la formación de una ideología que permita el dominio del mundo, y que se habían iniciado en Oriente y que los había adaptado Grecia con su propias añadiduras, y que los recoge con singular maestría el Imperio Romano, pasan a una Iglesia que tras una fachada de cristianismo, pretende representar a éste, a pesar de su Imperialismo (Católico) Romano, con todo lo que ello implica.

De la Iglesia Católica Romana emerge un poder temporal y espiritual intrínsecamente unidos a partir de la agonía de una Roma secular que ya había encontrado su "reencarnación" perfecta, y del avance de los bárbaros:

---

[407] Id., p. 36.
[408] Editora Sarpe, *Alejandro el Grande*, op. c., p. 51.
[409] W. R. Inge, op. c., pp. 38, 39.
[410] Id., p. 39.
[411] *Babilonia, Misterio Religioso*, op. c., p. 17.
Sobre un estudio que recibió los parabienes de numerosas publicaciones religiosas fue el libro de Alexandre Hislop, *Les Deux Babilones*, (op. c.) donde se analiza paralelamente los conceptos religiosos de la antigua Babilonia con los que la Iglesia Católica Romana ha asumido, comprobándose la identidad de esta organización como continuadora de la tradición babilónica.

«Cuando terminaba el siglo IV, agonizaba el Imperio de Occidente y avanzaban los bárbaros (...). (...) brindó a la Iglesia de Roma una ocasión en la cual ambos poderes pudieron emerger (...) no sólo exaltados, sino también intrínsecamente unidos. (...) los bárbaros (...) y su conversión otorgaría a la Iglesia el poder real, temporal y espiritual (...)».[412]

De nuevo, es el problema de la Autoridad lo que está en juego, ya que es por medio de ésta que puede lograrse el Poder, y de ahí el dominio del mundo:

«(...) de Roma heredaría la Edad Media el cesaropapismo y el derecho divino de los reyes y ese concepto de Imperio al que no renunció Bizancio, ni Carlomagno, ni los Otones (...). Con carácter general ha quedado plasmado en esa gran realidad que llamamos Occidente; y que (...) intenta recobrar su vieja unidad y condición. Ya que sin duda, de Roma, de su experiencia aun latente, parte la primacía política, económica y cultural que Europa ha ostentado en el correr de la Historia (...)».[413]

«Los futuros imperios, por inmensos que pudieran ser, siempre serían espiritualmente menos universales que la Iglesia, y por consiguiente, siempre tendrían menos poder, ya que estarían supeditados, en el plano espiritual a ella.

En consecuencia al final, no pudieron hacer otra cosa que tener siempre presente y en cuenta el poder de la Iglesia y reconocer que era preciso medirlo con la misma vara: la del poder efectivo, histórico y tempora».[414]

Estamos observando que lo que mueve y engendra la historia es el Poder de Dominio, el lograr la Unidad de todos bajo una Autoridad Suprema terrena que pretende haberla recibido del "Cielo" para imponer su ideología político-religiosa.

Hay un sentido político-religioso que obliga a los hombres a alcanzar una Unidad Mundial a través de todos los medios: el de la persuasión, la mentira, el engaño, la persecución ideológica, la violencia con extorsión y muerte, y la guerra.

Al estudiar este fenómeno desde el principio de la humanidad, parecería haber un plan metódico, convenientemente programado. Nadie puede dudar, a través de la documentación provista que hay una ilación, y unos contenidos permanentes que se mantienen y se comunican, y se trasladan a través del tiempo mediante aquello que se manifiesta como hegemónico y creador de la marcha de la historia.

El Soberano desde Babilonia asume la jefatura religiosa y política en su persona. Está protegido por los "dioses", y posee un derecho divino sobre los súbditos. Su poder es Absoluto, y su Autoridad Suprema; su objetivo es la

---

[412] *El Poder de los Papas*, Sarpe, op. c., p. 25.
[413] *Gran Historia Universal*, vol. IV, op. c., p. 18.
[414] *El Poder de los Papas*, op. c., p. 28.

"conquista del mundo" para lograr la Unidad que los dioses traducen a través del Cosmos.

En Egipto se deja sentir la influencia babilónica, pero el Soberano es 'dios' en la tierra, y de acuerdo a su origen celestial será guiado por los dioses, posee el derecho divino sobre los súbditos ostentando tanto el poder religioso como el civil. Su Autoridad es Suprema y Absoluta, y su objetivo el de la Unidad de todos.

En Persia se conjugan las dos fórmulas, la de la Monarquía de origen divino, y la del Soberano deificado (recuérdese la *proskynésis*), con el mismo resultado y objetivo: Poder Absoluto, Autoridad Suprema y "conquista del mundo" en pro de la Unidad.

Para Grecia no hay diferencias substanciales aunque se racionalice todo: la Monarquía de origen divino con su poder Absoluto y Autoridad Suprema es la única valida para extender ecuménicamente la Ideología. Los "sucesores" de Alejandro transportarán el valor político del Culto al Soberano al Imperio Romano.

Todo este legado que se va trasmitiendo de uno a otro, en base a la **religión astral** y *teología solar*, recibirá un impulso del Imperio Romano: La supremacía sólo será posible mediante la Unidad. Y ésta no será real y consistente mientras que lo religioso no esté mezclado con lo político (con el Estado), y exista una figura que encarne en su persona esa Unidad Soberana (la del *Pontifex Máximus*) detentando la Autoridad, a la que habrá que atribuirle honores e instrumentos divinos.

Con Roma, la idea de la unión de una única Religión con el Estado, bajo una sola Autoridad que sustenta lo temporal y lo espiritual, se pasará a la Iglesia Católica Romana tal como ya hemos visto.

Es el problema de la Autoridad lo que ocupa el primer plano en la historia. Lo hemos comprobado en el pasado, lo vemos ahora ya en el heredero de Roma Imperial: "el legado" del catolicismo "medieval a las edades posteriores ha sido el problema de la autoridad" nos dirá Powicke,[415] adjuntando el siguiente comentario:

> «(...) y en sus esfuerzos por guardar y transmitir su legado sus guardia-nes han provocado los problemas más complejos. Han sido la causa de una destrucción sin fin de la vida en nombre de una paz universal. Han levantado el más realista de los sistemas políticos en un esfuerzo por establecer un reino que no es de este mundo».[416]

Ese problema de la Autoridad Suprema, conlleva a todo aquel que lo asuma una concepción de Dios y antropológica peculiar y distinta a la que las Escrituras nos proponen.

---

[415] F.M. Powicke, *El Legado de la Edad Media*, (Universidad de Oxford), Edic. Pegaso, Madrid 1944, p. 33. Puede verse esta tesis del autor en pp. 33-80.
[416] Id., p. 34.

El concepto de **Autoridad Suprema** aceptado por un hombre que representa a Dios en la tierra, y que pretende dominar de modo absoluto a toda la humanidad, imponiéndole la unidad, está inspirado en lo que origina el ideario político-religioso babilónico. Esto provoca una **concepción antropológica** determinada, y una doctrina acorde al sistema que se desarrolla.

¿Qué es lo que ha ocurrido en la época del Imperio Romano para que haya surgido una Institución que como el Sistema Papal de la Iglesia Católica Romana se le identifique como continuador del Imperio Romano que no tenía nada de cristiano? ¿A qué reino se puede referir el autor de la última cita cuando lo califica de no ser de este mundo? y, ¿qué sentido histórico imprime en la historia la Iglesia Católica Romana, con el sistema Papal al frente, como heredera del Imperio Romano motivado por su legado del 'problema' de la Autoridad? Y una vez conocido el comportamiento esencial del heredero de Roma ¿podemos saber qué nos deparará el futuro en los umbrales del siglo XXI?

Conclusiones y valoraciones finales

1) El Imperio Romano adopta para su política lo que se denomina el Ideario Imperial Romano que consiste fundamentalmente en una fórmula ideológica que recogerá Julio César, de acuerdo a la corriente que desde Babilonia pasando por Medo-Persia, y Grecia, se matiza y transmite en base a la **religión astral** y **teología solar**, y que concretará Augusto dándole un valor práctico para la administración del Gobierno mundial que le toca asumir, y que sus sucesores irán desarrollando.

2) Esta posición se admite que ha sido inspirada por los *dioses* que han escogido a ciertos hombres para cumplir un objetivo: el de imponer un orden mundial unitario, de acuerdo a lo que dichos dioses sugieren respecto a lo que proyectan del orden celeste o macrocosmos.

3) La concepción antropológica se orienta teniendo en cuenta lo que imprime esa relación entre **dioses** y *hombres,* y lo que supone esa religión astral que como vimos, trasmite la inmortalidad del alma, y que la religión Romana asumirá como un legado de la cultura babilónica y de las aportaciones posteriores ya indicadas.

4) Ese ideario Imperial Romano alcanzará un estadio singular cuando una vez llegado Constantino al poder se encuentra con una Iglesia, la de Roma, que ha ido evolucionando de acuerdo a la **Teología Solar** en aquellos puntos esenciales que pueden atraer la atención del Imperio. Constantino, con sus colaboradores, engendrará una Iglesia Imperial a su imagen y semejanza, ofreciendo un prototipo de Iglesia propio, que tiene en cuenta el proceso de cambio experimentado, y esencialmente distinta a la Iglesia original.

5) La asunción de la **Religión Astral** y la influencia de la **Teología Solar** en la Iglesia de Roma, de acuerdo a la religión de Mitra, y que se remonta a Babilonia.

6) La aceptación del **Solis Dies** (Día del Sol o Domingo), y el simbolismo del Sol para identificar a Cristo.

   a) El Solis Dies semanal y su contenido político-religioso.

   b) El Cristo Sol y el Solis Dies.

   c) Adoración en la dirección de oriente.

   d) El Solis Dies Anual y el Nacimiento de Mitra.

7) Aceptación de una **Liturgia** identificadora con las religiones de Misterios: *Valores Sacramentales* como en el *Mitraísmo*.

8) Una Concepción *Monárquico-Absolutista* de la Iglesia: la aceptación del *Culto a la persona*, y la adopción del *Pontifex Máximus* o de la *Autoridad Suprema*, y el *método coercitivo* para imponer su ideología.

   a) La aparición y Evolución de una concepción Monárquico-Absolutista en la Iglesia de Roma.

   b) La continuidad en el Papado del culto a la persona y significado de los títulos que Constantino se asigna: *Pontífex Máximus* y Augusto.

   c) La Continuidad en el Papado del Instrumento de la Persecución Religiosa para la obtención de la Unidad.

   d) La Justificación, a partir de Constantino, de la Guerra y del Servicio Militar

9) El surgimiento de una *Antropología ajena a la Revelación bíblica* en la que se acepta y matiza elementos propios de la religión astral y teología solar: *inmortalidad del alma*, *purgatorio* e *infierno*.

10) Permanencia, desarrollo y matización de los orígenes babilónicos del ideario político religioso de la Iglesia de Roma.

SECCIÓN SEGUNDA

Descripción, análisis y crítica de los contenidos ideológicos principales de la Nueva Era

Capítulo I

Antropología Bíblica versus la técnica antropológica inaceptable por el Dios Creador: el Yoga o la suposición de la unión de los contrarios y de poseer esencialmente naturaleza divina; *no a la meditación trascendental*

A. ¿Qué es el Yoga? Naturaleza y Objetivo

La palabra **Yoga** significa unión. Y se concibe como que junta el espíritu o alma personal con *Dios*, pero téngase en cuenta que "el hombre es un microcosmos, según el yogui, y tiene una órbita cósmica positiva y negativa (bien y mal)",[1] y que Dios es la energía cósmica que abarca al macrocosmos, y como dice Krishna de sí mismo en el *Gita*, de que Dios "es una personificación de todo el bien y de todo el mal".[2]

La experiencia del Yoga va a consistir, como en otro lugar veremos con más detenimiento, una unión para conseguir la unidad, una conjunción de opuestos (negativo y positivo, bien y mal) hacia el estado no-dual. En efecto para clarificar esa órbita cósmica y alcanzar el equilibrio entre lo positivo y negativo sería preciso despertar la fuerza –energía escondida en la base del

---

[1] Ernest H.J. Steed, *Dos=Uno*, op. c., p. 63.
[2] *El Gita segun Gandhi*, Ahmedabad, Shantilal Press, 1970, Discurso X, pp. 282, 288. Citado por Ernest Steed, op. c., p. 66.

cuerpo. De ahí que el primer paso en ese proceso de unión sea, mediante la práctica del Hatha-Yoga (ejercicios físicos –respiratorios, con repercusiones en el estado mental y moral) la unión de los opuestos integrados en el microcosmos que es el hombre, según esta teoría, y de este modo poder entrar en contacto con el macrocosmos, donde lo positivo y negativo, el bien y el mal ya se han conjuntado.

La **Meditación trascendental** "es simplemente una variante de Yoga".[3]

Ya decíamos, en nuestro comienzo, que el Yoga significa Unión. Es concebido como que une el ser individual o lo que ellos consideran como dotado de personalidad e individualidad consciente: el espíritu, con el Dios impersonal, la Conciencia pura, el Absoluto impersonal, el gran Yo universal y cósmico.

Por el **Yoga** se inicia el proceso de *descubrirse así mismo como siendo Dios*, ir alcanzando la destrucción de la polaridad (la contrariedad entre bien y mal), y lograr la unidad de esos dos opuestos, llegando al gran Yo en última instancia impersonal, Universal, Cósmico, a la **extinción**.[4]

Con semejante filosofía que sustenta el Yoga sería suficiente como para que el ser humano se abstuviera de participar en algo que sostiene principios tan divergentes con el Cristianismo.

Pero cuando uno sigue profundizando en la dinámica del Yoga, se descubre los peligros, a todos los niveles, que entrañaría para el cristiano.

Debemos de saber que en la práctica del Yoga no podemos desligar **ni lo que inspiró el programa del Yoga ni el programa mismo** *de la técnica global Yóguica*. Es un grave error pretender que realizando el Yoga gimnástico uno no está dentro del peligro del Yoga. No podemos identificarnos con la gimnasia *yóguica* pretendiendo que no estamos predisponiéndonos para que

---

[3] Ernest Steed, op. c., p. 65.

[4] La superación de la polaridad ha de ser eliminando esos opuestos mediante la Unidad de ellos:

«Hemos dicho que por encima de toda polaridad, está la Unidad que llamamos "Dios" o "la luz"» (En *La enfermedad como camino*, op. c., p. 54).

«La conciencia universal de este paso de la polaridad a la unidad lo encontramos en infinidad de formas de expresión. Ya hemos mencionado la filosofía china del taoísmo, en la que las dos fuerzas universales se llaman *Yang* y *Yin*.

«enfermedad es polaridad, curación es superación de la polaridad» (íd., p. 22)

«Como queda expuesto, la enfermedad tiene un propósito y una finalidad que nosotros hemos descrito (...) con el término de curación en el sentido de adquirir la unidad» (íd., p. 76).

¿Qué es realmente esa Unidad y cómo se puede conseguir para obtener la curación?

«El origen de todo el Ser es la Nada (...). Es lo único que existe realmente, sin principio ni fin, por toda la eternidad. A esa unidad podemos referirnos pero no podemos imaginarla. La unidad es la antítesis de la polaridad y, por consiguiente, sólo es concebible, incluso, en cierta medida, experimentable, por el ser humano que, por medio de determinados ejercicios o técnicas de meditación, desarrolla la capacidad de aunar, por lo menos transitoriamente, la polaridad de su conocimiento» (íd., pp. 22, 23).

Sabemos que una de las técnicas a las que se alude, como es el Yoga, pretende eliminar esa polaridad, ayudando en última instancia a la extinción.

«Los occidentales especialmente suelen reaccionar con desilusión cuando descubren, por ejemplo, que el estado de conciencia que persigue la filosofía budista, el *nirvana* viene a significar *nada* (textualmente: extinción). El ego del ser humano desea tener siempre algo que se encuentre fuera de él y no le agrada la idea de tener que extinguirse para ser *uno con el todo*. En la unidad, Todo y Nada se funden en uno. La *Nada* renuncia a toda manifestación (...)» (íd., p. 22).

el que inspiró el Yoga en su conjunto, no pueda intervenir en nuestra vida. La gimnasia yóguica contiene, no solamente los elementos programativos para atrapar a la persona etapa por etapa, sino para crear, a través de los ejercicios, posturas y respiraciones, la situación que despierta, como fruto de la aplicación de ese Yoga, el cauce para la intervención del que lo inspiró:

> «El Yoga no es una gimnasia es un conjunto de posturas estudiadas y ejercidas con fines precisos: una captaciòn (o recepción de ondas) de la Energía celeste llamada "prana" (...)».[5]

Cuando una persona se predispone a llevar a cabo el Yoga gimnástico debe saber que el propósito de la técnica del Hatha-Yoga es la de hacer subir lo que ellos suponen que existe como dormido en la base de la columna vertebral: el *Kundalini*, denominándolo como la *fuerza de la serpiente*. Se trataría de una energía sutil del cuerpo,[6] y que a través de esos ejercicios iría subiendo desde la base de la columna vertebral hasta el cerebro, abriendo los siete chacras (centros de energía del cuerpo), el primero se encuentra entre el ano y el sexo, y el último en la cima del cráneo. Con el Yoga gimnástico se pone en acción un proceso *vibratorio* que debe conducir la *serpiente Kundalini*.

El Yoga te enseña que en la rabadilla se sitúa un *Espíritu*, la diosa Naturaleza, y en la parte más elevada de su cráneo está el Espíritu o Dios *Vishnu*. El *Kundalini* una vez despertado se lanzará a la unión de estos dos polos expresados como negativo y positivo.[7]

Todo esto no responde a algo simbólico o figurado, sino real. En el asunto de la *vibración* aparece la acción de un *espíritu* sobre la materia:

> «Toda elevación de la tasa vibratoria encadena una elevación de la tasa de impregnación por un *espíritu*. Ahora el espíritu (...) ligado al *Kundalini*, no es otro, desde el pecado original que el de la serpiente, el de Satán».[8]

Otro de los objetivos del Yoga nos lo describe Mircea Eliade, simpatizante de la *New Age*:

> «El objetivo del Yoga (...) es suprimir la consciencia normal en provecho de una consciencia cualitativamente distinta ... Patanjali definió así el Yoga: la supresión de los estados de conciencia».[9]

---

[5] Maurice Ray, *Médecines Parallèles*: oui ou no?, op. c., p. 84.
[6] Sobre esto se puede consultar a Denis Clabaine, *Radiographie Chrétienne du Yoga*, op. c. pp. 8, 21.
[7] Ver sobre esto a Maurice Ray, *Non au Yoga*, op. c., p. 28.
[8] *Radiographie Chretienne du Yoga*, op. c., p. 23.
Cuando decimos que responde a algo real, estamos queriendo decir, que se está dando oportunidad a que las fuerzas espirituales, que están pretendiendo, se hagan realidad en aquellos que se someten a esa técnica. Desde el punto de vista de que en todo cerebro esté ocupado por lo que esta corriente mística y ocultista propone, eso no responde a una realidad, pero se puede alcanzar sometiéndose a la técnica que él ha inspirado.
[9] Mircea Eliade, *Patanjali y el Yoga*, éd. du Seuil, coll. Maîtres Spirituels, p. 54. Citado en *Radiographie Chretienne du Yoga*, op. c., p. 29.

Se trata de desindividualizar, de despersonalizar, de disolver al hombre para escapar hacia la unión con el estado absoluto divino e impersonal consiguiendo la extinción, la nada.

Mientras se opera ese proceso, y como consecuencia de las implicaciones de los espíritus y de las energías que se despiertan, y de las situaciones que trae el estado alterado de la concienciase van dando las condiciones de un *super hombre* por la fenomenología paranormal que va surgiendo.[10]

En conclusión podemos decir, que cualquier tipo de práctica Yóguica o de Meditación Transcendental o de Zen, lleva consigo los mismos objetivos, y supone, mediante las posturas, las meditaciones, los ejercicios y respiraciones, con la coordinación en parte o de todo, provocar en el interior del ser humano cambios que alteran de algún modo la normalidad, y que como fruto de ser una técnica cuyo contenido contradice al Dios personal que inspiró la Palabra Profética, y que se identifica con los postulados inspirados por la Serpiente antigua, no hay otra posibilidad de señalar que el Yoga es de inspiración satánica, y por lo tanto programado con el fin de provocar situaciones en el interior de la persona que le predisponen a la intervención satánica:

Denis Clabaine coincide con esta opinión cuando dice:

> «así la serpiente interna que es la *Kundalíni* vibra en correspondencia y resonancia con la Serpiente Cósmica: el mismo Satán animea a la unión las vibraciones micro y macro cósmicas, todo lo que es la "Serpiente" con todos los efectos "mágicos" que ahí se destilan».[11]
>
> «Por encima de todo esto, pero ya en todo esto, hay, se quiera o no, se sienta o no, un espíritu, el espíritu del Yoga, el de la Serpiente, el de una búsqueda (...) que hace eco (...) el "vosotros seréis como dioses"».[12]

No importa que la persona sepa este objetivo, que pudiera estar oculto, confuso; la técnica en sí misma lo lleva programado para alterar y trastornar la naturaleza normal de la persona, y suscitar sensaciones y situaciones que dan cabida a la actuación de los espíritus demoníacos, y esto del modo más sutil, en principio imperceptible; se avanza paso a paso hasta que la persona, si no media, la ruptura, se encuentra alejada del Dios verdadero y sometida a las influencias nocivas que el Yoga de la serpiente antigua le reporta.[13]

---

[10] *Radiographie Chretienne du Yoga*, op. c., p. 30.

[11] Id., p. 24.

[12] Id., p. 27.

[13] Cuando una persona se deja arrastrar con los contenidos ideológicos que lleva implícito el *Hatha-Yoga*, evidencia dos cosas: 1) desconocer la verdad de la revelación bíblica respecto a este asunto. Esta ignorancia desprotege al individuo; 2) no hacer caso a las explicaciones que el monitor de Yoga le está dando respecto a las implicaciones de los ejercicios respiratorios, donde se están dando las bases de la armonía y coordinación del individuo con el cosmos, y con todos los que forman parte de ese cosmos: los espíritus y otros *habitantes* que seguirían una evolución en su perfección, según este pensar. Esta postura coloca a la persona en la condición adecuada para que ese *mundo espiritual*, promocionado y activado por las prácticas de la Nueva Era, intervenga en la existencia de cada individuo que al someterse a dichas técnicas reclama y programa con su proceder esa intervención. El resultado, que al principio no se deja comprobar, será un perjuicio tanto mental como físico.

B. Meditación Cristiana versus Meditación Yóguica, Trascendental o Zen

Note las diferencias tan marcadas de una y otra meditación:

1) En la meditación cristiana no hay posturas que ayuden a variar el estado normal de la persona y de la conciencia; mientras que en la meditación yóguica y semejantes, la posición de *lotus* se utiliza para activar el *Kundalini* que ya hemos explicado.

2) En la meditación cristiana no hay *mantras* para la concentración; en la meditación orientalista existen los *mantras* o encantamientos que se cree que poseen poderes sobrenaturales cuando se repiten.

3) La meditación cristiana **valora** el uso del intelecto, de la razón y la doctrina, como factores fundamentales para la meditación; la meditación en el Yoga o la llamada trascendental, se **rechaza** el uso del intelecto, de la razón y de la doctrina como impedimentos en la práctica de la meditación.

4) En la meditación cristiana, la mente, por medio de la oración, es encaminada para la comunión con Dios a través del estudio de las verdades de las Sagradas Escrituras; en la técnica meditativa del Yoga o la Trascendental o Zen, cuando la concentración es usada, apenas sirve para dirigir la mente hacia la observación de un único objeto, sonido o palabra.

5) En la meditación cristiana hay búsqueda de una unión con el Dios personal a través de identificarse con sus palabras y acciones que Jesucristo nos ha enseñado, para encontrar la verdadera felicidad; en la meditación yóguica se utiliza el camino del vacío mediante la unión de los contrarios, del bien y del mal a fin de conseguir el nirvana que no es otra cosa que la extinción.

6) En la meditación cristiana hay un despego de las convulsiones del mundo, manteniendo una estrecha y libre sujeción a la voluntad divina, comprendiendo la situación de los semejantes, y enfrentando el estrés con renovada fuerza espiritual; en la yóguica hay un estado de despego del mundo traducido en un escapismo de la miseria de la existencia.

7) En la meditación cristiana hay una intensa comunión persona con el Dios personal y Creador, y revelador de la Palabra Profética; en la yóguica, hay una pérdida de la identidad individual emergiendo en el universo cósmico.

8) En la meditación cristiana hay un estado de alta percepción de Dios, de sí mismo y de los semejantes, que **caracteriza** el estilo de vida y el comportamiento del practicante; por el contrario en la meditación por medio del yoga, hay un estado de alta percepción interior, comenzando por la cesación de casi toda actividad mental, que **afecta** al estilo de vida y al comportamiento del practicante.

9) En la meditación cristiana se parte de una concepción antropológica de un todo indivisible, cuerpo y espíritu están unidos inseparablemente formando la persona, la vida o el alma; mientras que en la meditación yóguica o de cualquier otra semejante hay una separación del alma y del espíritu respecto del cuerpo, repercutiendo en todos los órdenes de la existencia.

10) El practicante en la meditación cristiana es elevado de un nivel inferior para otro más elevado en su experiencia **a través de la acción divina**, de su *gracia*; el practicante en la meditación yóguica es estimulado por su propio potencial a entender la paz interior, esto es su naturaleza.[14]

C. La retroalimentación *"el Yoga electrónico"*

Es el intento de obtener los objetivos del Yoga por medio de aparatos electrónicos. Mediante la Retroalimentación se pretende adiestrar al individuo para que controle conscientemente la circulación, el metabolismo, la respiración, los latidos y otras funciones relativas del sistema autónomo del cerebro.

Dejemos claro el asunto del control. No es exactamente control, sino que el control del cuerpo supone la pérdida de la autoconciencia, y el resultado de las situaciones alteradas de la conciencia supone al individuo la sensación de estar controlando... No hay tal control cuando no estás capacitado para actuar *conscientemente* con tu conciencia. Y del mismo modo que los mecanismos que se ponen en movimiento mediante el Yoga son desconocidos, lo que se produce electrónicamente también se desconoce el por qué. Para un creyente en la Palabra de Dios, y a sabiendas del origen de esa prácticas, y los contenidos que lo sustentan, no hay duda de la intervención maligna. Como dice un escritor cristiano:

> «Todos los yogas (...) son sendas metafísicas y espirituales del hinduismo que conducen a estados alterados de conciencia, la autopercepción y una conciencia de lo sobrenatural que tarde o temprano conecta al individuo con poderes sobrenaturales. Todas estas experiencias místicas son de naturaleza ocultista y por lo tanto no debiera ser parte del estilo de vida de un cristiano».

D. Los peligros para la salud física, mental y espiritual del Yoga

1. El Destino de la Extinción como liberación de la enfermedad mediante la transformación de la conciencia a través del Yoga o de la Meditación Trascendental o del Zen

Todo debe estar supeditado a evolucionar en la transformación de la conciencia, pero como dijimos en nuestra exposición objetiva esa transformación

---

[14] Hemos tenido en cuenta para la confección de esta confrontación entre meditación cristiana y meditación transcendental o yóguica o *Zen*, la revista Brasileña *Decisâo*, junio de 1986, p. 18.
Sobre esto puede verse también a Manuel Vasquez, *Peligro al Acecho*, op. c.., pp. 59-84.

conduce no sólo a la unión de los contrarios sino a la extinción con el Todo y la Nada que se unen definitivamente.

Prestemos atención a la cita ya indicada en dos lugares:

> «Los occidentales especialmente suelen reaccionar con desilusión cuando descubren, por ejemplo, que el estado de conciencia que persigue la filosofía budista, el *nirvana* viene a significar *nada* (textualmente: extinción). El ego del ser humano desea tener siempre algo que se encuentre fuera de él y no le agrada la idea de tener que extinguirse para ser **uno con el todo**. En la unidad, Todo y Nada se funden en uno. La *Nada* renuncia a toda manifestación (...)».[15]

Obsérvese a dónde conduce esta conjetura: a la pérdida para siempre de la existencia individual y personal.

Es la forma, de espiritualizar el más profundo ateísmo.

Este pesimismo y derrotismo último no puede ser compensado ni ocultado con esas técnicas que prometen ese tipo de perfección. ¡Menuda perfección! Es decir se trata de una perfección, que se define como tal, no olviden lo que voy a transmitir, sin que nadie pueda experimentarla conscientemente ¿Cómo se ha podido llegar a conocerla antes que se produzca, y sin que nadie, porque una vez alcanzada ya no existe con consciencia individual y personal, pueda contárnoslo?

He aquí el círculo cerrado de toda esta presunción. Todo se basa en pura conjetura.

Pero esta etapa final de aniquilación para todo ser humano, no es más que el resultado de la esclavitud, destrucción y suicidio mental que se va produciendo por etapas a través de esas técnicas que se nos proponen, como el Yoga o la Meditación Trascendental.

a) El proceso de transformación del hombre, según la Biblia, es ajeno al propio hombre: no hay poderes metanormales o paranormales; ni la meditación ni el yoga pueden sacarle de su deterioro progresivo

En el esquema bíblico no hay cabida, a no ser **exclusivamente** por Jesucristo (Jn. 14:1-6), a nada ni a nadie que pueda gestar una transformación en el hombre que le lleve a dominar sus tendencias negativas y a vencer el poder del pecado que le condujo a la caída y a la corrupción que ya hemos explicado más arriba. Por lo tanto, cualquier fenomenología o técnica que se produzca en el ser humano dentro de lo enumerado en el título de este apartado o bien es un fraude, o bien no corresponde a la categoría a la que se le quiere adscribir; o como fruto de los canales que el hombre abre, o por la predisposición en la que se coloca, o por la alteración de la conciencia, o por su

---

[15] Id., p. 22.

invocación, permite la entrada de lo que la Biblia denomina espíritus diabólicos, ángeles caídos que le engañan y provocan dichas situaciones fenomenológicas, que no resuelven lo fundamental de lo problemático del ser humano pero que le introducen en un mundo desconocido, misterioso, ilusorio e incontrolable por el propio ser humano, y con una, cada vez menor, capacidad de análisis racional, perdido en el enjambre de lo sensorial e intuitivo.

2. Parapsicología [16] y Yoga y la alteración de la Conciencia

El Movimiento del potencial humano propone el que a través de la práctica espiritual estimulada y orientada por el Yoga integral[17] se exploren las potencias superiores, que se suponen habitan en la mente humana. Al unir con esa práctica yóguica la **visualización de los resultados deseados, la aceptación de la emergencia de nuevos poderes paranormales, y la profundización en la esencia divina**, de la que se supone que todos somos,[18] alcanzar la dimensión de un mundo paralelo y alternativo que carece de restricciones temporales y espaciales.[19]

Michael Murphy, cofundador del Movimiento del Potencial Humano, al que estábamos citando anteriormente, acaba diciendo que es necesaria "la ascensión, a través de la práctica espiritual" (que en otro lugar la define con la meditación yóguica integral) "hacia una conciencia unitiva, para luego traer las energías transformacionales de esa conciencia hacia el cuerpo humano de nuevo. De esa manera, la vida en la Tierra y el cuerpo físico se divinizan cada vez más".[20]

Según dicho autor «todos somos atraídos hacia un cierto tipo de Carne Divinizada, una Corporalidad Sagrada, pletórica de luz arrobadora. Ese es el fin hacia el cual nos dirigimos».[21]

---

[16] Recordemos **la definición de Parasicología:**

Atendiendo al prefijo "para" significaría "al lado de" (de la sicología) (Revista Sudamericana, *Vida Feliz*, Septiembre de 1973, p. 4).

El *Instituto de Aplicaciones Sicológicas y Parasicológicas* en su Curso General de Parasicología (En el primer ciclo p. 41), proponen la siguiente definición a título de orientación:

«La parasicología es la ciencia que tiene por objeto la constatación y análisis de los fenómenos a primera vista inexplicables, pero que se presentan como siendo resultado de las facultades humanas».

Según el doctor Fernando Chaij:

«La esperanza de los parasicólogos modernos consiste en llegar a demostrar que el fenómeno paranormal es perfectamente normal (...)

(...) sin embargo, (...), hasta ahora han resultado vanos sus esfuerzos por hallar alguna explicación del origen de lo fenómenos estudiados (...), o para identificar las fuerzas inteligentes que las produce» (En su artículo de la Revista Sudamericana *Vida Feliz*, Septiembre 1973 p. 4, 6).

[17] *Más Allá*, n° 8, op. c., p. 49.

[18] Íd., p. 48.

[19] Íd., p. 32.

[20] Íd., p. 47.

[21] Íd., p. 52.

a) Los graves peligros para la salud mental de la práctica parapsicológica y yóguica

En cuanto a los **peligros de la práctica parapsicológica** citamos de nuevo del *Curso de Parasicología del Instituto de Aplicaciones psicológicas y parapsicológicas:*

> «Fomentar los fenómenos parasicológicos es funesto no sólo en el terreno de la mentalización socio-cultural; tambien representa un serio peligro para la salud pública».
>
> «Las personas que directa o indirectamente intentan desarrollar esta fenomenología (...) son avalados por transtornos de diversas especies: crisis nerviosas, pérdida de la autodeterminación consciente, doble personalidad, y otros análogos.»[22]

El profesor Óscar González-Quevedo decía:

> «(...) Estropean los nervios y fácilmente puede caerse en un estado de pérdida de la autodeterminación consciente. Podría llevar incluso a la locura. (...). Cuanto más se manifiesta más cercano puede estar el sujeto de la psicopatología. Mas se avanza hacia la enfermedad».[23]

Respecto al Yoga digamos:

Mircea Eliade, simpatizante de la *New Age* nos decía del Yoga:

> «El objetivo del Yoga (...) es suprimir la consciencia normal en provecho de una consciencia cualitativamente distinta ... Patanjali definió así el Yoga: la supresión de los estados de conciencia».[24]

Cuando uno consulta la experiencia contada de Gopi Krishna [25] en relación a la fuente de energía síquica que, según él mediante el Yoga, puede sacarse del ser humano, llega a entenderse algo sobre los riesgos y el verdadero causante:

> «De aquí en adelante, durante largo tiempo, tuve que vivir pendiente de un hilo, debatiéndome entre la vida y la muerte, entre la salud y la enfermedad, entre la luz y las tinieblas, entre el cielo y la tierra».[26]

---

[22] Op. c., p. 25.

[23] En Revista *Blanco y Negro*, 15-5-71, p. 66.
En la Revista de Parasicología Año 1, nº 1, 2, pp. 5, 6 se ofrecen varias citas de autores respecto del peligro para la salud mental.

[24] Mircea Eliade, *Patanjali y el Yoga*, éd. du Seuil, coll. Maîtres Spirituels, p. 54. Citado en *Radiographie Chretienne du Yoga*, op. c., p. 29.

[25] En *Kundalini para la Nueva Era*, Edaf/Nueva Era, Madrid 1989, pp. 9-18.

[26] Id., p. 11.

Alrededor de 20 años, desde 1937, vivió en esa experiencia marcada por la depresión y la enfermedad como consecuencia de despertar el *Kundalini*. En 1950, todavía en esa situación anómala, establece su transición a lo que él llama consciencia cósmica; y al cabo de unos años más desaparecerían, a nivel mental, los síntomas enfermos.[27]

Esta sinceridad en el relato no nos debe llevar a engaño, pero nos aporta ciertos detalles que en la mayoría de los casos, de experiencias similares, se omiten: La presencia de la enfermedad, del trastorno, y de la alteración de la conciencia.[28] Un proceso, en el que si se soportan los elementos adversos, se llega alcanzar una cierta consciencia cósmica.

Como quiera que esta experiencia es fruto, **no** *de un conciencia normal*, sino alterada **no nos sirve** para determinar la bondad y la genuinidad de ella. Todo sucede en el interior de esa mente, en la que perdida su autodeterminación consciente, se nos cuenta después subjetivamente por el propio protagonista. Por lo tanto en lo que se refiere al origen y a la naturaleza del fenómeno no puede valorarse positivamente, puesto que el individuo, con la alteración de la conciencia sufrida, una vez vuelto a la normalidad es fácil manipularse por sus propios intereses, y jamás nos podrá decir todo lo que realmente ha podido suceder cuando pierde su autodeterminación consciente. A no ser que alguien exterior a él se lo revele. Y si así fuera, entonces habría que analizar este dato con la Autoridad que para estos casos se nos ha dado.

b) La New Age o el Movimiento del Potencial Humano como vehículo responsable de la obtención de una salud adversa para el ser humano, y como instrumental de la intervención diabólica

La *New Age* o el Movimiento del Potencial Humano nos insta a que se practique la fenomenología parasicológica, a pesar de los inconvenientes que esto tiene para la salud. La **alteración de la conciencia** que ha sido diagnosticada, puede no percibirse como perjudicial en una primera etapa como consecuencia de la adaptación que en la mente se puede producir. Los síntomas que se perciben como molestos pueden interpretarse como dentro del contexto normal en el crecimiento espiritual o en la experiencia paranormal, provocando o empeorando situaciones paranoicas, neurosis y esquizofrenias, que en algunos casos pueden *ocultarse*, aparentándose un estado *normal*. Y es que la mente, una vez alterada, cuando se le obliga a salirse de su comportamiento natural, percibe nocivamente la experiencia paranormal, o la que se encuentra en el camino de lo paranormal. Pero junto a este aspecto negativo acontece el fenómeno en sí que reporta al individuo una sensación de haber alcanzado el objetivo, mezclándose, con lo desagradable y lo enfermo, pudiendo llegar, como consecuencia de la experiencia, a anular la

---

[27] Id., p. 18.

[28] Id., p. 19. Se reconoce que esta experiencia enferma es semejante en los casos en que se pretende despertar el *Kundalini* (íd., p. 11).

realidad del desequilibrio e incluso a veces del mismo dolor, aun cuando en su proyección convivencial se observe la "calidad de vida" de un modo degenerativo y perturbado.

Por otra parte aun cuando los fenómenos paranormales se den a través de la mente humana, no es ninguna evidencia de que ésta haya actuado por sí sola.

Al darse los fenómenos en una situación **no-normal**, nadie, desde el punto de vista científico, puede catalogar como normal, el fenómeno llamado parasicológico porque se desconocen los orígenes del fenómeno y los mecanismos que la producen.

La ciencia llamada parasicológica podrá fotografiar con infrarrojos la "telergia", pero no podrá explicarnos el "cómo" y el "porqué", se ha producido la telergia, ni "quién o qué" la ha provocado.

El hecho de que la llamada parasicología nos advierta de los peligros para el individuo de la realización de la fenomenología es una evidencia más de que dichos fenómenos no se dan en condiciones normales.

La propia mente humana responde con la enfermedad o el desequilibrio cuando ésta se presta a la puesta en práctica del fenómeno, apareciendo una alteración de la conciencia.

Según esto no podríamos restringir a la mente lo que surge como experiencia en la práctica imaginativa y espiritual tal como lo orienta la *New Age*. Podrían haber Fuerzas ajenas a lo puramente humano que es preciso identificar.

Por un lado tenemos una **fenomenología parasicológica** que altera la conciencia, por otra parte en la **práctica del Yoga** hay una *alteración de la conciencia*, siendo el principal de los objetivos.

Además, es mediante el **Yoga** que uno podría explorar esas potencias superiores, lo cual nos coloca el Yoga y a la fenomenología parasicológica en una misma línea de actuación y perjudicial.

Un tercer aspecto se une a todo esto: que en un *estado de conciencia alterada* el *individuo* **ya no es** el *mismo individuo.*

Cabría preguntarse ¿qué es lo que ha podido intervenir en esa búsqueda de la experimentación parasicológica a través del Yoga o con el Yoga?

En efecto, la *New Age* nos refiere a Ángeles y Espíritus guías como los colaboradores para que se produzca esa fenomenología parasicológica:

> «La parapsicología muestra como estos seres podrían ser "reales", disponiendo de una gran variedad de formas. Combinada con la sicología arquetípica, podría ayudarnos a comprender cómo la imaginación de los ángeles, aliada a nuestro potencial sicoquinético, puede ser al mismo tiempo responsable de la manifestación –incluso de la intervención- en nuestra existencia de lo que llamamos ángeles».[29]

---

[29] *Más Allá* , n° 8, op. c., p. 33.

c) Crítica del Movimiento Potencial Humano y de la New Age por su práctica yóguica y parapsicológica

La convergencia entre la Nueva Era y el Movimiento del Potencial Humano con la parapsicología es un hecho indiscutible. Pero han ido más lejos, han transformado la concepción que sobre la parapsicología se tenía, restándole credibilidad científica.[30]

Seis aspectos sobresalen *en esta parapsicología* del **Movimiento del Potencial Humano** o de la *New Age*:

1) la práctica de un Yoga integral para alcanzar esa conciencia unitiva;
2) una manifestación más allá del cuerpo mediante viajes astrales a otros mundos y contactar con otros seres;
3) el contacto con Espíritus guías o ángeles o extraterrestres que te comunican mensajes, y en otros casos, de acuerdo a la evolución alcanzada, o para una misión determinada te dotan de poderes paranormales como los de Uri Geller o como los de los Curanderos milagrosos;
4) una medicina holística relacionada con esos poderes paranormales de curación;
5) el origen de todo en el *Cosmos* permitiría suponer una vinculación con los *astros* de tal modo que podrían ser estudiados con la finalidad de obtener respuestas a la vida y al destino, de ahí a la *Astrología;*
6) la creencia en una naturaleza humana no creada sino de esencia divina con la que uno debe evolucionar, incluso después de la muerte a través de reencarnaciones sucesivas.[31]

Algunos de estos puntos los vamos a tratar en otros capítulos de un modo especial, pero digamos ahora que lo indicado para Gopi Krishna sirve lo mismo para el Movimiento del Potencial Humano puesto que bebe de las mismas fuentes, pero hay algo más que añadimos. Toda la base de los contenidos de dicho Movimiento descansa en lo puramente especulativo. Todo el edificio se apoya en premisas que ni se han probado ni lo harán jamás. Todo responde a sensaciones internas, a sentimientos bajo una conciencia alterada o de pérdida de su autodeterminación consciente, a estados ilusorios y de una especie de imaginación que llega a la alucinación, a conjeturas y a opiniones personales subjetivas que pretenden objetivarlas mediante el invento de hipótesis (ni siquiera podría llamarse así) como el de nuestro origen proveniente de una Energía Cósmica increada e impersonal, eterna, a la que se le identifica con la Divinidad; con la que habría que confluir, gracias al desarrollo de los poderes superiores ocultos que se encuentran en el ser humano, y a la ayuda

---

[30] *Parapsicología y Nueva Era*, y, *El Movimiento del Potencial Humano*, en *Más Allá*, n° 8, op. c., pp. 30-43, 32.

Con relación a la identificación plena tanto de intereses como de contenidos entre la *New Age* y el Movimiento del Potencial Humano ver *Más Allá*, n° 8, op. c., p. 44, 45, en una entrevista a Michael Murphy.

[31] Ver sobre esto, íd., 30-43, 32, 44-52.

de otros seres distintos a esta dimensión humana que se encuentran más evolucionados, y que al desarrollar esos poderes, nos tienen que poner en contacto con ellos, por cuanto en esa búsqueda de una conciencia unitiva, movilizamos resortes que nos obligan a relacionarnos y comunicarnos con ellos.

Toda esta filosofía suena a error por cuatro causas que a continuación especificamos, independientemente de lo que diremos todavía en otros capítulos que afrontan la posición de la *New Age* o del Movimiento del Potencial Humano.

La primera tiene que ver con el método. *Michel Murphy* explica el motivo que le lleva a tener su visión sobre lo que cree:

> «mi visión se asienta en la fe en la vida, y reconoce el papel que juega en ella un cierto sentido de aventura, nuestro amor por la exploración, y nuestra propensión compulsiva a ir más allá de nuestros límites en todo».[32]

No se trata de constataciones previas ni del conocimiento de unas leyes que se cumplan, para que mediante la observación, experimentación y verificación, puedan traerse las pruebas de que lo que se dice corresponde a una verdad real.

Esto, de acuerdo al planteamiento, no le interesa ni lo más mínimo: es el riesgo de la aventura, o el descontrol de la tendencia, o los impulsos que no admiten reflexión lo que le empuja a ir más allá de los límites. ¡Y esto es lo que está influyendo en millones de personas!

Es un ser humano amargado trágicamente, que en vez de escudriñar en la Palabra Profética, en lugar de consultar al Dios Creador y personal que se hace presente en la historia y en la persona de Jesucristo, y que le explica precisamente, el por qué de su situación y los límites de su naturaleza humana, decide experimentar en una auténtica droga del conocimiento *superior* y de los poderes *psi*, hasta el punto, que como cualquier tóxico químico, le provoca un **estado alterado de conciencia.**

La segunda se relaciona con esa condición alterada de conciencia. Esta disposición de la conciencia debería ser suficiente para alertar a cualquiera, de los peligros y de la irrealidad humana de lo que se pretende conseguir. En efecto, el cerebro humano reacciona frente a la actividad mental que se le exige, provocando en su momento una situación **no normal.** Esa "no normalidad" está siendo malévola e ingenuamente interpretada, diciéndose que correspondería a algo desconocido por el hombre, por no haberse usado hasta entonces, y se le compara a los descubrimientos científicos que hoy son una realidad frente a su ausencia en siglos pasados.

Pero la muestra científica en este caso es el resultado de *anormalidad* que se da. No negamos que mediante ciertas técnicas meditativas, se pueda acceder

---

[32] Id., p. 52.

a una ubicación mental en el que se de como resultado una potenciación de la mente. El problema está, en que esto se logra haciendo *padecer* al consciente, mediante el paso de una posición normal a otra no normal. Y es precisamente en esa nueva llegada de la **no conciencia normal,** donde ya **no soy yo** con mi conciencia normal sino otro *yo* en otro estado de conciencia. Y es aquí, y en el proceso hasta la llegada, donde se pueden producir interferencias **no humanas** de carácter espiritual.

La tercera hace mención a esa naturaleza divina con la que se pretende estar dotado el ser humano

El Movimiento del Potencial Humano y por ende la *New Age* propicia la *realización* del **mito de Narciso**, en cada uno de sus adeptos, con todos los peligros inherentes para la salud mental.

En efecto, en esa continua introspección que se obliga a que el hombre continuamente se haga, para cumplir la máxima socrática de "conócete a ti mismo" se corre el peligro de anular la única realidad existente: la del propio ser humano despojado de la imagen que uno mismo previamente se ha hecho de si mismo.

El Movimiento del Potencial Humano **asegura** sin probarlo ni poderlo comprobar *que el ser humano es Dios*, y que tiene que descubrir, mediante el conocimiento de uno mismo, esa naturaleza divina. Con dicho examen, a través de diferentes técnicas, especialmente el Yoga, irá configurando una conciencia unitiva que le permitirá estar en la cita de la llamada de la Unidad de la Conciencia Cósmica.

El *mito de Narciso* ilustra el error trágico que supone el acto por el cual se toma conocimiento de si mismo, cuando uno parte de una imagen que se ha hecho de si mismo, y que no corresponde a la realidad.[33]

Narciso, hijo del río Cefis y de la ninfa Liriope era de una belleza insuperable. Su madre le pregunta al divino Tiresias sobre si su hijo llegaría a vivir muchos años. Su respuesta: "Sí, si no se conoce".

Ciertas ninfas se enamoran de Narciso, como consecuencia de su gran hermosura, y son rechazadas por éste, sufriendo por su amor.

Un día, de vuelta de la caza, Narciso acude a un estanque a beber agua. Nunca antes se había podido contemplar. Cuál sería su sorpresa, cuando Narciso se observa reflejado en el estanque. Sin saber que es **él mismo** se imagina que es *otro,* hasta el punto que se enamora de ese **otro** que se reflejaba en el estanque y *que no era otra cosa que su propia proyección*. Día tras día acude como impulsado por un resorte. Hasta que enamorado tanto de *eso* que ve en el estanque, pretende abrazarlo. Pero cuando toca el agua la figura se desvanece. Al intentar de nuevo cogerlo con cuidado pierde el equilibrio, cae en el estanque y perece ahogado.

---

[33] Nos hemos basado para lo relativo del mito de Narciso y de sus consecuencias en Jean Zurcher, *L'Homme, sa Nature et sa Destinée,* op. c., pp. 113-120.

Este es el drama paradójico del "conócete a ti mismo". Cada vez que buscamos en nosotros mismos **saber lo que somos**, nos volvemos de algún modo hacia lo que **no somos**. Este es el error del conocimiento que se obtiene por la contemplación de uno mismo en el espejo de la reflexión.

Y es que cada vez que uno se encuentra frente a sí mismo, el sujeto aparece a sus propios ojos *como un ser* que **puede ser** un problema para él mismo. **El sí mismo se convierte a la vez en sujeto y objeto.** Por un lado está lo que uno es realmente, y por otro lo que piensa que es como consecuencia de la imagen previa que se ha forjado y que se programa en su intento por descubrirse en una interiorización de sí mismo.

Cada vez intenta asegurarse lo que se ha proyectado que es, sin alcanzarlo nunca; de ahí que **el yo real** proteste mediante resultados como el de la alteración de la conciencia y otros desequilibrios. Pero el enamoramiento hacia la imagen que nos hemos proyectado **de lo que no somos** pero *que creemos que somos* (la persona así interiorizada cree poseer *a dios*), como fruto de las fijaciones repetitivas de las imágenes que han marcado a nuestra mente, impide volver a la realidad; hasta conseguir, en la mente, la sensación de estar consiguiendo el objetivo, a pesar de las evidencias que también se experimenta de lo contrario. Aun cuando esto último pasa desapercibido, por cuanto "el hombre deja de ser lo que es desde que se cambia en objeto" (produciéndose entonces la muerte de Narciso) "puesto que **no hay conocimiento representativo de la conciencia.** Conocerse no es mirarse en un espejo como quería hacer Narciso que no veía más que la sombra de sí mismo. Pues el yo no tiene realidad anterior al acto por el cual se interroga".[34] Es preciso preguntar sobre nuestras raíces, interrogar a Alguien exterior a nosotros. A Aquel que dice ser nuestro Creador y que se ha manifestado mediante la Revelación y en Jesucristo.

La cuarta causa, es el ignorar el concepto antropológico que la Palabra Profética del Dios Creador nos ofrece, y sustituirla por un concepto que se afilia a la concepción de la Serpiente antigua.

Es la Serpiente, identificada en la Revelación de Jesucristo o Apocalipsis como el Angel caído llamado Satanás, que aparece en el Edén, en el relato del Génesis, que les afirma a nuestros primeros padres la posibilidad de descubrir, mediante el conocimiento, que son como Dios. Esta Serpiente, tal como ya vimos miente y engaña, y Jesucristo nos explica la verdad. Conocer a Dios (Jn. 17:3), según Jesucristo no implica el tener que llevar a cabo ninguna técnica meditativa yóguica. Ni introducirse en ninguna interiorización de uno mismo. Para conocer a Dios y la Verdad se debe evitar precisamente el que se altere la conciencia. La propuesta de la Biblia es el ser discípulo de Jesucristo, aceptar su doctrina escrita por aquellos que fueron testigos (cf. Jn. 8:31, 32), y sujetarse a la Palabra Profética.

En ninguna parte de esa Palabra Profética se le insinúa al hombre nada de lo que propone el Movimiento del Potencial Humano, al contrario, no todo

---

[34] Íd., p. 119.

debe ser aceptado, y todo debe ser analizado a la luz de la única norma de verdad que son las Sagradas Escrituras (Gá. 1:8, 9; 1ª Jn. 4:1; 1ª Co. 4:6; Is. 8:19, 20).

Conclusiones y valoraciones

El Yoga presupone tres aspectos que son irreconciliables con la **antropología bíblica**. El **uno**, el considerar al personaje sobre el que efectúa la experimentación dotado de un espíritu que puede ser desligado totalmente del cuerpo con el que llevar su experiencia yóguica. Ese espíritu sería inmortal y sobreviviría conscientemente después de la muerte del cuerpo. De acuerdo a su experiencia yóguica que le proporciona un crecimiento y perfección iría alcanzando, a través de las sucesivas reencarnaciones necesarias, la identificación con **lo absoluto** que implica la vuelta a la **nada** o sea la **extinción.**

El segundo punto considera al hombre de origen eterno con la misma naturaleza que cualquier ser superior, dios o ángel, puesto que todo procede de la materia eterna. De ahí que el hombre según este pensar sea dios.

El otro aspecto alude a la necesidad de la existencia de los opuestos o contrarios, siendo el objetivo eliminar la polaridad con que la mente humana ve dichos opuestos o contrarios, debiéndose conseguir la **unión de los opuestos o la igualdad de los contrarios**.

Esto lleva consigo la teoría de que el **mal** es necesario para la existencia y que no es preciso eliminarlo sino *mezclarlo* con el **bien**.

Si se sigue el criterio **antropológico bíblico** se imposibilita una filosofía de esta naturaleza. Es imposible la aceptación de la Revelación bíblica con semejante planteamiento. Los perjuicios que se ocasiona a la mente humana han sido constatados, y sería la respuesta evidente a tal práctica.

Se trata en última instancia de aceptar o rechazar la revelación del Dios de Jesucristo versus la revelación de la Serpiente.

Teniendo en cuenta todo lo indicado terminamos con una cita de John Ankerberg y John Weldon:

«Aunque el público percibe falsamente que el yoga es una práctica segura o neutral, incluso la información autorizada sobre el tema está repleta de advertencias acerca de consecuencias físicas serias, demencia y efectos espirituales perniciosos. A menudo se menciona la posibilidad de parálisis, locura y muerte. Supuestamente, tales consecuencias se deben a la práctica errada del yoga, pero de hecho realmente se deben a que el yoga es una práctica ocultista. Aquellos que se preocupan por su salud en general no debiera practicar el yoga».[35]

---

[35] En *The Facts on Holistic Healtand and the New Medicine*, Harvest House Publishers, Eugene Oregon 1992, p. 37 (citado en *El Crecimiento Explosivo de la Nueva Era*, op. c., p. 152).

Capítulo II

Antropología y principios de salud bíblicos versus Medicina y Temperancia holística

Ya hemos tratado en un capítulo anterior a manera de introducción, en la posición que asume la *New Age* respecto a su concepto de medicina holística. Aun cuando en nuestra posición objetiva intentábamos que sobresaliera la contradicción continua que se manifestaba en la exposición de los autores *holísticos*, es preciso ahora puntualizar aquellos extremos que precisan de una matización y refutación contundente. De cualquier forma recordaremos las premisas trayendo a colación nuestra exposición anterior correspondiente a la "práctica de la medicina holística".

A. La práctica de una Medicina Holística: Curanderismo, milagros, y temperancia refuerza su concepción antropológica

Holístico, viene del griego *holos* que significa **totalidad**. Basada originalmente en la idea de que el universo posee fuerza creativa dispuesta a producir *totalidades* que engloban y superan a las partes que las constituyen.

Este enfoque hipotético, sin puntos de referencia concretos, sirvió a la Nueva Era para crear una *nueva conciencia* en el ámbito de la salud y medicina.

Si esa totalidad se da en el universo que es el gran espejo macrocosmos se ha de ver reflejado en el microcosmos que aparece en el hombre. Se trataría, en lo relativo a la salud y la medicina, de un enfoque distinto al tradicional, considerando a la persona una *totalidad* pero en **conexión** con el universo.

La enfermedad no respondería a lo que se evidencia de un tratamiento funcional y sintomatológico, sino que sería una manifestación de contrariedades causada por desequilibrios energéticos de una unidad cuerpo-espíritu- mente que se presenta de modo confuso y aparente.

Es preciso que puntualicemos bien cierta terminología que emplea la Nueva Era para describir su medicina holística puesto que puede llevar a engaño. En principio digamos que no todo lo que dice la medicina holística es erróneo, pero no podemos aceptar ni reconocer como verdadero a algo que responde a una mezcla de conceptos correctos con ideas que no sólo no son verdad, sino que pretenden pasar como científicas o como aceptadas por la Ciencia[1]

Veamos algunas de las concepciones de esta medicina holística:

---

[1] Consultar al Dr. Saraví, médico evangélico, que realiza un análisis crítico profundo de la medicina holística y de la falta de veracidad (*Las Trampas de las Medicinas Alternativas*, op. c.). También puede consultarse a Manuel Vasquez, en *El Crecimiento explosivo de la Nueva Era* (PPPP, 1999), donde se describe ampliamente las bases de la medicina holística y su identificación con la Nueva Era.

Es verdad que el mundo científico, en lo que respecta a la medicina y la salud está en un proceso de cambio, y que la influencia de las llamadas medicinas de alternativa reconducidas por el Espiritismo moderno o la filosofía de la Nueva Era están atrayendo la atención hasta el punto, de que en este mundo que camina hacia un Nuevo Orden Mundial, y una Unidad en todo, se provocará, por las injerencias espirituales sobrenaturales negativas, a una identificación con esta manera de pensar que propone la Nueva Era, y obligará al Cristianismo Evangélico genuino a cerrar filas como nunca antes, para dar el debido testimonio de los principios del Reino de Dios.

(Ver sobre este proceso de cambio a William A. McGarey, en *Milagros de Curación -Usando las Energías de su Cuerpo-*, Edaf/Nueva Era, Madrid 1990, pp. 27-49.

La propia OMS desde 1976 está facilitando la utilización de métodos no convencionales, incluyendo en su listado hasta la astrología médica de la India. Aunque dicha inclusión no asegura su validez o efectividad, se prepara el terreno para el momento que sea el oportuno.

Es imprescindible en el uso que la Nueva Era hace de la palabra "holístico u holística". El concepto antropológico cristiano basado en la Revelación Bíblica considera al ser humano una totalidad pero en unidad inseparable de *materia* y *espíritu*. La Nueva Era, como podemos observar en nuestra exposición no cree en esa unidad. La *totalidad* la refiere a una nueva cosmovisión en la que todo está conectado con el Todo, de ahí la totalidad. Por eso la *Enciclopedia de la Nueva Era* dirá:

«La visión central de la Nueva Era es una transformación radical. En el nivel individual, tal experiencia es muy personal y mística. Incluye un despertar a una nueva realidad del yo; comparable al descubrimiento de una habilidad psíquica, la experiencia de la sanidad física o psicológica, el surgimiento de un nuevo potencial dentro de uno mismo, una experiencia íntima dentro de una comunidad, o la aceptación de una nueva imagen del universo» (ver a Arthur W. Hafner, ed. *Reader's Guide to Alternative Health Methods*, Milwaukee, Wis.: American Medical Society 1903, p. 104 [citado por Manuel Vasquez en *El Crecimiento explosivo de la Nueva Era*, pp. 124, 125]).

Esa nueva imagen del universo es a la que hace referencia el Dr. Reisser, cuando afirma:

«Los seguidores de la Nueva Era están mucho menos interesados en reformar la manera en que se proveen los servicios médicos que en cambiar la cosmovisión de sus pacientes» (en Body, Mind & Soul: *What RE Holistic Healers Realy After?*, Journal of Christian Nursing, primavera de 1989, p. 10 [citado por Manuel Vasquez, op. c., p. 10]).

Marilyn Ferguson ferviente dirigente de la Nueva Era en su famoso libro *La Conspiración del Acuario* (op. c..), no deja lugar a dudas en cuanto al propósito de que la humanidad cambie de paradigma hacia una nueva cosmovisión filosófica mediante la nueva conciencia que se genera con una visión integral del universo, de donde el ser humano procedería, y evolucionar hacia una transformación *total*. Esta cosmovisión ha sido ofrecida por filosofías paganas y ocultistas que se aplican en esa nueva versión de medicina de alternativa propugnada por la Nueva Era: la holística. De acuerdo a este pensar se trataría de:

«Una "Nueva Conciencia", una síntesis suelta de varios elementos de misticismo, ocultismo, espiritismo y animismo, combinados con conceptos derivados de la investigación paranormal moderna (...) y de la experiencia de aquellos que han experimentado estados alterados de conciencia. Conocida a veces como el movimiento del potencial humano, la Nueva Conciencia representa un tipo de humanismo sobrenatural y psíquico que lucha por producir una transformación radical del pensamiento en la sociedad en general (...). La salud holística es, en esencia, el estandarte bajo el cual la Nueva Conciencia está introduciéndose en el campo de la salud y la medicina» (en *New Age Medicine: A Christian Perspective on Holistique Health*, InterVarsity Press, Downers Grove 1987, p. 12, de Paul C. Reisser, Tery K. Reisser, y John Weldon [citado por Manuel Vasquez, op. c., pp. 127, 128).

1. En cuanto a su actitud crítica y metodológica

«La medicina falla por su filosofía o, más exactamente por su falta de filosofía. Hasta ahora la actuación de la medicina responde sólo a criterios de funcionalidad y eficacia (...).

»Muchos síntomas indican que la medicina está enferma. Y tampoco esta "paciente" puede curarse a base de tratar los síntomas (...)

»Los procesos funcionales nunca tiene significado en sí (...)

»Para interpretar una cosa hace falta un marco de referencia que se encuentre fuera del plano en el que se manifiesta lo que se ha de interpretar. Por lo tanto, los procesos de este mundo material de las formas no pueden ser interpretados sin recurrir a un marco de referencia metafísica (...)

Enumeramos para un mejor conocimiento diferencias esenciales entre la medicina total, llamada holística, de la Nueva Era, y la filosofía de la salud revelada en los principios bíblicos:

La diferencia entre la salud holística de la Nueva Era (que tiene en cuenta la totalidad en el contexto que la Nueva Era explica), y la teología de salud cristiana es radicalmente distinta a pesar de que una filosofía cristiana de la salud también ha de considerar la *totalidad* del ser humano. Pero esa *totalidad* parte de bases y presupuestos distintos. Lo *total* en la práctica de una medicina cristiana tiene como referencia la unidad integral del ser humano en el sentido de una concepción antropológica unitaria en la que la materia y el espíritu están unidos indisolublemente, pudiéndose entonces, y únicamente entonces hablar de persona humana. Sin embargo la Nueva Era utiliza el término *holístico* manteniendo un concepto antropológico no unitario. No considera ni siquiera la unidad humano corporal. El cuerpo no sería el ser humano total, en el que está integrado el espíritu, según la antropología bíblica, sino una materia unida al espíritu provisionalmente, cuya individualidad del espíritu es suficiente para existir. Y lo que se entiende en términos *totales* (*holísticos*), no es la unidad integral del ser humano sino la vinculación relacional con el hipotético balance o *desequilibrio* energético que se tendría con la totalidad de lo viviente y no viviente del universo entero. Según este pensar equivocado, tanto la materia como el espíritu están vinculados con la energía del universo, son parte de la creación que el universo impersonal ha efectuado, de ahí la *totalidad*. Y, siempre según esta especulación, se debería alcanzar ese balance energético en su identificación con el Todo, y es en ese sentido, que erróneamente se teoriza de las técnicas como el Yoga lograrían obtener ese balance energético cuando logra la pérdida de la auto conciencia pudiéndose confundir con el Todo.

El *monismo* bíblico responde a que el ser humano es una unidad indisoluble mientras se quiera seguir hablando de ser humano, creado así por el Dios personal (cf. Gn. 1:26; 2:7) que se revela en Jesucristo (Gn. 1:1 cf. Jn. 1:1-3, 14, 18). El *monismo* de la Nueva Era responde a la unidad tomando como referencia un Universo eterno del que se habría *desgajado* una parte que habría venido a ser una persona pensante individual, perdiendo su relacionalidad y unidad con el Todo (ver el *cp. I de nuestra sección introductoria*). La unidad, en este último caso, no residiría en la *constitución* humana sino en esa unidad perdida mientras se estuvo sin desgajarse del Universo, del Todo y Total; unidad *relacional* perdida que sería preciso recuperar, y que las prácticas parapsicológicas, y las técnicas como el Yoga, junto a las necesarias reencarnaciones, le irían acercando al objetivo. Meta imposible porque todo descansa en la conjetura y en el error, tal como exponemos en esta obra.

La filosofía cristiana de la salud *total* está estructurada y fundamentada en los principios del Reino o Gobierno de Dios revelados en las Sagradas Escrituras de la Biblia. Su apoyo se sustenta en una cosmovisión teísta bíblica. En la que Dios es una Persona eterna, Creador, Trascendente y Sustentador. En la concepción de la salud holística de la Nueva Era aparece una cosmovisión de origen babilónico matizada por lo que en el transcurso del tiempo se ha ido complementando haciendo permanecer lo esencial: materia eterna *de la que se va desgajando todo lo que existe*; teología solar explicada por los dioses salidos de esa materia eterna, panteísmo, naturaleza divina esencial del ser humano.

La filosofía cristiana de la salud total es una verdadera teología de la salud en la que auténticamente todo el ser humano es considerado como cuerpo o como espíritu, o incluso como alma (el resultado de la unión de la materia y del espíritu). Todo tiene la máxima importancia, porque cualquier tratamiento necesario incide en toda la persona. El objetivo primordial de esta concepción de la salud es alcanzar, en Jesucristo por medio del Espíritu Santo, la restauración a la imagen del Creador, imagen que se perdió con el pecado o independencia respecto de Dios, y que trajo la pérdida de la salud, la enfermedad, el sufrimiento y la muerte. Ahora, con el conocimiento de Dios en Jesucristo (cf. Jn. 17:3; 8.31, 32), se consigue la sabiduría de la salvación y de la verdad (1ª Co. 1:18, 21, 22-24, 30 cf. Jn. 8:31, 32), en donde están implícitos los principios reveladores de la salud física, mental y espiritual. (cf. Mt. 6:33). Sin embargo para la salud holística de la Nueva Era es

»Nosotros abandonamos explícita y deliberadamente el terreno de la medicina científica (...) Nos apartamos deliberadamente del marco científico porque éste se limita precisamente al plano funcional, y por ello, impide que se manifieste el significado».[2]

2. La relacionalidad cuerpo-mente-espíritu o cuerpo-alma-espíritu, en una totalidad integrada traduciría el tipo de enfermedad

Es preciso explicar convenientemente, aunque sea ahora en brevedad. La relacionalidad cuerpo-mente-espíritu **no implica,** para la Nueva Era, una **unidad** en el ser, sino más bien una relacionalidad de sus partes en conexión con el cosmos. El dualismo sigue existiendo, y esto en detrimento del cuerpo que viene a ser algo sin valor. Nótese con cuidado estas citas de los defensores de esta filosofía:

«Enfermedad y salud son conceptos singulares, por cuanto que se refieren a un estado del ser humano y no a órganos y partes del cuerpo (...) El cuerpo nunca está enfermo ni sano, ya que en él sólo se manifiestan las informaciones de la mente. El cuerpo no hace nada por si mismo (...)

»El cuerpo de una persona viva debe su funcionamiento (...) a estas dos instancias inmateriales que solemos llamar conciencia (alma) y vida (espíritu) (...) Dado que la conciencia representa una cualidad inmaterial y propia, no es producto del cuerpo ni depende de la existencia de éste.

»(...) el espíritu nunca puede enfermar».

«Por lo tanto es un error afirmar que el cuerpo está enfermo -enfermo sólo puede estarlo el ser humano-, por más que el estado de enfermedad se manifieste en el cuerpo como síntoma.»[3]

3. La enfermedad como propósito y mensaje. La verdadera y única causa de la enfermedad: la polaridad y el *desequilibrio* energético

En la enfermedad hay un propósito, en cualquiera de ellas aparece un mensaje, y un significado en cada síntoma; a todo lo cual es preciso estar muy atento:

---

primordial acabar con la personalidad, hacer desaparecer el núcleo de lo que se establece como persona: la consciencia. Y de este modo restaurar la imagen de su creador: la materia impersonal; llegar a la nada, volver a lo que *no se era* en el principio: **nadie** ni nada, la confusión con el Todo eterno material e impersonal, con el *ateísmo*. Lógicamente la medicina que inspira esta concepción holística, sea la de un cuerpo pura materia sin valor trascendente y el raciocinio y el pensamiento sea preciso eliminarlos sustituyéndolos por el sentimiento y las emociones.

[2] Thorwald Dethlefsen y Rüdiger Dahlke, *La Enfermedad como Camino*, op. c., pp. 12-14. El primero mencionado es sicólogo y el segundo médico. Evidentemente propagadores de la medicina holística.

[3] En *La Enfermedad como Camino*, op. c., pp. 14, 15.

«(...) Con esta óptica, se vería ese segundo aspecto de la enfermedad que, en la habitual consideración unilateral, se pierde por completo: el propósito de la enfermedad y, por consiguiente la significación del hecho.

»La enfermedad no es excepción. Detrás de un síntoma hay un propósito, un fondo que, para adquirir formas, tiene que utilizar las posibilidades existentes.

»Para nosotros cada síntoma tiene su significado y no admitimos excepciones».[4]

La enfermedad que nos hace daño es un proceso en marcha que manifiesta el origen auténtico del problema humano que es ajeno a la propia enfermedad. Esta, simplemente, es el mensaje que le advierte al hombre de su estado sufriente para advertirle de que algo ha perdido y que es preciso recuperar:

«La enfermedad hace curable al ser humano. La enfermedad es el punto de inflexión en el que lo incompleto puede completarse. Para que esto pueda hacerse el ser humano tiene que abandonar la lucha y aprender a oir y ver lo que la enfermedad viene a decirle. El paciente tiene que auscultarse a sí mismo y establecer comunicaciòn con sus síntomas, si quiere enterarse de su mensaje.

»(...) tiene que conseguir hacer superfluo el síntoma reconociendo qué es lo que le falta. La curación siempre está asociada a una ampliación del conocimiento y a una maduración».[5]

La única manera de conseguir la salud y erradicar la enfermedad, sería, según este pensar, primero evitando querer encontrar las causas de la enfermedad fijándonos en lo puramente funcional o en el aspecto físico del síntoma:

«Nosotros empero, consideramos la búsqueda de las causas de la enfermedad el callejón sin salida de la medicina y de la psicología. Desde luego mientras se busquen causas no dejaran de encontrarse, pero la fe en el concepto causal impide ver que las causas halladas sólo son resultado de las propias expectativas.

»Hasta ahora el método de trabajo de la medicina ha fracasado. La medicina cree que eliminando las causas la podrá hacer imposible, sin contar con que la enfermedad es tan flexible que puede buscar y hallar nuevas causas para seguir manifestándose.

»A nosotros no nos interesan las causas del pasado (...)».[6]

Según la medicina holística, la verdadera y única causa de la enfermedad es la **polaridad**:

«Pero aun podemos ser más categóricos: enfermedad es polaridad (...)».[7]

---

[4] Id., pp. 75, 76.
[5] Id., p. 62.
[6] Id., pp. 74, 75, 76.
[7] Id., p. 22.

¿Pero qué es eso de la polaridad?: el de haber creado una división entre el bien y el mal, el de haberse inclinado hacia la separación de los contrarios o de los opuestos:

> «(...) la Iglesia ha deformado el concepto del pecado e inculcado en el ser humano la idea de que pecar es *obrar el mal* y que *obrando el bien* se evita el pecado (...) (...) el pecado no es evitable (...)».[8]
>
> «La polarización del "Bien" y el "Mal" como opuestos condujo también a la contraposición (...), de Dios y el diablo como representantes del Bien y del Mal. Al hacer al diablo adversario de Dios, insensiblemente, se hizo entrar a Dios en la polaridad, con lo que Dios pierde su fuerza salvadora».[9]

La **curación** de la enfermedad va a consistir precisamente en superar la polaridad, **uniendo** en un **Todo** *los opuestos o contrarios*:

> «Sabemos que el gran reto supone cuestionar el principio, considerado ortodoxo, de hacer el bien y evitar el mal».[10]
>
> «Este dualismo de opuestos irreconciliables verdad-error, bien mal, Dios y demonio, no nos saca de la polaridad sino que nos hunde más en ella».[11]
>
> «Para ello es necesario cuestionar una y otra vez la rigidez de nuestros sistemas de valoración, reconociendo que (...) el secreto del mal reside en que en realidad no existe».[12]
>
> «La culpa del ser humano es de índole metafísica y no se *origina* en sus actos».[13]

La superación de la polaridad ha de ser eliminando esos opuestos mediante la Unidad de ellos:

> «Hemos dicho que por encima de toda polaridad, está la Unidad que llamamos "Dios" o "la luz"».[14]
>
> «La conciencia universal de este paso de la polaridad a la unidad lo encontramos en infinidad de formas de expresión. Ya hemos mencionado la filosofía china del taoísmo, en la que las dos fuerzas universales se llaman *Yang* y *Yin*.
>
> »enfermedad es polaridad, curación es superación de la polaridad».[15]
>
> «Como queda expuesto, la enfermedad tiene un propósito y una finalidad que nosotros hemos descrito (...) con el término de curación en el sentido de adquirir la unidad».[16]

---

[8] Id., p. 51.
[9] Id.
[10] Id., p. 53.
[11] Id., p. 37.
[12] Id., p. 54.
[13] Id., p. 53.
[14] Id. p. 54.
[15] Id., p. 22.
[16] Id., p. 76.

¿Qué es realmente esa Unidad y cómo se puede conseguir para obtener la curación?

> «El origen de todo el Ser es la Nada (...). Es lo único que existe realmente, sin principio ni fin, por toda la eternidad. A esa unidad podemos referirnos pero no podemos imaginarla. La unidad es la antítesis de la polaridad y, por consiguiente, sólo es concebible -incluso, en cierta medida, experimentable- por el ser humano que, por medio de determinados ejercicios o técnicas de meditación, desarrolla la capacidad de aunar, por lo menos transitoriamente, la polaridad de su conocimiento».[17]

William A. McGarey,[18] otro médico representante de la medicina holística, nos explica, basado fundamentalmente en el médium espiritista Edgar Cayce, como el *desequilibrio* **energético** era el causante de que el hombre cayera en la enfermedad, y que el único modo de curarse, sería adquiriendo el debido equilibrio *eléctrico*.

Que en el organismo se producen corrientes eléctricas y que aparece energía no hay ninguna duda. Ahora bien ¿a qué clase de energía se refiere la medicina holística?

Se trataría de una energía cósmica que está presente en todas las cosas y seres. No se están refiriendo a la energía química que se produce por medio del metabolismo de los alimentos, sino de una entidad supramaterial que aunque diferente de la materia se encuentra presente en ella. Se incorporaría en el ser humano a través de la respiración (de ahí la importancia de ciertos ejercicios y posturas yóguicas), de ciertas meditaciones (de ahí el Zen y del Yoga), del conocimiento (de ahí el Movimiento del Potencial humano o de la Dianética).

La ignorancia sobre el verdadero origen humano, junto a actitudes en su comportamiento que no tienen en cuenta esta relación entre el individuo y su origen y naturaleza Energética produciría, según esta hipótesis *mágica* un bloqueo en la libre circulación de la *energía vital*, o un déficit o un exceso mal equilibrado, provocando una constante continuamente en marcha: la enfermedad.[19]

Edgar Cayce reconocido por la medicina holística como uno de sus precursores más importantes se explica de este modo:

> «... ¿quien cura todas tus enfermedades? Solo se dará una verdadera curación cuando cualquier parte de la estructura anatómica del ser humano entre en armonía con las influencias divinas que es una parte de la consciencia de una entidad individual. Sin esto, es nula y se vuelve más destructiva que constructiva».[20]

---

[17] Id., pp. 22, 23.
[18] En *Milagros de Curación* , op. c..
[19] Id., pp. 51-62.
[20] Id., p. 21.

«... toda curación de todo tipo es debida al cambio en la vibraciones del cuerpo desde dentro –la sintonización de lo Divino dentro de los tejidos vivos de un cuerpo hacia las Energías Creativas».[21]

«Tanto si se logra por medio de medicamentos, del bisturí o de lo que sea, es la sintonización de la estructura atómica de la fuerza celular viva a su herencia espiritual.

«La electricidad o vibración es esa misma energía, ese mismo poder que llamáis Dios».[22]

4. La mente es responsable por las enfermedades

Si bien la polaridad y la falta del logro de la Unidad de los contrarios es la causa principal y única de la enfermedad; o dicho de otro modo el desequilibrio energético, el no estar adecuadamente sintonizado con la Energía cósmica evidencia una mente que no ha conseguido todavía solucionar ese desarreglo cósmico, produciéndose en ella los conflictos, y ocasionando todo tipo de enfermedades:

«Infección = un conflicto mental que se hace material».[23]

5. Para liberarse de la enfermedad es necesaria una evolución, y ésta requiere una transformación de la conciencia que no tenga inconveniente en acudir al destino de la extinción

Parece increíble pero es realmente cierto. Lo que persigue esta filosofía es una justificación a su concepto de la *Nada eterna*. Se le exige al adepto que alcance, lo que ellos denominan un estado perfecto, consistente en percibir su pertenencia a un Universo que contiene una Energía capaz de proporcionar el equilibrio energético que el individuo necesita para obtener su bienestar.

¿Cuál es ese bienestar?

¿Acaso lo que resultaría de llevar una vida sana?

«Toda tentativa de *hacer vida sana* fomenta la enfermedad»

«Ya hemos dicho que ni la medicina preventiva ni la "vida sana" tienen posibilidades de éxito como métodos para prevenir la enfermedad».[74]

Ya habían definido la enfermedad como un estado perpetuo del ser humano como consecuencia de la falta de conocimiento en cuanto a un origen cósmico *impersonalizado*. Y si el vehículo de manifestación de la enfermedad lo provocan los conflictos mentales que se proyectan a manera de síntomas en el

---

[21] Id., p. 61.
[22] Id.
[23] *La Enfermedad como Camino*, p. 106.
[24] Id., pp. 60, 61.

cuerpo, de nada sirve, a tenor de lo que esta hipótesis sostiene, el que uno procure mejorar su dieta, puesto que ésta, no va a alterar para nada las situaciones conflictivas mentales, o el estado de su conciencia enferma.

La salud sólo se obtendría, en este caso, mediante la Iluminación que le devolvería a la Unidad cósmica perdida. ¿Cuándo? En el momento que el individuo es consciente de esa Existencia de Energía metafísica, automáticamente, esa Energía que hace posible la existencia y la perfección del Todo entraría en contacto con la persona. Prestemos atención a la siguiente cita:

> «Los occidentales especialmente suelen reaccionar con desilusión cuando descubren, por ejemplo, que el estado de conciencia que persigue la filosofía budista, el *nirvana* viene a significar *nada* (textualmente: extinción). El ego del ser humano desea tener siempre algo que se encuentre fuera de él y no le agrada la idea de tener que extinguirse para ser *uno con el todo*. En la unidad, Todo y Nada se funden en uno. La *Nada* renuncia a toda manifestación (...)».[25]

Obsérvese a dónde conduce esta conjetura: a la pérdida para siempre de la existencia individual y personal.

Es la forma, como veremos en nuestra posterior refutación, de espiritualizar el más profundo ateísmo.

6. ¿Cómo lograr esa evolución?: mediante el conocimiento. ¿Qué técnicas pueden ayudar?

Esa situación de bienestar último no podrá hacerse mas que con la alteración del estado de la conciencia provocado con métodos de meditación como el Yoga, el Zen o la Meditación Transcendental, o con los que nos provee tanto el Movimiento del Potencial Humano como la Dianética de la Cienciología.

La *Cienciología*, o *Iglesia de la Cienciología* fundada por M. Hubbar es junto al Movimiento del Potencial Humano (de Michael Murphy y George Leonard), los que mejor han sabido utilizar las técnicas y concepciones orientales, sobre todo budistas, para canalizarlas y aplicarlas en el mundo occidental. La *New Age* reconoce a estos dos exponentes ideológicos como los máximos representantes.

Del Movimiento del Potencial Humano ya hemos hablado algo, simplemente repetir que ha sabido comercializar y manipular de un modo muy hábil tanto el Yoga como lo relativo a la fenomenología parasicológica.

En relación a la Iglesia de la Cienciología y a su rama paralela la *Dianética* nos explicamos en breve.

La Cienciología pretende ser una filosofía de la existencia que le permitiría teniendo en cuenta el *conocimiento* y una cierta *tecnología* aplicada, operar, según se dice, los cambios necesarios para que la vida de todo hombre sea la deseable.

---

[25] Íd., p. 22.

El hombre dispone desde su origen, según este pensar, una inteligencia capacitada para no cometer errores. Pero existe una especie de dispositivo mental compuesto de dos partes: el analítico y el reactivo. El primero tendría que ver con la percepción y el análisis de los datos de toda experiencia humana; el segundo, a nivel del subconsciente, memorizaría toda emoción "acompañando a los actos de nuestra existencia". Ahora bien, este *reactivo* que supone registros no analizados "falsea y perturba la salud moral, síquica y física del hombre".[26]

¿Cuál sería el remedio? La Dianética (que viene a significar *a través [griego "dia"] del pensamiento [griego "nous"]).*

Se trataría de una técnica semejante a la sicoanalítica, por medio de la cual se pretende ayudar a la persona "a liberarse de los falsos datos ofrecidos por el reactivo y a la comprensión corregida de la experiencia a nivel de lo analítico".[27]

7. La muerte no es real sino un paso más en la evolución constante del individuo que le introducirá en el ciclo de las reencarnaciones hasta que haya logrado su identidad con el Todo o el Uno

El Cuerpo no es importante ni tiene nada que ver con la existencia real, consciente y personal. Es el espíritu o el alma lo que sigue existiendo hasta que haya conseguido vencer definitivamente la polaridad. A partir de ahí le espera la Nada, la pérdida de la individualidad y de la existencia personal consciente.

8. Es lo intuitivo, y no lo racional lo que les permite descubrir un paralelismo y una unión entre el microcosmos que sería el hombre y el macrocosmos

Esa coordinación invisible con sus relaciones entre el macrocosmos y el microcosmos, es, lo que hay que intuir y aprovechar, puesto que se conseguiría armonía y salud, ya que al determinar y reconocer esa correspondencia *cósmica* se produciría la Energía que tanto necesita el hombre para obtener equilibrio y salud total.

---

[26] Ver sobre esto al evangélico Maurice Ray, *Médicines Parallèles: oui ou non?*, Editions Ligue pour la lecture de la Bible, Lausanne 1987, p. 22.

[27] Íd., p. 23.

La Cienciología pretende, partiendo de suposiciones conseguir que el individuo se preste a su proyecto de hacerle creer que el hombre va a llegar a ser *dios.* Mientras tanto cobrará buenos dividendos, de aparatos, de libros y de consultas. Se le engaña al hombre haciéndole creer que en la imaginación reside el poder, y que si bien ha nacido *bueno* ha sufrido desarreglos debido a su *reactivo* que es preciso curar.

9. Es a través de nuestras manos o pensamientos que se podría transferir la salud y lograr la curación milagrosa

Esta es una lógica que lleva el planteamiento que estamos utilizando. Si hay algunos que se han *cargado*, tal como dicen, de esa energía cósmica, podrían en condiciones especiales *curar* con la imposición de las manos, o a través del masaje, o de algún otro fenómeno parasicológico.[28]

B. Su actitud crítica y metodológica hacia la medicina contradice la realidad de las causas

Que la medicina occidental y alopática es criticable desde diferentes ángulos, no creo que le quepa duda a ningún estudiante de medicina.

Nosotros hemos asumido personalmente una posición propia pero esto no nos lleva a un rechazo de todo, ni a no reconocer los aspectos positivos, que sin duda los tiene.

Que es la medicina de los "anti", la que aplica dentro de lo peor lo menos malo, y la que genera una terapia basada, en una proporción considerable, en la sintomatología, estamos de acuerdo. A pesar de sus errores, que los tiene, sabe reconocerlos también en una proporción considerable, y se proyectan cambios que entran en conflicto directo con algunas de las posiciones criticables hasta ahora.

Lo que no aceptamos es que no sea adecuado e incorrecto en medicina buscar la causa o causas de la enfermedad. Y aquí, es donde se observa el verdadero motivo del rechazo global de la medicina tradicional que asume la medicina holística en su exposición. Ese rechazo proviene **no porque** se haya demostrado el error de que las enfermedades se han producido por causas, sino porque dicho planteamiento contradice globalmente el esquema de la medicina holística que considera como referencia única de la enfermedad un problema **metafísico**.[29]

---

[28] Ver *Milagros de Curación*, op. c., p. 132, 127-136.
En nuestra refutación analizaremos y profundizaremos el "Curanderismo" y los "milagros" de la *New Age*.

[29] Para la Nueva Era, la medicina *holística*, tal como estamos viendo, no funciona de acuerdo a principios fisiológicos y anatómicos sino que se basa en lo metafísico pero con una orientación espiritista sobrenatural mediante la *canalización* y la imposición de manos que transmitirían una *energía* espiritual curativa, y con técnicas inspiradas en revelaciones contrarias a la Biblia y contenidos opuestos a los principios de la revelación del Dios personal: la hipnosis el yoga, y sus afines meditación transcendental, zen etc.; el uso de la adivinación por la interpretación de los astros, el péndulo, la lectura del aura, diagnóstico por el Iris; la pretensión o no de movilizar *energía espiritual* mediante la acupuntura o la acupresión que, según este pensar, reclamaría a los espíritus que dominan ciertos puntos y partes del cuerpo. El empleo de ciertos remedios naturales, y una alimentación vegetariana, aun cuando positiva si se proyecta de modo adecuado no es lo que caracteriza especialmente a la medicina holística. Dichos aspectos se encuentran mezclados con su filosofía curativa y de medicina holística.

Claro, los cristianos también podríamos decir que la referencia a la enfermedad es el pecado, y que la propia muerte, la última enfermedad, se produce como consecuencia del pecado. Pero la solución al problema del pecado que ha realizado Jesucristo, no me evita el poder caer en la enfermedad, ni libra, instantáneamente, de la degeneración que se va produciendo en el organismo humano. Por ello cualquier problema metafísico que se quiera traer como excusa para formular un tipo de medicina que anule la necesidad de buscar las causas de las enfermedades es improcedente además de irrelevante, quedando invalidado por las evidencias que nadie puede escamotear con un supuesto *viaje astral*.

Estos señores, con su misticismo ocultista y su filosofía de la unión de los contrarios, y de que el mal no existe, no quieren enterarse de que hay leyes tanto físicas como morales, que si se transgreden ocasionan la enfermedad. Pero no quieren entrar en la polémica, a todas luces manifiesta, de que es preciso evitar lo que se llegue a conocer como malo para la salud, ni reconocer que un cierto planteamiento de conducta traerá una calidad de vida mejor, y que las defensas inmunológicas aumentan. Esto les llevaría a tener que reconocer un cierto modelo moral y de salud física que rompería el marco de la polaridad del que luego hablaremos.

Que el hombre es un enfermo, en el sentido del camino degenerativo que se va produciendo, ya lo sabemos. Pero esto no impide el que se puedan cometer errores en el comportamiento, tanto por omisión como por lo contrario.

C. Se parte de un planteamiento falso y de una antropología errónea cuando se afirma que el cuerpo nunca está enfermo, que es el ser humano el que está enfermo, y que el espíritu nunca puede enfermar; que el estado de enfermedad se manifiesta en el cuerpo como síntoma

Hemos seleccionado estas frases de algunas de las citas que señalábamos en el apartado donde tratábamos la medicina holística.

Fíjense, si el cuerpo nunca está enfermo, y el espíritu no puede enfermar, y el alma es una cualidad inmaterial, y lo que está enfermo es el ser humano ¿qué es el ser humano? ¿y qué es lo que está realmente enfermo? ¿Qué es lo que hace que haya un ser humano?

A mi me gustaría saber, que si quito el cuerpo, si todavía puedo hablar de que existe un ser humano; y si el espíritu es la vida según los autores, a los que aludimos, y éste no puede enfermar ¿dónde está ese ser, que dicen identificar con lo que enferma?

Todo el problema proviene del paradigma antropológico que sostiene la filosofía de la *New Age*. Para ellos el cuerpo no es nada, no tiene ningún valor. Es el *espíritu* o el alma lo que importa. A esto le confieren personalidad y consciencia sin necesidad del cuerpo. A pesar de todo no saben ni pueden explicar semejante punto de vista.

El ser humano es una auténtica **unidad**. La Palabra Profética nos refiere, y ya lo hemos demostrado en su lugar, de que el cuerpo representa precisamente al Ser. Para que haya **Ser** es necesaria la unión inseparable de la sustancia material y el espíritu. El **cuerpo** propiamente dicho, *es la manifestación del Ser viviente* **que resulta** *de esa unión entre lo material y el espíritu.* El cuerpo en este caso ya incluye al espíritu, la *fuerza* que pone en funcionamiento esa forma material que estaba inerte. El espíritu por si sólo ni es el Ser, ni tiene consciencia propia, ni existencia personal pensante. El cuerpo sin el espíritu está inerte. El **alma** *es el resultado* de la **unión de la forma material con el espíritu**, es decir la vida, el ser pensante, la persona. El alma como el cuerpo no son un constituyente del Ser, sino que es el Ser, el resultado de la unión de la sustancia material y del espíritu. No podemos hablar de ser humano si no está el **cuerpo** *integrado con el* **espíritu**, en una unión inseparable. Si se separan ya no hay ser humano, ni actividad pensante ni existencia personal corporal ni alma.

Esto es lo que se desprende de la creación del ser humano según la Biblia (cf. Gn. 2:7). Todos los demás textos giran en torno a esta concepción como ya pudimos comprobar.

Por lo tanto que no se diga que el cuerpo no enferma, y que es la mente la que le informa la enfermedad, manifestándose en el cuerpo como un mero síntoma. Yo no se si sabrán que para que la mente pueda tener actividad e informar es preciso que haya un cerebro que aporta el cuerpo. Cuando el cerebro se lesiona, repercute en la actividad mental y pensante.

Les asusta que se hable del factor hereditario, y es porque el deterioro y enfermedad con que vienen ciertos cuerpos es tan visible y manifiesto de que la teoría de que el cuerpo no está enfermo y que es la mente quien le informa, se cae por los suelos.

Volveremos a este asunto cuando tratemos el tema de las enfermedades psicosomáticas.

1. Otro gran error es el decir que la Verdadera y única causa de la enfermedad es la Polaridad y el *desequilibrio* energético

Ya dijimos que la polaridad, para este tipo de medicina holística, era la enfermedad; es decir el mantenimiento de los opuestos, el considerar que existe tanto el bien como el mal. Superar la enfermedad va a suponer conseguir la unión de los contrarios mediante la desaparición de la oposición. El mal no existe para este tipo de filosofía.

Mediante técnicas como el yoga que producen la unión de los contrarios se consigue la energía que el cuerpo necesita para superar el *desequilibrio* energético provocado en la enfermedad. En contacto con la energía de la Conciencia cósmica que se produce en esa interiorización en uno mismo mediante las técnicas meditativas se le permite cargarse de energía, y avanza en el camino de la curación.

Ya hemos hablado en la mayoría de nuestros capítulos sobre la *New Age* de este asunto de la polaridad. Ya demostramos que se trataba de la propuesta de la Serpiente antigua.

Dios nos ha dejado muy claro lo que está mal y lo que está bien, y nuestra naturaleza fue creada dependiendo de unas leyes tanto físicas, morales como espirituales.

Dios, de acuerdo a su plan en Cristo Jesús, y en base a la obra que Jesucristo realizó, destruirá el mal definitivamente, junto a los corolarios de la muerte, la enfermedad y el sufrimiento (cf. Ap. cps. 21 y 22).

Por lo tanto el método de la inhibición de la polaridad mediante el esfuerzo humano, escamoteando la existencia del mal como no siendo real, es un error y fuente de enfermedad.

En cuanto a la energía suscribimos lo que el Dr. Fernando Saraví expone en su obra *La Trampa de las Medicinas Alternativas*.[30]

La existencia de la energía en el Cosmos, en el sentido de que la materia es una *forma de energía* esta probada por la famosa fórmula de Einstein ($E = m.c2$). Pero hay **cinco aspectos** que de esa afirmación no podemos obtener. **Uno**, que esa energía actúe por si misma sin que halla un control por Aquel que la diseñó. **Dos**, que ese tipo de energía defina completamente lo que es un ser creado. En la fórmula creativa de Dios tenemos un ejemplo que ilustra lo que estamos diciendo (Gn. 2:7). Notamos que el espíritu por si mismo no posee la capacidad de pensar sino el cerebro del cuerpo, que está inerte, mientras que el espíritu no se una inseparablemente con la forma material, que supone entre otras cosas, al cerebro. Observamos que la energía con que podamos adosar a estos elementos mencionados ni explica la naturaleza de esa *energía* ni el uso y combinación que un Ser personal Creador como Dios, puede llevar a cabo. La fórmula de Einstein no puede demostrar que junto a eso transformable en energía pueda haber algo que no sea ni materia ni energía, y si no que me expliquen lo que significa lo que teóricamente se denomina respecto al átomo **espacios desprovistos de materia**.

Tres, que la energía residente en la materia cósmica pueda ser absorbida con una programación determinada cumpliendo unas directrices ideológico –paganas o de otra índole es pura palabrería:

«Debe entenderse que esta presunta energía, que incorporaríamos a través de la respiración y la alimentación, no corresponde en modo alguno al concepto

---

[30] Op. c., pp. 35-48.

biológico del valor calórico de los alimentos (es decir, la energía química disponible de ellos mediante el metabolismo) sino que se trata de una entidad supramaterial, presente en la materia pero diferente de ésta. Se trata de una idea obviamente *mágica*, sin apoyo experimental, que no proviene de la investigación científica sino de antiguas concepciones religiosas orientales».[31]

El **cuarto** aspecto se desprende de lo que estamos diciendo. La "equivalencia entre materia y energía no significa que la *transformación* de una en otra pueda tener bajo cualesquiera condiciones":[32]

> «Los partidiarios de la salud holística desconocen o prefieren ignorar que las transformaciones energéticas pueden tener lugar solamente en ciertas condiciones particulares (...)
> Por ejemplo decir que la velocidad de la luz es de 300.000 kilómetros por segundo es correcto si el medio de propagación es el vacío; decir que las celulas pueden sintetizar compuestos químicos empleando la energía solar es correcto si se trata de celulas vegetales (...)
> (...) Los principios y leyes de la bioenergética establecen límites y condiciones al uso de la energía por parte de los seres vivos. En el caso de los animales y seres humanos, la única forma de energía que puede emplear para sus procesos vitales es la energía contenida en las uniones químicas de los alimentos. Ninguna otra forma de energía es utilizable. Una persona no puede alimentarse poniendo los dedos en el tomacorriente ni sometiéndose a radiaciones ionizantes, ni exponiéndose al fuego. Como un automovil funciona con gasolina y una linterna con pilas eléctricas, los seres humanos obtenemos nuestra energía metabólica *exclusivamente* de los alimentos y el oxígeno mediante proceso bastante bien entendidos, incluso a nivel molecualr, por la bioquímica y la biofísica».[33]

Cinco, los actos individuales, la bondad o maldad no se dictan por medio de una energía. El **energizarse,** aunque se pudiera del modo que la *New Age* propone no influirá en lo más mínimo a corregir siquiera un ápice la naturaleza corrompida humana, o en lograr cambios sustanciales en la historia:

> «Hoy abundan los métodos para "energizarse", ganar "energía positiva" .., los cuales se basan en técnicas mágicas o seudocientíficas (...) o bien estos métodos son inefectivos y su aparente eficacia se debe a un sofisticado efecto placebo, o bien producen su efecto a través de la vinculación con entidades no físicas, con seres espirituales (...).

---

[31] Íd., p. 42.
[32] Íd..
[33] Íd., pp. 42, 43.
Si bien las corrientes de energía eléctrica se pueden dar en el organismo en este sentido que estamos indicando. Su origen es exclusivamente del Dios personal, mediante las leyes y mecanismos integrados en el ser humano sin base panteísta, y sin relación con el Universo del que, según se dice equivocadamente, habría que adquirir esa energía. Puede compararse a EW, **en** CdN, p. 420; 3T, pp. 138, 139, 157; Ed., p. 193, 205, **con** 5T, p. 193, 194, 197, 198, y se comprueba la diferencia entre las corrientes eléctricas usadas por Satanás, y las que Dios ha constituido dentro del organismo.

Por lo tanto conviene recordar y recalcar que el valor de los actos individuales poco tiene que ver con la energía que la persona emplea para hacerlo (...)

La energía metabólica en forma de glucosa y oxígeno que consumió el cerebro de Karl Marx no guarda relación alguna con sus efectos sobre el curso de la historia (...)

(...) Aunque una persona pudiera *energizarse*, ello no la haría ni más buena ni más mala. No hay ecuación para describir el amor, el altruismo, la genorosidad, la compasión, la humildad, la paz, ni tampoco el odio, la ira, el rencor, el resentimiento, el egoísmo, el orgullo o la avaricia. Estas profundas y muy humanas realidades pertenecen al ámbito ... espiritual. Intentar modificarlas mediante "energías" es extraviarse y engañarse».[34]

Todo lo que se base, tanto en lo referente al carácter y naturaleza del ser humano como en la curación de la enfermedad, en la *energía cósmica*, está abocado al fracaso además de los graves peligros que con lleva tanto para la salud física como mental, y que ya hemos hablado en otros lugares. No importa que en una primera fase se den ciertos cambios, o incluso curaciones reales, o mejorías, todo será transitorio tomando como punto de referencia el aspecto global del ser humano.

D. Técnicas incorrectas y peligrosas como la Acupuntura, Acupresión y Reflexología[35]

La base de la acupuntura se encuentra en el concepto filosófico no probado del *yin* y del *yang*, según el cual en esos dos principios opuestos (bueno y malo, fuerza positiva y negativa) pero en armonía se mantiene el equilibrio que ofrecería salud. Cuando existe una enfermedad, según esta teoría, sería porque existe un *desequilibrio* energético entre ese *yin* y *yang* que sería preciso equilibrar: se habría producido un bloqueo en el balance energético ocasionando dolor y enfermedad. Ahora bien en la medicina tradicional China, de

---

[34] Íd., pp. 43, 44.

[35] Todas esas técnicas están basadas en la misma fuente que explicamos respecto a la *Acupuntura*, es decir habría una manipulación de lo que ellos llaman el flujo de la energía.

La *Reflexología*, es una forma de masaje en la planta del pie o en la palma de la mano. La teoría sería de que dichas zonas contienen terminaciones nerviosas que conectan con órganos vitales de otras partes de la materia corporal. Esos masajes intervendrían para equilibrar el hipotético *desequilibrio* energético y quedar curado de las afecciones que pudieran haber en dichos lugares u órganos. Si existe un alivio en estos masajes, no es fruto de la veracidad de la teoría sino de la relajación que pudiera acontecer como fruto de cualquier tipo de masaje, pero no equilibra nada ni resuelve ningún tipo de enfermedad que pudiera manifestarse en un órgano determinado. Pero la realización en base a la aceptación de la filosofía mística y ocultista en la que descansa la técnica no es beneficiosa ni para el que la práctica ni para el que se somete a ella.

Queremos dejar claro, la confusión que se presenta colateral cuando tratas estos asuntos. Las terminologías pueden tener significados distintos. Lo use uno u otro, de ahí la importancia de definir bien ciertos aspectos de la medicina de la Nueva Era, ya que, en ocasiones, hace una mezcla de medicina tradicional y de medicina Ayurvédica y de otras terapias orientalistas y ocultistas. El simpatizante de la Nueva Era o el iniciado suele mezclar cierta parte de la verdad para defender lo indefendible de su teoría errónea. Pongamos ejemplos. La *kiniesología* desde un punto de vista puramente biomecánico, es una práctica que analiza los movimientos corporales y los músculos que los controlan. Se trata, entre otras cosas, del empleo de una *forma* de *quiropráctica* que actúa sobre la columna vertebral y de favorecer su relación natural con el sistema nervioso. Se pretendería eliminar cualquier interferencia que pudiera existir entre ese sistema nervioso y la columna vertebral. Con ello se querría lograr corregir las llamadas *subluxaciones vertebrales*. Cuando hay una alteración "de la dinámica de dos segmentos de la columna, y uno de ellos ha perdido su motilidad normal en relación con la vértebra" se produciría un bloqueo vertebral o una mayor movilidad que la normal provocando irritación de los componentes neurológicos (nervios espinales que salen entre vértebra y vértebra). La kiniesología *aplicada* partiendo de la idea de que un músculo falla entrando en *espasmo* (contracción involuntaria del músculo) cuando el músculo que debería equilibrar su acción (su antagonista) está debilitado, actúa a distancia mediante manipulación refleja sobre el sistema linfático, circulatorio o respiratorio, en base al principio no probado del desequilibrio de la energía innata en los órganos relacionados con el músculo por medio de esos meridianos invisibles que recorrerían todo el cuerpo, y que posee ese fluido energético que de manipularse traería la salud o curación. La glándula del *timo*, sería para estos practicantes de kiniesología *aplicada*, llamada a veces conductista, como el centro que serviría para medir los desequilibrios energéticos del sistema hipotético de meridianos. Si dicha glándula funciona bien, la energía fluye mejorando el bienestar. Si el *timo* no funciona dentro de su normalidad el flujo de energía disminuiría provocando enfermedad. Esta teoría descansa de nuevo en la hipótesis del equilibrio o desequilibrio energético, y que por la manipulación conseguida por las diferentes técnicas propuestas por la Nueva Era se devolvería la salud o curación. Sin embargo la teoría se escuda en otro aspecto que define la falsificación de los conceptos. En efecto, del *timo* se han ido descubriendo asuntos que se desconocían, otros que se expresaban como hechos pero que todavía no se han probado, y conclusiones fruto de interpretaciones especulativas en las que habría que enmarcar a la medicina de la Nueva Era. Noten, no obstante el proceso, de cómo el arte de mezclar la realidad con lo no probado y con hipótesis propias pueden envolver incluso a quienes de buena fe están abiertos a los descubrimientos de la Ciencia. En efecto, hoy ya se sabe con seguridad que el *timo* posee muchas de las células, llamadas linfocitos que son la base del sistema inmune, de ahí que ejerza una relación muy importante con muchas de las funciones del sistema inmune. Son los linfocitos T los que se encuentran bajo el control del *timo*, y aunque se desconoce el mecanismo con que el *timo* controla la función de esos linfocitos, éstos bajo la *supervisión* del *timo* reconocen las sustancias extrañas destruyéndolas. ¿Influye el *timo* sobre el tono muscular? Este asunto considerado todavía como hipótesis (ver *Enciclopedia de la Medicina y de la Salud* [vol. 3, Asuri de Edic., p. 793]), podría ser real dentro del control que ejerce el *timo* respecto a la inmunidad, y la relación que podría haber entre alteración del timo con la *miastenia* (alteración del sistema nervioso que tiene como síntomas la debilidad y el cansancio de los músculos). Ahora bien de todo esto, concluir que los músculos son bombas de energía que la distribuyen por todos los meridianos invisibles e indemostrables, y que si los músculos funcionan mal o están debilitados es por culpa de que el *timo* no les da la posibilidad de energía adecuada, y por lo tanto a los meridianos, siendo el causante de la enfermedad y habría que manipularlo por medio de técnicas en los músculos y en otros órganos para que incidan en el *timo*, y de este modo el *timo* y la energía cobraran su equilibrio, es un **"timo"** tan grave como los que optan, en la *miastenia*, por la extirpación del *timo*, por cuanto algunos pacientes encontraran beneficio.

Este tipo de kiniesología aplicada, aun cuando pudieran practicarlo ciertos médicos representativos es un fraude desde el punto de vista de la base conceptual con que se le sustenta, y en cuanto los resultados que pretende haber alcanzado. Pero nada de esto nos obliga a no poder practicar la kiniesología desde el otro punto de vista biomecánico. La mezcla con el error que el practicante de la Nueva Era efectúa en la kiniesología aplicada, no hace a la otra inexistente e incorrecta.

Otro ejemplo sería la cuestión del vegetarianismo. La Palabra de Dios expresa claramente que la alimentación que Dios dio en el origen de la humanidad fue exclusivamente vegetal. Ciertos simpatizantes de la Nueva Era utiliza una medicina holística a la que han integrado una alimentación vegetariana. Pero la aplicación de esa alimentación está sustentada por una filosofía panteísta, que cree en poderes *mágicos* contenidos en los alimentos, y que como fruto de esa manera de pensar se hacen aplicaciones que pueden resultar perjudiciales, independientemente de que no tendría ningún valor ante el *desequilibrio* energético que ya hemos estudiado en relación a la curación de la enfermedad. Es por ello que es una tontería que se nos diga que "ciertos alimentos como las verduras, pertenecen al *yin*, y que otros como el ajo es *yang*", y que "tanto el *yin* como el *yang* son opuestos que han de estar en equilibrio, y que cuando eso no ocurre entonces aparece la enfermedad" (ver sobre esto a Liu Guo Hua, *Dietoterapia*, Plaza&Janes, Barcelona 1999, pp. 11, 12). El que se diga esto, no hace el que los alimentos clasificados así, en virtud de una teoría espiritualista y ocultista, no podamos comerlos o aconsejarlos a fin de una aplicación terapéutica. De ahí que debemos rechazar toda práctica por lo que contenga de errónea, no necesariamente todo aquello con que el error se relacione. Lo mismo podríamos decir de la acupuntura. Hemos apuntado sus errores. Hemos indicado sus bases ocultistas y equivocadas, pero eso no significaría que cualquier presión o masaje que yo realice en el cuerpo material, con el fin de traer relajación, y por lo tanto alivio tenga que ser identificado como un practicante de la acupuntura o de la medicina holística. Se ha comprobado que existen resultados de relajación y alivios presionando en lugares del cuerpo que no tiene

donde arranca esta concepción,[36] se considera la existencia de una energía cósmica dual llamada *chi* (qi o ki) que abarcaría esos dos principios enumerados del *yin* y del *yang*. El Cosmos o el Universo contendría esa energía equilibrada (*chi*, *qi* o *ki*, incluyendo el *yin* y el *yang*) lo que daría armonía, equilibrio a ese Universo. Esa misma energía es de la que dispondría todo lo que existe, puesto que todo, según esta teoría atea, habría surgido del Cosmos. Esa energía universal cósmica circularía por todo el organismo, discurriendo a través de canales verticales invisibles llamados *meridianos*. Cuando la fuerza positiva del *yang* está en equilibrio con la fuerza negativa del *yin*, el resultado que se evidenciaría sería el de una buena salud. Cuando la enfermedad o el dolor acontecen sería la prueba de que esa energía no está balanceada y sería preciso alcanzar el equilibrio a fin de curarse y recuperar la salud. Ahora llegamos al hecho, de acuerdo a este pensamiento, de cómo conseguir ese equilibrio energético que devolvería la salud: sería mediante la acupuntura por medio de agujas o los dedos[37] que pinchando o presionando sobre ciertos puntos en esos *meridianos* invisibles movilizaría la energía del *yin* y del *yang* logrando de nuevo su equilibrio.[38]

Las reflexiones y la crítica se imponen en este tipo de metodología.

1) Esta metodología, usada por la medicina holística de la Nueva Era, descansa en una pura hipótesis ocultista, nadie ha demostrado absolutamente nada de lo que se dice, ni tampoco se puede probar. Se trata de una mera teoría que como dice uno de sus propios representantes más destacados el profesor Cheng Xinnong, la acupuntura tendría una base mística sin posibilidad de definirla en términos médicos occidentales.[39] Se trata de un método irracional: la Asociación Médica Americana afirma que la Acupuntura no ha sido probada ni científica ni fisiológicamente.[40] Esta aseveración es semejante a la que se hacía eco en uno de sus números *Tribuna Médica*, órgano de los médicos españoles. Tampoco tiene apoyo en la Revelación Bíblica. Esta asentada en

---

nada que ver con los meridianos y puntos que la acupuntura o el practicante de la medicina holística indica, y sin que se acepte la filosofía panteísta ni los postulados que defiende la medicina holística en su interpretación y práctica de la acupuntura. Sobre esto último puede consultarse a Howard L. Fields, en Pain II: *New approaches to management*, Annals of Neurology 9, p. 105, año 1981.

[36] Restringiéndola a la aplicación de esta metodología errónea, según demostramos en este apartado. Pero el verdadero origen es babilónico (sobre esto puede verse English-Lueck, *Roots of Holistic Health*, University of New Mexico Press, Albuquerque, Nuevo Mexico 1990, p. 69).

[37] En este caso sería la Acupresión.

[38] Sobre todo este tinglado lleno de imposibilidades puede consultarse a Xie Zhu-Fan, M.D., *Best of Traditional Chinese Medicine*, New World Press, Beijing-China 1995; también a Cheng Xinnong (editor), *Chines Acupuncture and Moxibustion*, Foreign Languages Press, Beijing-China 1990.

[39] Citado por Manuel Vasquez, en *El Crecimiento explosivo de la Nueva Era*, op. c., p. 136. Este testimonio lo recogió el autor precitado en una entrevista concedida por el Centro Internacional de Entrenamiento de Acupunturistas de China en Pekín.

[40] Arthur W. Hafner, Ph.D. Hafner, *Reader's Guide to Alternative Healt Methods Milwaukee*, Wis.: American Medical Association 1993, pp. 325-338, citado por Manuel Vasquez en *El Crecimiento explosivo de la Nueva Era*, op. c., p. 135.

suposiciones especulativas, independientemente de que su contenido se relacione con aspectos espirituales ajenos a la Revelación de la Biblia y se ampare bajo la protección de una filosofía atea y panteísta haciendo a la energía cósmica, eterna.

2) La aplicación de la Acupuntura con sus *resultados* demuestra ser un remedio más que se emplea a fin de eliminar el dolor o el síntoma, no la causa. No soluciona el problema, sino que simplemente aparece en un primer momento un *alivio*, al que es preciso realizar un seguimiento adecuado para comprobar los efectos a medio y largo plazo.

Cuando se efectúa una investigación sin intereses personales se destaca lo siguiente:

a) Que la necesidad de una reiterada aplicación de la acupuntura por un mismo problema demostraría que no se ha alcanzado ese *equilibrio* que se supone perdido.

b) Si una vez que evitas ciertos desordenes se soluciona tu problema enfermo, y retorna la salud, y no ha sido necesario utilizar la acupuntura, se estaría demostrando que la verdadera causa del problema no es un *desequilibrio* energético propiciado por el desequilibrio del *yin* y del *yang*.

c) El *alivio* adquirido en la aplicación de la acupuntura es pasajero y no válido si continúas cometiendo los mismos errores que causaban la enfermedad, y que llegas a saberlo, cuando al eliminar esas causas desaparece.

d) No siempre el alivio es constatable, pero cuando lo es, lo es pasajero, sin solucionar el problema de modo definitivo.[41]

e) *¿Por qué se nota un cierto alivio?* ¿Por qué el que se introduce en el mundo de la droga *alivia* en un primer momento con el consumo, su ansiedad? Pero ¿y después? La Acupuntura, independientemente del beneficio *sintomatológico* que puede traer en un primer momento, asunto que podría lograrse de otras maneras, por estar sustentada por una filosofía ocultista y mística donde fuerzas espirituales ajenas al Dios verdadero pueden intervenir, además de desconocerse los mecanismos que alteran momentáneamente la situación determinada de dolor, teniendo en cuenta los asuntos adicionales presentados, debería de rechazarse, y utilizar otros medios reconocidos y que no atentan a la Revelación.

---

[41] La Acupuntura cuando se aplica en lesiones orgánicas no afecta al curso de la enfermedad. Unicamente en los aspectos funcionales como lo podría hacer cualquier otra aplicación.

La *Journal of the American Medical Association*, nº 228 de 1974, pp. 1545-1554, órgano de la Asociación Médica Americana, comenta, entre otras cosas, que la Acupuntura no causa verdadera anestesia, y rara vez produce completa analgesia o ausencia de dolor, más bien lo atenúa. En las cirugías mayores los pacientes son predicamentados de manera similar a la anestesia convencional. Tampoco produce relajación de la musculatura, y las presuntas mejorías en la sordera, paraplejía "no se basan en datos sólidos provenientes de estudios serios", además de haber recibido terapia física junto a la acupuntura. Los estudiosos occidentales consideran que "el sistema de meridianos y de puntos efectivos detallados y altamente específicos son infundados" (ver sobre esto a Howard L. Fiels, *Pain II: New approaches to management. Annals of Neurology* 9: p. 105, 1981.

f) *Efectos secundarios con la práctica de la Acupuntura.* En una entrevista con Fermín Caval, representante, en aquel entonces, de la asociación de Acupuntores en España se me comunicó que la aplicación de la acupuntura para dejar de fumar creaba impotencia. Los efectos secundarios de la acupuntura no han sido seriamente estudiados, cuando esto se haga los resultados serán sorprendentes.

3) Para el creyente no hay duda que el origen de la filosofía que sostiene la teoría de la acupuntura es babilónica, y ésta, la de pretender unir los contrarios e igualarlos se remonta a la tentación Satánica, en la que el Bien y el Mal se mezclan el uno con el otro, y según esa inspiración maligna, para alcanzar la sabiduría del que les hace la propuesta (cf. Gn. 3:1-6). En la Revelación bíblica se nos muestra al personaje deno-minado el Adversario de Dios[42] como mezclando siempre la verdad con dosis de engaño. La mentira no es en la mayoría de las situaciones algo total y absolutamente distinto a la verdad, si así fuera casi nunca lograría su objetivo: el engañar. Pero el hecho de que se nos anuncie y advierta que el Adversario, el Diablo, engaña al mundo entero (cf. Ap. 12:9-12), es porque su técnica desde el principio de la humanidad ha sido la de *mezclar* el error o la mentira con la verdad (cf. 2ª Co. 11:14). Tanto es así esto, que incluso los métodos de curar que han sido inspirados por el Maligno pueden poseer el atractivo de que den un cierto resul-tado, que en ocasiones pudiera traducirse en curaciones que no están propiciadas por el método en sí sino en el que ha inspirado el método. No es sorprendente, no obstante, de que Dios por medio de su Reino que inauguró Jesucristo, se oponga a que ese tipo de milagros o de testimonios satánicos puedan ser algo ostensibles y repetitivos. Unica-mente cuando los seres humanos rechazan reiteradamente la obra del Espíritu Santo, se convierten en proclives al engaño, y entonces o bien por el fraude ora por la autenticidad mediante un método satánico se lleva a cabo la posible curación. Pero insistimos, Dios, mientras dure el tiempo de gracia, le seguirá interesando que los seres humanos, desconocedores del verdadero evangelio, no sean engañados ni por la falsificación o fraude ni por la realidad del poder Satánico manifestado en el milagro. De ahí que Dios no permita, que las metodologías y técnicas con base ocultista o babilónica inspirada por el Maligno y en oposición a los principios bíblicos, tengan la consistencia y validez suficiente como para desorientar y desanimar a los que han de recibir el verdadero Evangelio. Esta doble conjunción ha de tenerse en cuenta si se quiere entender el éxito y los fracasos que resultan de la aplicación de las técnicas de la Medicina Holística de la Nueva Era.

---

[42] Ver el capítulo II de la Sección Introductoria; también el capítulo I de la Sección Primera. En ambos capítulos se expone claramente la personalidad de Dios y la de Satanás.

4) Teniendo en cuenta todo esto y lo indicado en los puntos anteriores nos sumamos a lo que exponen los autores cristianos representativos que a continuación indicamos:

«Dios explícitamente le prohibió a Israel que adoptara las técnicas ocultistas de los paganos cananitas (Dt. 18:9-14; Lv. 19:26). Por tanto no podemos ver como consistente el que un cristiano (...) funcione como sanador holístico y utilice técnicas y terapias que son propiedad distintiva del programa ocultista y místico. Nada podría prevenir que los poderes demoníacos se introduzcan en los procesos para afectar al profesional, al paciente o a ambos».[43]

Jochen Hawlischek[44] expresa:

«La astrología, el yoga, el *yin-yang*, la acupuntura, la iridología [45], la homeopatía, la reflexología, el péndulo, etc., no tienen base científica. Están basadas en la conceptualización oriental y panteísta de una energía cósmica o fluido magnético, según la cual el ser humano es parte del cosmos, y la restauración del desequilibrio de este fluido traería a la persona de vuelta a la armonía con esta energía universal».

Leslie Hardinge y Frank Holbrook afirman:

«Todos los métodos ocultistas del oriente para tratar la enfermedad y el estrés están conectados con la cosmovisión panteísta y antibíblica de la realidad (...) es peligroso para los cristianos pensar que pueden tomar prestados los procesos de sanidad del ocultismo y adaptarlos. El intento de darle a las prácticas ocultistas un barniz de cristianismo, abre la puerta al engaño y a la opresión satánica».[46]

---

[43] Cita recogida por Manuel Vasquez (op.c. p. 172) del *Biblical Research Institute de la Conferencia General Adventista*, en una publicación relativa a la Nueva Era y la Medicina Holística.

[44] Es médico especializado y Director de Salud y Temperancia de la División Euroafricana de la Iglesia Adventista. La cita que de él se utiliza ha sido recogida por Manuel Vasquez en *El Crecimiento Explosivo de la Nueva Era*, op. c..

[45] Con relación a la iridología, no pasa de ser una tomadura de pelo del adivino que intenta encontrar mediante el examen del ojo las afecciones de los órganos y sistemas. Las alteraciones que se observan en el iris serviría de base. Cada zona del iris reflejaría un órgano o tejido del cuerpo. Los problemas mentales, físicos y espirituales, según esta teoría, se mostrarían en el iris como líneas coloreadas o sombreadas y actuarían como advertencias del estado o condición del individuo. Cuando profundizas un poco compruebas que las generalizaciones son tan amplias sin que se te pueda indicar la patología específica que posee un órgano enfermo ni asegurarte la presencia definida de una enfermedad, que no comprendes el objetivo que tiene ese mapa iridológico. Es muy curioso, el examen del iris siempre da que estás enfermo. Todo el ser está enfermo. El supersticioso y el hipocondríaco (en diferentes grados) son buenos clientes, aunque lo tienen que pasar mal. Y el que no tenga nada y se someta a ese diagnóstico tonto, saldrá enfermo, con las consecuencias que podrían derivarse de semejante anuncio.

La Iridología entra dentro de la clasificación de una adivinación, y cómo tal está condenada en la Palabra de Dios (cf. Dt. 18:10-12; Isa. 8:19, 20). Desde el punto de vista científico, no tiene ninguna base, y ha sido rechazada por la medicina. Se ha sometido a prueba a iridólogos para comprobar su fiabilidad en el diagnóstico, y el fracaso ha sido absoluto.

[46] *"Holiness and the Dark Powers"*, Adult Sabbath School Lesson Quarterly, Enero-Marzo 1989, p. 65.

Albert Whiting:[47]

> «Ejemplos de las formas alternas de tratamiento que deben rechazarse
> incluyen, la homeopatía, la reflexología, la iridología, la terapia con péndulos
> y tratamientos asociados con filosofías espurias de la astrología, el yoga, el *yin-yang*, y el espiritismo».

E. No es la Mente la única responsable de la Enfermedad

Ya dijimos que todo el problema reside en una definición adecuada de los términos que manejamos. El concepto antropológico que la *New Age* se ha forjado previamente a cualquier otra consideración, basada en una aportación orientalista y pagana contradice la realidad de las evidencias.

Estamos de acuerdo que un porcentaje muy elevado de enfermedades se producen por la mente, o por el mal uso de la posibilidad y capacidad de pensar de nuestro cerebro.[48] Pero no podemos ignorar que muchas enfermedades se originan en aspectos puramente físicos. Incluso nuestra forma de pensar que puede ocasionar enfermedades físicas, no está desligada totalmente de los procesos físicos y químicos. Y es que la verdadera unidad anatómica y fisiológica del ser humano incluye el cerebro con todo lo que ello implica. Cuando nosotros decimos que es el hombre el que está enfermo, y no meramente el órgano por el que se manifiesta la enfermedad nos estamos refiriendo a todo el componente del Ser que es un armazón compacto, inseparablemente unido, y que no podemos disociar si queremos seguir diciendo **hombre, mujer, ser humano, vida.**

También es cierto que hay que distinguir entre la enfermedad estructural con la que todo ser humano viene provisto a este mundo, manifestada en los factores hereditarios, en el deterioro natural, en la propia vulnerabilidad humana a la enfermedad, en el proceso degenerativo que termina despiadadamente con la vida humana, y las diferentes enfermedades **causadas** por actitudes incorrectas, y transgresiones de leyes que llegamos a conocer en nuestro querer vivir con la mejor salud posible.

En el primer caso, la Palabra Profética, nos dice, que su causa fue el pecado, la rebelión del hombre respecto de Dios, al desear su autoindependencia. Su

---

[47] Director de Salud y Temperancia de la Asociación General, en *Alternative Forms of Treatment*, TMs., p. 2, citado por Manuel Vasquez, *El crecimiento explosivo de la Nueva Era*, op. c., p. 175.

[48] Puede verse a J. A. Winter, *Los Orígenes de la enfermedad y de la ansiedad*, Plaza Janes, Barcelona 1971.

Introducción a la psicopatología y la psiquiatría, Salvat, Barcelona 1988 (por varios autores, dirigida por Julio Vallejo Ruiloba, y prologado por Carlos Ballús Pascual, catedrático de Psiquiatría de la universidad de Barcelona).

Dr. Soly Bensabat y la colaboración de varios especialistas, *Stress*, op. c.

curación procede exclusivamente de Dios, en cuanto a un plan de la salvación provisto, y ofrecido al hombre; el cual, de acuerdo al plan divino, deberá decidir volver a la dependencia divina.

En el segundo caso, todas las enfermedades responden a diferentes causas que tendrán un proceso más o menos amplio, teniendo en cuenta la capacidad de reacción del organismo, factores hereditarios, ambientales, mentales, y los elementos terapéuticos aplicados en dicho proceso.

En todo esto es preciso remarcar la función importante que implica la salud preventiva. Es decir, el intento del hombre, tras conocer, al máximo de sus posibilidades, las leyes de la Salud, de prevenir la enfermedad. La enfermedad, en este caso, es aquello que le sume en una incapacidad de más o menos grados, pero que se hace molesta imposibilitándole para realizar, los quehaceres normales de la vida, y le impide, dentro de los límites marcados por las característica de la existencia de este mundo, esa felicidad y situación de la que goza, precisamente cuando no experimenta la enfermedad. Este tipo de enfermedad es reversible.

Por lo tanto, decir, como expresan algunos representantes de la medicina holística que no hay causas en la enfermedad[49] y que de nada sirve procurar llevar una vida sana, y que toda enfermedad, incluso una infección, es producto de un conflicto mental,[50] es fruto de una mente obcecada por la ideología que sostiene la *New Age*, y eso si que es un auténtico conflicto mental.

El otro día me puse enfermo ¿cual sería mi conflicto mental? Fíjense: mi mujer aceptó un guisado vegetal realizado en ocasión del día de acción de gracias. Por lo que sea, se había producido una alteración en esos alimentos provocándonos una intoxicación. Estuve tres días con diarrea, dificultándome mi trabajo, incluso tuve que guardar cama un día. ¿Cómo ayudé a mi proceso enfermo y de curación e incluso para evitar complicaciones? ¿evitando el conflicto mental que no tuve?

Hice ayuno, tomé zumo de manzana hecho en la licuadora, posteriormente comencé a comer frugalmente, a base de arroz blanco y queso tierno con pan blanco (por lo general lo como integral), al cabo de muy pocos días, volví a mi situación normal.

Seamos serios; no niego que ciertos conflictos mentales puedan acarrear enfermedades ¡pero no todas!.

Una simple corriente de aire, pasándoselo uno bien (es decir sin posibilidad de conflictos mentales), te puede conducir a una enfermedad.

---

[49] Ver notas 23-25, y el texto que las motiva.

¿Por qué realmente se adscriben a este tipo de razonamiento? Sencillamente por su negación de un Dios Creador y personal, y su identificación con la teoría especulativa de la polaridad. De la necesidad de lograr la conjunción de los contrarios: la unión del bien y del mal. Filosofía que tiene su origen en la Serpiente antigua.

El Dr. Winter nos dice acertadamente: «Toda enfermedad tiene una causa. Toda enfermedad es el resultado de algún contacto establecido por el cuerpo con algo ajeno al mismo» (en *Los Orígenes de la Enfermedad* ... op. c., p. 37).

[50] *La Enfermedad como Camino*, op. c., p. 106.

Pero ahora veamos el sentido contrario, cómo se puede ver afectado nuestro cerebro, nuestra mente nuestra capacidad decisoria y de pensar por nuestra manera de nutrirnos:

«Nuestro cerebro necesita un 30 % más de glucosa que las otras partes del cuerpo y otro 30 % más de oxígeno. También tiene necesidad de grandes cantidades de elementos nutritivos, hasta el punto de que, si le faltan, no podemos pensar de una forma correcta ni concentrarnos; nos vemos perturbados no sólo físicamente, sino también mental y emocionalmente. Nuestra manera de pensar, de sentir, de percibir las cosas depende de nuestra salud física y biológica, es decir, de nuestro estado nutricional».[51]

Esto lo dice un especialista, y es que hay alimentos que tienen residuo alcalino, y otros ácido. En ciertos procesos depresivos se ha comprobado que los de residuo ácido favorece el estado depresivo, mientras que los de alcalino ayudan en el proceso de salida.

Podríamos multiplicar los ejemplos que demostrarían que en el ser humano real, hay una relación entre los componentes en base a una unidad de ellos inseparable.

No hay posibilidad a un tipo de medicina como la holística que propugna la *New Age*.

F. El concepto de Temperancia fruto de un concepto antropológico erróneo: la conjunción de los contrarios, el pretendido equilibrio de lo bueno y de lo malo, y la concepción correcta de la temperancia

Bukkyo Dendo Kyokai, basado en las enseñanzas de Buda, dice:

«La gente tiene en alta estima la distinción de pureza e impureza, pero en la naturaleza de las cosas no hay tal distinción, excepto en cuanto a que aparece en su imaginación falsa y absurda. De la misma manera la gente hace una distinción entre bien y mal, pero no hay tal cosa como bien o mal existiendo separadamente».[52]

«lo importante ... es evitar ir a parar a cualquier extremo; esto es, ha de seguir siempre un curso medio».[53]

---

[51] Esto no lo dice una persona cualquiera, lo dice un profesor de medicina preventiva y de nutrición el médico y profesor W.D. Currier, el libro del *Stress*, op. c., pp. 71, 72.
[52] En *Las Enseñanzas de Buda*, Tokio 1970, pp. 59, 60 (citado en *Dos = Uno*, op. c., p. 81.
[53] Id., p. 57 (citado en íd.).

Esto les lleva a una noción de templanza o temperancia en la que el autocontrol consiste en lo que se determina como siendo *moderado*; se podría usar de todas las cosas con tal de que no se vaya a un extremo.

La temperancia,[54] sin embargo, consiste realmente en rechazar de modo absoluto aquello que es perjudicial, y ser equilibrado en lo que es beneficioso. Pero para la filosofía de la unión de los contrarios no existen normativas

---

[54] E.*W.*, se expresaba de este modo en relación con la "temperancia":

«Es nuestro deber ponernos a nosotros mismos en sujeción y luchar para poner nuestra mente, nuestra voluntad y nuestros gustos en conformidad con los requerimientos de nuestro Creador. Sólo la gracia de Dios puede capacitarnos para hacer esto: por su poder nuestras vidas pueden ser puestas en armonía con los principios rectos» (*Temperancia*, op. c., p. 132).

«Temperancia únicamente es el fundamento de todas las gracias que vienen de Dios (...)» (*Manuscrito 2*, 1874, citado en RAB, Febrero de 1985, p. 37).

¿Qué significa realmente la temperancia?

Etimológicamente la palabra temperancia viene del latín (*temeperantta*) (Véase la *Enciclopedia Espasa*, vol. 60), y expresa la idea de "tiempo", de ahí el concepto de "acto de separación", ya que 'el tiempo es un acto de separación' (H. J. Steed en *RAB*, junio 1984, p. 8). La temperancia sería una experiencia de separación (íd.). En griego la palabra tiene el sentido de "recuperación del dominio" sobrentendiéndose que ha habido una pérdida de dicho dominio.

Steed (íd.), el que fuera director del Departamento de Temperancia de la Asociación General (USA), matiza el verdadero sentido de la temperancia descartando el término "moderación" como si este tradujera correctamente la acepción. La moderación no tendría nada que ver con la esencia de la temperancia a no ser en el sentido de un equilibrio apropiado en lo bueno. El uso de la palabra moderación, en este último caso, sería de forma positiva, y habría que sobrentender la palabra abstinencia para referirse a lo que es perjudicial. El autor se lamenta, no obstante, al comprobar que la palabra "moderación" está edificada sobre una noción falsa de temperancia: No habría necesidad de abstenerse de "nada" sino que todo estaría permitido con tal que lo hiciéramos con "moderación" y discreción. La base de esta concepción estaría, según Steed, en la filosofía griega y en la del mundo. La tesis de esta filosofía pagana está sustentada en la falsa hipótesis de un equilibrio existente entre las fuerzas del bien y del mal. La Biblia, según el autor, no enseña que podamos hacer todo con moderación, porque el mal mismo, aun en pequeñas cantidades es destructivo. La Biblia mostraría que podemos tener dominio sobre todo, pero que cuando se escoge una mezcla del bien y del mal, se pierde ese dominio y estamos sujetos a los ataques del "Enemigo".

Debemos actuar en consecuencia ante una elección entre lo bueno y lo malo, y optar por lo bueno rechazando lo malo.

Lo que ha engañado a muchos es esa concepción de temperancia falsa, que consiste en una especie de "medias tintas" en vez de responder a algo total y cabal.

El autor distingue entre la temperancia y su opuesto que sería la intemperancia: "control frente a pérdida de control", y nos enumera una gran cantidad de elementos que trazan la intemperancia o pérdida de control: Tóxicos (tabaco, alcohol, drogas), el sexo ilícito, el vicio del juego, la televisión, la obsesión por el dinero, etc.. Todo lo que se basa en el principio expuesto por Pablo en Romanos 6:16, en el sentido de entregarnos a algo que ejerce control sobre nosotros haciéndonos esclavos de ello, y perdiendo la libertad de la elección, estaría manifestando el mismo principio de intemperancia.

Lo que estamos exponiendo nos exige dos puntos de referencia que la mayoría de los estilos de vida que se propugnan en nuestra sociedad omite con los resultados erróneos que ello conlleva.

El primer punto hace referencia a las expresiones "bueno", "malo", control, libertad de elección, etc.. y esto a su vez nos obliga a referirnos a Aquel que únicamente puede y sabe definirnos lo que es exactamente bueno y malo: nuestro Creador. En nuestra propia naturaleza está inscrito esencialmente aquello que nos puede beneficiar o perjudicar. Sólo Dios puede explicarnos detalladamente lo que en la práctica redundará a nuestro favor. La verdadera «temperancia significa sujetarse a Dios, ya que es la única manera de que recuperemos el dominio» (íd., p. 9).

Dios se ha revelado mediante su Palabra escrita, y en la Persona incomparable de su Hijo Eterno Jesucristo. Por medio de su Revelación se nos explica "lo bueno y lo malo", y el cómo alcanzar un control adecuado para actuar en libertad de un modo idóneo a nuestra naturaleza.

"Probar" previamente a saber lo que Él ya nos ha advertido como bueno y como malo, es despreciar su cuidado amoroso hacia nosotros, y coincide con el principio de desobediencia que emplearon nuestros primeros padres cuando sucumbieron ante la tentación del Adversario.

La verdadera libertad es aquella que no ha destruido la concepción de dependencia con la que Dios nos integró en nuestra propia naturaleza original para que pudiéramos ejercer plenamente el libre arbitrio. Desde

que puedan enseñarte el tener que evitar algo de modo absoluto. Todo se puede hacer o probar con tal de que sea *equilibradamente*. Pero no hay un tal equilibrio cuando se trata de algo en esencia perjudicial para el ser humano ¿Podríamos romper la ley de la gravedad *prudentemente*? o ¿podemos envenenarnos mesuradamente sin que repercuta de modo dañino para nuestra salud? Esto que es tan evidente nos pone en presencia de la existencia de leyes tanto morales como naturales o físicas que si se transgreden aunque sea del modo que se interpreta como ponderado son nocivas para nuestra persona.

G. El Destino de la Extinción como liberación de la enfermedad mediante la transformación de la conciencia a través del Yoga o de la Meditación Trascendental o del Zen

Todo debe estar supeditado a evolucionar en la transformación de la conciencia, pero como dijimos en nuestra exposición objetiva esa transformación conduce no solo a la unión de los contrarios sino a la extinción con el Todo y la Nada que se unen definitivamente.

Prestemos atención a la cita:

Adán y Eva, mediante el intento ejecutado de experimentar tanto el bien como el mal mezclados, en contraposición a la voluntad Divina (Gn. 3:1-6), se perdió el dominio, el control y la genuina libertad.

La auténtica libertad sólo puede ser recuperada mediante la Verdad que Jesucristo está dispuesto a proporcionarnos (Jn. 8:31, 32), y de este modo poseer una capacidad de elección correcta.

El segundo punto que es preciso destacar es que «la Temperancia sólo es posible a través del Espíritu Santo» (Id., p. 8).

Diversos sistemas intentan imponerse en el mundo para lograr, gracias a la "disciplina" y "posturas" y "meditaciones", el control o la temperancia.

Los budistas e hindúes piensan que con ciertas "prácticas" podrán liberarse de aquello que obstaculiza el logro de la perfección, dando como resultado el "dominio" o el "control".

Las penitencias, los ayunos, y el cumplimiento de unas normas determinadas son consideradas como eficientes para vivir de acuerdo al fundamento de la temperancia.

De acuerdo a técnicas modernas como el *biofeedback*, el *conductismo* (*behaviorismo*), u otros idearios psicológicos se pretende enseñar el dominio propio. La Biblia nos muestra un camino contrario que estas filosofías no tienen en cuenta: la única forma de obtener el dominio propio es a través del Espíritu Santo.

Debemos identificar e intentar explicar, conforme a los principios bíblicos, la situación de nocividad que ha supuesto la intemperancia y la idea equivocada de temperancia, y promover la metodología que Dios expone en su Palabra para recuperar la decisión y disposición firme de sujetar la voluntad humana a la voluntad Divina. Y de este modo conseguir una mejor salud, y el discernimiento oportuno para mantenerse de acuerdo a la temperancia cristiana.

La práctica y anuncio de la temperancia forma parte del mensaje del tercer ángel de Apocalipsis 14:

»(...) deseamos que veáis la importancia de esta obra de temperancia, y deseamos que nuestros obreros se interesen en la misma y comprendan que está unida al mensaje del tercer ángel como lo está el brazo derecho al cuerpo» (*Temperancia*, op. c., p. 211)

Se nos insta, por el bien nuestro y de los demás, a realizar una obra pro-temperancia:

»Puesto que los principios de salud y temperancia son tan importantes, y son tan a menudo mal comprendidos, descuidados o desconocidos, deberíamos instruirnos al respecto, para que no solamente podamos poner nuestras propias vidas en armonía con tales principios, sino también enseñarlos a otros. Las gente necesita ser instruida, línea sobre línea (...). La mente debe ser iluminada y despertada la conciencia respecto al deber de practicar los principios de la verdadera reforma» (Id., p. 149).

«Los occidentales especialmente suelen reaccionar con desilusión cuando descubren, por ejemplo, que el estado de conciencia que persigue la filosofía budista, el *nirvana* viene a significar *nada* (textualmente: extinción). El ego del ser humano desea tener siempre algo que se encuentre fuera de él y no le agrada la idea de tener que extinguirse para ser *uno con el todo*. En la unidad, Todo y Nada se funden en uno. La *Nada* renuncia a toda manifestación (...)».[55]

Obsérvese dónde conduce esta conjetura: a la pérdida para siempre de la existencia individual y personal.

Es la forma, de espiritualizar el más profundo ateísmo.

Este pesimismo y derrotismo último no puede ser compensado ni ocultado con esas técnicas que prometen ese tipo de perfección. ¡Menuda perfección! Es decir se trata de una perfección, que se define como tal –no olviden lo que voy a transmitir–, sin que nadie pueda experimentarla conscientemente ¿Cómo se ha podido llegar a conocerla antes que se produzca, y sin que nadie, porque una vez alcanzada ya no existe con consciencia individual y personal, pueda contárnoslo?

He aquí el círculo cerrado de toda esta presunción. Todo se basa en pura conjetura.

Pero esta etapa final de aniquilación para todo ser humano, no es más que el resultado de la esclavitud, destrucción y suicidio mental que se va produciendo por etapas a través de esas técnicas que se nos proponen, como el Yoga o la Meditación Trascendental.

Conclusiones y Valoraciones

Estamos percatándonos a donde conduce una antropología distinta a la que promueve la Revelación bíblica.

Observamos que la concepción antropológica que tengamos repercutirá en nuestra manera de comportarnos como ser o ántropos social.

La salud uno de los elementos más importantes para la existencia en esta tierra mientras vivimos se ve alterada desfavorablemente cuando proyectamos una antropología contraria e incompatible con la que nos enseña la Palabra de Dios atestiguada por Moisés, los Profetas y por Jesucristo.

Como cristianos deberíamos tener en alta estima lo que implica la preocupación de Dios por nuestra salud dándonos una alimentación lo más adecua-

---

El mensaje de temperancia provocara a investigar otras verdades relativas a los aspectos espirituales: «(...) aquellos que creen la verdad, no solamente deben practicar la reforma pro salud, sino que deben enseñarla diligentemente a otros; porque será un agente por cuyo intermedio la verdad puede ser presentada a la atención de los no creyentes. Ellos razonarán que si tenemos ideas tan seguras con respecto a la salud y la temperancia, debe haber algo en nuestra creencia religiosa que vale la pena ser investigado. Si nos apartamos de la reforma pro salud, perderemos mucho de nuestra influencia sobre el mundo exterior» (EV, op. c., p. 339).

[55] *La Enfermedad como Camino*, op. c., p. 22.

damente posible a nuestra naturaleza creada, de acuerdo a lo que Dios nos manifiesta en su creación (cf. Gn. 1:26-31)

No cabe duda que la alimentación que se nos presenta en el Génesis al fin de los seis días creativos, tras crear al hombre es la que mejor corresponde al concepto antropológico creativo.

Cuando consideramos el sentido del *cuerpo* como templo del Espíritu Santo no debemos olvidar ni podemos ignorar que en nuestro origen se proveyó lo mejor para ese **Cuerpo** *resultado de la unión de la forma y sustancia material con el espíritu*, o para esa **Alma**, *resultado* **también** *de la unión de la forma y sustancia material con el espíritu.*

Por otra parte, sabemos que el Maligno ha introducido la cizaña (Gn. 3:1-6 cf. Mt. 13:25 ss.) engendrando la confusión y la mentira.

Para distinguir una y otra forma de curar o de concebir la salud, además de lo dicho en este capítulo y en donde hemos indicado el origen y naturaleza del Mal, indicamos a manera de resumen la concepción cristiana de salud que emana de la Revelación Bíblica:

1) Dios se manifiesta como Creador y Trascendente, y ha diseñado un ser con una personalidad que la orienta en la salud con los principios de su Gobierno o Reino, y de acuerdo a la concepción antropológica que expresa el sentido de su Creación. No depende de ningún equilibrio de opuestos, donde el bien y el mal o lo positivo y negativo deben armonizar, ni de balancear una energía que respondería a la de una materia cósmica eterna. El bien no puede armonizar nunca con el mal, ni lo positivo con lo negativo. Tanto lo malo como lo negativo, sencillamente no tienen que existir ni estar presentes en una neutralización sino que han sido vencidos por Jesucristo a fin de que no existan más (cf. Ap. 22:2, 3; 21:1-27 cf. Pr. 3:7). Toda cosmovisión, antropología o naturaleza del ser humano, o destino que no lleve el sello de la revelación bíblica, es de origen babilónico, asumido, con sus matizaciones propias, por los sistemas creyentes en la inmortalidad de un alma constituyente del ser humano, del ateísmo budista, y recogido posteriormente, con sus matizaciones y mezclas que el agnosticismo moderno le ofrece, por la Nueva Era o el Movimiento del Potencial Humano o el Espiritismo moderno.

2) La salud del ser humano depende de obedecer al Dios que se revela en la Palabra y en Jesucristo y por medio del Espíritu Santo. Se trata de depender de Dios como criaturas y no de independizarse haciéndose o creyéndose dios (cf. Gn. 3:1-6). Cuando se rompe ese esquema se programa una existencia contraria al propósito de la Creación, y la concepción de la salud se desvirtúa.

3) En el origen, y dentro del plan de Dios no estaba ni la muerte de los animales ni el consumo de la carne de ellos (cf. Gn. 1:29-31; 2:18-20). Únicamente, posteriormente y como consecuencia de la maldad del

hombre y la situación en que queda la tierra se permite el consumo limitado de carne (Gn. 6:19-22 cf. 9:1-6), con el propósito de devolverle al plan original (Nm. 11).

4) Los principios naturales auténticos que deben utilizarse para curar son: alimentación vegetariana (frutas, verduras, cereales integrales, algas, legumbres secas), aire puro, agua pura, la luz solar, la temperancia, el ejercicio, el trabajo, el reposo, la acción en beneficio de los demás, y la confianza en Dios.

5) La vida y la conservación de una salud en armonía con el mandamiento de Dios, estará de acuerdo con el pacto de Sanidad de Dios expresado en la época de Moisés y ampliado por Jesucristo; aplicando una terapia de acuerdo a los principios de las enseñanzas de Jesucristo, y según las funciones anatómicas y fisiológicas aceptadas universalmente.

6) Toda terapia basada en un estado alterado de la conciencia (Yoga, Meditación Transcendental, Zen), o en una filosofía que acepta en sus premisas la unión de los opuestos como el *Yin* y el *Yang*, la adivinación o astrología en los diagnósticos, o cualquier técnica adivinatoria, fenomenología parasicológica o espiritista, supone aceptar algo contrario a lo que requiere la Palabra de Dios, sometiéndose al que los inspiró.

7) La nueva Era adquiere su conocimiento en los postulados babilónicos, matizados por la filosofía y religión orientalista que los asumió. Nuestra sabiduría y conocimiento debe tener su origen en el conocimiento de Dios y de Jesucristo.

Capítulo III

Antropología Bíblica y la imposibilidad de la Reencarnación y del mensaje del Espiritismo

Introducción

El hombre, bien de forma activa o pasiva, está absorbiendo por diferentes métodos, publicaciones, radio, o TV, unos contenidos llamados paranormales que penetran sin el debido obstáculo en la actividad pensante.

A. Un falso consuelo con unas consecuencias peligrosas para la salud mental y espiritual

Un relato que impresionó en todos los medios ingleses y de fuera de Inglaterra, fue lo referente al obispo anglicano Pike.

No porque realmente fuera un caso aislado, ya que como él se están repitiendo a diario, sino por lo que supuso para la opinión pública mundial, las afirmaciones de todo un obispo de la iglesia anglicana.

En una sesión espiritista televisada, afirmó haberse comunicado con su hijo, muerto mediante el suicidio. Esto revolucionó millones de hogares.

¿A qué se deben estas comunicaciones? ¿Quién las promueve? ¿Es correcto y cierto lo que dicen? ¿Son auténticamente una ayuda para el hombre? Y si no lo fueran ¿es que existe un método, un plan para que el hombre se sienta seguro, y alcance la solución de los problemas y preocupaciones, sin recurrir al método que empleó el obispo Pike?

El hombre, ante la angustia y la muerte, pretende encontrar consuelo en una práctica llamada Espiritismo, que debemos dilucidar si verdaderamente le ofrece lo que asegura, a la vez que deberemos comprobar dos asuntos fundamentales: Independientemente de que el Espiritismo no logre lo que pretende, ¿acumula un perjuicio complementario a la ya desdichada situación del hombre? Y si el Espiritismo es, lo que pretende ser, una Revelación divina, ¿se ajusta a esa otra Revelación Divina, que el propio Espiritismo acepta como tal, es decir a la Revelación bíblica?

Y por último, dónde y cómo puede encontrar el hombre una verdadera seguridad que le capacite para enfrentarse al dolor, la enfermedad y a la muerte.

1. Definición y Naturaleza del Espiritismo[1]

Allan Kardec que intentó poner fundamento científico al Espiritismo, dice en su obra titulada *El Evangelio según el Espiritismo*:

---

[1] Si la teosofía tiene mucho que ver con la organización moderna de la antigua religión llamada ahora *New Age*, el **Espiritismo** que ha sido adaptado a la *era del acuario* tiene tanto o más, siendo su técnica de comunicación con los espíritus de los *muertos* la reina de las empleadas por la *New Age*. La teosofía surge matizada, a partir de un origen puramente *espiritista*.

Manuel Figueroa en *Más Allá* (monográfico nº 8, op. c., p. 6):

«Pero el matiz básico de la Nueva Era proviene de la Teosofía».

Helena Petrovna Blavatsky funda en Nueva York en 1875 la conocida Sociedad Teosófica, caracterizada por una doctrina fruto de la mezcla de elementos importantes de la religión budista e hinduísta, del hermetismo egipcio y del esoterismo de los lamas del Himalaya. Con la mediumnidad que ya practicaba se dedicará con aquellos componentes citados a lo que ella llama conocimiento profundo de la divinidad a través de la meditación y la *iluminación interior*. En 1851 dará a luz un escrito en varios volúmenes titulado *La Doctrina Secreta*, inspirada por su Maestro protector perteneciente a una "Hermandad Esotérica Ocultista" tibetana, considerado como una entidad sobrehumana. Este es un punto de partida que permitió el traspaso de la ideología orientalista en Occidente y comenzó a forjar en este lugar occidental lo que más tarde se conocería como Nueva Era. Pero serían especialmente Alice Bailey con su sociedad teosófica, y el espiritismo de Allan Kardec, quienes junto a otros (Paul le Cour por ejemplo) aportaron los paradigmas creativos de la *New Age* (ver sobre esto a Jean Vernette, *le Nouvel Age, A L'aube de l'ere du Verseau*, Pierre Tequi, París 1990, pp. 51-77).

El católico P. Le Cour imbuido como muchos hoy de lo esotérico publicó un libro en 1937 titulado *La Era del Acuario*, o la llegada de Gaminades profetizando para el año 2000 la reencarnación de Cristo influyendo en la gestación y desarrollo de la *New Age* (ver sobre esto a Raúl Berzosa Martinez, op. c., p. 21).

Nos detendremos ahora brevemente en A. Bailey (más adelante dedicaremos unas líneas a la importancia del espiritista Allan Kardec).

Alice Bailey es mencionada por todos los estudiosos sobre la *New Age* (se puede consultar Jean Vernette ya citado, p. 23; Juan María Argudo, op. c., p. 53; Más Allá nº 8, p. 6, etc.) compaginó sus actividades teosóficas con la meta de ser la impulsora del movimiento que tomaría forma definitiva en la década del 60 y 70. Ocultista de origen inglés se casó de segundas nupcias con Foster Bailey, a la sazón Secretario Nacional de la Sociedad Teosófica de los EE. UU. Canalizadora del llamado Maestro de Sabiduría conocido por el Tibetano, se dedicó a expandir las enseñanzas de los mensajes que a través, según ella, del espíritu del personaje mencionado recibía. Una obra de veintitrés volúmenes, y en especial *El discipulado de la Nueva Era* fue el resultado del *channeling* con El Tibetano.

Con la fundación de la Escuela Arcana creó y propagó un movimiento con un triple objetivo: **nuevo orden mundial; nuevo gobierno mundial; nueva religión mundial**. Esto concuerda con el principal objetivo sociopolítico de la *New Age*, a decir de Raúl Berzosa Martinez (op. c., p. 22), es decir el propósito primario de la Nueva Era de alcanzar el control global mundial.

La asociación *Buena Voluntad Mundial* que funda en 1932 era la forma de evidenciar a dónde se dirigía su blanco: hacia una nueva humanidad gracias al esfuerzo de cada individuo, desarrollando, según se piensa, el enorme caudal que su mente le proporcionaría, y gracias al "instructor mundial" que se revela. Este proyecto le llevó a introducir la oración llamada *la gran invocación* que según ella en 1945 Cristo le había inspirado (ver a C. Sarrias, *La Nueva Era ¿nueva religión?*, PPC, Madrid 1993, p. 9).

Bailey fue todavía más lejos generando un método de *autosalvación* pretendiendo establecer un *puente de luz* entre la conciencia que el individuo tiene de sí mismo y lo que realmente puede encontrar hurgando en lo que se considera como verdadero: la propia divinidad del individuo en contacto con otros seres espirituales.

El Espiritismo se remonta a los momentos más ancestrales de la humanidad como teniendo un origen, de acuerdo al informe bíblico que en su momento analizaremos, ajeno totalmente al Dios verdadero. Sin embargo su resurgir en la sociedad occidental se lograría en Europa por Emanuel Swedenborg (murió en 1772) y Galvani y Volta, y en los Estados Unidos en 1848 con las hermanas Fox (Margarita y Catalina de Hydesville, New York) y sus famosos y misteriosos golpes con los que se comunicaban, según ellas, con espíritus. Estas habían sido influenciadas por Andrew Jackson Davis que en 1847 había publicado un libro *Nature's Divine Revelation* donde establecía los fundamentos y filosofía del espiritismo (ver sobre todos esto a RAS., de febrero de 1964, p. 11). De nada sirvieron los reconocimientos de las Fox posteriormente, cuando el movimiento estaba imparablemente en marcha en el sentido de que lo suyo había sido un fraude. El fraude ha sido una cierta constante dentro del espiritismo, pero ha servido para que la realidad de las manifestaciones *sobrenaturales* extrañas a Dios, se hayan propiciado.

Se pueden esbozar cuatro etapas en el Espiritismo moderno.

La primera que corresponde a su época del comienzo y formación, "con los toscos fenómenos espiritistas de las primeras décadas mezclados con fraudes y engaños, pero con algunas inexplicables realidades" (RAS, febrero 1964, p. 12).

En la segunda se experimenta un cambio decisivo. En el primer congreso de Delegados de las Sociedades Espiritistas de los Estados Unidos celebrado en 1893 en Chicago se organizó la "Asociación Nacional Espiritista de Iglesias de los Estados Unidos de Norteamérica" instituyendo el Espiritismo como una religión.

Los escritos de Allan Kardec (1804-1869) lograron una sistematización de la doctrina del Espiritismo y en relación con la Cristiandad buscando en ocasiones los nexos de unión, y en otras mostrando las contradicciones a favor del Espiritismo, sirviendo para darle una orientación religiosa.

En una tercer período se añadió a este aspecto religioso el sentido científico, relacionándolo con el estudio de los poderes síquicos. Este traspaso se puede comprobar en dos obras del espiritista Dr. B.F. Austin, en sus libros *A,B,C, of Spiritualism* (1920) y en el *Future of Spiritualism*.

En el primero dice:

«Las Iglesias están saturadas con el espíritu y las enseñanzas de la religión espiritista» (citado en RAS, febrero 1964, p. 12).

En el segundo comentando la pregunta 100, dice triunfalmente:

«Las enseñanzas del espiritismo en las organizaciones, a través de la prensa, por medio de la investigación psíquica irán siempre adelante, vencedores y para vencer, hasta que el mundo entero pueda comprender y regocijarse en la gran verdad: la muerte no existe» (citado en íd.).

Aun cuando no es verdad lo que indica ni en el uno ni en el otro, tendremos oportunidad de estudiarlo más adelante, es perceptible el deseo de encontrar lazos de unión con algunas doctrinas de ciertas Iglesias.

Pero sobre todo, este traslado a lo científico, que se irá desarrollando a partir de la década de 1940, tiene un doble propósito, por un lado llegar hacerlo atractivo a diferentes iglesias de la cristiandad que parecería que necesitasen una especie de reavivamiento que el Espiritismo o ciertas formas de él podrían conseguirlo; y por otro hacerse creíble a la Ciencia, de ahí surgirá una fenomenología que obligará a una cierta *ciencia* denominada parasicología, a estudiar los prodigios que el Espiritismo presenta.

Ese trayecto se va trazando, dejando claro lo que es inaceptable de la Biblia, sobre todo cuando se utiliza ésta como autoridad para condenar el Espiritismo (Ernest Thompson (en *History of Moderne Spiritualism*, 1948, pp. 11, 12). La Biblia es reconocida mientras pueda ser interpretada a gusto del Espiritismo. Cuando ni forzándola pueden encontrar apoyo a sus asertos entonces se la considera en esos párrafos (imposibles de tergiversar) como no inspirada ni verdadera (Austin, *ABC of Spiritualism*, op. c., pregunta 11). Sin embargo una segunda tendencia aparece en el escenario la de un movimiento donde con mayoría de miembros de diferentes iglesias protestantes se unen creando en 1956 la llamada "Fraternidad Fronteras Espirituales" (Albin Bro, misionero, Paul Higgins, pastor metodista, y Arthur Ford, pastor ordenado y médium). El propósito de esta organización está claramente expuesto en el membrete de su diario oficial: "Fomentar el estudio de fenómenos psíquicos dentro de las iglesias, en relación con la inmortalidad personal, la curación espiritual, y la oración" (Declaración editorial en *Spiritual Frontiers*, tomo 3, n° 3, mayo-junio 1958, p. 2).

En otro apartado veremos lo que esto supone para los lazos de unión entre un cristianismo apostatado y el Espiritismo. El crecimiento de un tipo de iglesias a lo largo y ancho de las dos Américas, en el que ciertos conceptos y ritos cristianos se unen con la práctica espiritista (*Más Allá*, n° 63, mayo 1994) es una evidencia de la influencia mutua que se da entre espiritismo y un seudocristianismo que se hace pasar como genuino.

Michel Grosso de la *New Age*, en un artículo *"Parapsicología y Nueva Era: La Gran Convergencia"* (Más Allá, n° 8, 1994, op. c., pp. 30-35), pide en ruegos y lamentos, que la parapsicología científica abandone su objetivismo y su rigor científico, y pueda de ese modo beneficiarse de la experiencia que la *New Age* ha podido recoger de sus proyecciones tanto en lo referente a los poderes síquicos (curación paranormal, comunicación extra-sensorial, telepatía, el *channeling*, etc.) como en su relación con el macrocosmos. Cada vez más la actitud de la Ciencia está siendo más complaciente en sus exigencias frente al subjetivismo, teorías y especulaciones de la *New Age*. Y cada vez más ciertos teóricos con formación científica pertenecientes a la *New Age* están

> «El Espiritismo es una Nueva ciencia que viene a revelar a los hombres con pruebas irrecusables, la existencia y la naturaleza del mundo espiritual y sus relaciones con el mundo corporal».[2]

En efecto, el Espiritismo tiene la creencia de que los espíritus de los que mueren, sobreviven, pudiendo entrar en contacto con los vivos, dándoles mensajes y manifestándose de diferentes formas. Según esto los espíritus pueden ser invocados y los hombres pueden ser intermediarios para traer a la humanidad el mensaje de esos espíritus.

Considera al Espiritismo la tercera y mas completa revelación que el hombre haya tenido. De ahí que nos añade el mismo autor en la misma página:

> «La ley del AT está personificada en Moisés, y la del NT en Cristo; el Espiritismo es la tercera revelación de la ley de Dios, pero no está personificada en ningún individuo porque es producto de la enseñanza impartida, no por hombre, sino por los espíritus que son las voces del cielo, en todas las partes de la tierra y por multitud de innumerables intermediarios, (...)».[3]

2. Creencias fundamentales

a) *Respecto al Espiritismo como Revelación*

La Revelación, llamada del Espiritismo, pretende ser la de Cristo.[4] Incluso se nos dice que "el carácter de la revelación es que sea verdadera si se atribuye a Dios (...) Dios no puede mentir ni engañarse".[5]

Se afirma que la fuente de la Revelación Espiritista es Divina, como vemos en el siguiente texto:

---

tendiendo puentes entre las especulaciones y experiencias supra normales, de las que nadie científicamente puede saber su verdadero origen, con hipótesis científicas que pretenden categorizarlas sin pruebas determinantes de su valor científico.

Vemos que el Espiritismo ha adoptado una cara nueva desde la forma puramente secular de sus inicios, la religiosa, para pasar a un frente con viso científico-religioso, con un objetivo que se está desarrollando con inusitada fuerza en la actualidad: atraerse o convencer tanto a lo religioso (sea del signo que fuera) como a lo científico; pero sus expresiones y enseñanzas básicas no han cambiado y sus métodos siguen siendo esencialmente los mismos. Todo el uso que la *New Age* realiza de esos elementos fundamentales que el Espiritismo le ofrece, orientándolo de acuerdo a toda una concepción global del mundo y de la persona, posee el mismo contenido contrario a la fe cristiana.

[2] Ed. Kier, Buenos Aires 1965, p. 28.

Respecto al Espiritismo, hemos dado algunas referencias en nuestro primer capítulo sobre la *New Age* podemos añadir algunos libros que por su importancia pueden ayudar: *Fuerzas Superiores* del Dr. Fernando Chaij, ya citado; el del Dr. Willhelm Cornelius van Dam, *Ocultismo y Fe Cristiana*, CLIE, Terrassa-Barcelona 1992; el relato biográfico de una medium que se convirtió al cristianismo, conteniendo un testimonio que puede ayudar a otras personas que se encuentren en condiciones semejantes: Winnie Zerne, *María la Hija de las Sombras*, Publicaciones Interamericanas, Pacific Pres, Estados Unidos 1976; Kurt E. Koch, *Ocultismo y Cura de Almas*, CLIE, Terrassa-Barcelona 1968; Samuel Vila, *Espiritismo y Fenómenos Metapsíquicos*, ed. Clie, Terrassa-Barcelona 1978; Dr. Fernando D. Saraví, *Necromancia*, ed. Clie, Terrassa-Barcelona 1992.

[3] Id.

[4] Allan Kardec, *El Génesis*, ed. Kier, Buenos Aires 1966, p. 11.

[5] Id.

«Lo que caracteriza a la revelación espiritista es que su fuente es divina, que su iniciativa pertenece a los Espíritus y su elaboración constituye el resultado del trabajo del hombre».[6]

b) *En cuanto a la Revelación bíblica*

El Espiritismo no acepta lo que se llama el Nuevo Testamento como inspirado por Dios:

> «(...), no existe sobre su vida y su doctrina ningún otro documento más que los Evangelios, y en ellos solamente debe buscarse la clave del problema. Todos los escritos posteriores, sin exceptuar los de San Pablo, no son ni pueden ser mas que comentarios o apreciaciones, reflejo de personales opiniones, contradictorias a menudo, que en caso alguno pueden tener la autoridad del relato de los que habían recibido las instrucciónes directas del Maestro».[7]

Aunque pudiera parecer que el Espiritismo acepta los evangelios como documento fidedigno e inspirado, la interpretación que da a ciertos pasajes claros sobre doctrinas, desdice lo que podría corregirse en la cita mencionada anteriormente.

c) *Negación de doctrinas cardinales de la Fe Cristiana*

En efecto, el espiritismo niega numerosas doctrinas que enumeramos a continuación:

1) Negación del Segundo Retorno de Cristo.[8]

2) Negación de las Señales del Fin.[9]

3) Respecto a la Persona de Cristo, se nos dice que no es Dios.[10]

4) Espiritismo y Expiación (Redención).

Según el Espiritismo, nadie ha tenido que "expiar" nuestros pecados, la expiación la debe hacer el propio individuo por sí mismo por medio de las reencarnaciones que sean necesarias, hasta que pague todo y alcance la debida perfección.

Según esto, todo el Plan de la Salvación, fruto de la soberanía y misericordia divina, es falso y no tiene valor. La tierra se convierte en uno de esos mundos expiatorios.[11]

---

[6] Id., p. 15.

[7] Allan Kardec, *Obras Póstumas*, ed. Kier , Buenos Aires 1966, p. 65.

[8] *Génesis*, pp. 253, 254.

[9] Id. p. 256.

[10] «Si hay, pues, una diferencia Jerárquica entre el Padre y el Hijo, Jesús, como Hijo de Dios, no puede ser igual a Dios (...). Jesús no sólo no se supuso igual a Dios en ninguna circunstancia, (...) y declarar que Dios lo es superior en poder y cualidades morales, es declarar que no es Dios (...).

Preciso concluir que no era Dios, o que si lo era, dijo voluntariamente e inútilmente una cosa falsa» (En *Obras Póstumas* de Allan Kardec, pp. 70, 71, 72).

[11] Es esto lo que se lee en *Obras Póstumas* de Allan Kardec, op. c., pp. 126, 227-132.

«La tierra es, pues, uno de los tipos de los mundos expiatorios, (...). La superioridad de la inteligencia

5) Espiritismo y Resurrección:

La resurrección no ha existido ni existirá; respecto a las resurrecciones mencionadas en la Biblia, son tan solo aparentes y fruto de terminología equivocada.[12]

6) Espiritismo y Naturaleza Humana:

El hombre está compuesto claramente de cuerpo y espíritu, o de cuerpo y alma. El espíritu es el alma para el Espiritismo, la cual sería preexistente. Se trata el espíritu de un principio que puede existir independientemente del cuerpo, y que se va reencarnando en diferentes cuerpos a través de diversas existencias hasta conseguir la perfección.[13]

Todo esto, como veremos, se opone claramente a la Revelación Bíblica.

7) Los demonios no existen:

Los demonios en realidad no existen, se trata de espíritus atrasados que precisan de un perfeccionamiento especial. Los ángeles no son otra cosa que espíritus perfeccionados a lo que llegarán todos los hombres.[14]

d) *Espiritismo y Reencarnación*

La consecuencia lógica de una creencia como la de la preexistencia y supervivencia del alma, es la doctrina brahámica de la Reencarnación que es incorporada en el ideario doctrinal espiritista. Se ufana de ser el que ha sabido descubrir dicha creencia.[15]

---

entre un gran número de sus habitantes, indica que no es un mundo primitivo destinado a la encarnación de espíritus recién salidos de las manos del Creador (...). Dios los ha colocado sobre una tierra ingrata para expiar en ella sus faltas por medio de un trabajo penoso y por las miserias de la vida, hasta que hayan merecido ir a un mundo mas feliz» (*El Evangelio según el espiritismo*, p. 40).

[12] Respecto a la Resurrección en general:

«Las muertes tanto de la hija de Jairo y del hijo de la viuda de Nain, fueron tan solo aparentes, sería la potencia fluídica de Jesucristo, de la que estaba dotado, la que debió reanimar los sentidos embargados.

No hubo resurrección (era una equivocación de aquel tiempo), sino mas bien reanimación» (*El Génesis*, p. 216).

Respecto a la Resurrección de Jesús:

"La resurrección de Jesús no ha sido real, sino tan solo aparente. No hubo milagro. Se trataba de un cuerpo fluídico" (*El Génesis*, p. 226).

[13] En *El Génesis*, p. 21.

Nos dirá Allan Kardec en *"Obras Póstumas"*, pp. 12, 13:

«Hay en el hombre un principio inteligente llamado Alma o Espíritu, independiente de la materia y que le concede el sentido moral y la facultad de pensar (...).

El Alma del hombre sobrevive al cuerpo y conserva su individualidad después de la muerte.

El Alma del hombre es feliz o desgraciada después de la muerte, según el bien o el mal que haya hecho durante la vida»,

Esta alma individual no sólo sobrevive al cuerpo sino que además es preexistente, según el espiritismo (*Obras Póstumas*, p. 114).

[14] «(...) que los que se designan con el nombre de demonios, no son otra cosa que Espíritus aun atrasados e imperfectos, que hacen el mal en estado de Espíritus como lo hacían los hombres, pero que adelantarán y mejorarán; que los ángeles o Espíritus puros no son seres creados excepcionalmente sino Espíritus que han alcanzado el fin, después de la escala de progreso (...) no hay creaciones múltiples de diferentes categorías (...)» (*El Génesis*, p. 23).

[15] Dirá así en una de sus obras escrita por Allan Kardec:

«Uno de los puntos capitales que Jesucristo no pudo explicar (...) es la grande e importante ley de la reencarnación, la cual estudiada y esclarecida en nuestros días por el Espiritismo, es la clave de muchos pasajes del evangelio que sin ella parecen un contrasentido» (en *El Génesis*, op. c.).

Según el Espiritismo, la Biblia apoyaría la teoría de la reencarnación en pasajes tales como Mal. 4:5; Mt. 11:14; 17:10-12 y Jn. 3. En su momento analizaremos dichos textos.

Los apoyos actuales, que también analizaremos, los basa en los pretendidos viajes astrales (que ya hemos explicado), y en los experimentos bajo hipnosis que se han hecho de situaciones denominadas "muertes clínicas", y que analizaremos más adelante.

e) *La Salvación será Universal: Todos los seres creados serán al final salvos*

3. Influencias e Implicaciones modernas

Las doctrinas del Espiritismo han influido e implican muchas de las prácticas modernas que se engloban dentro de la fenomenología parasicológica y de la filosofía y práctica de la *New Age*:

1) Los Movimientos de objetos (Telergia)
2) Las pretendidas comunicaciones con los muertos.
3) Las invocaciones de los espíritus.
4) Comunicaciones con extraterrestres (Ovnis).[16]
5) Apariciones de pretendidos espíritus de muertos en manifestaciones ectoplásmicas.
6) Curaciones milagrosas.
7) La Energía cósmica a la que todos deben tender mediante el conocimiento interior de lo que uno es.

4. Análisis Crítico del Ideario Espiritista: Refutaciones

a) *Respecto a la base de la Revelación Espiritista*

La base de las doctrinas espiritistas está sustentada en dos apoyos que sería preciso demostrar: el uno, que se trata de una Revelación Divina; el segundo,

---

[16] Un médium, H.V. Speer (recogida la cita en *Signes de Temps*, mayo-junio 1982, p. 25) dice: «Si alguien cree que los contactos con extraterrestres son el producto del azar ... se equivoca. Esta misión es debida a las instrucciones directas de una potencia espiritual (...)»

Juan Carlos Priora recoge en Vida Feliz, Octubre 1976, p. 15, las siguientes semejanzas que se han encontrado entre lo relacionado con los Ovnis y las sesiones espiritistas:

1) Fuertes olores a ozono y azufre; 2) las apariciones, en uno y otro se realizan en la penumbra del amanecer o del atardecer; 3) en ambos se oyen, lo que se denomina, "voces mentales"; 4) fenómenos de levitación; 5) apariciones y desapariciones repentinas; 6) omisión de elementales leyes físicas; 7) los que participan o toman contacto sufren sensaciones de frío, temblores, parálisis, temor, y trastornos síquicos que aumentan su gravedad de acuerdo al tiempo que dura la exposición a semejantes experiencias; 8) parece tomarse la energía del médium o del contactado; 9) los mensajes son semejantes destacando el desarrollo de las capacidades mentales; 10) el contenido de los mensajes que ofrecen coinciden en socavar o tergiversar las doctrinas esenciales del cristianismo bíblico.

que esta Revelación se produce gracias a los espíritus de seres que en otras ocasiones estuvieron muertos, pero que sobreviven y se comunican con los vivos.

Por otra parte, la revelación espiritista pretende estar de acuerdo con la revelación bíblica, al menos en lo que se refiere a que también proviene de Dios.

En principio digamos ya, que una Revelación que pretende ser divina no puede contradecir ni oponerse a otra Revelación Divina anterior. Si el Espiritismo es realmente una revelación divina, deberá someterse a lo que también dice ser la Revelación Divina: es decir, la Biblia. El Espiritismo acepta a la Biblia como Revelación Divina.

Dentro de ese reconocimiento, decide rechazar ciertas porciones de la Biblia, exclusivamente en base a que le es imposible concordarlas con lo que los supuestos espíritus le han inspirado.

Por otra parte el fundamento de la Autoridad inspirada bíblica reside en ella misma **no en lo que diga el Espiritismo**. Pero si el Espiritismo reconoce por un lado y rechaza por otro es sospechoso de contradecirse, y por lo tanto sus asertos deben ser analizados con la profundidad que requiere un postulado que se autoerige en revelación habiendo otra anteriormente: La Palabra Profética. Cualquier revelación posterior a la Biblia debe ser sometida al examen de Esta.

La Biblia nos advierte en la Epístola a los *Gálatas*, escrita por el apóstol San Pablo, en el capítulo *primero, vss. 8, 9*, que "si aun nosotros o un ángel del cielo os anunciare un evangelio distinto del que ha sido anunciado, sea anatema". Hay aquí unos contenidos dignos de resaltarse: el primero, la posibilidad de la transmisión del error por parte de alguien que dice ser apóstol o que dice ser un ángel.

Segundo, la necesidad de conocer bien "la buena Nueva bíblica" para comprobar si lo que se pretende transmitir coincide con esa Revelación bíblica.

Y **tercero**, el rechazo de todo aquello que contradiga o que se oponga a la verdad bíblica.

En *Mateo 7:21-23*, Jesucristo mismo nos pone al alcance un método selectivo para tener en cuenta a la hora de aceptar la verdad.

Dichos pasajes dicen: "No todo el que me dice: Señor, Señor, entrará en el reino de los cielos, sino el que hace la voluntad de mi Padre que está en los cielos. Muchos me dirán en aquel día: Señor, ¿no profetizamos en tu nombre, y en tu nombre echamos fuera demonios, y en tu nombre hicimos muchos milagros? Y entonces les declararé: Nunca os conocí; apartaos de mí, hacedores de maldad".

Lo que quiere decir que ni orar, ni predicar en el nombre de Cristo, ni arrojar demonios, ni hacer señales, ni milagros, es una evidencia de estar en la verdad. Se trata de someterse a la voluntad de Dios expresada en su Palabra.

En *Isaías 8:19, 20*, se nos indica una pauta a seguir cuando nos encontremos en una situación controvertida: "¿Se consultará a los muertos por los vivos? ¿no consultará el pueblo a su Dios? A la ley y al testimonio, si no dijeren conforme a esto es que no les ha amanecido".

Según los pasajes en cuestión, la consulta a los muertos se opone a la consulta a Dios, es decir, que cuando alguien consulta a los muertos, por el mero hecho de hacerlo, ya no está consultando a Dios.

Dichos pasajes nos indican el camino a seguir, estar de acuerdo a la ley de Dios, tal como se expresa en la Biblia, y de acuerdo al testimonio de los profetas. Todo lo que no venga de ahí, es fruto de las tinieblas y no de la Luz.

Aun cuando la Revelación espiritista por un lado acepta la Biblia como revelación divina, y por otro, por lo que ya dijimos en otro lugar, no se somete al criterio de inspiración que esta nos ofrece, y aun cuando resulta paradójico y contradictorio de por sí, tenemos que concluir este apartado de la Revelación Espiritista, con dos asuntos por el momento: La Revelación Espiritista si fuera revelación divina, debería someterse a los cánones de esa otra Revelación divina que dice aceptar, la bíblica; deberá no contradecir ni oponerse a las doctrinas bíblicas.

En segundo lugar, a tenor por los textos de Isaías 8, el vehículo escogido para transmitir esa Revelación Espiritista **no** está de acuerdo con la opinión bíblica. Los Espíritus de los muertos no deben ser consultados sino Dios, de acuerdo a la ley y los profetas.

En cuanto al "vehículo" de esa Revelación hay una prohibición clara respecto a la consulta e invocación de espíritus.

En *Deuteronomio 18:9-15* es un ejemplo que está unido a varios pasajes:

> «Cuando entres a la tierra que Yavé tu Dios te da, no aprenderás a hacer según las abominaciones de aquellas naciones. No sea hallado en tí quien haga pasar a su hijo o a su hija por el fuego, ni quien practique adivinación, ni agorero, ni sortilegio, ni hechicero, ni encantador, ni adivino, ni mago, ni quien consulte a los muertos. Porque es abominación para con Yavé cualquiera que hace estas cosas, y por estas abominaciones, Yavé tu Dios, echa estas naciones de delante de tí. Perfecto serás delante de Yavé tu Dios. Porque estas naciones que vas a heredar, a agoreros y a adivinos oyen; mas a tí no te ha permitido esto, Yavé tu Dios. Profeta de en medio de tí, de tus hermanos, como yo, te levantará Yavé tu Dios; a él oiréis».

No hay posibilidad de contacto entre "espíritus" de seres que vivieron y murieron.

¿Por qué? Porque ya estudiamos y documentamos en otro lugar, al que remitimos, que los muertos no van al "cielo", ni al infierno que se entiende popularmente, ni al purgatorio, ni al espacio: Jn. 3:13 "Nadie subió al cielo, sino el que descendió del cielo; el Hijo del Hombre que está en el cielo". Van al sepulcro: Hech. 2:29-34 "Varones hermanos, se os puede decir libremente del patriarca David, que murió y fue sepultado, y su sepulcro está con nosotros hasta el día de hoy. Pero siendo profeta, y sabiendo que con juramento Dios le había jurado que de su descendencia en cuanto a la carne, levantaría al Cristo para que se sentase en su trono, viéndolo antes, habló de la resurrección de Cristo, que su alma no fue dejada en el Hades, ni su carne vio corrupción. A este Jesús resucitó Dios, de lo cual todos nosotros somos testigos. Así que exaltado por la diestra de Dios, y habiendo recibido del Padre la promesa del Espíritu Santo, ha derramado esto que vosotros veis y oís. Porque David no subió a los cielos; pero él mismo dice: Dijo el Señor a mi Señor: siéntate a mi diestra".

Escogemos este caso típico de David para que nos demos cuenta que un personaje como David, está en el sepulcro esperando el día de su resurrección.

Porque los espíritus o almas no pueden aparecerse a los vivos porque tras la muerte los elementos constitutivos del hombre vuelven a la situación anterior a la de la creación.

Todavía mas, la revelación espiritista no puede catalogarse de divina por cuanto contradice frontalmente a la Revelación Bíblica.

La negación del Retorno de Cristo y de las Señales del Fin no tiene ni una mínima consistencia. Negar por negar, podemos negar todo, hasta los propio fenómenos espiritistas. Pero si hay un tema claro en las Sagradas Escrituras, es el de la promesa del retorno de Cristo. No merece la pena el enumerar todos los textos, tanto del llamado Antiguo Testamento como del llamado Nuevo Testamento. En Jn. 14, Jesús promete volver. Y en todo un capítulo, el 24, del evangelista Mateo, se nos habla de ese retorno, conteniendo numerosas señales del fin. Los apóstoles hablan de un tiempo futuro, el de la restauración de todas las cosas, que acontecería de modo total en el momento del retorno de Cristo (Hech. 3:19-21): "Así que, arrepentíos y convertíos, para que sean borrados vuestros pecados; para que vengan de la presencia del Señor tiempos de refrigerio, y él envíe a Jesucristo, que os fue antes anunciado; a quien de cierto es necesario que el cielo reciba hasta los tiempos de la restauración de todas las cosas, de que habló Dios por boca de sus santos profetas que han sido desde tiempo antiguo".

San Pablo tenía la esperanza del retorno de Cristo, en el que se realizará varias de las expectativas del creyente entre las cuales se encuentra la de la Resurrección (1ª Tes. 4:13-17).

Santiago, ante la profética lucha entre el capital y el trabajo, habla de ese juicio divino del retorno de Cristo (Stg. 5:7, 8). Judas aludirá a una profecía de un autor de la época del AT (Jud. 14). Y todo un libro, el Apocalipsis, nos refiere continuamente la segunda venida de Cristo para los últimos tiempos. Se trata, a tenor de los pasajes bíblicos, de una venida literal, visible e intransferible.

No nos debe extrañar que el Espiritismo niegue la Deidad de Cristo. Todos los que se oponen al verdadero cristianismo rebajan en la teoría o en la práctica, la persona de Cristo, este es un ejemplo claro.

Es cierto que la Biblia nos habla de Cristo como siendo realmente hombre, pero también como siendo completamente Dios. Lógicamente como hombre, Cristo es inferior al Padre, pero según su naturaleza divina, Cristo es igual a

Dios. De Cristo se dice que es Eterno (Jn. 1:1,14; 1ª Jn. 1:1, 2; Fil. 2:5-7). Por lo tanto, Cristo es el verdadero Dios (1ª Jn. 5:20), y se le adora (Hb. 1:6 cf. Mt. 4:10).

Toda desvalorización de la persona de Cristo trae consigo una devaluación de su obra salvadora. Esto es también lo que hace el Espiritismo, negando la necesidad de la redención.

La expiación viene a significar la obra que la Divinidad ha venido a realizar para liberar al hombre de sus tendencias hacia el mal, para salvarle de su situación perdida. El hombre estaba condenado irremisiblemente a no existir, y a morir para siempre en el caso de que existiera como consecuencia de su rebelión respecto a Dios.

Dios decidió soberanamente y por amor ofrecer un plan de la salvación, y preconoció quienes aceptarían y rechazarían ese plan.

¿En qué consiste?

Dios entró en contacto con la humanidad por medio de la persona de su Hijo. Era necesario hacer volver al hombre a Dios, comunicando el único modo que podía ser realizado. Lo que ya había sido anunciado por medio de símbolos y profecías, ahora se iba a hacer realidad. Dios, por un lado no podía cometer injusticia, por otro lado, de "tal manera amaba Dios al hombre" que estaba dispuesto a hacer lo que fuera preciso para salvarle. Jesucristo iba a cumplir la tarea que se le encomendaba: Llevar una vida impecable, culminándola con su muerte necesaria. Dios salvaría al que se aferrara por la fe a la vida y muerte de Cristo, y se sometiera a la iniciativa y obra del Espíritu Santo en él. Se trata de una vida y muerte de Cristo sustitutoria y *purificadora*. Toda la Biblia tiene un propósito fundamental: El de darnos ese mensaje de salvación.

b) *Reencarnación y Autosalvación*

Ya hemos presentado, con suficientes textos, en un capítulo anterior la condición del hombre y la solución divina como consecuencia de lo que la Palabra Profética nos revela: la imposibilidad de que el hombre por si mismo pudiera cambiar, perfeccionarse o expiarse como el Espiritismo pretende.

El invento de la reencarnación, que ya le viene del Budismo y de la cuna babilónica, no es otra cosa que la constatación de la corrupción de la naturaleza del hombre, y de su incapacidad de mejorar y de librarse de la muerte. Pero lejos de reconocer que esa es la situación del hombre causada por su rebelión contra Dios de acuerdo a como se nos indica en la Revelación bíblica, se rehusa el paradigma que nos proporciona el mensaje inspirado del Dios personal y Creador, según el cual la salvación del hombre es ofrecida y aplicada misericordiosa y gratuitamente al hombre que no impugna la iniciativa y obra del Espíritu Santo en base a la vida y muerte de Jesucristo. Esto es sustituido por otro esquema consistente en desarrollar por sus propios esfuerzos el conocimiento que le permita descubrir su propia naturaleza divina, y evolucionar por si mismo, gracias a los poderes que otros *seres* le hacen comprender que posee, y que es preciso despertar; correspondiendo a la inspiración de la Serpiente antigua.

De este modo surge la necesidad de la reencarnación puesto que como en una vida no han podido hacer ese cambio, a todas luces evidente, tienen que inventar otras vidas para lograr esa perfección.

Por todo ello, cuando un creyente en la reencarnación te dice que no hay suficiente oportunidad con una vida, están pensando en conceptos no bíblicos, en una autosalvación, en un perfeccionismo absoluto que lógicamente para él es evidente que nadie ha conseguido, y ésa situación, que muestra además un desconocimiento del plan de Dios, le ha obligado a fraguar la reencarnación; para así poder continuar con el ciclo de las perfecciones. Pero la Palabra Profética está en contra de la autosalvación y de los esfuerzos personales para alcanzar un perfeccionismo que anule la naturaleza corrupta del hombre. La salvación y la perfección es la obra de uno sólo **Jesucristo**. La obra que hace en nosotros el Espíritu Santo es la de lograr, a pesar de la naturaleza de pecado que llevaremos hasta la segunda venida de Cristo (1ª Co. 15:51-55), que el pecado no nos domine hasta el extremo que nos lleve a una vida en la que el pecado sea lo habitual.

b1) *Respecto a la Naturaleza del hombre y su destino*

Se ha estudiado en profundidad en otro lugar todo lo relativo a la naturaleza del hombre y a su destino.[17]

Utilizaremos aquí en resumen la esencia de ese análisis que respeta el esquema bíblico, y que aparece como divergente al de la reencarnación que promociona la *New Age*.

La Condición del hombre en el origen **no es** el de una preexistencia del alma o del espíritu.

El ser personal y consciente, la vida, tanto el **alma** como el **cuerpo**, se producen por la *unión* de la **sustancia material ordenada** y el **espíritu** o aliento de vida (Gn. 2:7) como fruto de una creación directa de Dios. Recuérdese como ya dijimos profusamente que el cuerpo es creado cuando a la sustancia material se le ha integrado al espíritu o aliento de vida. Y que dicho espíritu "no tiene" consciencia en sí mismo, es una fuerza vital. Es la forma ordenada de lo material con su capacidad lo que hace que una vez que el espíritu entre en esa forma material lo que dará como resultado un animal racional o irracional.

Ni el cuerpo **ni** el alma son elementos constitucionales sino el resultado de la unión de la materia con el espíritu. El cuerpo cuando es cuerpo ya tiene integrado el espíritu, de no ser así sería la materia inerte o el cadáver. Se le podría llamar cuerpo sin vida o sin espíritu.

Sólo Dios es esencialmente inmortal (1ª Ti. 6:14-16). La inmortalidad del hombre estaba condicionada a comer del árbol de la vida (Gn. 2:9) y a no comer del árbol de la ciencia del Bien y del Mal (Gn. 3: 22-24).

---

[17] En *La Esperanza de vivir frente a la soledad de la muerte: Vida Eterna versus Inmortalidad del Alma*, Terrassa-Barcelona 2001.

En *El Sentido de la Historia y la Palabra Profética* (op. c..) se ha analizado este asunto de la naturaleza del hombre y su destino, pero en la obra precitada se ha mejorado la comprensión y completado el contenido.

La condición del hombre en la muerte es la que resulta de la disociación del Espíritu o Aliento de Vida (Ecl. 12:7) a lo que estaba integrado: a la materia; con lo cual ya no se puede hablar de cuerpo con toda su propiedad ni de la existencia del alma que es un resultado que se produce de la asociación de la materia con el espíritu, y que al disociarse se provoca la ausencia del resultado de la unión. Es decir, la acción inversa a la creación (Sal. 104:29). De ahí que si antes de la asociación de la materia y del espíritu, con la que surgirá el cuerpo, no había persona ni ser ni vida ni alma, y por lo tanto no era posible una consciencia personal, ahora en la disociación que se produce en la muerte no es posible una condición distinta a la de antes de la creación (cf. Ec. 9:4-6, 10; Sal. 146:4; Sal. 6:6 (5); Is. 38:18, 19).[18]

b2) *La Muerte,*[19] *la Resurrección y la Vida Eterna*

La Muerte, contrariamente a lo que piensa la *New Age* y el Espiritismo **no es una liberación**, es un enemigo, el último (1ª Co. 15:26) que ha sido vencida, no por sucesivas reencarnaciones que implican perfecciones, sino por Cristo para los que le acepten (Ro. 6:23).

Tampoco coincide el mensaje bíblico con que el hombre sea esencialmente inmortal. Dicha inmortalidad, como ya hemos visto era condicional, y debe buscarse (Ro. 2:7).

Jesucristo ha recuperado la inmortalidad o la vida eterna para los que creen en él, de acuerdo al mensaje bíblico (Jn. 3:16, 18, 36). De ahí que los que aceptan a Cristo, en su sola y única vida, **mueren exclusivamente una vez** (He. 9:24). Todo lo cual discrepa radicalmente con la teoría de la reencarnación.

---

[18] Repásese el estudio que hemos presentado teniendo en cuenta tanto autores protestantes como católicos en relación a las ideas y textos que estamos exponiendo aquí.

[19] La Muerte real y total es el destino irrevocable de todo hombre que confía en los motivos de las palabras de la Serpiente cuando dice "no moriréis".

Nótese de nuevo en el texto (Gn. 3:4, 5), que las palabras pronunciadas por la Serpiente respecto a que no morirían aun cuando desobedecieran a Dios, no sólo están en completa contradicción con lo que Dios había dicho (cf. Gn. 2:17), sino que introduce una causa nueva y absolutamente distinta por la que conseguir la **no muerte** (cf. Gn. 2:9). En efecto, *no moriréis*, les dice, porque vosotros mismos con vuestra actitud independiente, de querer conocer experimentalmente el bien y el mal, conjugados en un bloque, descubriréis en vosotros una naturaleza inmortal como la de Dios mismo (cf. Gn. 3:5).

La causa de la existencia sin fin **no residía** en ninguna cualidad constitutiva del ser humano sino en el Arbol de la Vida (Gn. 2:9). Por ello se le quita al hombre el acceso al Arbol de la Vida: para que no pudiendo comerlo **no viva para siempre** (Gn. 3:22-24).

La causa teórica que impone la Serpiente es la del esfuerzo humano en independizarse de lo que Dios ha dicho, y el de indagarse en sí mismo mediante la filosofía del bien y del mal.

Notamos que la muerte empezó en el día que la primera pareja humana decidió seguir su suerte desvinculándose de Dios, tal como él había anunciado. Todo ello, aunque implicaba un proceso degenerativo, pudo experimentarse a lo largo de ese camino de enfermedad y dolor que se iniciaba. Cuando la primera muerte se produjo en su extremo final (Gn. 3:21; Gn. 4:4, 8-10), las palabras de Satanás quedaron condenadas. Pero entonces cambio de estrategia. Lo que moría en *cuerpo* que no tenía ningún valor en comparación con lo que realmente, seguía diciendo, nunca muere: el alma o el espíritu, que continuaba poseyendo la existencia consciente. Sin embargo Dios, ya en esas primeras páginas daba suficiente información como para comprender que la creación del hombre consistía en una unidad indisoluble (Gn. 2:7). Y que la existencia pensante y personal (el ser, la vida o el alma) era el resultado de la unión de la forma material y el espíritu. Elementos que por separado **no eran** el ser pensante ni consciente. La muerte, el no ser, la no vida o la no alma se producía si el aspecto material está desligado del espíritu.

El Espiritismo, junto a la *New Age*, niega la resurrección, sin embargo la Palabra Profética nos asegura que la esperanza del hombre es la Resurrección:
Job vive esperanzado de que ha de ver a Dios después de la muerte (Job 19:25); Isaías proclama la verdad de la resurrección (Is. 26:19); Daniel iba a recibir "la heredad", resucitando al fin de los días (Dn. 12:13); Jesucristo nos habla de la resurrección de los muertos (Jn. 5:28, 29), la de los justos en el último día (Jn. 6:39, 40, 44); Pablo nos dice que nuestra resurrección ha sido conseguida por Jesucristo, siendo su resurrección la primicia (1ª Cor. 15:12-16, 21-23 cf. Hch. 2: 31, 32).

La Palabra Profética nos explica que la naturaleza y el hecho de la resurrección la controla y la lleva a cabo el poder de Dios. Se trata del mismo proceso que el de la creación: El espíritu (la fuerza vital) vuelve al polvo por orden de Dios, y forma de nuevo el SER (cf. Ez. 37:1-10; 1ª Co. 15:51, 55).

La Resurrección se produce en la Segunda Venida de Cristo al final de los tiempos (1ª Ts. 4:13-17): Resucitan los justos (cf. Jn. 6:39, 40, 44), los que creyeron, y son arrebatados juntamente con los justos vivos que están en el momento de la 2ª Venida.

La Vida Eterna y el premio se recibe en el momento de la 2ª Venida de Cristo (cf. 1ª Ts. 5:23; 2ª Ti. 4:6-8).

La Resurrección trae consigo una **transformación** de los muertos, o de los justos vivientes que no han muerto (1ª Co. 15:51).

Ninguna teoría como la de la inmortalidad del alma, o la de la Reencarnación, tiene cabida en la doctrina bíblica de la Naturaleza del hombre y de la Resurrección.[20]

Conclusiones y valoraciones

No podemos aceptar la Doctrina de la Reencarnación porque contradice en **primer lugar el concepto de Dios**. Hace del hombre, Dios. Y a Dios, lo despersonaliza, como si fuera pura energía, intrascendente. En **segundo lugar objeta el concepto de hombre**, de un ser completo y creado, lo considera un Dios con una naturaleza inmortal en la que el espíritu puede vivir sin el cuerpo.

---

[20] Respecto al futuro del impío después de la muerte producida por el pecado aconsejamos consultar los textos e ideas involucradas que ya han sido convenientemente analizadas mediante una exégesis que avalan numerosos teólogos de diversas denominaciones, en el apartado correspondiente.
Bosquejamos aquí en resumen que la muerte de los impíos vivos, se produce en la 2ª Venida (Ap. 11:17, 18; 2ª Tes. 2:7, 8).
La Resurrección es para TODOS (Jn. 5:28, 29). La de los justos en el momento de la 2ª Venida (Jn. 6:39, 40, 44 cf. 1ª Ts. 4:13-17) para vida eterna (cf. Jn. 3:16,18, 36). La de los impíos después de haber venido Cristo, transcurridos los "mil años" (Ap. 19:11-20:6), para recibir el juicio ejecutivo (Jn. 3:36; Ap. 20:11-15)
La Muerte Segunda es la muerte definitiva y para siempre de lo impenitentes (Ap. 2:11; 20:14). De los que no han aceptado la salvación de Dios (Isa. 1:28; Sal. 37:9, 10, 20). No quedará nada del impío (Nah. 1:6-10), ni raíz ni rama (Mal. 4:1). El originador del mal, Satanás, será destruido (Rm. 16:20; Hb. 2:14; Ezq. 28:13-19). La muerte misma será destruida (1ª Cor. 15-26).
En el mundo acabará todo lo malo; y habrá un nuevo cielo y una nueva tierra (Isa. 65:17; 2ª Ped. 3:10-13). Ya no volverá a existir la muerte, ni el dolor, ni el sufrimiento, ni los impíos (Ap. 21:3-8).

Sin embargo hemos probado con las Escrituras que para que pueda ser, para que pueda existir, es imprescindible la manifestación corporal que será la evidencia de que a la materia creada se le ha integrado el espíritu vital.

El espíritu no tiene personalidad. Es una fuerza activa que pone en funcionamiento la materia "corporal" que hasta no integrarse está sin espíritu. El alma no es una sustancia inmortal que pueda vivir separadamente del cuerpo, ni un elemento constitucional. Es el resultado de la unión inseparable de la materia y el espíritu, que precisamente en esa unión puede hablarse con propiedad del cuerpo como la materia dotada de la fuerza vital o espíritu que Dios envía para poner en funcionamiento el *cuerpo inerte* .

El **tercer aspecto que contradice es la escatología bíblica** es en lo referente al hecho de que la muerte es REAL y TOTAL, y ésta se produce una sola vez para el creyente en Cristo, y será definitiva para los que no acepten la salvación. Por lo tanto la salvación no será Universal, no porque Dios no quiera. Dios quiere que todos sean salvos (1ª Ti. 2:3, 4), pero que además vengan al conocimiento de la verdad. La verdad consiste en aceptar la salvación gratuita que Dios nos concede para todos con innumerables oportunidades a lo largo de nuestra vida.

La Resurrección es REAL y TOTAL.

El Mundo acabará y un nuevo mundo saldrá. La muerte no será mas, ni el mal.

Respecto a los apoyos bíblicos que el Espiritismo trae a colación en relación a la reencarnación, son puramente ilusorios. Un análisis detenido de los pasajes en cuestión, junto con sus contextos, nos aclaran de forma contundente, la posición que defendemos.

En Mateo 11:14 y 17:10-12, se menciona a Juan el Bautista como ELIAS. El argumento del Espiritismo, como que Juan el Bautista era Elías reencarnado, es no tener en cuenta todo el contexto de ese pasaje.

En principio hemos comprobado lo que dice toda la Biblia respecto a la naturaleza y destino del hombre. El propio Jesucristo *no habla de reencarnación*, sino de *Resurrección*, que es muy diferente.

En **segundo lugar, Juan 1:21-25**, nos ofrece la propia versión de **Juan el Bautista** *como que no era ELIAS*. Sin embargo Jesús dice que era el Elías que había de venir. ¿En qué sentido lo dirá Jesús? El evangelio de **Lucas, capítulo 1:17**, nos da la clave del aparente problema. Juan Bautista iba a ir *"con el espíritu y la virtud de Elías"*. Elías se había convertido para los profetas antiguos en un símbolo de la obra de reforma y restauración que iba a ser preciso lograr. De ahí que *Malaquías* utilice el término *"Elías"*, teniendo en cuenta el significado que tuvo. Jesús utiliza en ese sentido, la expresión Elías aplicada a Juan el Bautista. Sentido que es avalado por Lucas 1:17.

En relación a **Juan 3**, donde se habla de un "nuevo nacimiento" o de "nacer de arriba", no se trata de una reencarnación. Ahí no menciona para nada esto, ni lo que pudiera significar dicha palabra. Se trata del cambio producido en la personalidad de un individuo en vida, gracias a la acción de Dios.

En cuanto a las muertes clínicas y el recuerdo de otras vidas el Dr. Fernando Saraví en su libro Parapsicología ha dedicado dos amplios capítulos a los que remitimos para los que estén interesados,[21] aun cuando todo lo dicho hasta aquí imposibilita cualquier asunto relativo a esos dos aspectos.

El Espiritismo ha influido en lo que hoy se llama Parapsicología de dos modos. Uno ha provocado a dicha parapsicología al análisis del fenómeno "espiritista", criticándolo y sobresaltando el fraude si lo hubiera, la explicación científica, desligándolo del aspecto sobrenatural. Otro, incorporando el fenómeno "espiritista" a la parapsicología sin mas, aceptándolo como un elemento, dentro de la propias parapsicología.

Todo esto lleva consigo varios peligros; respecto al primer método, el que nos parece mas adecuado, puesto que muchos de los pretendidos fenómenos espiritistas son auténticamente fraudes; sin embargo a tenor de la revelación bíblica, podrían darse fenómenos explicados científicamente pero sin conocerse los procesos del cómo y del por qué, ni el ORIGEN. En este caso la Ciencia observa la mente pero no puede decirnos nada de quién manipula o dirige esa mente, y en dichos procesos dar la oportunidad a lo que la Biblia llama "Satanás" o Adversario de Dios. Ignorando esta posibilidad se puede llegar a errores que son altamente peligrosos tanto para la mente del hombre como para la propia ciencia.

En cuanto al otro método, es todavía mas peligroso. Aceptan, por ejemplo, como real, la aparición de espíritus de muertos, o de comunicación extraterrestre. No sólo se opone abiertamente a la Revelación bíblica, sino que puede provocar esquizofrenias sin cuento, cuando la "médium" pretende ser el medio para que el espíritu de otro, en este caso de alguien que fue muerto, se

---

[21] Op. c., pp. 103-141.

El método empleado tanto para recordar una y otra experiencia ha sido la hipnosis. Observemos que se trata de un método que se escapa a un análisis científico. Por otra parte, la influencia del hipnotizador sobre el hipnotizado, puede hacerle decir el hipnotizado lo que el subconsciente del hipnotizador transmite.

No sólo esto, ¿qué método puede emplear el hipnotizado bajo los efectos de la hipnosis para seleccionar lo que han sido meros procesos mentales, convertidos en escenas e imágenes y guardados en el archivo de su cerebro?

Ni la hipnosis es un buen método, ni los recuerdos bajo la hipnosis, son seguros.

Respecto a las denominadas **vueltas a la vida** (EPM= experiencias próximas a la muerte), solamente podrían catalogarse como tal si se hubiera producido una muerte real. Pero no hay ningún caso comprobado en el que se de ese extremo, en el que a alguien se le haya certificado que realmente ha muerto. Es estando viva, de algún modo, que la persona cuenta, habiendo salido de su estado de no muerte definitiva, esos contenidos que le hicieron suponer a un tal Raymond A. Moody (*Vida después de la Vida*, Edaf, Madrid 1981) que la muerte no existía y que continuaba una existencia consciente. Pero en ninguno de sus casos se trataba de una muerte que precisa de entierro. Una muerte clínica, cuando se diagnóstica como tal, **no es una muerte real**, ya que puede ser **reversible**.

Las imágenes mentales propias de la EPM: alucinaciones, túneles, voces, luces, la sensación de salida del cuerpo o de su reingreso en él, "tienen su origen en los trastornos orgánicos y psicológicos ocasionados por la proximidad de la muerte" (Dr. Tulio N. Peverini, en *El Centinela*, Noviembre 1989, p. 3). Luego, bajo el método inadecuado y perjudicial de la hipnosis, no se hacía otra cosa que poner en marcha un proceso mental previamente incorporado. Si después de pasada esta experiencia se somete a una sesión de hipnosis, ésta no es capaz de seleccionar las imágenes reales de las realmente imaginadas. Ni siquiera es capaz de evitar los pensamientos e imágenes producidos de inventos y exageraciones y que han sido incorporados y registrados en nuestro cerebro, junto a las que la experiencia enferma ha creado en su estado de *casi muerte*.

manifieste. Lógicamente, al no darse este caso, sólo pueden darse dos opciones, que la médium se "desdoble" mentalmente haciendo de dos personajes, lo cual desequilibra mentalmente (sin evitar la predisposición como cauce para la intervención satánica), o que la médium sea poseída, no por el espíritu de un muerto, porque esto es imposible, por lo que vimos, sino por aquel en quien dice no creer el espiritismo: la personificación del mal, es a saber, Satanás y sus ángeles.

No está de más que añadamos aquí la razón fundamental de la prohibición divina de la comunicación con los espíritus de los muertos. Independientemente de los perjuicios para la salud mental, está la siguiente razón: que al no existir dichos espíritus de los muertos, dicha creencia iba a ser utilizada por el propio Satanás como vehículo comunicativo de sus ideas y engaños, y Dios, queriendo prevenir esta posible situación, prohibe para nuestro bien, dicha invocación de espíritus o comunicación.

El Espiritismo no tiene razón de ser, sus premisas básicas se desploman frente a la revelación bíblica que nos dice que el hombre es un ser único; el espíritu, según la Biblia, es algo inmaterial e inconsciente, no puede tener existencia consciente por sí mismo. El alma que en la terminología bíblica no es intercambiable al espíritu, es un concepto resultado de la unión de la materia y del espíritu, lo que se evidencia por la presencia del cuerpo en su expresión; es la vida que se produce en el ser.

La Inmortalidad es un don de Dios por Jesucristo Señor Nuestro, pero dentro del plan que Dios ha establecido, por medio de la resurrección, en su segunda venida. Mientras tanto, para los muertos no existe el tiempo ni la sensación de espera. Será como "un cerrar y abrir de ojos".

Todo ello nos muestra que las doctrinas cardinales del espiritismo, son incompatibles con el cristianismo, porque en la concepción antropológica que nos muestra la Palabra de Dios, no existen: ni la comunicación con los espíritus de muertos, ni la reencarnación. En el caso que se de una comunicación con alguien, es con la propia mente del individuo, o con el padre de la mentira, y que Jesús le denomina el diablo.

El espiritista puede, si quiere, tener acceso a la Revelación de la Palabra Profética, y encontrará la auténtica Verdad que el mundo necesita.

Capítulo IV

Análisis de la problemática Ovnis (comunicaciones con extraterrestres), Fenómenos parapsicológicos y Milagros (curanderos y dotados), fruto de una antropología falsa y de una ideología satánica

Introducción: presupuestos metodológicos

Nuestra metodología no va a estar basada en lo puramente científico. Puesto que creemos que lo científico no está capacitado para resolver el origen último de la fenomenología parapsicológica, ni el mecanismo que lo pone en funcionamiento.

La Parapsicología moderna,[1] que se precia en utilizar un método científico

---

[1] No rechazamos el método científico dentro de las posibilidades que éste tiene. La fenomenología parasicológica no puede traerse como hecho científico. Nunca podría probarse desde el punto de vista de la experimentación y del laboratorio. Esto no quiere decir que no sea real, y esto tanto cuando aparece como fraude o como auténtico. La ciencia en este caso podrá dar su veredicto respecto a esa realidad, pero no podrá explicarnos su origen y naturaleza, ni por qué se ponen en movimiento ciertos mecanismos.

Para clarificar todo este asunto *El Curso general de Parapsicología* del Inapp, Madrid s/f, es de utilidad. Es preciso no obstante matizar el intento de este Curso de crear la concepción en cuanto a que la fenomenología parapsicológica, o bien es fraude, o toda ella puede explicarse de una manera natural. Creemos que independientemente del engaño y estafa que puede suponer en muchos casos, existen situaciones y fenómenos que solo la *Ciencia Bíblica* puede ofrecer entera satisfacción respecto a la identidad y naturaleza de ciertos fenómenos denominados paranormales o metanormales.

Puede consultarse el *Diccionario de parapsicología* de Werner F. Bonin, Alianza editorial, Madrid 1983 (2 vols.).

Una presentación que complementa y corrige lo anterior puede encontrarse en una serie de artículos aparecidos en la Revista Sudamericana de El Centinela de Octubre a Diciembre de 1973, y de diciembre de

para resolver los diferentes fenómenos sirve sólo, según creemos hasta ciertos límites.

Lo que de científico pudiera tener lo que se hace llamar "verdadera ciencia parasicológica", podrá explicarnos un posible fraude, incluso darnos una interpretación distinta, de algo que se tenía como "paranormal", sin serlo realmente.

Pero los distintos fenómenos que están consagrados como paranormales, y que la "ciencia parasicológica" intenta explicarnos como normales no resisten una argumentación como la que presentaremos en breve. Independientemente de que en ocasiones analice lo que se determina como milagro, dándonos medios suficientes como para rechazarlo como tal, no siempre acierta en su exposición.

Por otra parte la posición de otros que pudiendo incluso utilizar el término parapsicología, pero que siguen una tendencia ocultista y espiritista en la que intenta involucrar a las personas en la práctica "parapsicológica", bien mediante su presencia, o despertando, según ellos, sus posibilidades de "dotados" por "dios", con la posibilidad de comunicarse con los espíritus de los "muertos", y de llevar a cabo fenómenos "parapsicológicos", es también rechazable desde el momento que aseguran dos afirmaciones indemostrables y, como veremos, en su momento erróneas:

1) La posibilidad de la comunicación con los muertos, o con los espíritus de los muertos.

2) De que los fenómenos llamados paranormales son "sobrenaturales" o no naturales, en el sentido de que tienen su origen en última instancia en el Dios personal o impersonal; cuando en realidad, se realizan a través de Espíritus de muertos, o de habitantes del llamado "Más Allá".[2]

Ante estas dos posiciones, la de la llamada "Parasicología Científica", y la que podría llamarse "Parasicología Ocultista" que incluye lo espiritista nosotros nos adscribimos en nuestra temática a una metodología que incluye lo científico cuando haya sospecha de fraude o de engaño. Entendiendo en este caso por fraude no sólo el que se pudiera llevar consciente y voluntariamente sino además **el que pueda resultar como consecuencia de una interpretación errónea del fenómeno** en sí. Es decir, un fraude sería identificar un

---

1975, y en La de Vida Feliz de Septiembre y Noviembre de 1973, por el especialista en el tema Fernando Chaij. De este mismo autor se puede consultar su obra *Fuerzas Superiores que actúan en la vida humana*, ed. Safeliz, Madrid 1982.

En esta misma línea ver la Revista Francesa *Signes de Temps* (ed., Vie et Santé, Dammarie Les Lys) en febrero de 1985, pp. 14-16; y la Revista Brasileña *Decisâo* de Enero a Abril de 1986, por Ermelino Robson L. Ramos.

Henri Broch, *Los Fenómenos Paranormales* (una reflexión crítica), ed. Crítica del grupo Grijalbo, Barcelona 1987. El autor, sin perder la compostura es capaz de demostrar la *impostura* y falsedad de todos los grandes fenómenos paranormales. El autor con una documentación y dominio científico y no menos humor desenmascara todo el atropello que este asunto conlleva.

En esta misma línea puede consultarse a Carlos M. De Heredia, en *Fraudes Espiritistas y Fenómenos Metapsíquicos*, ed. Acervo, Barcelona 1993.

El Dr. Fernando Saraví, en *Parapsicología*, ed. CLIE, Terrassa-Barcelona 1993, presenta un estudio exhaustivo de los errores y ocultismo que se esconde bajo el amparo de la parapsicología.

[2] Sobre esto ver art. *Vida Feliz* 9-73; también *Revista Parapsicología*. Año 1 n° 1, p. 2.

fenómeno y consagrarlo con la nomenclatura de paranormal cuando realmente no ha sido auténticamente paranormal.

Por otra parte nuestro método utilizará un documento para nosotros revelador que no sólo nos ayudará en la interpretación de la exteriorización parasicológica, aun cuando esta se presente según ciertos parapsicólogos como algo normal, **para nosotros tan sólo aparentemente normal.**

Este **documento** para nosotros valioso, es la Biblia.

En efecto, dado que la llamada manifestación parasicológica se relaciona de un modo o de otro con el fenómeno del milagro, con el análisis de los fenómenos espiritistas, con "fuerzas espirituales", incluso con el concepto Dios, creemos que no podemos pasar por alto un manual tan valioso y enriquecedor. Puesto que la Biblia contiene suficientes alusiones y explicaciones a lo que sugiere e implica la llamada fenomenología parasicológica, sea de tendencia "científica" o espiritista.

Este documento hablará por sí solo e intentaremos descubrir su autoridad, su valor y su poder de convencimiento.

Entendemos por "fenómenos paranormales" los que la parasicología entiende como tales, y por lo tanto serán considerados por nosotros, tal como hemos dicho, no de una naturaleza normal, sino "aparentemente normal", y por lo tanto de una naturaleza distinta de lo normal.

Dado que la *New Age* con el Movimiento del potencial Humano dan un valor preponderante a este asunto, y como quiera que se está dando un giro hacia la parapsicología orientada por el espiritismo, ocultismo y la gnosis del Movimiento del Potencial humano, nuestro estudio consistirá fundamentalmente en observar las limitaciones de esa mal llamada ciencia Parasicológica, sus lagunas, sus posibles errores, sus fraudes. Analizaremos, cual es según nosotros creemos, el origen de los fenómenos parasicológicos y los graves perjuicios que supone su práctica para la salud mental.

A. Definición de parapsicología, naturaleza del fenómeno, y los peligros de su práctica

Atendiendo al prefijo "para" significaría "al lado de" (de la sicología).[3]

El Instituto de Aplicaciones Sicológicas y Parasicológicas en su curso General de Parasicología,[4] proponen la siguiente definición a título de orientación:

> «La parasicología es la ciencia que tiene por objeto la constatación y análisis de los fenómenos a primera vista inexplicables, pero que se presentan como siendo resultado de las facultades humanas».

---

[3] Revista Sudamericana, *Vida Feliz*, Septiembre de 1973, p. 4.
[4] En el primer ciclo p. 41.

Según el doctor Fernando Chaij:

«La esperanza de los parasicólogos modernos consiste en llegar a demostrar que el fenómeno paranormal es perfectamente normal (...)
(...) sin embargo, (...), hasta ahora han resultado vanos sus esfuerzos por hallar alguna explicación del origen de lo fenómenos estudiados (...), o para identificar las fuerzas inteligentes que las produce».[5]

Aun cuando los fenómenos paranormales se den a través de la mente humana, no es ninguna evidencia de que ésta haya actuado por sí sola.

Al darse los fenómenos en una situación no-normal, nadie, desde el punto de vista científico, puede catalogar como normal, el fenómeno llamado parasicológico porque se desconocen los orígenes del fenómeno y los mecanismos que la producen.

La ciencia llamada parasicológica podrá fotografiar con infrarrojos la "telergia", pero no podrá explicarnos el "cómo" y el "por qué", se ha producido la telergia, ni "quién o qué" la ha provocado.

El hecho de que la llamada parasicología nos advierta de los peligros para el individuo de la realización de la fenomenología en una evidencia más de que dichos fenómenos no se dan en condiciones normales.

La propia mente humana responde con la enfermedad o el desequilibrio cuando ésta se presta a la puesta en práctica del fenómeno, apareciendo una alteración de la conciencia.

En cuanto a los peligros de la práctica parasicológica citamos de nuevo del Curso de Parasicología del Instituto de Aplicaciones psicológicas y parasicológica:

«Fomentar los fenómenos parasicológicos es funesto no sólo en el terreno de la mentalización socio-cultural; tambien representa un serio peligro para la salud pública».
«Las personas que directa o indirectamente intentan desarrollar esta fenomenología (...) son avalados por transtornos de diversas especies: crisis nerviosas, pérdida de la autodeterminación consciente, doble personalidad, y otros análogos».[6]

El profesor Óscar González Quevedo decía:

«(...) Estropean los nervios y fácilmente puede caerse en un estado de pérdida de la autodeterminación consciente. Podría llevar incluso a la locura. (...). Cuanto más se manifiesta más cercano puede estar el sujeto de la sicopatología. Más se avanza hacia la enfermedad».[7]

---

[5] En su artículo de la Revista Sudamericana *Vida Feliz* (Septiembre 1973 p. 4, 6).
[6] Op. c., p. 25.
[7] En *Revista Blanco y Negro*, 15-5-71, p. 66.
En la *Revista de Parasicología* Año 1. n° 1,2, p. 5, 6 se ofrecen varias citas de autores respecto del peligro para la salud mental.

La *New Age* o el Movimiento del Potencial Humano nos insta a que se practique la fenomenología parasicológica, a pesar de los inconvenientes que esto tiene para la salud. La alteración de la conciencia que ha sido diagnosticada, puede no percibirse como perjudicial en una primera etapa como consecuencia de la adaptación que en la mente se puede producir. Los síntomas que se perciben como molestos pueden interpretarse como dentro del contexto normal en el crecimiento espiritual o en la experiencia paranormal, provocando o empeorando situaciones paranoicas, neurosis y esquizofrenias, que en algunos casos pueden *ocultarse*, aparentándose un estado *normal*. Y es que la mente, una vez alterada, cuando se le obliga a salirse de su comportamiento natural, percibe nocivamente la experiencia paranormal, o la que se encuentra en el camino de lo paranormal. Pero junto a este aspecto negativo acontece el fenómeno en sí que reporta al individuo una sensación de haber alcanzado el objetivo, mezclándose, con lo desagradable y lo enfermo, pudiendo llegar, como consecuencia de la experiencia, a anular la realidad del desequilibrio e incluso a veces del mismo dolor, aun cuando en su proyección convivencial se observe la "calidad de vida" de un modo degenerativo y perturbado.

B. Análisis y Conclusiones de cuatro fenómenos paranormales: Uri Geller, los curanderos milagrosos, los OVNI y la Telergia

Como quiera que la fenomenología parasicológica se habla mucho de que existe, y dado que son muy pocos los que se atreven a intentar demostrar públicamente las dotes que proclaman que poseen, nos vemos obligados a una comprobación crítica, y obtener así una opinión en base a la investigación de unos protagonistas determinados que sobresalen en esta historia de lo que engloba la *New Age*.

Aunque en la mayoría de los casos se observa el fraude, y una explicación aparentemente humana, no se evita como veremos, la inferencia de fuerzas extrañas al hombre que será preciso identificar con la mayor autoridad que tengamos a nuestro alcance.

1. El análisis del fenómeno Uri Geller[8]

a) No a los Parapsicólogos
a1. No a la sociedad Israelita de Parapsicología

De acuerdo con la documentación que nos provee La Revista de Parapsicología,[9] y con lo que comunica, en relación a Uri Geler, el Dr. H.C.

---

[8] Para el análisis del fenómeno Uri Geller nos hemos basado en la *Revista Parapsicología*, Clapp, Madrid 1976 (Año II, Nº 22, pp. 15-22).

[9] *Revista Parapsicología* Años II, nª 22, p. 16.

Berendt, presidente de la "Sociedad Israelita de Parapsicología".[10] nunca quiso comparecer.

b) No al Clapp[11]

La revista ilustrada Manchete, una de las mas difundidas en todo Brasil, organizó una entrevista entre Uri Geller y Oscar González de Quevedo (del Clapp). En el salón de las sede de Manchete, en Río de Janeiro, asistían más de diez periodistas de la revista. Ante las exigencias de que diera muestras de sus poderes, y de que las pruebas de verificación científicas, hubieran sido desfiguradas, Uri Geller hizo el ridículo amenazando, al representante del Clapp, que por el poder de su pensamiento, dicho representante saldría fuera. Como es lógico suponer el único que salió fue Uri, un tanto contrariado.

c) No a la Sociedad Española de Parapsicología

La "Sociedad Española de Parapsicología" insistió persistentemente solicitando a Uri Geller que se sometiese a verificaciones científicas. Para ello, había proyectado un complejo y perfecto esquema de investigación.[12] Pero Uri rechazó los reiterados convites personales, así como los publicados en los diarios.

d) No a los Ilusionistas

Uri alegando que se había sometido a los ilusionista ingleses con resultados positivos rehusó la entrevista con los ilusionistas franceses. Estos consultaron a los británicos y resultó no ser cierta la afirmación de Uri.

Kassaji y Gerad Max, nombres artísticos de dos de los mas famosos ilusionistas de Francia, de acuerdo con L'Express, desafiaron a Uri Geller. Uri rehusó. Los ilusionistas reprodujeron todos los "efectos Geller".

"Ni aquí ni en ninguna parte me enfrentaré a los ilusionistas", son palabras textuales de Uri Geller a un reportero de L'Express.[13]

e) NO a los ilusionistas alemanes pero es desenmascarado por el presentador de televisión Oscar Rombar

En Alemania, los ilusionistas invitaron a Uri a actuar ante ellos. Inútil. Tenía un programa organizado en el Tercer Canal de la TV alemana. Uri

---

[10] *Journal of the Society for Psychical Research*, diciembre de 1974.

[11] *La Revista de Parapsicología del Clapp* pertenece a un centro universitario de parapsicología brasileño, **negó la posibilidad de dominar las facultades parasicológicas** como pretendía Uri. Éste se negó a una verificación (íd., p. 16).

Uri procura rodearse de personas conocidas de su sponsor Andrija Puharich, afiliadas a círculos espiritistas.

[12] Ver a Ramos Perera en *Uri al Descubierto*, ed. Sedmay, Madrid 1975.

En la *Vanguardia* del 11 de Septiembre de 1975, Uri afirma al periodista Fernando Monagal, de que no aceptaría someterse a los parapsicólogos.

[13] Ver artículos de *L'Express* del 11 al 25 de noviembre de 1974 citados por *Revista de Parapsicología* op. c., p. 18.

ignoraba que Oscar Rombar, director de Producción del Tercer Canal (DNR), fue durante 15 años uno de los mas prestigiosos ilusionistas de Alemania. Algunos de sus trucos todavía no fueron descubiertos. "Uri, si Vd. declara que lo que hace es paranormal, seremos enemigos y trataré por todos los medios de desenmascararlo", le dijo Rombar. Uri no podía dejar de actuar. Actuó. Pero se presentó como dotado de poderes parapsicológicos... Y Rombar lo desenmascaró. El Tercer Canal de TV presentó después un programa, y allí está el video, en el que Rombar, imitando con todos los detalles los mismos movimientos de Uri Geller, reproduce exactamente los mismos efectos. Todo por truco, con los mismos trucos, como se explica y demuestra al espectador.[14]

f) TV Danesa: Fracaso absoluto
En la TV de Dinamarca, el ilusionistas Leo Leslie había colocado unos controles. El el fracaso fue total.[15]

g) Fracaso también en la TV norteamericana
Para el programa "Toninght Show" de la TV norteamericana, el presentador Johny Carson colocó unos controles sugeridos por un compatriota de Uri, el ilusionista James Randi: fracaso absoluto. Por otra parte James Randi realizó todos los trucos que Uri había presentado en otros lugares.[16]

h) Los Trucos
h1) La Llave Publicitaria
De acuerdo a la documentación que nos proveen los que han analizado a Uri Geller, se llega a la conclusión de que unas veces cambia la llave sin doblar con otra doblada, utilizando sus conocimientos de ilusionista. En otras introduce la llave en un minúsculo aparato de hierro que lleva en el zapato. Logrando pasar desapercibido, captando la atención de los espectadores mediante un diluvio verbal que, a veces, dura media hora.

Una persona fuerte, o que desarrolló fuerza en los dedos, puede doblar una llave. Un anillo resistente (que puede ser disimulado pintándolo de color carne) sirve muy bien para doblar una llave. Se coloca la llave en el anillo, después se cierra la mano, ayudando, en el caso en que sea necesario, con la otra, rápida y disimuladamente.

El *Bild Zeitung*, revista ilustrada de Alemania Federal, muestra el truco empleado por Uri para doblar la llave de un periodista, habiendo colocado previamente un producto químico en la punta de los dedos y después frotando la llave suavemente durante 5 minutos. Posteriormente la habilidad de Uri le permite sustituir la llave del periodista por otra ya doblada o quebrada

---

[14] *Revista de Parasicología,* op. c., p. 18.
[15] Id..
[16] Id..

previamente, pudiendo presentar mil motivos para quedarse con ella, evitando así la verificación.[17]

h2) Los Relojes

Poner en funcionamiento relojes parados es uno de esos trucos que los ilusionistas llaman "self working" ("funciona por sí mismo"). En efecto, basta sacudir el reloj, calentarlo, golpearlo si es necesario. Este truco está garantizado. Muchos de los relojes de los espectadores se ponen en funcionamiento. Esto crea un ambiente propicio.

Lo contrario, parar relojes que funcionan sería difícil. No obstante se pueden parar algunos relojes con un buen imán disimulado entre los dedos, o con un golpe certero, o moviendo las agujas en dirección contraria si el reloj no tiene cristal, o sustituyendo el reloj por otro.[18]

h3) Adivinación de dibujo

De acuerdo a la Revista de Parapsicología del Clapp, Andrija Puharich, el "empresario" internacional de Uri Geller, es el inventor de un minúsculo aparato receptor de radio. Se esconde en dos dientes falsos y se necesita otro diente mas, recubierto de oro.[19]

Entre los espectadores y consejeros de la persona que debe hacer el dibujo siempre hay alguien del equipo de Uri. Con la práctica de la mirada los "ilusionistas-adivinos" saben leer los movimientos de la mano que dibuja. Cuando no es posible, se hacen hábiles preguntas "desinteresadas". Después es sólo transmitir a Uri, por radio, los estímulos convencionales para describir con bastante aproximación el dibujo escogido "que nadie conoce".[20]

h4) Doblar cucharas

En un descuido de Uri y de su equipo, olvidaron recoger el tenedor que Uri había doblado en la TV de Alemania. Una vez en poder del "Departamento Federal de Investigación de Minerales", se pudo analizar. Los expertos de Metalurgia y Metaloquímica descubrieron el truco: el tenedor había sido preparado de antemano untando suavemente nitrato de mercurio en el sitio de la ruptura, elemento químico que, aunque dejando intacta la alpaca por fuera, la corroe por dentro. El metal se puede doblar y romper.[21]

---

[17] Id..

[18] Id..

[19] El invento tiene patente US 29995663. En 1964, Puharich aún mejoró su invento: ahora basta un diente careado y recubierto de oro, patente US 3267931.

[20] Id..

[21] Id.. El bicloruro de mercurio puede actuar sobre los metales facilitando su flexión y ruptura. Se puede preparar cucharas con halógenos: flúor, bromo, yodo y, principalmente cloro. Después de sumergidos en alcohol o amoniaco, quedan maleables, como si fueran de plástico blando.
Cucharas fabricadas con amalgamas de mercurio con cualquier otro metal se prestan para el mismo efecto.
Una cuchara cualquiera, con una pequeña sección de caucho metalizado, externamente es absolutamente indiferenciable de una normal. Escogida "al azar" es doblada con una presión mínima.

Conclusiones

Uri Geller desenmascarado, pero no explicado

¿Qué queremos decir? ¿Está todo claro?

No todas las personas han llegado a la conclusión de que todo era fraude.

Uri Geller admite que ese poder viene del Exterior, y que sirve de puente entre él y los espíritus. De hecho se indica que fue a través de un contacto ufológico que Uri Geller recibió esos presumibles poderes paranormales.[22]

Algunas preguntas se mantienen en pie:

¿De dónde vienen esos poderes supranormales que en ocasiones se producen y en otras no? ¿Qué fuerzas existen que están manipulando al hombre? ¿Por qué se provocan ciertos mecanismos y surgen ciertos procesos y resultados que en condiciones normales no se dan?

Si cierta parasicología no sabe ni puede respondernos ¿a dónde acudir para conocer la verdad de estos fenómenos?

Ni que decir tiene que para nosotros es poco importante el que el fenómeno practicado por Uri Geller sea en alguna ocasión real. Para nosotros sería un engaño de distinta naturaleza, que aunque mas sutil, e imposible de identificar con el mero método humano, se produce también. Si este caso se diera, nos veríamos obligados a utilizar el único método que nos ofrece la solución a lo que la llamada ciencia, o el análisis no ha sido capaz de solucionar. No olvidemos la pretensión de Uri de ser un extraterrestre, y su relación con el espiritismo.

Hay que añadir que Uri Geller en 1974 reconoció tanto en Alemania como en Israel y en Nueva York, el haber realizado algunos trucos para conseguir un ambiente propicio para la manifestación de facultades parasicológicas.

Cómo armonizar tanto los que están en contra como los que están a favor

1) Suponiendo que Geller haya sido manipulado por un poder exterior no siempre surgen los fenómenos supranormales porque no es él quien domina sino que es dominado.

2) Cuando Geller se enfrenta al público, ante las cámaras, o en el teatro espera a que ese poder que en otras ocasiones ha actuado actúe.

3) Pero Geller observa que no siempre ocurre así, porque ese poder no quiera, o porque quizás él no se ha sometido lo suficiente y entonces consciente o inconscientemente se permite emplear sus habilidades de mago ilusionista.

Esto coincidiría con la teoría parasicológica según la cual los fenómenos parasicológicos no se dan siempre que uno quiere.

Lo importante es que el público lo cree, lo acepta, y en ciertos casos puede que se de el elemento parasicológico.

---

[22] Monográfico *Más Allá*, *OVNIS*, Septiembre de 1991, pp. 209, 210.

4) Podría haber un tipo de imposibilidad mientras se utilice la mente humana lo que evidencia el fraude y los límites de la propia humanidad.

5) Se está logrando un propósito, y es el popularizar y crear una sicosis de las posibilidades de lo paranormal, para que el hombre se olvide de su Creador y del análisis del verdadero propósito de su existencia. Quien lleva a cabo dicha manipulación comprueba que es imprescindible el uso de la mente humana para conseguir la atracción hacia esa fenomenología, que, de seguirse, apartará al hombre del plan y voluntad del Dios verdadero; pero al mismo tiempo se observan las deficiencias que conlleva el uso de una mente en un estado que, ante el público, tiene que manifestar una disposición normal.

6) Cuando se haya conseguido la suficiente aceptación de todo lo que propugna la *New Age* o el Movimiento del Potencial Humano, el siguiente paso será el sustituir la mente humana, mediante una posesión especial, de aquellos que se entregan, incondicionalmente, a las prácticas esotéricas y a otras de índole semejante.

7) Y el último será la presencia, en forma material y humana, de seres angelicales, que sin ser identificados como tales, ocuparán puestos claves en la dirección mundial,[23] dentro del denominado Nuevo Orden Mundial, se harán pasar por seres humanos normales, y llevarán a cabo todo un plan en la dirección que promueve la *New Age*.

2. Cirujanos milagrosos: Joe Arigó y los Filipinos

a) El caso más famoso del Curanderismo y cirujano milagroso

Joe Arigó,[24] que sirve lo mismo para los cirujanos filipinos, y para el alumno de Joe Arigó, Ivan Trilla. Se presenta como un escogido por Dios para realizar curaciones, las cuales las realiza, según él, por medio del espíritu del fallecido médico alemán doctor Friz.

Se le atribuyen millones de curaciones. La prensa, Radio y Televisión brasileña ha ayudado a sensacionalizar lo ocurrido.

Lleva a cabo, de acuerdo a lo publicado y propagado, extirpaciones de tumores sin anestesia, sin hemorragias; operaciones de cataratas con rapidez increíble y con un simple cuchillo de cocina.

---

[23] La propia *New Age* mediante películas y publicaciones deja constancia de la posibilidad de la visitación de seres angélicos que contactan con los seres humanos, y de acuerdo a lo que expresan que hacen, se trataría de influencias en contra de la Palabra de Dios.

Una autora con una sensibilidad espiritual fuera de lo común, nos habla que para el tiempo próximo al fin, habrá presencia de ángeles malignos que se pasarán como si fueran hombres e influirán en seres humanos prominentes. Y en conjunto actuarán contra el pueblo de Dios que espera su venida. También, según la misma autora habrá ángeles de Dios que se materializarán como humanos y que contrarrestarán la obra de los ángeles malignos (ver *Eventos de los Últimos días* pp. 165-167).

[24] Un estudio monográfico, donde se ofrece toda una documentación profusa, a la vez que se realiza un seguimiento completo de todos los pormenores, para poder realizar un veredicto certero, puede verse *Revista de Parapsicología* Año 1, nº 3-4, 5-6. 7-8, 9-10, 11-12, op. c.

¿Qué decir a todo esto? ¿Responde todo a una realidad verificada? ¿Existe fraude? ¿Cómo es posible que exista fraude y en qué proporción se mezclan autenticidad y fraude?

El Centro Latino-Americano de Parapsicología organizó una encuesta respecto a lo desarrollado por Zé Arigó.

He aquí la encuesta de los millones que una prensa desprovista de objetividad, decía que había curado:[25]

> «Un total de de 1117 familiares o conocidos de nuestros encuestados consultaron a Zé Arigó. Nuestros encuestados no saben el resultado de la consulta efectuada por sus familiares o conocidos en 281 casos (25,1 %).
>
> De los otros casos, afirman que:
>
> Fueron curados 0
> Mejoraron..................... 172-15,5 %
> Fue inútil...................... 620-55,5 %
> Fueron perjudicados....... 44-3,9 %»

Cuando se analiza convenientemente, y de acuerdo a los datos aportados por el Centro Universitario Brasileño ya citado, uno comprueba que se trata de fraudes clarísimos[26] partiendo de falsas causas orgánicas, se les reputa como tales siendo psicógenas, a fin de propagar que se ha curado realmente.

En todos estos casos suele haber una negativa a una verificación médica[27] y no existe por parte del susodicho curador un seguimiento para que se pueda certificar si se ha tratado de una *cura* puramente transitoria.[28]

Una prensa o publicación irresponsable puede hacer el resto: con narraciones amañadas, testimonios desfigurados,[29] y periodistas abonados al propio curador.

---

[25] Id., n° 3-4, p. 5.

[26] Id., n° 5-6, p. 6.

[27] Este suele ser el comportamiento de la mayoría de estos sanadores. Ya lo vimos, en otro lugar, cuando tratábamos a ciertos sanadores de la fe como Kathryn Kuhlman, y otros *carismáticos*. La Ciencia Cristiana (Christian Science) que niega la realidad y la existencia de la enfermedad (ver Mrs. Eddy Baker, *Ciencia y Salud* con clave para entender las Escrituras, pp. 421, 394) por cuanto, según ella, "el hombre nunca está enfermo, ni la mente ni la materia pueden estarlo" (íd., p. 393), y "ni el pecado ni la muerte tienen fundamento en la verdad" (íd., pp. 415, 584), practica un tipo de curación que tiene nexos de unión con el *New Age*, y le ofrece, junto al espiritismo y otros afines, un panorama *experimental*. St. Paget (*The Faith and Works of Christian Science*, Londres 1909), médico inglés que investigó concienzudamente a la Christian Science ofrecía su veredicto en estos términos:
«Es evidente que la "Christian Science" acepta toda clase de testimonios, incluso los más fanáticos y obtusos, adorna lo que publica, y evita las verificaciones. La pretensión de curar dolencias orgánicas no puede resistir la aplicación de las más elementales normas de crítica. Solamente cura dolencias psíquicas».

[28] La mayoría de los que se dicen curados suelen serlo de un modo transitorio, esto es algo común entre los curadores síquicos. Harry Edwards, curador síquico inglés no disponía de tiempo para una comprobación de la naturaleza de sus curaciones, ni permitía verificaciones. En sus sesiones podía aparecer una persona que precisaba de bastones para andar, curada aparentemente de su dolencia antes de terminar la sesión, para tenerlos que volver a coger a la salida de la reunión (ver *Revista de Parapsicología*, Año I, n° 3-4, p. 1 que recoge el informe del Dr. Rose de la Society for Psychical).

[29] Un ejemplo de cómo los datos pueden ser falseados hasta extremos insospechados lo tenemos en los relatos, cuyos contenidos, Mel Tari cuenta que ocurrieron en la Isla de Timor (Indonesia) durante 1964 y 1965,

En cuanto a las operaciones quirúrgicas que la prensa desaprensiva catalogaba como llevadas a cabo para extirpar tumores o curar de cataratas, era, en realidad, una cirujía de aficionado que se ha entrenado lo suficiente, para quitar simples **lipomas** o **pterigio** (engrosamiento de la conjuntiva de forma triangular con la base del ojo dirigida hacia la córnea, pudiendo invadir y dificultar la visión).[30]

De estos individuos se suele decir que "no cobran nada", pero uno comprueba el enriquecimiento sin escrúpulos. El susodicho Zé Arigó era dueño de una cadena de hoteles (donde se alojaban los que peregrinaban a su *santuario fraudulento y milagrero*), de farmacias (donde se compraban los específicos y preparados que recetaba), y él, pedía tan solo *la voluntad*.

Ningún familiar ni hijos eran tratados por él sino que los enviaba a un médico, demostrando no predicar con el ejemplo y desconfiar de sus conocimientos *sobrenaturales*.

Su forma de vida recogida por Mundo Desconocido en base al testimonio de Ivan Trilla, uno de sus discípulos, no tiene desperdicio:

> «Operaba durante todo el día a mas de 1000 enfermos y por la noche salía a divertirse hasta la madrugada. Como a todos los magos, le gustaba el sexo y los buenos coches, la velocidad. A las mujeres les encantaba por que era una persona muy sensible. En una ocasión una de sus amantes quedó embarazada, entonces una revista importante en Brasil intentó aprovechar esta circunstancia para desacreditarle; le llamaron por teléfono para leerle las pruebas de un artículo que podía hacerle muchísimo daño. Arigó respondió al periodista que nada le importaba puesto que muy pronto iba a desencarnar. Despues de esta conversación nos llamó a un par de amigos para decirnos: "Mi misión está ya cumplida. El Dr. Fritz me reclama, no tardaré en desaparecer". Al cabo de tres días conducía uno de sus coches a mas de 140 cuando al tomar una curva perdió el dominio del volante; como mucha gente sabe el accidente fue mortal».

b) Curanderos Filipinos

Se hicieron famosos desde 1975 a 1980, pretendían curar todo tipo de tumores cancerosos y otras enfermedades diagnosticadas como incurables por la medicina oficial. El cirujano síquico que destacó fue Toni Agpaoa.

Los informes eran sorprendentes: se hacía una incisión, en la que brotaba una gran cantidad de sangre, se extirpaba el tumor, y automáticamente quedaba

---

por medio de una serie de pentecostales, se describe lo sucedido "como que el agua se convirtió en vino, enfermos curados, la muerte transformada en vida, caminar sobre las aguas, y una nube sobre las cabezas durante el día para protegerlos del sol, y una luz para guiarlos por la noche" (ver Roland R. Hegstad, en *Revista Sudamericana Vida Feliz*, Abril 1976).

Todos estos acontecimientos se compilaron en un libro (*Like a Mighty Wind* escrito por Cliff Dudley. En la década del 70 la Dra. Pearl K. Englund, cristiana y antropóloga del colegio estatal de Mankato (Minnesota, Estados Unidos) visitó la isla Timor para investigar los relatos de Mel Tari. Su veredicto está recogido en la *Revista Sudamericana Vida Feliz* de Abril de 1976 (pp. 25, 26), todo, absolutamente todo, había sido un fraude, falseando los datos y los testimonios.

[30] *Revista de Parapsicología*, Año I, n° 11-12, pp. 5, 6.

cerrada la herida sin señal alguna de que hubiera sido abierta. Ningún tipo de cicatriz restaba después de la operación. *Y el enfermo quedaba curado.*

Se realizó una investigación. Por un lado dos médicos alemanes, el profesor Peter Wartenburg, especialista médico de Hamburgo, y Hans Bender, sicólogo de Friburg; junto a estos el Dr, Wanderman de Nueva York[31] y el profesor D. Mewissen de la obra Belga contra el cáncer se trasladó a Filipinas y asistió personalmente a un centenar de intervenciones.[32] La Revista *Algo* envió a unos investigadores del campo de la prestidigitación y a un médico.[33]

El descubrimiento fue también sensacional, pero verídico. Se comprobó que o bien los fragmentos que supuestamente habían sido arrancados del cuerpo humano eran, u órganos y tejidos *no cancerosos* que *no tenían nada en común* con el origen humano, o bien elementos que no pertenecían al enfermo, simuladamente curado, ya que el análisis científico demostraba que habían sido extraídos después de la muerte.

Los ilusionistas destaparon a su vez, el enigma de la sangre que brota, y de la ausencia de cicatrices: realmente no había operación quirúrgica ni incisión, se trataba de *estratagemas manuales* y sugestiones síquicas. En efecto, la habilidad del seudocirujano, no permitía ver a la mayoría de los asistentes que en el gran volumen de algodón que se le hacía llegar a las manos, transportaba camuflado, órganos animales, y cierto producto químico que se disolvía en las manos en un líquido color rojo.[34]

c) ¿Qué resta de nuestros curanderos milagrosos?

1) Curas *corrientes* para las que se ha aprendido una práctica.

2) Curas **transitorias** que pueden ser mortales.

El abandono del tratamiento médico cualificado, como consecuencia de una cura transitoria, en base a un proceso emotivo que enmascara la enfermedad, le introducirá, cuando desaparezca el efecto sicológico, en una crisis que en muchos casos es mortal.

3) Curaciones de enfermedades psicógenas y **no orgánicas**.

4) No cura el curandero, es el enfermo que sana.

5) El peligro de ciertos tratamientos que pueden perjudicar al enfermo: por una administración inadecuada de antibióticos y otras medicinas empeoran los pacientes.

---

[31] Recogido por Roland R. Hegstad, en la *Revista Sudamericana Juventud*, Marzo de 1976 pp. 14-17.
Lo dicho para los filipinos sirve también para el brasileño Lourival Freitas que actuó como cirujano milagroso en Londres en la década del 70 (ver informe en *Revista Sudamericana Juventud*, Marzo de 1976, pp. 14, 16).

[32] *Algo*, Abril de 1977, p. 54 (498).

[33] Id., pp. 43-55 (487-499).

[34] El investigador médico que llegó a Filipinas se sometió a una operación de dicho cirujano, aduciendo estar enfermo de cáncer *sin estarlo*. Su sorpresa fue mayúscula cuando observó que sin una escisión real se le mostraba habérsele extirpado *un* tumor. Pidiendo *su* tumor para guardarlo como recuerdo, pudo hacerlo analizar, y comprobar que se trataba de un tumor, sí, pero de una gallina.

6) Operaciones fraudulentas y peligrosas que retrasan el tratamiento de auténticas enfermedades orgánicas.

7) Todos dicen haber recibido un poder especial de *algo exterior* (espíritu, ángel o extraterrestre) que les capacita y les otorga la posibilidad de desarrollar lo **paranormal**.

d) El método a seguir en todo milagro

En otros de nuestros estudios hemos analizado profundamente el fenómeno del milagro, y hemos criticado los pretendidos milagros relativos a la Virgen o a Santos, o al movimiento de la Fe. No vamos a repetirnos ahora, y remitimos al lector a dichos trabajos.[35] Digamos en este momento, que ante un fenómeno denominado parasicológico debemos analizar el hecho científicamente. Respondernos al por qué y al para qué del milagro o del fenómeno paranormal: ¿exhibición? ¿clara finalidad propagandística con una explotación comercial y finalidad político - ideológica adyacente? ¿Cómo se ha desarrollado? ¿Qué objetivo se persigue?

Notemos si existen fraudes o contradicciones en los relatos que lo describen. Si se dice que proviene de Dios, o se trata de un mensaje que contiene elementos salvíficos o de otra índole (como algunos *extraterrestres* de OVNIS dicen), sometamos a Dios dicha visión, prodigio o milagro. Para ello, ¿contradice o no contradice la Biblia?

Conclusión

El milagro, o un fenómeno interpretado como metanormal por el que se efectúa una serie de *prodigios* se puede producir, pero debemos analizar una vez que hemos comprobado que no hay fraude quién lo ha llevado a cabo. La Biblia nos dice que ciertos sucesos pueden tener, o dos orígenes: Dios Todopoderoso, o el Rebelde que se opuso a Dios, es decir, Poderes Espirituales que actúan en la vida humana, contrarios a Dios, y que tendrán un fin; o en según que casos, no hay doble alternativa, por cuanto en el proceso y en el método se es absolutamente opuesto a Dios y a su Gobierno.

En el milagro genuinamente Divino, cuando se produce, se despierta interés en el propósito y Plan de Dios; se eleva a las mentes, de la naturaleza hacia el Dios de la naturaleza, se manifiesta compasión y amor, sin que torpes ganancias o intereses creados negocien lo que no es suyo. Se enseña la **Verdad** respecto a lo que dice la Palabra de Dios contenida en las Sagradas Escrituras, y al cómo poseer la mejor salud física, mental y espiritual posible, dentro de los límites que este mundo de pecado nos obliga.

El mayor milagro, y a ese milagro nos debe llevar todo milagro, en el caso de que no se haya producido, es el de la conversión del hombre; la que explica

---

[35] Ver a A. Diestre en *El Sentido de la Historia y la Palabra Profética*, vol. I, op. c..

el hecho del traspaso de llevar una vida como si Dios no existiera, a la de una vida con Dios. Es el de querer conocer a Dios porque esto nos evitará la confusión que reina en el mundo.

La falta de conocimiento de la verdad no la suplirá Dios con ningún milagro:

No podemos dejarnos guiar por nadie exterior a nosotros, si éste no nos lleva a la Biblia como única Revelación, y a Cristo como el Hijo de Dios y Dios mismo.

El desconocimiento de la verdad Bíblica es lo que conduce hoy al confusionismo ideológico y religioso transportando al hombre, en última instancia, al desequilibrio mental que muchos sufren hoy.

Recordemos lo que Jesús de Nazaret nos decía: Mateo 7:21-23; y lo que San Pablo nos advertía: 2ª Tesalonicenses 2:8-10.

3. Análisis de un fenómeno de Vasografía y de Bilocación (viaje astral)

a) El movimiento aparentemente inconsciente del vaso[36]

Me adelanto a decir que en el análisis presencial, del que fui protagonista, de este fenómeno, no supone el que esté de acuerdo con la realización del tal. Fue desde un punto de vista crítico y curativo y testimonial por el que accedí a presentarme.

b) Motivos

Una adolescente, si no recuerdo mal de 14 o 15 años, se encuentra últimamente mal. Con ciertos mareos, e incluso desvanecimientos. Además vive preocupada y angustiada.

En una reunión del llamado "Vaso" que se mueve hacia ciertas direcciones, de acuerdo a unas peticiones e invocaciones, marcadas con palabras que previamente se han colocado sobre una mesa, se le había comunicado a dicha niña, que cuando cumpliera los años iba a morir.

Unos familiares pidieron el concurso de mi persona para intentar ayudarle.

c) Desarrollo de la reunión

Invocación a un espíritu sobre si estaba ahí. El vaso no se movió. Se repite varias veces y siguió sin moverse.

Petición al espíritu si había alguien que le molestaba. De un modo imperceptible el vaso se movió hacia la dirección del Sí.

---

[36] Se le integra dentro de la fenomenología llamada **paracinesia** que se define como "movimiento involuntario para el consciente de objetos por contacto o contacto insuficiente".

El motivo principal que nos lleva a este análisis es por la **telergia** (liberación invisible y transformación de la energía física corporal) que se desprende en la realización de este fenómeno. Con consecuencias graves para la salud nos pone alerta sobre el proceso y el mecanismo de su producción.

Colocamos un cristal grueso entre el dedo y el vaso y ante la insistencia de la misma pregunta varias veces, no hubo respuesta.

d) Consecuencias

En otras reuniones que dicha joven había desarrollado junto a compañeros del colegio habían habido respuestas. Algunas de ellas erróneas y contradictorias. Por descontado que no murió la joven al cumplir los años.

Primera Pregunta:

¿Por qué unas veces se responde a dicha invocación y otras no?

¿Por qué una vez puesto el cristal grueso entre el dedo y el vaso no hubo respuesta? ¿A caso el susodicho espíritu no puede atravesar un cristal de ciertos centímetros?

Primera Respuesta:

Se han fotografiado con infrarrojos que como resultado de esa concentración especial, en base a la invocación de un espíritu (en la mayoría de los casos) o hacia la fuerza cósmica, una especie de emanación se produce, denominada "telergia", y que sería la que invisiblemente a los ojos humanos movería dicho vaso. Ese movimiento podría provocarlo el propio inconsciente del individuo.

Ahora bien lo que no se ha explicado científicamente es, qué o quién produce dicha emanación o telergia. La mente actúa de modo pasivo como mero vehículo. Pero ¿qué fuerzas mueven, qué mecanismos se ponen en funcionamiento para que se produzca esa telergia?

¿Simplemente es la mente humana la productora de dicho fenómeno? ¿Por qué entonces precisan los que realizan dicho fenómeno el invocar a un espíritu?

¿Conocen los seres humanos en qué terreno se colocan cuando realizan algo, que desconocen su origen, los mecanismos que lo hacen posible, y los resultados que se obtienen?

¿Por qué se desequilibra y enferma la gente que realiza o practica tales fenómenos si todo fuera aparentemente tan normal?. No es por falta de costumbre que se provoca la enfermedad, porque es una constante en todos los casos y a lo largo del tiempo en que se practica, tan sólo varía la manera de manifestarse.

El Espiritismo pretende ofrecer una respuesta diciéndonos que dichos fenómenos parapsicológicos se dan en sus reuniones espiritistas, y que se trataría de espíritus de muertos, u otras entidades que contactan con el ser humano

Esto está basado, en el supuesto de que el alma o el espíritu puede vivir conscientemente después de la muerte. Ya estudiamos en su lugar que ni filosófica ni teológicamente es posible aceptar ese punto de vista. Nosotros ya decimos ahora, que no aceptamos el que pueda ser el espíritu de un muerto, ni lo que implicaría una interpretación ocultista.

El hecho de que unas veces se produzca el fenómeno y no en otras, no descarta al que creemos autor de semejantes fenómenos: La Serpiente antigua, denominada en las Sagradas Escrituras como Satanás, que se reveló contra

Dios constituyéndose en su Adversario. ¿Por qué? porque no todas las situaciones de la mente humana, obra maravillosa del Dios verdadero, pueden ser controladas y manipuladas por dicho personaje siempre que quiera y como quiera. Se precisa por otra parte una adaptación progresiva, libre y voluntaria, del propio ser humano a esa manipulación del exterior. Y por otro lado, al margen de todo lo que estamos diciendo, mientras es posible (por el no rechazo del hombre de Dios), la intervención divina, no permite que el Maligno actúe plenamente por sus fueros.

El Maligno utiliza está situación inspirando la idea que únicamente es producto de la mente natural. Pero después de tantos años estudiando los fenómenos parasicológicos se puede concluir que Satanás o inspira, a los que se predisponen para ello, la metodología, las técnicas, que al aplicarlas a la mente humana es capaz de trastornarla, alterarla, y provocar consigo el fenómeno paranormal, pero a costa de castigar a la mente, y de alejar al hombre de la influencia del Verdadero Dios; o bien de un modo directo proyecta su poder sobre aquellos que se colocan, desoyendo la voluntad divina (cf. Jn. 16:7, 8), en disposición de que pueda manipular la mente humana para producir la fenomenología. Ambas razones son correctas y no se excluyen.

En los mensajes que se dan en dichas experiencias se mezclan errores y verdades, como una demostración de los límites impuestos por Dios a causa de su Pueblo y Reino, y de las deficiencias y engaños del originador del Mal. Normalmente las personas que asisten a dichas reuniones sólo se acuerdan de las respuestas acertadas y se maravillan, pero no tienen en cuenta las muchas donde se ha fallado sin acertar.

Si no queremos ser confundidos, engañados o desequilibrados, no deben ser practicados, ni contemplados.[37]

d) *La Bilocación o Viaje Astral*
e1) Definición desde un punto de vista científico

Se define como un "fenómeno de ideoplasmia, donde el propio dotado **sin abandonar el lugar**, aparece también en otro próximo, **con apariencia de realidad**".

La ideoplasmia es un "mecanismo de plasmar, modelar, objetivar la idea con el ectoplasma".

El ectoplasma es "una exteriorización y condensación de telergia más o menos modelada o modelable".[38] Y la telergia ya lo dijimos respondía a una

---

[37] Aquella joven comprendió que si bien había estado actuando, una energía emanada de su cuerpo, y que a través de su subconsciente, o incluso de su consciente se había propiciado el movimiento del vaso, había tenido que haber un **poder exterior**, que tras su *invocación*, y tras una actitud especial mental, intervenía de un modo o de otro, para que esa energía, que en condiciones normales no surge, se suscitara. Tuvo oportunidad de comprobar que los *mensajes*, que por medio de las sesiones había recibido, tenían errores y contradicciones; lo que hace no merecer la pena arriesgarse a experimentar un fenómeno que por un lado te enferma, y por otro te ofrece misivas falsas.

[38] Las diferentes definiciones se han sacado del cuarto ciclo del *Curso General de Parapsicología*, Cuadernillo VII, Clasificación y vocabulario de los fenómenos parapsicológicos, INAPP, Madrid s/f.

especie de liberación invisible de energía que emana del propio cuerpo de un individuo, cuando se adapta y somete a unas condiciones **no normales**, y que ha sido fotografiada con infrarrojos.

El motivo de que presentemos este asunto es fruto de la pretensión de los componentes de la *New Age* y de grupos afines, de que experimentan el llamado "viaje astral" como siendo una realidad, en el sentido de abandonar el cuerpo y estar en otro lugar distinto. De este modo pueden explicar, aunque en formma de conjetura, sus contactos con otros seres de otros planetas o dimensiones.

El estudio de la parapsicología científica contradice esa realidad, hablando de **apariencia de realidad,** y de *objetivar la idea* de salirse del cuerpo mediante una energía emanada, llamada ectoplasma-telergia, como fruto de la insistencia machacante que sobre el cerebro se proyecta; centrándola en una *ilusión* mental, aun cuando el creyente en esa idea, la conciba de otro modo, y a la que se le ha dado, previamente, un valor falseado.

e2) Descripción de la concepción de la New Age

Al partir de una concepción antropológica falsa, o partiendo de una premisa que no puede probar ni demostrar, a saber que el espíritu o el alma puede vivir sin necesidad del cuerpo, o separado de él, montan toda una escenificación mentirosa y engañadora, además de peligrosa para la salud mental. Estas personas se contentan diciendo que efectivamente el cuerpo está ahí, pero que ellos, el auténticamente **yo** que sería el espíritu, la persona, no está ahí.

Obsérvese la dificultad del problema. Primero se ha definido el concepto de persona, partiendo de una opinión indemostrable, pero que se acepta: el cuerpo no es importante, el espíritu o el alma es lo que vale, y lo que puede existir sin el cuerpo. Segundo, se promueve el que se deje uno llevar en la exploración, y por todo *aquello* que se interpreta como que se le ayuda a progresar.

Tercero, se enseña, como consecuencia de la experiencia que ya otros han realizado (yoguis, gurus, etc.), rechazando los principios cristianos que ponen límite a los conceptos y prácticas *orientalistas* (budista e hinduista), que por medio de ciertas técnicas, meditaciones y conocimiento de uno mismo, el espíritu puede relacionarse con la energía cósmica, en la que habría una especie de programación y de mensaje en código energético espiritual, que una vez lograda la sintonía, le llevaría a descubrir como contactar con otros seres que llevan muchos años evolucionando hacia la perfección absoluta.

Cuarto, se recoge, de ese mundo que se ha independizado de la existencia de un Dios personal y Creador, la práctica y experiencia del viaje astral, y lo transmiten a Occidente impregnado de toda la filosofía que lo hace posible.

Quinto, el individuo proyecta la técnica para lograr esa ideoplasmia con el objetivo puesto en la mira de contactar con otros seres. ¿Cómo decirle al que está experimentando una alucinación como consecuencia de una fiebre alta que lo que ve **sólo está sucediendo en su mente?**

Cuando vuelva en sí, podrá constatar que todo sucedió en el entorno de sí mismo. Pero en el caso del que se ha introducido en esta filosofía esclavizante y agobiadora, se le ha inculcado, que eso, que experimenta en la mente, no es la mente que está en el cuerpo, sino su propio espíritu que ha logrado salir del cuerpo, y que piensa, yendo en su trayecto movible, en un espacio-temporal: en su propio *viaje* particular.

e3) ¿Qué significa y cómo se puede explicar el que algunos se vean desde fuera en la mesa de operaciones

Muchas personas suelen comentar, como una evidencia de la realidad del viaje astral, que mientras le estaban operando, él estaba viendo, supuestamente desde un lugar distinto, su propia operación. Semejante argumento ignora los procesos mentales, la acumulación de imágenes que habiéndose producido antes de la operación, pueden liberarse en ese momento.[39]

e4) Refutación: un concepto antropológico procedente de un Libro que dice ser inspirado por el Dios Creador

Para comprobar la falsedad de todo este enmarañado, es preciso repasar una a una todas las premisas. Se observa que ninguna de ellas puede mantenerse por sí sola. Cada una de ellas responde a una opinión puramente especulativa, y todas confluyen en la primera: de que el espíritu puede vivir sin el cuerpo. De todos los libros y publicaciones que he consultado de la *New Age*, no he encontrado una explicación clara de lo que es el *cuerpo* ¿Qué es realmente el *cuerpo*? Para que podamos hablar de cuerpo con propiedad tenemos que referirnos *a lo que vive y piensa*. La Biblia considera al cuerpo como representativo de todo el ser. Si el cuerpo muere el ser muere. Nuestros pensamientos se producen gracias a que el elemento espíritu se mezcló indisolublemente, de acuerdo al propósito divino de la creación, con una forma material que poseía un cerebro que puso en funcionamiento su capacidad pensante. *No hay pensamiento ni consciencia si no hay cuerpo*. Si a una persona se le corta la cabeza deja de pensar. Cuando en una persona se produce o se le manifiesta una lesión cerebral se ve alterada su capacidad pensante, y su consciencia de la realidad disminuye. Y el subnormal profundo, el que tiene restringida su potencialidad respecto a pensar es fruto de estar estropeada esa materialidad que da forma al *cuerpo* en el punto que denominamos cerebro.

---

[39] Pongamos un ejemplo para ilustrar lo que queremos decir.

Una persona que contempla un accidente, puede, pensando en ello, crear las imágenes oportunas en relación a lo que se figura que va a ocurrir: el transporte en ambulancia hasta el hospital, la mesa de operaciones, y a los cirujanos llevando a cabo la intervención quirúrgica. La sensibilidad producida respecto a lo que ha visto y pensado se ha fijado en el subconsciente.

Si él tiene un accidente o precisa de una acción quirúrgica, cuando esté experimentando su operación, podrían liberarse del subconsciente aquellas imágenes que se grabaron. Lógicamente aquellas imágenes *se ven* en forma de recuerdo, y por lo tanto la mesa de operaciones se ve desde fuera.

La Palabra Profética, aceptada como Palabra de Dios por el Jesucristo de los Evangelios, nos dice de modo específico que el **Ser**, la **Vida pensante** o la *existencia consciente personal* es debido a la unión indisoluble de la *materia* y del *espíritu.*[40] Si en algún momento cualquiera de los elementos constitutivos del ser humano se separaran se produciría la muerte, y por lo tanto sería imposible cualquiera de los fenómenos aquí analizados. No hay posibilidad de que el espíritu o el alma pueda salir de lo que se denomina cuerpo manteniendo o poseyendo vida individualizada personal y consciente. Por lo tanto el viaje o bilocación astral no es real ni se puede dar en los términos que se nos ofrece. Si ocurre algo, acontece a nivel de la pura mente, y por lo tanto es sensación.

Conclusión

No exageramos en advertir de la peligrosidad de participar en cualquiera de los fenómenos denominados parapsicológicos o los dados en las reuniones espiritistas, o de la *New Age*, o del llamado Movimiento del Potencial Humano.

Los aspectos beneficiosos que pueden encontrarse en alguna de sus etapas, no por la práctica de esa fenomenología, sino debido a otros asuntos paralelos, pueden llevar a engaño, e introducir al individuo en una pendiente en la que ya no será él quien controle. Recuérdese aquí, las máximas de estos movimientos, en cuanto a que uno se deje llevar, se entregue confiado, *explorar sin límites, atraído por la aventura*, etc..

El "viaje astral" no existe en la realidad, tan sólo en la mente del individuo, en una mente que no puede separarse del cuerpo *que la hace posible.*

En los procesos y mecanismos que hacen posible experimentar en la mente esa situación no - normal, aparece un originador ajeno al componente humano. Como cristianos que sabemos por la Palabra Profética el conflicto cósmico que se produjo por la rebelión del ángel Luzbel, llamado después la Serpiente antigua, Diablo o Satanás, encontramos explicación a estos sucesos que se oponen al mensaje bíblico.

---

[40] Con relación a la energía (telergia) que libera el cuerpo en el fenómeno bilocación, que al ser más condensada y moldeable la hemos denominado ectoplasma, y como fruto de ser una proyección mental lo hemos llamado ideoplasmia, pertenece al cuerpo, y sigue unida a este en todo momento sin que se produzca un distanciamiento. En ciertas reuniones espiritistas en las que se ha manifestado una ectoplasma, a la que se interpreta como la aparición del muerto, se ha efectuado un corte con una tijera, oyéndose un quejido de dolor, y posteriormente a la sesión, se ha observado una herida en el cuerpo de la médium. Lo que nos muestra de que la ectoplasmia forma parte del cuerpo del personaje que la ha favorecido, no es nadie distinto, y por lo que se sepa hasta ahora, no se desliga del cuerpo en ningún momento.

No olvidemos que para que se produzca ese proceso, la mente humana no lo fabrica en condiciones normales, es precisa una actitud no-normal, en la que se han dado condiciones precisas para que pueda haber *una intervención exterior no-humana.*

4. El Fenómeno Ovni[41]

a) Hechos misteriosos innegables

La revista *Mundo Desconocido* en un artículo de Salvador Freixedo, decía así:

---

[41] Es tanta la literatura que existe sobre este asunto que nos limitaremos a las publicaciones más modernas, con las diversas variantes.

La Revista *Omni* publicaba un amplio artículo entrevistando a J. Hallen Hynek, uno de los especialistas más destacado de la ufología, Publications International LTD, bajo el título *Toda la Mentira sobre los Ovnis*, Septiembre 1987, pp. 30-42.

En él se afirma la imposibilidad de la existencia del Ovni de acuerdo al paradigma científico.

Citamos *La Enciclopedia El Mundo de los Ovnis* (Riego ediciones, Guadalajara 1980) que apareció a manera de fascículos semanales por la información que recoge de varios años de *investigación Ovni*.

Muy Interesante (Abril de 1993, pp. 4-12) presenta la opinión de diversos científicos, catalogando al Ovni como un fraude. Se trataría de O.(objeto) V. (volador) N. (neciamente) I. (imaginado). Ni naves extraterrestres ni fenómeno paranormal.

Antonio Ribera, *Treinta Años de Ovnis*, Plaza Janes, Barcelona 1982.

Ballester Olmos-Miguel Guasp, *Los Ovnis y la Ciencia*, Plaza-Janes, Barcelona 1981. Quizá sea el trabajo más serio (existe edición revisada en 1989) sobre los Ovnis. Sin demostrar el origen extraterrestre, documentan suficientemente, con argumentos estudiados y razonados la posibilidad de su existencia y realidad fuera de la mente.

Un dossier completo sobre la temática Ovnis apareció en el monográfico *Más Allá* de septiembre de 1991.

Disponemos de toda una serie de artículos sobre contactismo; sobre las famosas abducciones, dejaremos constancia de nuestra opinión.

Aunque creemos en la existencia de los Ovnis, en la línea que explicamos en nuestro texto, rechazamos el *99,9 %* de las diversas teorías que se exponen. Nuestra orientación es marcadamente bíblica. Y el esquema que ahí se presenta es divergente a la posición de aquellos movimientos, que como la *New Age*, promueven dicha creencia.

Presentamos a continuación toda una serie de documentos que postula una posición que tiene en cuenta el panorama que nos ofrece Las Sagradas Escrituras.

Cuando el fenómeno Ovni va acompañado de toda una ideología que se pretende proyectar, es lógico que el cristiano compruebe dicho ideario con el **contenido bíblico** que, consecuente y coherentemente a su creencia en un Dios personal Creador que lo inspira y revela, lo ha aceptado como normativo.

No se trata de fanatismos ni extremismos. como algunos catalogan nuestra posición. No negamos el fenómeno Ovni, tan sólo analizamos y criticamos de acuerdo a nuestra libertad de conciencia, y a la iluminación que nuestro raciocinio ha experimentado como fruto del escudriñamiento de la Palabra Profética.

Ver en esta línea evangélica, a Miguel Alvarez, *El Enigma de las Platos Voladores*, en MA, Septiembre-Octubre 1960, pp. 16-18; *Consideraciones en torno a los Platos Voladores*, Mayo-Junio 1966, pp. 8-13; Septiembre-Octubre 1966, pp. 10-13.

Fernando Chaij, *El Misterio de los Platos Voladores*, en El Centinela, Septiembre de 1966, pp. 4, 5.

Víctor Ampuero Mata, *Los Misteriosos Platos Voladores*, RAS, Enero 1969, pp. 2-4; Los Ovni y la Biblia, Vida Feliz, Abril 1969, pp. 18-21; Una Respuesta al Enigma de los Platos Voladores, RAS, Mayo 1969, pp. 2-4.

Dr. E. F. Alcalde, *¿Qué hay detrás de los Ovnis?*, en El Centinela, Junio 1976, pp. 2-4; Lorenzo J. Baum, Ovnis, en Vida Feliz, Enero 1977, pp. 2-4.

También a Eugenio Danyans, *Los Platillos volantes y la Biblia*, Clie, Terrassa-Barcelona 1974. Últimamente este autor ha realizado un libro con documentación profusa sobre el fenómeno OVNI y otros aspectos en *¿Enigmas o Milagros?*, CLIE, Terrassa-Barcelona 1998. Tenemos que reconocer, no obstante que los datos que provee son antiguos. También puede verse OVNIS *¿Qué está sucediendo en la tierra?* de Jhon Weldon y Zola Levitt, CLIE, Terrassa-Barcelona 1978.

Manuel Guerrero Guerrero, *La Biblia y los Extraterrestres*, Restauración, Abril 1979, pp. 26-28.

La Gran Mentira, en Restauración, Junio 1981, pp. 10, 11.

Jacques Marcille, *J'ai vu un O.V.N.I.*, en Signes des Temps, Enero Febrero 1982, pp. 16-18; *Les Extraterrestres, Messagers de L'Avenir?*, en Signes de Temps, Mayo-Junio 1982, pp. 25-27.

Ermalino Robson L. Ramos, *Ufologia, Ciência ou Miragem?*; *Revelações da Ufologia*, en Decisâo, Junio 1985, pp. 4-9.

Juan Carlos Priora, *Los Ovnis*, en Vida Feliz, Septiembre (pp. 13-16), Octubre de 1986 (pp. 13-16).

«Una minoría de los hombres está descubriendo que no sólo es falsa la creencia (...) de que "el hombre es el Rey de Universo" y de que todas las criaturas están al servicio del hombre, sino que tambien está descubriendo que ni siquiera es verdadero que el hombre sea el Rey de este mundo. Antes al contrario está descubriendo que somos manipulados por algo o por alguien desconocido que no tiene demasiado respeto para nuestra dignidad y que en realidad nos usa a su antojo lo mismo que nosotros usamos a los animales».[42]

Esto puede provocar resistencia en las mentes de muchas personas. Es lógico que algunos no quieran aceptar el hecho innegable de que la trama de la historia humana ha podido entretejerse fuera de esta tierra. Que los destinos humanos han podido ser manipulados por fuerzas ajenas a este mundo.

A partir de mediados del siglo XX la evidencia de que no estamos solos ha superado a todos los fenómenos y hechos conocidos por la historia humana anterior.

La historia humana anterior nos habla de ciertos visitantes "dioses"[43] que entraron en contacto con el hombre.

Sus leyendas recogidas en un vehículo cultural denominado mitológico, nos dicen lo que supuso mas o menos ese encuentro.

Venían del cielo y nos lo describen con la terminología usada en aquella época.

¿Quiénes eran? ¿cómo eran? ¿qué propósito tenían?

Son interrogantes importantes y que intentaremos dilucidar.

Es importante porque debemos saber que la relación puede haber entre esa manipulación que alude el parapsicólogo Salvador Freixedo, y dichas visitas extraterrestres que nos hablan todos los pueblos del mundo.

Todavía mas, en el caso de que esa manipulación sea verdadera, y continúe en la hora actual, nos interesa conocer, si es que podemos, **qué pretenden**, por cuanto si un contacto a nivel planetario fuera inminente, debemos estar preparados para hacerle frente.

No solo esto, si las evidencias que tenemos son de que algo ajeno a nosotros existe y que nos manipula, y eso coincide con algunas de esas visitas que los antiguos han consignado, ¿qué garantía tendríamos si esa manipulación aparece en nuestra época de que no se estuviera intentando también el engañarnos?

Estamos en un plano de conjeturas, conjeturas que quizás se hagan realidad. Todavía no hemos demostrado, ni podemos demostrar, según el concepto clásico de demostración que dichos visitantes de las culturas antiguas sean extraterrestres. pero nadie puede poner en duda es que se trata de un hecho histórico consignado por todos los pueblos de la tierra.

---

[42] *Mundo Desconocido*, 14-8-77, p. 19.

El que mencionemos a ciertos autores, y usemos, en ocasiones de alguna de sus citas para favorecer nuestra posición, no implica que estemos de acuerdo con el ideario general del autor. En este caso concreto diferimos en todo, a excepción de alguna declaración como la utilizada.

[43] *Universo de lo Oculto*, n° 1, pp. 19, 20 (por Ed. Personas, dirigida por el Dr. Jimenez del Oso, Madrid 1976).

No sólo esto ¿por qué esta sicosis universal de objetos volantes no identificados, de apariciones, desapariciones, de contactos? ¿Todas son verdad? ¿Todas son mentiras? ¿Será posible que en un universo tan grande seamos los únicos?

Cuando un hecho se repite tantas veces ya no responde al esquema de la mera conjetura.

b) Los OVNIS no están como fruto de una certificación científica

Respecto a los OVNIS no queramos enmarcarlos dentro de una línea investigadora científica, a excepción de la ayuda que puede suponer la ciencia para desenmascarar el fraude, o como apoyo para descubrir aspectos que de otro modo quedarían en la ignorancia. Busquemos tan sólo las evidencias. Si los OVNIS existen **se harán presentes**.

c) No todo es Ovni y pruebas de su existencia

Indudablemente que las hipótesis terrestres no satisfacen, las extraterrestres están en muchas ocasiones cargadas con mucha tinta apasionada e imaginativa.

Quizá la cifra de un 5% de realidades sea exagerada. Pero un porcentaje por mínimo que sea responde a una exigencia que no puede marginarse como algo irreal.

En efecto, hay que tener en cuenta que un volumen aproximado de un 95% de los casos que se dicen que son OVNIS, son o bien un fraude, visiones, equivocaciones, etc. Si tenemos en cuenta el estudio e investigación que realizó Hynek respecto de informar a la aviación USA de los UFOS de 12000 informes, 700 no pudo dar una explicación.[44]

La Ciencia **no sabe muy bien lo que es** pero *sí lo que no es*. Aunque la ciencia es incapaz de explicar el fenómeno Ovni,[45] sabemos hoy, que puede ser **real** o **imaginario**. En este último puede darse tanto el de carácter psicosociológico (engaños, fraudes, rumores), el psicopatológico (alucinaciones, histeria), como el de carácter físico (espejismos, ilusiones ópticas, presión del viento, reflejos de faros, etc.).

Dentro de lo que se cataloga como **real**, tenemos el **conocido**, y el **desconocido**.

En el *conocido* se incluye al que se considera **natural** (rayo en bola, Venus, Marte, fenómenos ópticos, meteorológicos), y **artificial humano** (aviones, globos sonda, satélites, reentrada de satélites).

Respecto al *desconocido* se circunscriben, lo **natural** (plasmas, fenómenos atmosféricos, fotográficos, y no conocidos) y en lo **artificial**, el *humano*

---

[44] *Universo de lo Oculto*, n° 2. p. 31. El 80% no presenta ningún valor (Dominical, Ya 5-2-78).

Hemos de indicar que en las últimas declaraciones que dicho autor ha efectuado (ver *La Revista Omni* a J. Hallen Hynek, op. c., Septiembre 1987, pp. 30-42) se desdice de la importancia que aparentemente dio a dichos casos.

[45] El País, 18-8-1970.

no conocido (armas secretas, sociedad secretas, **fenómenos paranormales**), y el *no humano* donde estarían comprendidos los *extraterrestres*.[46]

Sobrentendiendo esto nos inclinamos a creer en la existencia de los Ovnis, cuyo origen no es de esta tierra por cuatro pruebas que para nosotros son irrefutables.

c1) El compromiso hace creer a los Científicos

No nos importa que estos sean pocos, ni que alguno se desdiga después de lo que en un principio dijo. Lo que cuenta para nosotros son los casos de los científicos que se ven obligados a investigar.

Como consecuencia de ello, entre una miríada de estudiosos a todos los niveles de la ciencia, una de las mayores figuras en física atmosférica (James E. MacDonald), o André Boudin (especialista en geología nuclear, profesor del Instituto nuclear) junto Lucien Clerebaut perteneciente con el primero a la sociedad belga de Estudio de los fenómenos espaciales, por citar algunos, consideran que sólo la hipótesis extraterrestre no humana satisface.

Los **organismos** tienen que rendirse ante la evidencia aun cuando se pretendan desacreditar unos a otros por cuanto la hipótesis extraterrestre no entra en los cálculos racionales de ciertos investigadores.

El Projec Sign (Proyecto Signo)[47] llevado a cabo en 1947 por el Pentágono a través del ATIC (un servicio de información de las Fuerzas Aéreas de los Estados Unidos), elevó, en resumen el siguiente informe:

a) Los Ufos eran Reales; b) Se descarta que pudieran ser modelos secretos de otras Potencias c) Su origen mas probable era extraterrestre.

Ante semejante contenido, el general Vanderberg ordenó que fuera destruido. Se salvaron algunas copias que después fueron permitidas para que los periodistas las analizaran.

Esta investigación fue sustituida por el **Projet Grudge** (Proyecto Rencor-ojeriza) en 1949. Se oculta lo que indicaba el proyecto Signo pero se admite:

> «Queda un 23% de observaciones que no podemos explicar, pero a las que es preciso hallar una explicación, porque nosotros no creemos en los OVNIS».[48]

Sin comentarios.

De la CIA *dicen* que ha reconocido haber manipulado la problemática OVNI con el fin de desprestigiar la creencia, aun cuando poseería documentación convincente.[49]

---

[46] Esta división ha tenido en cuenta el esquema que se presenta en *Universo de lo Oculto*, n° 2, op. c,, p. 30.

[47] Sobre este asunto ver *Universo de lo Oculto*, n° 4, op. c., p. 73.

[48] Id.

[49] Ver esto en *Más Allá, La CIA confiesa que siempre ha manipulado el Fenómeno OVNI* (septiembre de 1997).

Tanto la NASA, como la URSS, como la ONU, han demostrado interés respecto a la existencia de los Ovnis como hipótesis extraterrestre.[50]

Esta primera *prueba* nos ofrece los datos necesarios como para pensar que los sucesos acaecidos respecto a los Ovnis, ha obligado a los principales organismos del mundo, tanto a nivel científico como científico-militar, a investigar. No nos importa que se haya pretendido ocultar la realidad, justificado esto por algunos, porque la presencia Ovni no entra dentro del marco referencial científico. Pero una existencia únicamente puede demostrarse con su presencia; y ésta tendrá que cumplir unos requisitos que impidan una *mala jugada de la mente*.

Sin embargo nada la puede encajar dentro del método científico. Podrán cumplirse una serie de hechos que parecen responder a una lógica racional. Podrán acumularse una gran cantidad de *pruebas* testimoniales con elementos adicionales que *prueban* que ahí ha estado *algo* que está fuera del esquema humano; pero nada de esto puede referirse a un hecho científico. Y para que esto lo sea es preciso demostrarlo, *cogerlo entre sus manos* y **repetirlo** una y otra vez, para asegurarse que efectivamente cumple unas leyes. Pero esto no puede ocurrir con los Ovnis; tampoco es necesario, puesto que lo válido es que nuestra mente sea capaz de captar la incidencia que ha podido tener **lo que ha motivado** a que los especialistas y organismos oficiales de diferentes países se hayan interesado en semejante episodio.

Esto, sería una evidencia de que nuestra mente, ante tanto cúmulo de testimonios verosímiles, goza, aunque condicionada por otros aspectos, de una cierta buena salud.

Cuando los estudiosos, antes con enormes reparos a aceptar la posibilidad de la hipótesis extraterrestre, se ven atraídos a *creer* sin poder dar más razones que lo que les ha obligado su estudio de los **hechos presentados**, después de haber descartado con su *ojo crítico* todo lo que puede tener una explicación puramente terrestre, se convierten en una prueba irrefutable de que los Ovnis existen. Pero todavía será preciso dilucidar su ***origen, naturaleza y propósito***.

c2) Psicosis universal

Desde que en 1947, Kenneth Arnold, avistó desde su avioneta particular lo que él denominó *platillos volantes*, las *evidencias* de la existencia de los Ovnis se han multiplicado sin posibilidad de poder negar que algo realmente está ocurriendo.

Lo que impresiona de este asunto es que Ted Bloecher 20 años después (en 1967) publicó su *Report on the UFO Wave of 1947*, con un prefacio del científico y especialista James Macdonald quien colaboró en la investigación de los casos que Bloecher exponía.

---

[50] Sobre la NASA ver *Mundo desconocido* 12-1976, pp. 86-90; de la URSS, *El País*, 25-3-1980; *Mundo Desconocido*, 12-1976, pp. 81-83; en cuanto a la ONU, *ABC* 16-12-1977.

No obstante es necesario reseñar que no se puede traer a colación como prueba irrefutable los avistamientos militares. Todo el fenómeno Ovni está enmarcado dentro de lo posible pero no podemos basarnos en conjeturas científicas. Ver sobre esto *la revista Conocer, Fenómeno Ovni*, Abril 1996, pp. 43-50, donde se presenta la realidad de los testimonios de militares y científicos como contrarios a la realidad ovni fuera de la mente, o de fenómenos normales confundidos con Ovnis.

Bloecher descubrió en 1967, analizando las diversas noticias, que desde el mismo instante que Arnold divisara en 1947 los mal llamados "platillos volantes", habían aparecido más de un millar de testimonios en diferentes periódicos locales de toda la geografía de Estados Unidos que confirmaban la declaración del comerciante Kenneth Arnold. Diferentes personas que no habían tenido contacto entre sí, hicieron llegar a sus respectivos periódicos locales la oleada de Ovnis (denominada desde entonces oleada de Bloecher) que desde la fecha de 1947 con Arnold, había planeado sobre Estados Unidos. Pareció, desde la investigación de Bloecher, que el fenómeno Ovni tenía un carácter cíclico presentándose bajo oleadas ("wave" si es a nivel mundial o "flap" cuando sucede a nivel local).

¿Por qué a partir de 1947?

A partir de esa fecha, el mundo ha sido testigo de innumerables casos que no es necesario reseñar. Algunos de ellos de auténtica realidad.[51] Pero hay una pregunta que se impone, y se añade a las cuestiones que nos hemos hecho más arriba: ¿Por qué se escogió la fecha de 1947, y los Estados Unidos? ¿para qué la psicosis y la concienciación de la existencia de algo no normal se divulgara por todo el mundo? Es curioso, nunca antes, en ninguna época existe esa concienciación.

La respuesta, en principio, es muy sencilla: Nunca antes el mundo estaba capacitado para poder recibir de forma universal la visita de esos supuestos seres.

En efecto. En otras épocas se habrán podido hacer contactos a niveles particulares. Los pueblos antiguos narran las visitas de ciertos seres provenientes del cielo; pero esos pueblos o esas culturas no tenían contacto entre sí, y desconocían la existencia de otras poblaciones como ellos.

La supuesta relación que se pretende es un acercamiento universal, un contacto planetario. Para ello era necesario que coincidieran unas circunstancias históricas que comenzaban a darse alrededor de 1947.

El Dr. Jiménez del Oso dirá: "Los OVNIS han aparecido en un momento crucial de la humanidad".

, Cuando uno estudia dicho momento, comprueba lo que enumeramos a continuación:

1) A partir de 1945 "La Ciencia" se hace universal. Es un lenguaje único para toda la tierra. El hombre está capacitado para comprender la posibilidad de la existencia de artefactos aéreos, y de seres que inteligentemente pueden tripularlos.

---

[51] *Más Allá* (septiembre de 1991) ha recogido en un Dossier los Hitos ufológicos desde 1947 a 1990. Para posteriormente a 1990 ver nota 41, donde se traen documentos bibliográficos sobre este asunto. También un monográfico de El País ¿*Hay alguien ahí fuera*? (16-6-1996), y *Más Allá* de Septiembre de 1997. Estas referencias no implican que estemos de acuerdo con la realidad de lo que ahí se expresa. Simplemente exponemos menciones últimas sobre la problemática OVNI.

2) El mejor medio propagandístico: Los medios de comunicación permiten unir a todo el mundo.

3) Una religión *nueva* a nivel Universal (la *New Age* o Nueva Era): existe una proliferación de lo oculto y de lo paranormal que atrae a todos los hombres, y que de cierta manera los unifica. Aunque antiquísima como ya hemos visto era desconocida por muchos de los habitantes de nuestro mundo. Una serie de circunstancias la han actualizado.

4) La Humanidad lo está creyendo sin analizar convenientemente, acepta el hecho pero no indaga lo suficiente sobre el origen, la naturaleza y finalidad. En estos últimos años estamos asistiendo a un asalto de los propios científicos que son ganados hacia lo esotérico y paranormal.

5) El mundo ha entrado en una insolucionable **crisis socio - económica**. Esto podría ser un motivo justificativo para que los supuestos seres extraterrestres intervinieran en los asuntos humanos.

6) La crisis *ecológica* a nivel planetario motivada por un mal uso de los recursos tecnológicos sirve como elemento provocador para inspirar soluciones que vendrían, según algunos, como fruto de la exploración de la mente, mediante técnicas esotéricas, que permitirían *contactar* con otros seres que tienen la sabiduría suficiente para ayudar a la humanidad

7) La dinámica marcada por las claves de la historia nos introduce en el desarrollo de un **Nuevo Orden Mundial**, y que según los defensores de la *New Age*, sería preciso apuntalarlo, con lo que esa religión nueva-antigua nos provee, basada en el paganismo, la brujería, el espiritismo, lo paranormal etc.. Es por medio de esos canales, de acuerdo a ese erróneo pensar, que al ser humano se le facilitaría el contacto.

Los extraterrestres se presentarían como salvadores, pero ¿a cambio de qué?

Aunque nosotros somos conscientes del elemento verídico que suponemos acontece en una cierta cantidad de avistamientos de Ovnis, y aun cuando procuramos dar una explicación socio - política a este asunto, no quiere decir que compartamos los contenidos de las motivaciones lógicas que hemos enumerado. Simplemente es un intento de referir que el fenómeno Ovni responde a un plan establecido por **aquel** que inició su primera incursión sobre esta tierra camuflándose a través de una *nave serpentina*.

c3) La existencia de leyendas en todos los pueblos antiguos, algunas sorprendentes[52]

Tanto las antiguas civilizaciones, como los diferentes pueblos de la Europa antigua, medieval y posterior, poseen testimonios de la visita de seres celestiales, incluso de *objetos voladores* que atraviesan el espacio.

---

[52] Id., pp. 11-19.

No podemos tachar de casualidad este fenómeno que se repite como una constante. Comunicaciones con mensajes precisos que inspiran y presionan a actuar para la historia en una dirección determinada, que hoy con la perspectiva que el tiempo y la documentación nos ofrece podemos valorar y obtener conclusiones obligadas.

c4) Cuarta prueba irrefutable: La Biblia, el mejor texto para comprender la problemática OVNI

OVNIS en la BIBLIA

Apartado especial merece la problemática OVNI en la Biblia. En principio, porque es el único libro religioso que presenta un contenido unitario y coherente de principio y final de la humanidad.

En segundo lugar, por cuanto los grandes investigadores de OVNIS no dejan de aludir a ésta como una confirmación más.

En tercer lugar, la Biblia es el libro que contiene mayor alusión a los OVNIS, entendiendo por OVNI, objetos, seres, cosas, no identificables a primera vista:

a) La Biblia nos habla de unos seres que vienen a castigar la corrupción de unas ciudades, y a salvar a unos cuantos hombres.

b) Términos significativos: Se nos dice de esa destrucción, que todo quedó reducido a polvo, y que un personaje se convirtió en estatua de Sal.

c) La Biblia nos habla de cómo los dirigentes de un pueblo, como Moisés, entran en contacto con seres *extraterrestres*, entre los que se encuentra el Señor, Yavé o Dios. Entendemos por extraterrestre: Ser que no es de esta tierra, que no es humano.

d) Contactos entre hombres y ángeles que vienen de lugares distantes del Cielo

La Biblia nos habla de ángeles, que en el lenguaje original no significa otra cosa que *mensajeros*, pero que vuelan a velocidades mas rápidas que la luz (cf. Dn. 9:20-23), y que transmiten y ejecutan órdenes para los hombres.

La Biblia hace diferencia entre Cuatro Clases de SERES:

La Deidad (Padre-Hijo-Espíritu Santo). Seres de otros mundos que no han pecado, y que, según la Bilbia, no pueden entrar en contacto con seres que han pecado.[53] La Biblia menciona quiénes pueden entrar en contacto con la humanidad: Dios y los Ángeles.

---

[53] No hay alusiones directas en la Biblia respecto a la existencia de otros Mundos, pero implícitamente se menciona sobrentendiéndose esa idea.

El libro de Job nos refiere la existencia de unos seres que parecen actuar como representantes de ciertos mundos (Job 1:6, 7 cf. 2:1, 2) entre los que se encuentra la Tierra.

Jesucristo ilustra, a través de la parábola de las *100 ovejas* (Mt. 18:10-13), que nuestro mundo está simbolizado por una oveja descarriada. Podría sobrentenderse que las otras 99 representan otros mundos que no han caído, y que no necesitan de la salvación.

Seres de este mundo que han pecado.

Ángeles-Seres espirituales creados que se mantuvieron fieles al Dios Creador.

Y ángeles de la misma naturaleza que los anteriores pero que se rebelaron contra el Único Dios Creador, por medio de las instigaciones de Luzbel. Dicho ángel asumió la revuelta y la jefatura, convirtiéndose en Satanás, el Adversario.

La Biblia transforma la palabra Ovnis en OVSI

La Biblia, identifica, da a conocer, nos hace comprender, responde a los interrogantes sobre el origen, naturaleza y propósitos de dichos Ovnis.

Es decir, la Biblia nos dice quiénes son los que están manipulando a los seres humanos. Quiénes están teledirigiendo a la humanidad. Nos habla de qué naturaleza son esos OVNIS, por qué están actuando así y qué finalidad persiguen.

La Biblia nos habla de una rebelión en el cosmos en contra de Dios (Ez. 28:14-17).

El diablo, Satanás, que significa *adversario*, organiza y dirige dicha *rebelión* (Ap. 12:7-9).

Jesús reconoce en Satanás al Príncipe de este mundo (dios de este mundo) (Jn. 12:31; 14:30 cf. 2ª Co. 4:4).

El libro de Job reconoce en Satanás como el *representante* de este mundo Job 1:6, 7.

Satanás introduce dicha rebelión en el mundo, para ello engaña al hombre, lo manipula a su antojo (Ap. 12:9). Es mentiroso desde el principio (Jn. 8:44). Se disfraza como Angel de luz (2ª Co. 11:14). En la actualidad es el príncipe de la potestad del aire (Ef. 2:2; Ap. 13:2 up, 13,14 pp.; 16:13 pl., 14).

Ya hemos explicado en otros lugares, a los que remitimos, que el motivo principal que desencadenó su mal uso de la libertad, fue el negar su origen creativo, el independizarse de Dios indagando en lo opuesto al Bien, pretendiendo efectuar un Gobierno mejor que el que Dios tiene como Creador y Todopoderoso. De ahí radica su locura y su obsesionada obcecación. Aparentemente, podría parecer a muchos que no conocen al Dios verdadero, que la interpretación bíblica sobre este personaje, y su insistencia sobre su peligrosidad y su oposición continua respecto de Dios, se asemeja a una historia *increíble*. Pero es precisamente, el intento por parte de Satanás, de querer demostrar que no es necesario un Gobierno o Reino como el de Dios que orienta el comportamiento de su obra Creada, lo que origina toda una trama llena de engaño y confusión, urdida por ese Maligno, que rechaza su origen como criatura[54] y el Gobierno de Dios.

---

[54] Creemos que la ideología de la *New Age* ha sido inspirada por dicho personaje. La concepción de Dios que la *New Age* posee no es otra que la que pretende el propio Maligno: ser como Dios. Satanás ha puesto en duda la existencia de un Dios personal Todopoderoso y Eterno, y lo ha rechazado como el Creador. Ha llegado a creerse que por cuanto no estuvo presente en su propia creación, lo que llamamos y aceptamos como Dios

Jesucristo vino a explicarnos este conflicto, cuando erigido como protagonista único de nuestra salvación tiene que enfrentarse con Aquel que había usurpado el lugar de Dios en esta Tierra. Jesucristo, en su vida y obras, en sus palabras y en su misión vicaria señala al culpable de la tragedia humana, al que se constituye como acusador de los que aceptamos al Dios Creador en su Hijo Jesucristo. Lo desenmascara ofreciéndonos la verdadera cara del Dios de Amor que había quedado desfigurada como consecuencia de los ardides de dicho Diablo o Satanás. Y nos muestra el **único camino de vuelta hacia el Padre**.

Satanás ha ideado un PLAN semejante, paralelo, al de Dios. La Biblia se nos ha concedido, entre otras cosas, para que sepamos denunciarlo.

Ha engañado a los hombres haciéndoles creer que no existe, para así poder actuar a su antojo.

Ha hecho ocupar a los hombres en todo, menos en que pudieran hacer un estudio reflexivo y analítico de la Revelación de Dios que es la Biblia. Durante miles de años pretendió destruirla. Durante siglos enteros se persiguió, se martirizó y se mató a quienes leían la Biblia. Y previendo, de acuerdo a la acción del Reino de Dios, que no podría seguir con ese método, preparó de antemano el modo de desprestigiarla para que las personas no acudieran a lo único que les daría la verdad, la esperanza y la salud.

¿En qué consiste ese PLAN semejante y paralelo que Satanás ha ideado?

Dios daba la Biblia como su Revelación. Satanás llenaba el mundo de diferentes libros religiosos para crear confusión.

Dios suscitaba profetas que preparaban el camino de un libertador de la raza Humana.

Sin embargo él promovía pseudo-profetas y fundadores de religiones que propugnaban conceptos contrarios a los que Dios anuncia en su Palabra profética.

Dios envió a su Hijo para liberar a la humanidad del error y de la muerte producida por el pecado, y explicarle las causas del dolor y del sufrimiento. Satanás ha sabido producir *falsos Cristos* que dicen ser reencarnaciones del primero, pero que alguno se pasea en Cadillac, o es dueño de auténticas multinacionales, o como común a todos, envenenan con la filosofía de los contrarios, la *unión* con el Todo, y la negación de un único Dios Personal y Creador.

---

de acuerdo a la revelación de Jesucristo es alguien que habría podido tener su mismo origen, el que ha inspirado desde la cultura babilónica: un origen cosmológico partiendo de una materia eterna; los seres se habrían desgajado de dicha materia, y que como fruto de un poder creativo propio que residiría en esa materia habrían llegado a la existencia. E.W. en *La verdad sobre los Angeles* expresa una idea que refleja precisamente esto que acabamos de indicar, cuando afirma de Satanás en su momento histórico como Luzbel que:

"Su corazón estaba lleno de amor y gozo al servir a su Creador, hasta que comenzó a pensar que su sabiduría no provenía de Dios, sino que era inherente a sí mismo; que él era tan digno como Dios de recibir el honor y el poder" (p. 34).

Y en la p. 35 del mismo libro comenta:

"Poco a poco Lucifer llegó a albergar el deseo de ensalzarse ... Aunque toda su gloria provenía de Dios, este poderoso ángel llegó a considerarla como perteneciente a sí mismo".

Dios manifestaba que la inmortalidad o Vida Eterna es un don que Él otorga en Cristo Jesús; Satanás inventaba la teoría de la inmortalidad innata del alma como corresponde, según él, a los dioses que poseen una naturaleza divina.

Dios ha prometido que este mundo finalizará con la 2ª Venida de Cristo. Las religiones cristianas lo dicen: el mismo Jesucristo que vino, dijo que volvería de forma literal e intransferible. La Biblia indica que señales precursoras habrá para este acontecimiento, y cuál será el modo.

Satanás, valiéndose de la ignorancia que se tiene del mensaje que Dios expresa a través de su Palabra Profética, está preparando la simulación de la 2ª Venida de Cristo.

La psicosis de OVNIS, no es mas ni menos una preparación mental para este tipo de acontecimiento que pretende falsificar dicha Venida.

Cuando Satanás se haga pasar por Cristo, engañará al mundo entero. Solamente podrán liberarse de ese engaño, aquellos que se hayan aferrado a la Biblia como Palabra de Dios (Ef. 6:10-17). Porque los que se hayan molestado en leerla de una manera organizada y sistemática, con la asistencia y dirección del Espíritu Santo reclamado con oraciones que cumplen las condiciones que Dios indica, descubrirá cómo saber reconocer el verdadero del Falso acontecimiento.

Conclusión de este apartado

Los OVNIS son una realidad. Los seres humanos quieran o no, están siendo dirigidos, manipulados, cuando no se aferran a la Revelación de Dios.

La tierra ha llegado a unas condiciones en las que el contacto es posible.

Las evidencias de que algo raro, extraño está sucediendo, es un hecho comprobado por cientos de millones de personas.

La Palabra de Dios nos ofrece base suficiente como para identificar a los Ovnis con todo su mensaje, con Satanás y sus ángeles. Estos camuflan su verdadera identidad y propósito, haciéndose pasar por personas de otros mundos habitados, puesto que pueden materializarse. Pueden crear inclusive artefactos o aparatos con una técnica superior a la terrestre para incidir más en el engaño y confusión. En ciertos contextos no tienen inconveniente en darse a conocer como ángeles, dentro de la variedad extraterrestre.

Si bien la Biblia contiene diferentes misiones que ángeles no caídos, enviados por el verdadero Dios llevaron a cabo en esta tierra, se nos ofrece suficiente material para tener en cuenta si se nos está anunciando **un evangelio diferente** (Gá. 1:8, 9 cf. 2ª Ts. 2:8, 9-14; Hch. 20:32).

La Biblia nos advierte que SATANAS invadirá la tierra con *OVNIS* pacíficamente, imponiéndose por su mensaje mentiroso, debido a la situación de alejamiento de Dios con que se encontrarán la mayoría de los habitantes de esta Tierra (cf. Ap. 12:9-12; 16:12-16; 19:11-21; 20:1-15).

Nuestra única alternativa consiste en investigar la Palabra Profética.

5. La próxima Invasión de Ovnis y un mensaje incompatible con el concepto antropológico bíblico

Introducción

Sicosis en cuanto al retorno de Cristo por diferentes medios cristianos y no cristianos, con matices, variantes, contradicciones.[55]

Preparación de la humanidad para una próxima invasión y mensajes relativos a la constitución del ser humano

Los que dicen creer en los extraterrestres y en los Ovnis, que hacen de esto una filosofía de la vida, hablan de una posible y necesaria intromisión de Ovnis y extraterrestres en la existencia humana. El Contactismo se ha convertido en una de las variantes de la última religión de este Milenio, con unos mensajes que contradicen absolutamente el contenido doctrinal y escatológico bíblico.[56] Independientemente de la fantasía y de las alucinaciones de *madrugada* la parapsicología ha venido a tender un puente entre los Ovnis

---

[55] En el apartado de Noticias de la revista *Mundo Desconocido* (Agosto 1981, p. 78) se nos refieren diversas apariciones a diferentes personas. Los *personajes* que se aparecen comentan de que Jesucristo vuelve pronto. Una vez terminado su mensaje se hacían invisibles misteriosamente de acuerdo al testimonio de los que experimentan semejante suceso.

[56] Hoy los seres humanos reciben mensajes de mensajeros extraterrestres (*Más Allá*, Septiembre de 1991, pp. 72-80), con diferentes movimientos mundiales de contactados.

Según el ingeniero Enrique Castillo fundador y director del ICIFE (Instituto Colombiano de Investigación de Fenómenos extraterrestres), son 24 las personas del mundo terrestre que los extraterrestres han "contactado" y han comunicado "mensajes" (*El mundo de los Ovnis*, op. c., nº 21).

Dichos mensajeros, según Castillo son seres bellísimos, con cabello rubio, ojos claros y completamente lampiños (íd., nº 21). Según otros se trata de humanoides de baja estatura (íd., nº 15). Otros aunque rubios, guapos (casi mujeres) y de baja estatura son de Venus (según Georges Adamski, *Cíclope* I, 129 y ss).

Otros son enormes como los del famoso caso de Canarias (*El Mundo de los Ovnis*, nº 22).

Según Siragusa, son 6 millones los extraterrestres que viven entre nosotros. Otros han almorzado con extraterrestres y han llevado una amigable conversación (nº 21, p. 114).

¿Cómo realizan estos contactos, o mejor dicho esas comunicaciones con los mensajeros extraterrestres?.

Enrique Castillo, uno de los pocos seleccionados de nuestro mundo para recibir mensajes, dice que recibió el primero por medio de la "telepatía" (observen el método, un método que se escapa al análisis), es decir, concentrándose y pidiendo la comunicación; experimentó después un "desdoblamiento astral" (bilocación). Posteriormente mantendrá ya contactos físicos (*El Mundo de los Ovnis*, nº 21, p. 108).

Otros, por medio de ceremonias y reuniones espiritistas (*El mundo de los ovnis*, nº 21, p. 114).

Todos de alguna manera por procedimientos que se incluirían dentro de prácticas ocultistas y espiritistas, con algunas variantes (íd., nº 21).

Un último dossier monográfico sobre este asunto de contactismo lo trae *Más Allá* (20-4-1997). Su contenido está totalmente centrado dentro de la línea de la Nueva Era y del Espiritismo. Opuesto a lo que la Revelación bíblica indica sobre este asunto. Ha de tenerse en cuenta lo que afirmamos en esta misma nota respecto a la naturaleza de los contactos.

¿Cuáles son esos mensajes?

Si descartamos que el caso Ummo, que el iniciador de dicho serial Fernando Sesma, ha reconocido ser falso todo, (aun cuando Antonio Ribera y otros sigan aceptándolo), incluso las fotografías de San José de Valderas (según los especialistas trucadas); el ingeniero del Centro Nacional de estudios Espaciales de Toulouse, Claude Poher, nos dirá que los informes de Ummo equivalen al 2º año de una Licenciatura en Ciencias (nº 23, *El Mundo de los Ovnis*, p. 443), los mensajes podríamos resumirlos en los siguientes puntos.

a) Mesías salvadores.

b) Serias Advertencias.

c) Amigos que sólo desean nuestro bien.

d) Implantación de una Nueva Religión que según ellos es la Cósmica - MENTE NUEVA - Verdadero Amor del Espíritu con el Gran PLAN del Amor Cósmico que por lo que debemos suponer suplantará a la ley que Dios dio a la humanidad (p. 109 de *El Mundo de los OVNIS*). Aquí entra todo lo relativo a la propuesta de la *New Age* respecto al potencial humano.

e) La muerte no es REAL (*El Mundo de los OVNIS*, nº 21).

El espíritu del hombre o su alma es inmortal, su cuerpo es tan solo una especie de fachada, de carcel (íd..)

f) Es preciso experimentar individualmente, dejándose guiar "por su interior".

g) Publicidad a favor de ciertos líderes actuales de ciertas religiones que acabaran por aceptar los principios ufológicos (*Cíclope* I, p. 140 y ss). La revista *Cíclope*, recogiendo la opinión de uno de los contactados, Georges Adamski, se trataría del Sistema Papal.

h) Cristo.

Es simplemente su hermano, uno más entre los varios que como él existen en miles de planetas. No es Dios. Su sacrificio no tiene valor redentor.

i) *Los extraterrestres te hablan a veces de la ley del cosmos. Pero ¿cuál es esa ley?*

Lógicamente, si aceptamos haber sido creados por Dios, Dios tiene leyes. El Universo entero proclama leyes físicas. Nuestro propio cuerpo se rige también por leyes. El Universo más pequeño como puede ser el de una gota de agua proclama un designio y un Legislador. Nuestra conducta y comportamiento se relaciona con leyes morales.

Dionisio de Halicarnaso en su Arqueología romana dice que Minos en Creta recibió las leyes de manos de Zeus en el monte Ida (allá por el año 2000 a.J.). En Babilonia Hammurabi recibió sus famosas leyes de manos del Dios del Sol.

Zoroastro recibió las leyes de Persia de Ahura Mazda en el monte Sabalam. En la época de Cristo se desarrolla en el Imperio romano una religión el Mitraísmo, con leyes y doctrinas que compiten con el cristianismo, y que lograron influir en un grupo representativo que se denominaba cristiano. Mahoma también recibe la inspiración para escribir un Libro que contiene leyes para los árabes. José Smit, fundador de los Mormones recibe también el Libro del Mormón que también contiene leyes para los habitantes de América.

Y los extraterrestres actuales nos hablan de una ley del Cosmos, "La Ley del Amor" que vendrá a sustituir todas las demás leyes. Pero ¿qué es esa ley del amor? Los pretendidos habitantes del planeta Ummo nos hablan de una ley moral. Pero ¿cual es esa Ley Moral?

¿Qué necesidad tendremos los cristianos de una nueva Ley de Amor cuando Jesucristo nos habla de la Ley de Dios (Mt. 5:17-19 cf. Ex. 20: 1 ss.) que El no ha venido a anular sino a cumplir, dándole la dimensión que corresponde al Nuevo Pacto (cf. Heb. 8:8-10 cf. Stg. 2:8-12; Mt. 19:17-21).

j) *Concretando más los mensajes de ciertos extraterrestres que han contactado con ciertos escogidos*:

1) El caso de Uri Geller ya lo analizamos: mentiras, fraudes, reconocimientos, explotación materialista. Su empresario Puhari, lo mismo que el propio Uri Geller se confiesan espiritistas.

El caso de Siragusa, nace en su 7ª reencarnación en Italia en 1919. Antes había sido, según él, el apóstol S. Juan, Cagliostro, Rasputín.

Su obra de embajador de los extraterrestres la realizan muy pocas personas "no seremos ni 50" (Siragusa, *Mensajero de los extraterrestres*, p. 246).

En 1952 tiene su primer "contacto" y después de 10 años de iniciación se convierte en aquel que tiene el poder y la sabiduría para aclarar quienes son los extraterrestres, de dónde vienen, qué quieren de nosotros" (íd., p. 245).

Ha creado el centro de Estudios Fraternidad Cósmica con cuatro delegaciones en España: Barcelona, Madrid, Vigo y Zaragoza.

Anotad bien esto otro, del mensaje de Siracusa: "Intentamos con todos los medio poneros en trance de arrepentimiento y volveros conscientes de la verdad" (Vitorino del Pozo, en Siracusa, *Mensajero de los estraterrestres*, ed. Edaf, Madrid 1977, p. 251).

"El tiempo de la revelación de la gran verdad de haya próximo y todos podremos comprender. El espíritu de la verdad está ya en la tierra" (íd., p. 253).

En *Más Allá*, Septiembre de 1991, pp. 82-87, se presenta su mensaje sobre el fin del mundo. En el se observa como la fecha del otoño de 1991, la tierra iba a ser prácticamente destruida, y tan sólo aquellos que hubieran recibido la señal serían evacuados del planeta por los extraterrestres. Ya sabemos que nada de los anunciado se cumplió.

Otro de los seguidores de Ummo, el cura de Mairena, anunció en 1978 (*ABC*, 4-6-1978, p. 34), que el plazo para la hecatombe para que este mundo se destruya "no superaría los diez años próximos".

Sinod (según *Karma* 7 - Nº 39 p. 42), ufólogo considerado como el contacto mas importante y profundo habido entre extraterrestres y terrestres en España "Da el mensaje de que no nos portamos bien, que estamos utilizando mal lo que nos dieron es decir, la desintegración del átomo" y que por lo tanto van a intervenir como salvadores ante el desequilibrio cósmico.

LA NUEVA ERA

Tanto el mensaje que recibe Enrique Castillo (*El Mundo de los OVNIS*, pp. 109, 110, 112, 115, n° 21) como el ELOSCO (Instituto Brasileño espiritista, p. 114), o incluso el que se nos transmite del planeta Ummo (el hombre es un ser superior con grandes poderes paranormales (Enrique López Guerrero, *Mirando la Lejanía del Universo*, Plaza Janes, Barcelona 1978), como las pinceladas con que hemos resumido de los diferentes mensajes de los extraterrestres son el esqueleto de la estructura y contenido de la *New Age*.

Hay unos puntos comunes en casi todos los contactos. En los que no hay fraude normal parece como si se tratase de relatos e historias preparadas. No hay una seguridad de su certidumbre: Casi todos se analizan bajo hipnosis, lo cual no es lo más científico, pues la mente puede responder a lo que previamente se ha programado.

Apoderarse del subsconsciente de la persona es muy peligroso y con efectos secundarios imprevisibles. **Sobre los perjuicios y secuelas negativas de la *hipnosis*** se ha hecho un estudio profundo por el Dr. Fernando Chaij, ver *Fuerzas Superiores que actúan en la Vida humana*, op. c., pp. 17-88. Sobre la no validez del método para los asuntos relativos al contactismo u otras experiencias ver íd., y al Dr. Fernando Saraví, *Parapsicología*, op. c., pp. 44-46.

Respecto a la **hipnosis**, digamos además de lo indicado, que es un método de alterar la consciencia, y es experimentada por cualquier técnica mística (la de los musulmanes sufíes, por ejemplo) como también en el Yoga, Zen, el Kavanah judío, el Vudú o en la Macumba. Es un método usado generalmente por la Nueva Era a fin de facilitar, según ella, el contacto con los espíritus guías, o con los ángeles extraterrestres. Aun cuando la mente bajo hipnosis está cerrada a cualquier estimulo externo, no hay estado de somnolencia o dormición en el paciente sino una condición de alerta. Se pierde la posibilidad de *apreciar* el tiempo y el espacio, quedando a merced del que le hipnotiza. La vulnerabilidad del paciente que se somete a este tipo de técnica es total por cuanto el lóbulo frontal izquierdo del cerebro queda bloqueado imposibilitándole la autoconsciencia y el análisis racional con lo cual queda sin poder verificar la realidad de lo que se le sugiere, siendo siempre afectado por las sugestiones del propio hipnotizador (puede consultarse sobre esto a a John Gruzelier en *American Health Mgazine*, junio de 1995).

En un libro reciente del profesor Hector Detrés C. (*Nueva Era*, ed. Clie, Terrassa-Barcelona 1999, pp.59-61), se evalúa el valor de la hipnosis mediante varios científicos actuales que han llegado a la conclusión de que la hipnosis no puede ir más allá que lo que elterapeuta orienta. El hipnotizado queda sometido a las insinuaciones del que le dirige. Nicolas Spanos (en Journal of Personality and Social Psychology, *Pas-life hypnotic regression: A critical review. The Skeptical Inquirer*, vol. 12, pp. 174-180, año 1988; también *Secondary Identity Enactments During Hynoptic Past-Life Regression: A Sociocognitive Perspective* 1991, pp 308-320), nos habla de los disparates que dicen los que son hipnotizados dándose inexactitudes y falta de veracidad; y de las fantasías inducidas por parte del hipnotizador, y los aportes del paciente como fruto de sus creencias particulares, con lo cual la confianza en la hipnosis es nula.

Intencionalidad: Dejar claro que se trata de seres parecidos a nosotros con NAVES. Seres de otros mundos.

Si hemos de hacer caso a la alternativa que la Biblia nos da, de que Satanás y sus ángeles engañarían al mundo entero, no nos debe estrañar que ellos intenten por todos los medios aparecer como seres extraterrestres de otros planetas, y que no son extraterrestres espirituales, y que la Biblia identifica con Satanás y sus ángeles (Ap. 12:8-12 cf. 2ª Co. 11:14; Ef. 2:2, 6:11-17).

Presentarse como tales sería descubrirse. Ellos utilizan la técnica y la materialización como evidencias para que nosotros creamos que se trata de seres normales más avanzados de otros mundos.

Es evidente que lo que se pretende es engañar y **evitar** de que el hombre **profundice** en las verdaderas **causas** de la situación actual de nuestro Planeta.

La Verdad del Mensaje y del Mensajero Verdadero

¿Hemos sido dejados a merced de cualquier mensaje o mensajero? ¿Cómo puedo analizar si la amalgama de mensajes y mensajeros es verdad? Si todo va a basarse a partir de una experiencia interior ¿qué garantías tengo de que estoy en lo correcto?

¿Con qué Autoridad, Norma, Canon, mido y compruebo que lo que estoy experimentando, y el mensaje que estoy recibiendo no es fruto de una mente enferma, desequilibrada, equivocada, o de esos seres que hemos mencionado, como seres espirituales que se rebelaron contra el Dios verdadero? ¿Qué seguridad tengo de no estar siendo vilmente engañado? ¿Simplemente va a ser suficiente mi propia mente y mis propios conocimientos los que decidirán en última instancia si es verdad o no lo que estoy experimentando?

Según la Palabra Profética no hay necesidad ni de nuevos mensajes ni de nuevos mensajeros que los que ya hemos recibido.

Jesús el único enviado por el Padre para que podamos ser salvos (Jn. 3:16). Jesús es la única verdad (Jn. 14:6), el único camino, y lo único con Dios que debemos conocer (Jn. 17:3). Ha venido a la tierra porque ésta es lo único de todo lo que Dios creó que se había perdido juntamente con los ángeles caídos (Mt. 18:11; Ap. 12:3, 4, 9).

Jesús está con nosotros para siempre, no necesitamos a nadie nuevo (Mt. 28:20). Los hombres que han aceptado el evangelio de Jesús son los principales encargados de predicar el evangelio de Cristo (Mr. 16:15, 16; 2ª Co. 5:19).

y la mente humana[57] dándole unos visos de realidad *científica*, aun cuando siga siendo en la mayoría de los casos un asunto puramente mental sin trascendencia con algo exterior; pero es esa minoría la que nos introduce de nuevo en el fenómeno paranormal, que si se da de un modo real, por el mero hecho de buscarse, manifestará un paradigma que desoye las advertencias de la Palabra Profética en cuanto al modo, contenido y finalidad de relacionarse con el exterior.[58]

Como quiera que la Biblia nos habla del retorno de Cristo, de unas señales que precederían a dicha segunda venida, y siendo que la propia Palabra de Dios nos advierte de los engaños últimos (Ap. 12:7-12), el como se pretenderá falsificar la segunda Venida de Jesucristo anunciada en la Biblia o Palabra Profética, debemos analizar el mensaje implicado en esa presencia de ovnis o extraterrestres que proclaman a través de ciertos instrumentos que su venida será un hecho manifiesto. Y esto, por cuanto pudiera existir un intento de identificar dicha *venida* con la *Segunda Venida de Jesucristo prometida.*

Con el *Corán* las religiones orientalistas, sobre todo estas últimas llevadas por su sincretismo no han tenido inconveniente en admitir a Jesucristo como un enviado de Dios. Ahora bien esa admisión implica aceptar lo que ese Jesucristo y ese libro dicen.

Sin haber analizado la Biblia, y llevados por ese sincretismo, al que creían universal, no tuvieron inconveniente en aceptar dicho libro como una revelación divina.

Cuando comprueban que la Biblia contradice sus filosofías y contenidos ideológicos de forma clara y contundente, y que no acepta ningún otro postulado como verdad. Se ven obligados a decir que eso es debido a que ha habido

---

Los ángeles no caídos ayudan a la salvación de los terrestres pero sin contradecir en nada al evangelio de Cristo (Gá. 1:8, 9 cf. He. 1:14. No se casan (Mt. 22:30). Son un poco superiores al hombre (He. 2:6), y no pueden ser invocados. La invocación forma parte del culto que sólo se debe a Dios (cf. Mt. 4: 10; Jn. 14:13, 14). Pablo alaba la comprobación que los primeros creyentes hacen de la Escritura (Hech. 17:11 cf. Jn. 5:39).

El Espíritu Santo, el Sustituto de Cristo en la tierra iba a ser enviado para convencer al mundo del Pecado, de la justicia y del juicio (Jn. 16:7, 8), guiaría a la verdad (Jn. 16:13; 14:26). Los apóstoles y los profetas dejaron por escrito lo que el Espíritu Santo les inspiró (2ª Ti. 3:15.17; He. 1:1, 2; 2ª P. 1:21; Ef. 3:5). El Espíritu Santo actúa en consonancia con la Palabra de Dios escrita (Jn. 15:26,27; Ap. 1:1-3).

Se nos advierte de la posibilidad del engaño por parte de Satanás y sus ángeles.

[57] Sobre esto se ha consultado a Antonio Ribera en *Telepsiquia*, Febrero 1977.

[58] En el mito de la presencia Ovni, un fenómeno paranormal, en *Más Allá*, Septiembre de 1991, pp. 216-223.

En este último artículo se explica como a nivel mental, por vías no conscientes, se asumiría "la función o rol de catalizadores, facilitando por tanto, con su operativa presencia el desencadenamiento o manifestación de determinados sucesos (fenómenos)"; o bien se daría lugar a vivencias internas con "evolución de la consciencia o realización espiritual" (íd., p. 217).

La Palabra Profética, no solamente está en completo desacuerdo con esta manera, contenido y finalidad sino que no admite el que se tenga que buscar el contacto con nadie, ni con ángeles ni con espíritus de los muertos por cuanto, lo referente a esto último, no existen con consciencia personal. La Biblia nos habla de una única *relación* abierta que posibilita la comunicación exclusivamente con la Deidad (el Dios personal y Creador): la *oración*, que debe ser dirigida exclusivamente a Dios en el nombre de Jesucristo (Jn. 14: 13, 14), se debe pedir el Espíritu Santo (Lc. 11: 9-13) para que te guíe a la verdad; y deben cumplirse unas condiciones relativas a la identificación con la ideología divina expuesta en la Palabra Profética (cf. Jn. 14:15, 16, 17, 26; Pr. 28:9).

una manipulación de los escritos; o bien se desentienden haciendo caso omiso a lo que se testifica como inspirado por Dios.

La Falsificación del Retorno de Jesucristo

El engaño último que tendrá que sufrir la humanidad será la falsificación del retorno de Cristo. En estos momentos puede vislumbrarse una orientación en la humanidad en este sentido. En efecto la trayectoria actual ha sido y es la de crear una confusión respecto a la prometida vuelta de nuestro Señor Jesucristo.

Las religiones no cristianas esperan una nueva reencarnación de Cristo, un Guía, un Guru Universal que agrupará a todos los hombres.

Ejemplos en la historia no faltan, los falsos Cristos que ya Jesucristo nos advierte en el evangelio, y que en su momento hablaremos, se han repetido a través de la historia. Quien no ha oído hablar del Cristo de Monfavet que apareció en el sur de Francia (ya hoy desaparecido, aunque no algunos de sus seguidores). Moon, fundador de la Iglesia de la Unificación, y que se hace llamar "Señor de la Segunda Venida".[59] Bajaulá que dio origen a los Bajais.[60] El Guru Majara Ji, junto a todo lo que crea la *New Age*, y que ya dimos reseña en su lugar, se presentan como una reencarnación del Cristo. Ya indicábamos la propuesta de Benjamin Creme.

Jesucristo había anunciado proféticamente que antes de su Venida se intentaría falsificar ésta

Una gran parte de la humanidad que cree en todo lo que se relaciona con extraterrestres y ovnis se ve impelida a aceptar lo que dichos seres comunican en reuniones espiritistas o mensajes extraterrestres, todo ello mezclado con fenomenología parasicológica y filosofía orientalista, configurando el cuadro que Jesucristo junto a otros contenidos bíblicos nos presenta respecto a su Venida que sería suplantada por falsos Cristos o falseándose los acontecimientos.

Cómo reconocer la verdadera Segunda Venida de Cristo

Una promesa importante respecto a la Segunda Venida (Jn. 14:1-3; 2ª Ped. 3:9-12; 2ª Ti. 4:8), mostrándonos, que ésta es personal e intransferible. Se trata del mismo Jesús (Hch. 1:9-11), no una reencarnación sino él mismo, se trata del mismo cuerpo incorruptible (Hech. 2:29-31) aunque transformado por la glorificación.

Es una venida **visible** (Ap. 1:7), material, no espiritual en el sentido de invisible (Hch. 1:9-11 cf. Lc. 24:36-48; Jn. 20:24-29) precedida de falsificaciones (Mt. 24:23-27).

---

[59] Ya hemos dado reseña del Movimiento Moon. La pretensión de ser el nuevo Mesías (*El principio divino*, op. c., pp. 239, 240; La Iglesia de la Unificación, Cuadernos Familia Cristiana, nº 3, 1990 pp. 21-24; nº4, pp. 25-28).

[60] Respecto a los Bahá'i, consideran a Bahá'u'lláh como un Cristo, ver a John E. Esslemont, *Bahá'u'lláh y la Nueva Era*, ed. Baha'i de España, Tarras (Barcelona), 1976.

Cuatro Acontecimientos Básicos
1) Resurrección de Justos (1ª Ts. 4:13-16).
2) Transformación de los resucitados y de los vivos justos (1ª Co. 15: 51-53).
3) Selección y traslación de los justos (1ª Ts. 4:16, 17; Mt. 24:30, 31
4) Muerte de los impíos (2ª Ts. 2:8; Ap. 11:18).

Conclusión de este apartado
Existe una falsa concepción respecto al Retorno de Cristo. Hay orientaciones equivocadas respecto a la doctrina del Retorno de Cristo, como consecuencia de los mensajes que proporcionan ciertos extraterrestres.
Jesucristo advertía de la existencia de engaños.
Está anunciada una falsificación del retorno de Cristo. Satanás simulará la prometida segunda Venida de Cristo.
Se nos insta a orar y a estar preparados (Mt. 24:42-44; Lc. 21:34-36).

Conclusión

Ya hemos comprobado lo que dan de sí los que destacan en alguna de las facetas que entra dentro de la fenomenología parasicológica. Hemos observado la naturaleza confusa y engañosa que aparece en las diferentes descripciones de dicha fenomenología. Hemos llegado a la conclusión que independientemente de los fraudes, errores, actitudes que se escapan al análisis racional y lógico, el propio esquema programático e ideológico que promueve la *New Age*, además de ser contrario y divergente a lo que nos provee la Revelación Profética o Palabra de Dios, y señalado por ésta como nocivo, facilita, dicha *New Age*, con sus contenidos y técnicas relativas a la parasicología, por un lado la comprensión de estar siendo inspirado dicho esquema por la Serpiente antigua o Satanás, y por otro la apertura de un *canal* para que los agentes satánicos manipulen, dirijan e inspiren a esos seres humanos que aceptan cualquiera de las variantes de esa ideología, colocándose en una posición en la que el engaño será una realidad.

En efecto, el mensaje escatológico que se provee, tanto en su dimensión antropológica como de los sucesos últimos está en contraposición con los contenidos bíblicos tanto antropológicos como el relativo a las postrimerías y al *fin del mundo*.

Hay algo que cualquier adepto de la *New Age* debería reflexionar: ¿por qué aceptar lo que se les comunica por vía extraterrestre (Ovnis), o parasicológica (médiums) experiencias *cósmicas* e internas), y no lo que se nos revela en la Biblia?

La *New Age* se origina y se desarrolla por medio de revelaciones que los individuos reciben a través de sus experiencias con espíritus o con extraterrestres, o con seres que ellos llaman evolucionados, o por su búsqueda interior divina para encontrar el contacto con la del macrocosmos. Sin embargo la Biblia también nos dice que es un compendio del mensaje que el Creador de todo, de los propios extraterrestres o de los ángeles, ha inspirado a hombres para que transmitan con el lenguaje humano la **Verdad** que cada ser humano necesita.

Precisamente Dios quiso evitar los resultados que suponía un mal uso de la mente, y reveló por escrito una norma universal para que todos pudieran guiarse por ella.

Una vez más, como ya estudiamos en otro lugar, es preciso reconocer que nos encontramos con dos revelaciones distintas y radicalmente divergentes. Y si una es la verdadera, la otra es la falsa. Pero hay algo más, se puede descubrir la mentira de la filosofía que sostiene a la *New Age*, tal como ya hemos mostrado. En efecto, lo que inspira a la *New Age* demuestra su falsedad y mentira, por cuanto predica un mensaje en cuanto a que todo responde a la armonía (la unión de los opuestos o de los contrarios, y la igualdad de lo diferente), que el mal no existe fuera de lo que el hombre equivocadamente, por falta de conocimiento y evolución, ha generado. La Biblia, sin embargo te indica que el Mal existe en un ser exterior al hombre. Un ser de naturaleza angelical que se rebeló contra Dios y que ha engendrado un sistema de pensamiento y de actuación opuesto y como adversario del Dios personal y Creador.

El hecho de que la *New Age*, con su paradigma, no advierta la existencia de la filosofía que sostiene la Palabra Profética que se presenta con un contenido y objetivo totalmente distinto al de la *New Age*, está omitiendo lo que haría imposible, la base y esencia ideológica de la propia *New Age*; por lo tanto se descalifica y se autoproclama como mentirosa.

Capítulo V

La astrología como origen de una antropología ajena a las Escrituras, sus bases falsas y origen satánico[1]

Introducción

El hombre sufre crisis anunciada por la Palabra Profética (Is. 17:10, 11). El vacío espiritual lo ha querido llenar con lo que Dios no aprueba (Ez. 23:35). Hoy, millones de personas no están satisfechas. Buscan *algo*. El problema es ¿dónde buscar? ¿Dónde encontrar seguridad? ¿Hay algo que no cambia? ¿Hay algo en lo que se pueda confiar?

Millones de personas consultan, a los *adivinos*, a los *astrólogos* o a los horóscopos.[2]

1. El ejemplo de Jeane Dixon

Todavía más, hay quienes piensan que pueden consultar, y comunicarse con otros seres, llamados espíritus, y sin perjuicio para su salud física y psíquica.

La escritora Ruth Montgomery, en su libro *Un don de profecía*, selecciona a Jeanne Dixon,

---

[1] Puede consultarse un libro completo y bien documentado del Dr. Fernando Saraví, *Los Horóscopos y la Biblia*, ed. CLIE, Terrassa-Barcelona 1992.

[2] Hitler y algunos dirigentes de los aliados durante la segunda guerra mundial consultaron a los adivinos. Tanto el ex presidente de los Estados Unidos Ronald Reagan como su esposa Nancy creían en la astrología y la consultaban para sus quehaceres políticos (ver a Donald Reagan *en Special Report Astrology and the Presidency*, Skeptical Inquirer 13 {1}: 3-15, 1988).

«... haciendo resaltar varios de sus mas notables vaticinios. Entre ellos la transformación de la milenaria China en un país comunista, el asesinato de Gandhi, la división de la India en dos estados, el lanzamiento del primer *sputnik* y el asesinato del presidente Kennedy».[3]

«Jeanne explica que, a veces, percibe ciertas sensaciones peculiares cuando da la mano a una persona; esas sensaciones (suele llamarlas "vibraciones"). La alarman en cuanto al porvenir de quien estrecha su diestra. Entonces suele parecerle ver algunas escenas, presentadas en forma de símbolos, acerca de la persona y, en ocasiones, le parece oir una voz que le sirve de guía mediante detalles adicionales.

Con frecuencia se han cumplido sus predicciones (formuladas de acuerdo con sus impresiones táctiles, sus visiones y lo que ha captado de forma auditiva)».[4]

«No sabemos por qué Jeanne Dixon es utilizada como instrumento -como intermediaria, como médium- en esta forma de ocultismo; por qué sirve a los fines de una inteligencia cuya procedencia quizá ella misma desconoce. Pero sí sabemos, basados en las Sagradas Escrituras, que el Altísimo llama "abominación" la obra de "quien practique adivinación". La misma tremenda palabra –abominación– es empleada tambien para los "agoreros", "sortilegos" y "adivinos"».[5]

Grandes personalidades, tanto de la política, como presidentes, como de las finanzas, le han consultado. Lo mencionado es simplemente una muestra de su poder adivinatorio.

a) *Origen de sus precogniciones*

Según ella, una voz interior le comunica estos sucesos. Un espíritu guía le da la posibilidad de preconocer el futuro. Se trata de *algo* que le llega espiritualmente o psíquicamente a diferencia de su propio pensamiento.[6]

b) *Equivocaciones diversas de la adivinadora Jeane Dixon*

«Además esta prenosticadora se ha equivocado ya varias veces. Por ejemplo, predijo que la China roja provocaría una guerra mundial en octubre de 1958 a causa de Quemoy y Matsu; anunció para Estados Unidos la candidatura presidencial de Walter Reuther, en 1964; tambien afirmó que, para 1964, triunfaría en las elecciones de Gran Bretaña el partido conservador con Alexander Douglas-Home. Hoy es muy fácil comprobar esos desaciertos.

En cambio, los legítimos profetas bíblicos no se equivocan en sus anuncios del futuro porque fueron instrumentos del Eterno».[7]

---

[3] Citado en *Vida Feliz*, Abril 1971, p. 11.

[4] Id., pp. 11, 12.

[5] Id., p. 12.

[6] En *Selecciones de Reader's Digest* (*La Bola de Cristal*) de septiembre de 1965, p. 171 (condensación del libro de Ruth Montgomery, *A gift of Prophecy: The Phenomenal Jeane Dixon*, publicado por William Morrow, Estados Unidos 1965).

[7] *Vida Feliz*, Abril 1971, p. 12.

c) Preguntas que se imponen

¿Quién es el que dirige esa voz interior? ¿Quién es ese *espíritu guía*, o lo que le llega espiritualmente a diferencia de su propio pensamiento? ¿Podemos identificarlo? ¿Cómo es que unas veces se equivoca y otras veces no? ¿Podemos explicar esto?

d) El Problema de la Astrología

La Astrología tiene un origen mesopotámico, babilónico.[8] Y el primer Horóscopo que se conozca, data del 410 a.J.[9] La Astrología actual está montada según la Astrología antigua mesopotámica.

La Astrología reposa sobre la profunda creencia de la influencia astral sobre el destino de una persona o el de la humanidad. Afirma que es capaz de *adivinar* la personalidad y el destino de los seres humanos con la ayuda de Horóscopos basados en la configuración de los cuerpos celestes, en el día y la hora del nacimiento de la persona.

Según la astrología los destinos de los seres humanos están ya revelados, y por lo tanto no pueden revocarse. Es decir, el hombre tiene que resignarse a su destino.

Ya vimos que la New Age hacía hincapié en la influencia de los astros respecto a un cambio en la sociedad política y humana. En el primer año de nuestra era el signo de Piscis comenzaría su reinado de ahí el anagrama griego *crístico* IXCIS, y el dominio de una sociedad *cristiana*; ahora a los 2160 años el Sol entrará en la era del Acuario, trayendo consigo una nueva religiosidad mundial que reconciliará a todas las religiones, creando un Nuevo Orden Mundial.

Según la New Age partiendo de que somos un Todo con el macrocosmos, e íntimamente relacionados, sería preciso salir al encuentro de esa interdependencia en el momento en que los astros señala, y que según la base de la configuración zodiacal, una nueva posición ocuparía el Sol en relación con las constelaciones.

Sin embargo todo el sistema zodiacal astrológico reposa sobre la conjetura tanto en lo que se refiere a su naturaleza y contenido como en lo relativo a sus influencias.[10]

Veamos esto un poco más de cerca.

---

[8] Recordemos cómo todo está teniendo un círculo cerrado, y todo retorna a lo mismo. Fue en la cultura babilónica donde se inició un paradigma antropológico contrario a las Sagradas Escrituras, basado precisamente en la **religión astral**. Esa concepción de que los dioses proceden de los astros y que proyectan un orden y antropología en la tierra, recibe aquí, por su exponente más representativo, la New Age o en el Movimiento del Potencial Humano, su máxima identificación y valoración.

[9] El primer presagio astrológico se dio en el año 2300 antes de nuestra era, evocando un eclipse de luna en Babilonia. Es con la publicación del *Tetrabiblos*, del matemático Ptolomeo en 140 a.J., que se obtienen los fundamentos para la interpretación de los horóscopos individuales (ver *Signes des Temps*, julio-agosto 1995, 9).

[10] Puede consultarse una última publicación (*Signes des Temps*, julio-agosto 1995, pp. 9-12) *Le grand bluff astrologique*, en un dossier de la revista indicada, donde se demuestra la invalidez y las bases falsas de la Astrología.

d1) Endeble base científica

En septiembre de 1975 el decimoctavo ganador del Premio Nobel junto a 186 prominentes hombres de ciencia norteamericanos, denunciaron las "presuntuosas declaraciones de los astrólogos charlatanes", y afirmaron que no hay base científica para divulgar la opinión de que las estrellas predicen los acontecimientos y tienen influencia en la vida de las personas.[11]

El científico Shawn Carlson nos advierte sobre la carta astral:

> «No hay acuerdo sobre cómo debe interpretarse toda la carta. No hay acuerdo siquiera en la filosofía básica de la interpretación».[12]

Y refuta de modo consistente en uno de sus artículo en *Nature* todas las bases en que reposa la Astrología.[13]

El estudio de Kelly[14] que presenta resumidos los argumentos de los astrólogos con unas respuestas irónicas entre paréntesis evidencian la charlatanería de los asertos de los astrólogos:

> «1) La astrología tiene antigüedad y persistencia (también el homicidio).
>
> 2) La astrología se encuentra en muchas culturas (también la creencia en una tierra plana).
>
> 3) Muchos grandes eruditos han creído en ella (muchos otros no).
>
> 4) La astrología se basa en la observación (su complejidad desafía la observación).
>
> 5) Existen influencias extraterrestres (irrelevantes para la astrología).
>
> 6) La astrología ha sido convalidada por la investigación (no es verdad).
>
> 7) Los que no son astrologos no pueden juzgarla (entonces ¿quien puede juzgar el homicidio).
>
> 8) La astrología no es un ciencia, sino un arte o una filosofía (no es motivo para creer en ella).
>
> 9) La astrología funciona (la evidencia sugiere lo contrario)».[15]

La astrología no solamente no responde a una realidad que pueda estudiarse, siendo errónea en su constitución, sino que además se da una contradicción constante: a veces se *equivoca*, y en ocasiones *acierta*. Al igual que la adivinadora Jeane Dixon, la consulta a los astros no propicia seguridad, a pesar de que el escritor Mark Twain, creyente en la astrología, dijera que había nacido bajo el cometa *Halley*, y que moriría cuando este volviera a la tierra. Y así sucedió murió en 1910.

---

[11] Recogido por Rene Noorbergen en *Vida Feliz* 7-1977, pp. 9, 10.

[12] *Astrology*, University of California at Berkeley, Berkeley 1987, p. 5.

[13] De este mismo autor puede consultarse "*A double blind test of astrology*". *Nature* 318, pp. 419-425, 1985, considerado como un jalón en la refutación científica de la Astrología.

[14] Dicho estudio es recogido por Geoffrey Dean, *Does astrology need to be true?* parte 1ª, *A look to the Real Thing* en *Skeptical Inquirer* 11, pp. 166-184, 1986/1987. Ver también la 2ª parte en 11, pp. 257-273, 1987.

[15] Nosotros lo hemos citado de *Los Horóscopos y la Astrología*, del Dr. Fernando Saraví, op. c., p. 76.

Sin embargo en Febrero de 1974, el *Saturday Evening Post*, hacía el siguiente comentario:

> «El análisis de las predicciones hechas por los tres mejores astrólogos británicos, en el término de un año reveló que de los 30 anuncios que hizo uno de ellos, sólo 12 fueron acertados. El segundo, acertó 9 de 30. Y el peor de los tres, sólo acertó 4 de las 30 predicciones que anunció».[16]

En una investigación en la que se reunieron varios millares de horóscopos se informa lo siguiente:

> «(...) consiguiendo mas de 20.000 fechas de nacimiento de personalidades francesas y extranjeras del deporte, las artes, la política...
>
> Separadamente se examinó cada componente de su temperamento, comparándolo con las características atribuidas a su signo del Zodiaco. El resultado fue negativo:
>
> "Estos trabajos largos y fastidiosos —explica— no nos permiten, pues, aceptar las significaciones psicológicas tradicionales atribuidas a los signos del Zodiaco. Parece indiferente haber nacido en tal signo o en tal otro. Las mismas conclusiones negativas se sacan del estudio de los factores clásicos del horóscopo, que son las posiciones de los astros en 'aspecto' o 'casas'. Las influencias que se les atribuyen no quedan confirmadas en ninguna parte"».[17]

¿Qué origen tiene realmente la astrología? ¿Por qué unas veces se equivoca y otras no?

Antes de responder tanto a estos interrogantes como a los que planteábamos en relación a la adivinadora Jeane Dixon, hemos de añadir algunas palabras respecto a la astrología.[18]

Primero: Un criminal, lo ha sido porque así estaba prefijado. Por lo tanto él no es responsable, sino las estrellas. ¿Para qué sirve la educación si nuestro destino ya es inmutable? Y si no fuera así ¿para qué sirve la astrología?

Segundo: ¿Por qué los astrólogos atribuyen tanta importancia al día de nacimiento, y no lo hacen al día de la concepción, durante los 9 meses de formación en el vientre de su madre? ¿no es acaso tan importante? Cuándo hoy se puede adelantar y provocar un parto, o incluso retrasarlo ¿quiere decir esto que el facultativo tiene más importancia que la influencia de los planetas, el sol, la luna y las estrellas?

Tercero: Distingamos entre ASTRONOMÍA (verdadera ciencia) y astrología (falsa ciencia). En efecto, el que ciertos astros tengan una influencia, por ejemplo: Las mareas respecto de la luna, no significa ni muchísimo menos, que ejerzan una influencia en el carácter o en la personalidad de los individuos.

---

[16] *Vida Feliz*, Julio de1977, p. 9.

[17] Recogido en el *Dominical de Diario 16*, 19-2-1984, p. 34.

[18] Hemos consultado para la confección de lo que sigue en el texto dos artículos, uno de Rene Noorbergen en *Vida Feliz* 7-1977, pp. 8-10, y el Rafael Blodgett, *El Centinela* 1985, pp. 6, 7.

Cuarto: Los astrónomos nos dicen que durante estos 2.000 años, el zodiaco se ha mudado totalmente de casa. El sol ya no está suspendido en el grado O de la constelación de ARIES. Se ha desplazado hacia una nueva ubicación que está ahora en el 7º grado de PISCIS, según los cálculos de los astrónomos. Según esto, debieran haberse revocado do totalmente el esquema de los símbolos. Pero todavía no lo han hecho.

Quinto: Por encima de los 66º no hay futuro. Porque es imposible precisar qué constelación está asomando por encima del horizonte. Por lo tanto las personas que nacen en lugares como FINLANDIA, GROENLANDIA, ALASKA y NORTE DE CANADA NO TIENEN FUTURO.

Sexto: El problema de los mellizos, que en la mayoría de las ocasiones son totalmente distintos en cuanto a la personalidad.

Séptimo: El problema de los nuevos planetas: Urano. Neptuno y Plutón, que no estaban considerados cuando se forjó por los Caldeos babilónicos esas casillas. No hay lugar para ellos en la astrología.

Octavo: Se ha investigado y llegado al descubrimiento de que el Zodiaco estaba equivocado, hay una constelación más que supondría la alteración de las fechas de todos los signos, y por lo tanto todo lo realizado y planificado hasta aquí estaría basado en la conjetura y en la falsedad.[19]

d2) Qué origen tiene todo esto y cuál es su naturaleza

Ya decíamos en otro lugar que quienes inventaron el Zodiaco en Babilonia tuvieron en cuenta su filosofía de la unión de los contrarios. De los signos se obtiene una interpretación dualista y opuesta que tiende a la unificación.[20] Por otra parte cada órgano del cuerpo estaba relacionada con una área del Zodiaco.

Rene Noorbergen se explica de este modo en relación a la filosofía que contiene la astrología:

> «Si henos de creer en la astrología debemos admitir que los planetas tienen conciencia de sí mismos. Al poner su confianza en conceptos puramente paganos, los astrólogos defienden la idea de que el sistema solar posee unidad de conciencia y voluntad, amén de que puede emitir esa voluntad a discreción a fin de ejercer su influencia y afectar las actividades de los que pueblan la tierra. Creen, en consecuencia, en una superconciencia que actúa sin Dios, y por encima de él. Es una filosofía panteísta en la que el poder del Creador penetra en todas las cosas. Y esta es una de las mas claras evidencias de la raíz pagana de la astrología».[21]

Ahora bien, ya hemos estudiado quién es el originador de la filosofía de la unión de los contrarios y de lo que es diferente, y de las formas paganas,

---

[19] Ver artículo aparecido en los diversos periódicos occidentales recogiendo la opinión nada menos de la Royal Astronomical Society de Inglaterra (*El Mundo*, 22-1-1995, p. 48).

[20] Ernest Steed, *Dos=Uno*, op. c., pp. 25-28.

[21] *Vida Feliz*, 7-1977, p. 9.

de acuerdo a lo que nos provee la Palabra Profética: precisamente el generador de uno de los contrarios (el Mal) que pretende camuflar el mal, con esa filosofía absolutamente dispar y divergente a lo que la Palabra de Dios nos enseña, como si no fuera necesario evitar lo que el Dios Creador y personal denomina como malo.

No es de extrañar que tanto los astrólogos como los adivinos, actúen de médiums o consulten a los espíritus; o ambas cosas a la vez, o den una importancia de conciencia de sí mismos a los propios planetas, o la idea de que el sistema solar posee unidad de conciencia y voluntad, otorgando validez a una teoría astrológica pagana que se sustenta en la filosofía que la Serpiente antigua inspiró, predisponiéndose a recibir un mensaje falseado en su conjunto, aun cuando en ocasiones acierte en ciertos aspectos puntuales.

Tanto Jeanne Dixon, como Edgar Cayce, Daniel Logan, como Arturd Ford, junto a otros que creen en la astrología y la practican, son auténticos *médiums* que consultan a los espíritus (de los muertos), y que estos les dicen lo que va a suceder, o lo que tienen que hacer. Y en ocasiones son exactas las informaciones, y en otras se equivocan.

e) Análisis de la Adivinación y de la Astrología según la Biblia

La Palabra Profética dice en Deuteronomio 18:9-12 (cf. Lv. 19:26, 31; 20:6) que no se debe consultar ni a los ADIVINOS, ni a los ASTRÓLOGOS ni a los espíritus de los muertos, ni a los espíritus (cf. Hch. 16:16-19). Todo esto es abominación para Dios. La Biblia nos dice que el verdadero profeta nunca se equivoca (Dt. 18:14-22).

La Sagrada Escritura nos habla de que examinemos a los Espíritus; porque los hay que son de Dios y que los hay que son del Padre de la mentira que engaña a todo el mundo (1ª Jn. 4:1).

El Dios de la Biblia se ríe de los que hacen caso a las estrellas y a los astros respecto a que puedan predecir el futuro. (Jer. 10:1, 2; Is. 47:12-14).

La Biblia nos dice que el hombre posee **libertad** sobre todo para construirse un destino muy diferente que lo que pueden decir los horóscopos (Dt. 30:19 cf. Jn. 8:31, 32).

Dios nos pide que nos paremos en nuestros caminos, y que nos volvamos a El y que a El le consultemos (Lm. 3:40; Jer. 6:16; Is. 45:21, 22). Es la Ley de Dios y el Testimonio de los profetas como Palabra de Dios, lo que debe consultar el cristiano (Is. 8:19, 20).

Es por ello que nadie ni astrólogo ni adivino puede predecir con seguridad ni conocer realmente el futuro (cf. Dn. 2:27), Dios es el quien predice y obra (Isa. 46:9-11 cf. Dn. 2:28).

¿Quiénes inspiran a estas personas que practican la adivinación o la astrología cuando Dios lo ha prohibido? Según los textos leídos se condena esa clase de consultas, y participar o creer en ese tipo de prácticas. Y por otra parte se nos advierte que existen espíritus o ángeles que se rebelaron contra Dios que engañan a toda la humanidad (Ap. 12:9-12; Ap. 16:13, 14 cf. Ef. 2:1, 2; Ef. 6:12 ss.; 2ª Co. 11:14).

Conclusión

La Astrología y la Adivinación están basadas en un sistema que responde a una ideología especulativa y llena de conjeturas. No descansa en premisas científicas. Se comprueba los errores tanto de su origen como de su aplicación.

Es evidente que la prohibición divina no reposa en un capricho, sino que Dios sabe que es uno de los métodos, el de la adivinación y astrología, que el Maligno, la Serpiente antigua, utiliza para desviar a los seres humanos de la voluntad divina.

Ya hemos indicado que esta especie de locura obsesiva por parte de Satanás en confundir y engañar, radica en su propósito de demostrar que Dios está equivocado. También dijimos que esto es fruto de su negación de criatura. Al erigirse como Dios niega que Dios sea una Persona eterna. Su filosofía panteísta nace en la desconfianza de que Dios haya podido ser su Creador. Al presentarse el Dios eterno Creador como el Bien, Luzbel se dejó arrastrar, en un mal uso de su libertad puesta por Dios, en lo contrario y distinto al Bien. Apartándose y rebelándose contra Dios ha querido mantener y demostrar que el Mal es necesario y que debe conjugarse con el Bien, de ahí nace la filosofía que después inculcaría a la humanidad, de la unión de los contrarios, o la igualdad de lo diferente.

Mientras que Satanás emplea el método de la mentira y el engaño, Dios utiliza lo único que es armonizable, para la salvación del hombre, con la naturaleza creada y caída del hombre. Tiene que convencer de una única Verdad, mientras que el Maligno, teniendo en cuenta la actitud justa y misericordiosa de Dios, dentro de la libertad humana, ha emponzoñado esa Verdad diciendo que *todo* es verdad, incluso lo que se presenta radicalmente distinto a la Verdad del Dios Creador y personal.

Respecto a los aciertos y equivocaciones digamos que si en ocasiones no se equivocan los pronosticadores, es por cuanto quienes los inspiran, conocen mejor que nosotros los destinos humanos y de las naciones; observan los acontecimientos y manipulan a su antojo a todos aquellos que se han apartado de Dios; han creado un diseño histórico dependiente de la rebelión del hombre y de su permanencia en ella.

Sin embargo el Reino de Dios actúa en la Historia para que en última instancia se cumpla el propósito divino respecto a su Pueblo y Plan Soberano. Esto es lo que Dios nos revela en su Palabra Profética, especialmente en Daniel y Apocalipsis. Cuando analizamos las principales profecías de estos libros mencionados, podemos observar quién es el Dios verdadero (Dan. 2:28; 12:3, 4; 12:9, 10; Ap. 1:1-3), y entonces **entenderemos** la Historia del Reino de Dios, y quién es la Serpiente antigua sin ningún género de dudas.

Los fallos tanto de la adivinación como de la astrología, es un factor más para que comprendamos el poder limitado y la desconfianza que debemos tener en semejantes métodos. Dios ya nos indicaba que El actuaría de forma que pudiera evidenciarse el poco valor de los augurios de la astrología o de los adivinadores (Is. 44:22ss).

La New Age al recoger esta tradición pagana dentro de su laberinto de alternativas confirma su falsedad y peligrosidad, además de su connivencia con la Serpiente antigua, aun cuando muchos de sus adherentes no estén en condiciones de vislumbrarlo siquiera.

La New Age no tiene ninguna solidez para basar su mensaje de la era del Acuario. Primero, porque como ya vimos, todo lo relativo a esos ciclos no se sustenta en ningún hecho astronómico real. En segundo lugar porque los planetas o los astros no influyen en la marcha de la historia. En tercer lugar porque tanto las casillas como los signos zodiacales se configuraron partiendo de conjeturas ideológicas subjetivas que no tenían apoyo científico. En cuarto lugar porque los astros *juegan malas pasadas* a los que creen en ellos como si fueran señales fidedignas. En efecto, según la New Age el 3 de febrero de 1962 tuvo lugar un raro acontecimiento en la constelación de Acuario cuando siete planetas se alinearon por primera vez en ochenta años. Esto se interpretó como una señal del amanecer de la era del Acuario. Pero ni hace ochenta años cuando ocurrió con anterioridad ese mismo fenómeno sucedió ningún amanecer significativo en la historia ni cuando el 11 de enero de 1994 se alinearon de nuevo siete planetas además del sol y la luna, pero esta vez en Capricornio no en Acuario. Si en lo uno tenemos que encontrar un significado, en lo otro, en distinta casilla zodiacal (en este caso Capricornio), habría que encontrarlo también.

La conjetura del año zodiacal les ha llevado, basados en "parece que ...", a calcular en años todo el recorrido del Zodiaco que sería 25.200 años y a unos 2.100 años todo el signo, y a unos setenta años a recorrer un grado. Nadie se pone de acuerdo en si son 70 o 75, o si son 2.100 o 2.160.

¿Y esto por qué? Porque no hay seguridad, nótense las palabras de alguien que quiere explicarlo:

> «Este movimiento aparente del Sol al ser visto desde la tierra de tal manera que parece llegar a una posición dada un poquito antes (...) O sea que el Sol parece cruzar el Ecuador en el equinoccio vernal cada año un poco antes de llegar al punto en donde lo cruzó el año anterior» «(...) tarde unos setenta años (...) unos dos mil cien años».[22]

Aparente, "*parece llegar*", "*parece cruzar* ¿Es real o es aparente? ¿Parece o es seguro? ¿Son setenta o no son setenta? ¿Son dos mil cien o no son dos mil cien? ¿En qué quedamos?

Por si esto fuera poco De Chéseaux descubrió y demostró que el ciclo Solar

---

[22] En el monográfico de *Más Allá*, n° 8, Abril de 1994, p. 21, en el recuadro de "la precesión de los equinoccios".

«es un espacio de tiempo que armoniza diferentes revoluciones astronómicas incorporando a cada una de ellas cierto número de períodos, sin sobrantes y sin fracciones».[23]

Obteniendo como duración de ese ciclo Solar astronómico **no astrológico** la cifra de 2300 años.[24] Los célebres astrónomos franceses Mairan y C.F. Casini de la Real Academia de Ciencia de París confirmaron la exactitud de ese cálculo.[25]

Una vez más la New Age se tambalea sobre una cuerda floja. Todo responde a un esquema impreciso y lleno de lagunas. Mientras tanto ciertos seres humanos no manifiestan demasiado interés en la verdad, sino en las sensaciones, como si se tratara de cualquier clase de droga. Prefieren las elucubraciones de un cerebro enfermo al conocimiento del Dios verdadero que la Palabra Profética nos ofrece.

---

[23] En *Remarques historiques, chronologiques et astronomiques* ...Laussanne 1754, p. 20 (citado en *RAE*, mayo de 1982, p. 11.

[24] Id.

[25] *RAE*, mayo de 1982, p. 11.

Capítulo VI

La concepción evolucionista de la Nueva Era y la teología creacionista de la Revelación bíblica

La Nueva Era ha aceptado la concepción evolucionista que el sistema científico en la actualidad defiende, mediante argumentos basados en hipótesis y teorías no probadas. Si bien hay numerosos científicos cristianos e instituciones que no aceptan la teoría evolucionista, la tendencia mayoritaria, y la representada por el mundo universitario y educativo es la de creer y apoyar la teoría evolucionista. Independientemente de que haya un colectivo creyente en un Dios personal que acepta dicha teoría evolucionista,[1] adaptando de modo

---

[1] El Catolicismo Romano mediante la declaración magisterial del Papa Juan Pablo II acepta oficialmente la teoría de la Evolución tal cual se presenta en el mundo científico, con las matización de que ha sido Dios quién decidió hacerlo así. La incompatibilidad de la Revelación de la Creación con la hipótesis evolucionista es total.

La contradicción entre el diseño de Dios tal como se nos revela en Génesis y el Evolucionismo teísta es manifiesta. Dembski reconoce sobre el naturalismo que "no requiere que explícitamente neguemos la existencia de Dios. Dios pudo, después de todo, haber creado el mundo para ser autónomo. Sin embargo por consideración a la investigación se requiere que pretendamos que Dios no existe y se actúa en armonía con esta suposición. El naturalismo no afirma que Dios no existe, sino que Dios no necesita existir. No es que Dios haya muerto sino que Dios está ausente. Y porque Dios está ausente, la honestidad intelectual demanda que realicemos nuestra tarea sin invocarle a él" (citado por Randall Younker en *La Creación de Dios*, APIA Miami, Florida 1999, p. 100).

Por otra parte los evolucionistas seculares afirman del evolucionismo teísta lo siguiente:

"Para el naturalista más duro, el evolucionismo teísta, en el mejor de los casos, incluye a Dios como un pasajero innecesario de un informe, de otro modo puramente naturalista, de la vida. (...) ya que Dios es un pasajero en nuestra comprensión del mundo natural, el evolucionista teísta debería evitar totalmente hablar de Dios y eliminar el adjetivo inútil: teísta" (citado en íd.).

Y es que es un contrasentido adherirse a la teoría de la Evolución, aceptándola tal cuál, en base a los enunciados que pasan por científicos, aportando simplemente que en el origen de todo, y de la propia Evolución en sí, fue Dios quién quiso hacerlo así. De este modo se convierte a Dios en evolucionista, y en abierta contradicción con lo que ese mismo Dios, que se dice aceptar, revela respecto a la Creación. Si yo acepto a

incorrecto el texto de la Revelación, la Nueva Era se constituye en un movimiento representativo de la creencia en la Evolución desde un punto de vista agnóstico y ateo. Cualquier tendencia evolucionista sea la de un *creyente* o la de un agnóstico o ateo, no imposibilita su aceptación, y contradice, en el caso del llamado creyente, su propia creencia en el Dios Creador. Demostraría creer en *un Dios evolucionista*, y de acuerdo a esa concepción así sería su creencia en Dios, y su definición en cuanto a aceptar lo que él ha revelado. Su rechazo de la Creación tal como se revela en la Escritura[2] es una evidencia de su posición mental a la hora de aceptar otras declaraciones que la propia Revelación de Dios realiza.

A. Creación frente a Evolución

Partiendo de un pensamiento común, el del origen de la existencia, los creacionistas aceptan el relato mosaico del Génesis mientras que los evolucionistas prefieren ignorar el relato bíblico de la creación y aceptar la idea de un origen y desarrollo espontáneo de las características físicas actuales de la naturaleza a partir de formas remotas de materia inorgánica o de energía.

De ahí que nos preguntemos antes de entrar en detalles: ¿Verdaderamente la evolución responde a un criterio científico?

Dios tal cual se me revela en su Palabra escrita ¿cómo puedo rechazar lo que Él revela respecto a la Creación, cuando esa revelación se manifiesta en total desacuerdo con la teoría de la Evolución? No estoy pretendiendo ahora ir en contra de la Ciencia sino que un creyente en el Dios que se revela pueda conciliar lo que el Dios de la revelación afirma respecto al origen de la Creación con lo que presenta la teoría de la Evolución. Respeto el que alguien que se dice creyente acepte la teoría de la Evolución. Pero lo que no podrá hacer nunca es seguir manteniendo consecuentemente su creencia en el Dios que se revela en su Palabra y en Jesucristo y conciliarla con su creencia en la Evolución. No se trata de que yo haga una interpretación literal de Génesis 1 y 2 (ver *cp. II de nuestra Sección Primera*), y eso sería la causa por la cual me obceco sin poder aceptar la teoría de la Evolución. Se trata de descubrir que hasta la misma manera de expresarse Dios en esos primeros capítulos de Génesis, ya contienen un mensaje que yo debo aprender para evitar cualquier injerencia que pretenda disminuir o desvalorizar lo que ahí se pretende comunicar. Estamos de acuerdo que no siempre la Biblia se puede leer literalmente. Hay que descubrir el género literario con que se expresa un libro o un capítulo y aplicarlo para una comprensión del texto. El género literario de Génesis 1 y 2, tal como ya vimos, no es ni mitológico, ni exactamente histórico, se trata del género hebreo *"genealógico"* que contiene realidades históricas no simbólicas, independientemente del colorido popular con que se seleccionan las expresiones. Este género *"genealógico"* presenta la historia real de lo sucedido a la manera de emitir las *generaciones*: Fulanito de tal ha salido de *fulanito* y *fulanita* (cf. Gn. 5 y 4). Con eso se nos quiere decir en primer lugar que los seres humanos proceden de sus padres, y que los primeros padres proceden *directamente* de Dios (Gn. 1:26 cf. Lc. 3:38, 23-38). En Génesis 1 y 2 el método y la estructura es la misma. La geneanología comienza en Dios que ha creado todo (Gn. 1:1), y todo va saliendo de esa Creación (Gn. 1 y 2), por el poder de la Palabra que manda y se obtiene *acto seguido* (cf. Sal. 33:9; He. 11:3; Jn. 1:1-3).

¿Dónde esta contemplado ese primer impulso creador? No hay tal conjetura sino que todo, absolutamente todo ha salido directamente del poder de la Palabra de Dios (Hb. 11:3 cf. Jn. 1.1-3; Sal. 146:6).

Por otra parte ¿cuál sería la manera de leer Génesis 1 y 2 que no fuera teniendo en cuenta lo que se nos describe? La única forma de aceptar la teoría de la Evolución es como nos había dicho Dembski: no tener en cuenta la existencia de Dios, y rechazando lo que se nos revela respecto a la Creación se lleva a cabo semejante disposición.

Llegamos a la conclusión que el Dios evolucionista no es el mismo Dios que el de la Creación.

[2] Puede consultarse el capítulo donde hemos expuesto el asunto del relato de la Creación de acuerdo a la Palabra de Dios, y sus consecuencias para lo que tratamos en este capítulo.

1. Concepto de evolución y de criterio científico

En principio expliquemos el concepto de evolución en relación con la ciencia.

a) *Definición de Evolución filogenética o Transformismo*

La Evolución filogenética o transformismo responde a una metamorfosis de unas especies vegetales o animales en otras, por sucesivas mutaciones perfectivas de sus esencias. Según esta teoría, todos los seres vivientes han venido a existir por procesos naturales, mecanicistas y evolutivos, a partir de la materia inanimada o energética. Se fundamenta en el principio de la selección natural como causa de la evolución. **¿Es esta una definición científica?** Aparentemente sí, puesto que asegura la existencia de la evolución por medio de una definición que garantiza el haber sido comprobado.

Es decir, para que pueda decir que la evolución es ... **habrá sido necesaria una comprobación** que permita afirmarlo ¿lo ha sido?

b) *El criterio científico al que debe someterse cualquier teoría*

El criterio científico es el que debe determinar si una teoría es o no científica. G.G. Simpson nos dirá:

> «Que es inherente a cualquier definición de ciencia que las afirmaciones que no pueden ser comprobadas por observación no son gran cosa ... o por lo menos no son ciencia».[3]

Cualquier diccionario al definirnos el término ciencia, dice que se trata de verdades demostradas o de hechos observados clasificados y coordinados bajo leyes generales.

En una palabra, **ciencia es observación y verificación.**[4]

Es decir, la ciencia opera por observación y experimentación. Cada concepto que la ciencia revela, tiene que verificarse.

---

[3] *Science*, n° 143, año 1964, p. 769.

[4] En la polémica suscitada en Estados Unidos, respecto a la enseñanza de la Evolución en las escuelas, han surgido críticos a la posición fundamentalista, del prestigio del español Francisco J. Ayala, afincado en Estados Unidos (Catedrático de la Universidad de California, Irvine y miembro del Consejo de Asesores de Ciencia y Tecnología del presidente de los EE.UU., Bill Clinton). Dichos fundamentalistas están en desacuerdo que se exponga dicha teoría de la Evolución como enseñanza en las escuelas. Francisco J. Ayala sale al paso de la postura tomada por la Junta de Educación (Board of Education) del Estado de Kansas que votó por mayoría eliminar toda referencia a la evolución de los programas de estudio de los colegios y escuelas estatales.

Antes de apuntarme aquí a la polémica y discutir con Francisco J. Ayala los términos con que se expresa, hay dos cosas que quiero dejar claras: 1) no soy fundamentalista, y por lo tanto no creo que sea correcto utilizar la ley estatal, o modificar la constitución para que el Estado intervenga en los asuntos religiosos, prohibiendo tal o cual cosas o permitiendo u obligando tal otra; 2) no estoy de acuerdo con la teoría de la Evolución. **¿Qué es eso de Fundamentalismo?**

El Sr. Francisco J. Ayala, (ver *El País digital, Ignorancia en guisa de religión: la teoría de la evolución en Kansas* (31-8-1999, n° 1215), quiere confundir *fundamentalismo* con no creencia en la Evolución. Traer a

La naturaleza plantea el problema, y la mente propone la hipótesis, y la experimentación y la lógica metodológica nos dicen si tal hipótesis es verdad o no.

Pero nótese en el problema que plantea la naturaleza. Sería conveniente que antes que la mente formule la hipótesis, existiese la observación para que la hipótesis tuviera al menos consistencia. Lanzar una hipótesis sin asegurarnos antes si el problema que diseña la naturaleza nos da suficientes pruebas, para alimentar nuestra hipótesis, es sumamente peligroso, y desde luego **no es ciencia** sino que es **pura fe.**

colación las declaraciones de Juan Pablo II en cuanto a la validez científica de la teoría de la evolución, e insistir en la coincidencia de su presencia anterior (la de Francisco Ayala) con científicos y teólogos a cuando el Papa hizo esas declaraciones, y la de advertir al lector, ser el codirector de un libro posterior, a tal efecto, editado por el Observatorio Vaticano, podría ser interpretado como vanidad intelectual o inseguridad que precisa el toque mágico de lo magisterial, de nada de lo cual se debe permitir un intelectual que confía en sus premisas.

Sr. Francisco Ayala (últimamente la Universidad de Valencia le ha hecho honor dándole un doctorado "honoris causa"), espero que usted sepa comprender que no hay ninguna diferencia entre fundamentalismo religioso y fundamentalismo científico. Y la defensa de la teoría de la Evolución versus la Creacionista es tan fundamentalista como lo que usted denomina fundamentalismo religioso. Con una diferencia, en este caso esencial, que si bien el método de presentar y defender la teoría creacionista por el fundamentalismo es *fundamentalista,* pero no la propia teoría en sí misma, la manera en que ciertos científicos con carácter universal tratan la teoría de la Evolución es en sí misma fundamentalista además de los propios contenidos. Cuando usted agudiza la posición fundamentalista, diciendo que los fundamentalistas creen que la Biblia debe ser interpretada literalmente, lo hace con la intención de desprestigiar la teoría creacionista, sin molestarse siquiera en analizar el por qué de la lectura *literal* del relato de la Creación. Hemos dedicado un capítulo en este trabajo (ver *capítulo II de la Sección Primera*) para comprender y comprobar que no podemos leer los relatos de la creación de otra manera que la que se nos revela, le invitamos a que lo estudie. ¿Usted cree que Juan Pablo II no hace una lectura literal del relato de la Creación en cuanto a la aceptación histórica del pecado original y de la existencia de una primera pareja humana denominada Adán y Eva? Al menos esa literalidad es reconocida. Los valores y argumentos con que se predica esa literalidad sirven para aceptar la literalidad de la semana de la Creación y de la institución del Sábado. Si nos tenemos que atener al texto y a su forma, éste se presenta de la única manera concebible: *literal* dentro del método *genealógico.* Si estuviera equivocado, estaría equivocado el autor que quiso decirlo así, pudiéndolo haber hecho de otra manera. Ahora bien, obligar a la Biblia a que quiera decir algo distinto y opuesto a como se expresa por el hecho de que la Ciencia haya emitido una serie de enunciados hipotéticos considerados por muchos como probables pero no probados ni demostrados ni verificados en el sentido de poder mantener la teoría de la Evolución con auténtica validez científica, está fuera de todo lugar ¿Podría estar la Ciencia equivocada en el enunciado de los *hechos* que ella considera como probables en relación a la constitución de la teoría de la Evolución? Aquí le quiero ver Sr. Francisco Ayala. De su respuesta depende el que usted y su Ciencia sean tan fundamentalistas como ese fundamentalismo protestante al que hace alusión en su artículo en El País. Si ante los vacíos, inconsistencias, falta de pruebas imprescindibles a fin de que una hipótesis sea elevada a categoría de científica, y a los parches religiosos que su amigo Juan Pablo II decidió poner (después de haber estado usted presente con veinte científicos y teólogos), se atreve a responder de que no hay ninguna posibilidad de que la Ciencia esté equivocada en su teoría de la Evolución como solución y explicación a la existencia primaria del Cosmos, se convierte en un perfecto fundamentalista.

Yo soy consciente de que trabajo en base a unos presupuestos que acepto por la Fe. Yo no pretendo basarme para mi creencia en la Creación de acuerdo al modo con que se me explica, en pruebas científicas, sino en el lenguaje y concepción de Aquel que estuvo presente en lo irrepetible. Porque la Creación es irrepetible. Y tal como sucediera ya no puede *verificarse.* Y estoy de acuerdo con usted en parte, y posteriormente lo discutiremos, cuando afirma "que lo que observa la ciencia no son las proposiciones sino las consecuencias". Y para mi las consecuencias de la Creación tal como se exponen en Génesis son evidentes para hacerme creíble la teoría de la Creación tal como se expone en Génesis 1 y 2, en el leguaje literario que se creyó conveniente. Pero usted que es un científico no se puede permitir el lujo, ante las lagunas y lo no demostrado e imposible de verificar de la teoría de la Evolución, de rechazar la posibilidad de la teoría de la Creación tal como se enuncia en Génesis, y de no aceptar, aunque solamente sea por una posibilidad, de que su teoría de la Evolución esté equivocada. ¿Podría admitir que la Ciencia ante el Universo y la Naturaleza emite juicios, entre los que se encuentra, según ella, el de la imposibilidad de la llamada teoría de la Creación, y admite como plausible los enunciados que propone sobre la teoría de la Evolución, reconduciendo diferentes investigaciones con el

Es decir, que para que un hecho sea científico, primero debe haber **observación,** después **comprobación,** pasando por la **experimentación,** para llegar por último a la **verificación.**

La hipótesis que es considerada por la ciencia como teoría científica, no debería ser elevada a "hecho científico" para evitar la confusión y la falsificación. Los datos de los que dispone deberían ser sometidos al principio de control mediante observación y comprobación para formularse como posible teoría científica.

---

propósito de llegar a demostrar esos enunciados sobre la teoría de la Evolución? ¿Y que todavía entre sus muchas investigaciones no ha llegado a una conclusión demostrable e indiscutible? La Creación es un hecho histórico que se podrá o no aceptar, pero la Evolución es una teoría o hipótesis científica que es preciso demostrar su realidad y la imposibilidad de la falsificación. Ninguna de las dos cosas se han podido demostrar. Mientras tanto usted no puede descalificarme porque crea en la teoría de la Creación, tal como se me presenta en un lenguaje *revelado* ni presentar la teoría de la Evolución como algo incontrovertible. Y no se preocupe, yo no pretenderé (¡válgame Dios!) explicar científicamente la teoría de la Creación partiendo de Génesis. Ni pretendo ni lo necesito.

Sobre la prohibición de enseñar la teoría de la Evolución

No estoy de acuerdo con la teoría de la evolución pero no creo que sea correcto prohibir mediante el uso de una ley estatal que no se enseñe la teoría de la evolución. He visto las dos versiones cinematográficas sobre el histórico juicio del mono", y de ser cierta en lo esencial la referencia histórica y contenidos que ahí se vierten, es indudable que el dogmatismo religioso no debe interferir en las leyes humanas. Por descontado que los argumentos de quien defiende la teoría de la Creación frente a la de la Evolución son intencionadamente de poco valor. Pero el problema Sr. Ayala es saber si se está, en estos momentos empleando un dogmatismo científico de peor estilo que el religioso. Usted se queja de lo ocurrido en Kansas, porque una Junta de Educación votó por mayoría eliminar toda referencia a la evolución en los programas de estudio. Pero no protesta de que en la mayoría de los Estados se esté dando referencia exclusivamente a la teoría de la Evolución y no se presente la contrapartida de la teoría de la Creación, y que el alumno tenga la misma oportunidad, y ser él el que escoja ¿Con qué criterio se realiza esa selectividad y marginación? ¿Y quiénes la llevan a cabo? ¿Cuál es su tendencia ideológica? Cuando se dio el juicio del mono la mayoría intransigente era creacionista, de ahí que el asunto de la teoría de la Creación era intocable, y únicamente en círculos de elite se promocionaba la Evolución. Creo que la protesta del doctor Ayala, sin tener en cuenta a lo que es hoy una minoría, es partidista y refleja la misma intransigencia que la de aquellos que, aun siendo minoría (y aun cuando fueren mayoría) en todo Estados Unidos, pretenden por ley estatal prohibir la enseñanza de la Evolución, en un lugar donde han alcanzado mayoría. Y la situación de la enseñanza en Estados Unidos (y en este caso en el resto del mundo) respecto a la Evolución, demuestra con su exclusividad ser intransigente. Es el mismo comportamiento que cuando se dio "el juicio del mono" pero alterados los protagonistas. En la actualidad el poder intransigente lo poseen los que defienden la teoría de la Evolución. Estos brotes por parte de ciertos fundamentalistas demuestra que donde no existen, que es en la mayor parte de la geografía, están los *otros*. Mientras se da solamente la Evolución ¿en base a qué se ha eliminado la de la Creación? Unicamente cabe una respuesta: el dogmatismo científico no admite que su teoría pueda estar equivocada, tergiversa, como vamos a tener oportunidad de comprobar en esta nota y en nuestra exposición, los datos de la teoría de la Creación.

Creemos que la mejor manera de resolver este contencioso sería, por un lado, ofrecerse en la escuela y universidad los dos aspectos de este problema, tanto la teoría de la Creación como la de la Evolución, y por sus defensores respectivos; por otro, elevar a nivel nacional un debate en la que se enfrentaran las dos posturas.

Ciencia y Creencias ¿en conflicto?

Necesariamente no tendría que haber ningún tipo de conflicto entre la Ciencia y las Creencias religiosas. Cuando cada una se atiene a su esfera y se abstiene de traspasar la del otro no habría conflicto. En el caso de la Creación es una pretensión injustificable por parte de la Ciencia el querer saber cómo Dios creó el mundo o al ser humano. Nadie puede saberlo. Lo único que podemos saber, es, cómo *no fue* creado el mundo o de qué modo no vino a la existencia el ser humano (cf. Sal. 100:3), o cómo está constituido. Por descontado que el que no cree en un Dios personal y trascendente, ese puede hacer lo que le de la gana, aun cuando las cosas no van cambiar por eso. La Creación, que desde un punto de vista cristiano denominamos "*Creación de la Nada*" posee ya un origen que nos anuncia que las consecuencias que se derivan de una no materia preexistente y un Creador eterno y distinto a la Creación son dos hechos inescrutables. Y el resultado creativo no va a responder a una lógica científica sino exclusivamente al poder de Dios que colocó las leyes para la permanencia de lo creado. La producción de lo que va saliendo de cada especie creada no nos dice absolutamente *nada* en cuanto a cómo fueron creadas las especies primarias. Como también la creación del primer ser humano (macho

b1) Un ejemplo de cómo actuar: "agua hirviendo"

Quiero saber para elevarlo a categoría científica a qué temperatura hierve el agua.

Empiezo por la **observación**. He observado que el agua hierve en una olla. Ante el hecho de hervir que he observado, puedo lanzar una hipótesis: El agua hierve; todavía no puedo decir nada respecto a la temperatura, tampoco que siempre hierve el agua, ni siquiera el cómo hierve el agua, qué elementos han sido necesarios, qué proceso ha intervenido o qué circunstancias han ocurrido.

---

y hembra) es totalmente distinta a cómo después Dios decidió que viniera a ser cada existencia individual. ¿Por qué a nadie se le ha ocurrido demostrar *científicamente* la existencia de Dios? Su no origen temporal, y su naturaleza imposible de captar imposibilita semejante acción. La materia cuyo origen está en el poder de Dios, y el modo como después se relacionan las cosas creadas y las leyes con las que funcionan son de distinta naturaleza a la forma a cómo las cosas vinieron a ser. De ahí que el estudio y análisis de lo que ahora es observable no puede asegurarnos absolutamente nada de la realidad de la Creación. Hacerlo es meterse en el terreno de la Revelación.

Parecería ser, según Fracisco Ayala, que el motivo del conflicto entre Ciencia y Creencia religiosa estaría de nuevo en esta ocasión en la injerencia de un uso de la Revelación en el campo de la Ciencia. Pero no es cierto. Tal como estamos viendo precedentemente (ver también nota 1), la revelación no pretende presentar ningún modelo de cómo fue hecha la Creación, ni enseñar el origen del universo narrado en Génesis como si fuera una teoría científica. Decir eso porque no se esté de acuerdo con la explicación del origen del universo mediante la teoría científica de la Evolución es no decir la verdad y ocultar la causa del contencioso. Sencillamente Dios revela que la Creación no responde a un criterio determinado científico, sino que el poder de su Palabra que manda que venga a la existencia lo que no era, es lo que logra la Creación (Sal. 33:9 cf. Hb. 11:3; Jn. 1:1-3). Junto a esto, Dios añade un esquema temporal e histórico dando marco a lo creado. Es ese marco temporal e histórico el que está en contradicción con la hipótesis *científica* de la Evolución. Y es a este marco al que nos podemos referir, desde un punto de vista tangible; lo otro, lo referente a cómo se hizo la Creación es impenetrable. Y pretender llevarlo a cabo, mediante la teoría que sea, es provocar un conflicto cuyo culpable en ese caso sería aquel que en nombre de la Ciencia o de la Biblia pretendiera tal cosa. En definitiva podría ser, en el caso de que la Ciencia lo pretendiera, *una ignorancia en guisa de Ciencia*.

En el segundo aspecto, podemos estudiar las leyes que rigen el Universo. Podemos introducirnos en ese marco histórico y temporal, y mientras no atentemos contra él, descubriremos *científicamente* las maravillas que Dios creó. Observaremos lo que El colocó en el ser, y las posibles relaciones y funciones de lo creado, pero nada de eso nos dirá cómo fue la Creación, porque la Creación vino de la *nada* por el poder de Dios.

Creo Sr. Ayala que es evidente que yo he pensado seriamente este asunto: que lo razonable sería que se enseñasen juntas, en las escuelas, tanto el Creacionismo como el Evolucionismo. Pero claro usted se sale por la tangente diciendo que tal imparcialidad está fuera de todo lugar en lo que se refiere a la Ciencia. Y que la religión es para el círculo cerrado de la familia o de la Iglesia. Y si no fuera así, se estaría, según usted, pretendiendo explicar el origen del Universo narrado en Génesis como si fuera una teoría científica. Pero esto no tiene porque ser así. ¿Qué es lo que yo explicaría del Creacionismo según Génesis? Lo primero que enseñaría sería que la Ciencia ha de tener conciencia, Conciencia de sus limitaciones y posibilidades versus a un Creador que no está sujetado ni etiquetado al régimen científico. Que la Ciencia si se precia de ser fruto de un ser pensante creado por el Dios Creador debe poseer una ética. Una ética que le somete al control (ya se que esto gusta poco a cierto colectivo científico) de lo que ese Dios ha pronunciado que orienta cualquier conclusión o explicación sobre la creación. Y lo que ya hemos dicho respecto a la imposibilidad de explicar, no solamente en base al registro de Génesis sino científicamente también, la realidad de la Creación. Porque el insulto a la religión o a la ciencia cuando se pretendiera explicar científicamente la descripción de la Creación que se hace en Génesis se queda muy corta respecto al insulto al propio Creador, cuando un mortal pretende utilizar un sistema científico como el de la Evolución o cualquier otro, para explicar el origen de la Creación que se debe exclusiva, directa e instantáneamente al poder de Dios, al mandato de la Palabra, sin que medien mecanismos lógicos. Explicaría todo eso y cómo es imposible con el contenido de Génesis 1 y 2 un sistema científico, sea el de la evolución o cualquier otro para explicar lo inexplicable.

Podemos sacar algunas conclusiones de este apartado diciendo:

1) La Biblia, lo que consideramos la Palabra o Revelación de Dios no nos explica cómo fue creado el mundo.

2) Cuando se nos describe la Creación se nos ofrecen unos datos, contenidos e implicaciones que imposibilitan, con lo que la Ciencia tiene a su alcance, plantear un origen científico de la Creación.

3) Lo que hoy es observable responde a un origen creativo por el poder de Dios que mandó y existió, y que creó las leyes que rigen en el Universo y en el ser.

Consigo un termómetro, y compruebo después de haber colocado una olla al fuego que cuando el termómetro llega a 100° C el agua se pone a hervir. Todavía estoy en la etapa de la observación. Ahora no sólo he observado que el agua hierve sino que además lo ha hecho a los 100° C.

Fijaos, ¿en este momento podría dar una hipótesis diciendo que el agua hierve a los 100° C? Sin duda que la mayoría me diríais que sí. Y como tal hipótesis quizás valdría, pero aún a pesar de las observaciones hechas no sería

---

Por lo tanto podemos afirmar que la enseñanza y la razón no han sido sacrificados en el altar de la ignorancia y los prejuicios religiosos. Francisco J. Ayala demuestra poseer, independientemente de su saber científico cuando se atiene a él, en ese artículo de El País, una gran ignorancia de lo espiritual y un gran prejuicio científico.

¿Qué es Ciencia?

Una de las cosas que lamento es que una persona *desconocida* como yo en comparación con tan insigne estudioso que los círculos del saber le conceden al Sr. Francisco J. Ayala, tenga que matizar e incluso corregir sus puntos de vista limitados y confusos con que define lo científico o la teoría científica. Sr. Ayala, ya le he dicho que yo no soy fundamentalista, y no pretendo, al contrario, justificar mediante una teoría científica la descripción que se nos hace de la Creación en el Génesis pero el tema no está en que se pudiera decir que la Ciencia se basa en la observación, ya que por lo tanto nadie habría podido observar el origen y la evolución del universo o de las especies. Este no es un planteamiento correcto. Lo que se ha de presentar es lo que ya hemos indicado: lo que nadie ha observado es la Creación, ni tampoco es posible las consecuencias ¿Por qué? Porque el marco histórico que se nos concede no corresponde a la forma en que los seres fueron creados. La Creación es fruto exclusivo del poder de la Palabra. Cuando se observan las consecuencias de la creación del ser humano, se comprueba que de una creación directa y en estado adulto, pasamos a una situación de *procreación*, por lo tanto observar está consecuencia es irrelevante respecto a utilizar un sistema que pretendiera explicar científicamente el hecho de la Creación. A la Creación no le corresponde ninguna consecuencia lógica medible por el método de la Ciencia. Este es el problema Sr. Ayala.

Después de que usted nos dice que lo que se observa en ciencia no son las proposiciones de las teorías sino las consecuencias, y nos pone unos ejemplos lógicos, pasa entonces al punto en cuestión: lo de la teoría de la evolución, y dice: "La teoría de la evolución afirma que los humanos y chimpancés descienden de antepasados comunes que vivieron hace solo unos millones de años. Se sigue de tal proposición que las dos especies deben ser muy semejantes genéticamente, como se comprueba al observar que el 98 % de nuestro ADN es idéntico al de los chimpancés" (ver artículo de *El País*).

Vamos a ver Sr. Ayala si usted me aclara las cosas. Esta afirmación que expresa la teoría de la Evolución, según usted, "que los humanos y los monos descienden de antepasados comunes desde hace millones de años" ¿es una proposición o una consecuencia? Claro, si es una proposición usted entonces no se ve obligado a tener que observarla, únicamente lo que se observa, según había dicho son las consecuencias, y ahora pone como consecuencia, lo que, según usted, sí se podría observar "que lo que se sigue de tal proposición que las dos especies deben ser muy semejantes genéticamente como se comprueba al observar que el 98 % de nuestro ADN es idéntico al de los chimpancés". Usted, con lo listo que es ¿no nota que hay algo raro en su propuesta? Usted inventa una proposición para la que no se ve obligado el tenerla que demostrar, después nos trae otra que ésa sí que sería observable y probada porque la considera como una consecuencia de la anterior, pero amigo ¿qué tendrá que ver el ADN *semejante* que tiene el mono y el ser humano con la *afirmación* que realiza respecto a su teoría de la evolución?. Le voy a poner yo otra propuesta: la ballenas son antepasados de los hombres porque su especie es idéntica a la nuestra: son mamíferos. Y aquí no me hace falta ni siquiera utilizar el término *semejante* que usted emplea para referirse al mono respecto al hombre. Y por lo tanto los seres humanos, siguiendo el mismo silogismo en forma de sofisma, procederían de las ballenas. El que los monos tengan un 98 % de ADN idéntico al de los seres humanos no significa que no debamos encontrar las grandes diferencias entre aquel y éste en ese 2% restante con que se les distingue. Fíjese Sr. Ayala, la Biblia nos dice que el *espíritu* de todo ser viviente es idéntico, incluido el del hombre ¿Querría esto decirnos que todos los seres vivos proceden por evolución? ¿Dónde está la diferencia entre los seres humanos y el restante mundo animal?: En el cerebro, en su ordenamiento, en la comunicación de sus neuronas, y en las propias neuronas. Dios dio el mismo espíritu, la misma energía, la cual puso en movimiento el cerebro animal con su contenido ordenado y al humano con su contenido ordenado, y los anima -escuche bien esto que le interesa- son que el uno no se da cuenta de su propio darse cuenta y no *evoluciona* respecto al conocimiento, y el otro si se da cuenta de su propio darse cuenta con todo lo que eso implica. Y esas consecuencias que *observamos* nos dicen que el ser humano no ha podido proceder del chimpancé.

Usted había partido de la afirmación, que por lo que veo no necesita probarla, de que los monos y los seres humanos proceden de antepasados comunes hace millones de años ¿Eso es ciencia? Usted será una eminencia pero desde luego yo le haría repetir algún curso. Melvin H. Marx y William A. Hillix, en su obra

un hecho científico: **necesitamos comprobar.** Repito el experimento, e incluso lo comunico a unos compañeros, comprueban conmigo en sus casas respectivas. Todos obtienen el mismo dato: El agua hierve a 100° C ¿y ahora qué?, ¿podría formular la teoría con categoría de hecho científico de que el agua hierve a los 100° C?

Ni tan siquiera ahora podría formularse la hipótesis de que el agua hierve a los 100° C. ¿Por qué? Sencillamente porque no es totalmente verdad. El agua no hierve a 100 ° a 1500 m. de altura sobre el nivel del mar. A medida que subes (y la presión del aire baja), el punto de ebullición disminuye.

Todo esto nos muestra que los científicos dependen de sus observaciones y experimentos para reunir sus resultados y sacar una conclusión, y esto debe ser seguido por continuas observaciones y experimentos.

La ciencia es esencialmente una manera de recoger *información por la observación y experimentación además de la necesidad de la verificación.*

---

científica (*Sistemas y Teorías Psicológicos Contemporáneos*, ed. Paidos, Buenos Aires 1978), dedican un capitulo a explicar lo cuidadosos que deben de ser los que se precian de científicos. El nos habla del empleo de control en la observación. El principio de control lo designa como imprescindible "al método que el científico ha de utilizar al tratar de identificar las razones o causas de lo que observa" (íd., p. 18). La razón fundamental de la aplicación de este principio, usted lo debería saber, es, que si no se emplea el control "las fuentes de variación no pueden ser descubiertas con certeza, porque las variables no controladas permanecerán siempre como explicaciones alternativas potenciales" (íd., p. 19). De ahí que "para obtener resultados que no sean ambiguos" "el científico necesita, controlar, todas las otras condiciones potencialmente efectivas" (íd., p. 18).

El científico no sólo no puede controlar la Creación como hecho irrepetible sino ni siquiera esa proposición de los millones de años y de que los hombres y los monos tienen antepasados comunes. Eso es una propuesta inventada, y como tal incontrolable. El científico que se precie de tal mantendrá por separado las conjeturas y sus hipótesis de los datos que han de someterlas a prueba. Y esos datos que la evolución dispone están muy en contra de lo que las hipótesis refieren. Usted primero presenta la hipótesis que la da como un hecho verdadero, a pesar de la arbitrariedad con que define la propia Ciencia la naturaleza del hecho, en cuanto a lo de los millones, como si de una quiniela se tratara, y lo de los antepasados comunes, como si usted hubiera estado allí saludándolos. Pero el dato que trae después, el del ADN del chimpancé como siendo idéntico en un 98 % al del ser humano, es un dato de naturaleza distinta al enunciado del hecho (o hipótesis o teoría) con que usted afirmaba cuando decía que desde hacía millones de años los humanos y los monos descienden de antepasados comunes. Lo del ADN no dice nada respecto a lo de millones de años ni tampoco de que tengan antepasados comunes. Simplemente son dos especies que tienen características comunes pero otras divergentes, y con un origen plenamente distinto, de acuerdo a las diferentes posibles variables. Ese antepasado común ¿cómo se lo *imagina* el Sr. Ayala? ¿Con un ADN idéntico en el 99 % o en el 100 % con el del ser humano? Si fuera al 99 % seguiría no siendo humano. Y si fuera al 100 % sería humano y por lo tanto no antepasado común al mono. Y esto que acabo de ilustrar es imposible de comprobarlo ni con las consecuencias ni datos que disponemos, que es lo que estoy utilizando, ni con nada. ¿Y cómo ha llegado el Sr. Ayala a descubrir que el ADN del mono es semejante al ADN del hombre, en un 98 %, cuando todavía es preciso conocer tantas cosas del genoma humano, y más todavía el del chimpacé?

Por otra parte hemos de tener en cuenta lo que la Ciencia explica como naturaleza del *hecho*. En el libro de Melvin Marx y de William Hillix al que aludíamos anteriormente, se nos advierte del empleo descuidado de los términos en la invención de nuevos conceptos en Ciencia (íd. p. 23). Y nos dice que cuando la ciencia dice "hechos" quiere decir simplemente enunciados verbales, y que dado que los hechos son verbales, la manera con que se los anuncia es arbitraria (íd., p. 24).. Incluso cuando se añade a "hechos", la palabra "verdaderos", la ciencia la usa con el mismo elemento de arbitrariedad y relatividad que tiene los hechos. Al aplicar aquí lo que Ayala afirmaba como hecho verdadero, no solamente es evidente su arbitrariedad en el enunciado sino su no probabilidad.

Y con relación a la hipótesis o teoría científica se nos dice:

"El primer requisito de una hipótesis científica es que sea verificable, y el primer requisito de una pregunta científica es que se la pueda contestar" (íd., p. 27). Y "Una teoría es un grupo de leyes conectadas deductivamente. En este sentido, una ley científica es una hipótesis que ha sido probada, que ha sido ampliamente aceptada y cuyas consecuencias han sido confirmadas por las observaciones" (íd., pp. 28, 29).

Al aplicar esto respecto a la actitud del Sr. Ayala y en general en relación a la llamada teoría de la Evolución, únicamente cumple con una de todas las exigencias: "el que ha sido ampliamente aceptada". Veamos esto un

Es necesario que retengamos además de lo dicho, que la manera como interpretamos esta información **no es ciencia**, estrictamente hablando. Es razonamiento. Y es enteramente posible que lleguemos a una conclusión falsa basándonos en hechos científicos.[5]

c) *Aplicación del Criterio Científico a la hipótesis de la Evolución*

Estamos viendo de algún modo cómo actúa el criterio científico, deberíamos aplicarlo a la concepción de evolución.

c1. *La Evolución no se sujeta al método científico*

¿Puede la evolución decir "la evolución es? ¿Observó [6]el científico el origen de la tierra? ¿Han podido obtener pruebas una y otra vez para comprobar lo que dicen que sucedió, y les ha dado resultados que confirmen lo que dicen? **Un rotundo no.**

¿Y las *consecuencias* que nos decía Francisco Ayala? ¿han podido ser observadas? Si las consecuencias están expuestas a manera de deducciones de enunciados que no han sido suficientemente analizados o que no corresponden a las propuestas, tampoco.

El método científico hace imposible que la ciencia pueda hablar con autoridad de orígenes, **por cuanto son hechos que no se repiten, y por lo tanto no pueden ser observados ni experimentados ni verificados.**

Y cuando estoy pronunciando esto con tanta seguridad es por cuanto soy consciente y documentado de lo que el propio evolucionista llega a reconocer:

---

poco más de cerca ¿Cómo se ha verificado lo de los millones de años y lo del antepasado común al mono y al hombre? Es evidente que esta pregunta científica suscitada por una propuesta científica es imposible de responder ni tampoco se ha podido verificar. Lo del ADN es irrelevante en relación a lo de los millones de años. Esa diferencia mínima del ADN del chimpancé respecto al del ser humano es abismal cuando comparas un cerebro y otro: no solamente en la diferencia de peso sino en su estructura, sistema nervioso, la posibilidad del lenguaje, las conexiones y la capacidad.

Creo Sr. Ayala que debería leerse al francés René Thom en su artículo profundo sobre *El mito del método experimental*. El nos dice que un hecho experimental únicamente puede ser considerado como científico si es *reproducible* y el de presentar algún interés (ver en la sección *Temas de nuestra Época* de El País, 4-1-1986). Lo de presentar algún interés, no nos cabe la menor duda que lo cumple la teoría evolucionista. Los intereses crematísticos, y la imposibilidad de dar marcha atrás, lo que crearía un desencanto del público hacia la Ciencia, hace mantener el interés. Pero no cabe duda que la teoría de la Evolución es irreproducible. Esto ya lo decía otro gran científico, que sin duda Ayala conocía, K. Popper (en *The Poverty of Historicism*, Routlege & Kegan Paul, London 1972, pp. 108, 257 cf. en *Unended Quest*, ed. Fontana-Collins, Glasgow 1976, pp. 169, 171; *Conjectures and refutations*, Routlege & Kegan Paul, London 1972, pp. 38, 39, 97), expresándose de la teoría de la evolución como "no verificable" "débil" "no interesante para la ciencia" por estar encajada dentro de la metafísica. Y esta clasificación, imposibilitaría, según Popper, la verificación de su posible falsificación. Si no existe modo de *probar* que una teoría empírica es falsa tampoco se podría *probar* que fuera cierta. Esto descarta, según Popper, el que la teoría de la Evolución pueda ser catalogada como científica, ya que la prueba en uno u otro sentido es imprescindible es imprescindible para llamarse científica. Popper no cree que la Evolución pueda *probarse*.

En conclusión la teoría de la Evolución no cumple los requisitos de una teoría científica. L3e invito, Sr. Ayala, a que lea un libro sobre la confrontación creación-evolución, el de dos autores científicos: *En busca de los Orígenes, ¿Evolución o Creación?*, de Jean Flori y Henri Rasolofomíasoandro (Ed. Safeliz, Madrid 2000).

[5] Nos hemos basado para esta exposición sobre el criterio científico en Larry Richards, *Ciencia y Biblia*, ed. CLIE, Terrassa-Barcelona 1978.

[6] Respecto a que lo que se observa en la Ciencia no son las proposiciones sino las consecuencias ver nota 2 de este capítulo. De cualquier manera las consecuencias que se observen no pueden estar desligadas del hecho.

El físico y astrónomo materialista Carl F. von Weizsäcker dice:

«No es por sus conclusiones, sino por su punto de partida metodológico por lo que la ciencia moderna excluye la creación directa. Nuestra metodología no sería honesta si negase este hecho. No poseemos pruebas positivas del origen inorgánico de la vida ni de la primitiva ascendencia del hombre, tal vez ni siquiera de la evolución misma (...)».[7]

Se trata de un punto de partida metodológico preconcebido, de un presupuesto no comprobado ni verificado.

El ruso T. Dobzhansky dirá de la evolución que se trata

«de un suceso nunca testificado por observadores humanos».[8]

Otro famoso científico evolucionista, Goldschmidt, que insiste en que la evolución es un hecho,[9] no se sujeta al criterio científico cuando reconoce lo siguiente:

«(...) El repetir incansablemente esta pretensión no probada, al pasar de ligero sobre las dificultades y el adoptar una actitud arrogante frente a los que no se dejan influir tan fácilmente por las modas en la ciencia, se considera que proporciona una prueba científica de su doctrina. Es verdad que nadie hasta ahora ha producido una nueva especie, género, etc., por macromutación; pero es igualmente cierto que nadie ha producido ni una sola especie por selección de micromutaciones».[10]

Mas adelante, en el mismo artículo, declaró:

«Tampoco nadie ha presenciado nunca la producción de un nuevo individuo de categoría taxonómica superior por selección de micromutaciones».

c2) Conclusiones incorrectas basadas en informaciones científicas

No sólo la evolución no se sujeta ni al criterio científico ni al método que la ciencia propugna, sino que además sus defensores han obtenido conclusiones incorrectas basadas en informaciones científicas. Es por ello que debemos preguntarnos: ¿Los científicos han razonado incorrectamente alguna vez basándose en información científica?

Respondemos con un rotundo sí.

---

[7] En su obra *La Importancia de la ciencia*, edit. Labor, Nueva Colección Labor nº 27, Barcelona 1972, p. 125.

[8] *Sciencie* 127, p. 1091 (1958)).

[9] Ya hemos dicho que la Ciencia utiliza el término "hecho" incluso adicionado de "verdadero" sin que se le esté dando el valor que normalmente posee en el leguaje normal, de algo comprobado y verificado como tal.

[10] R.B. Goldschmidt, *American Scientist*, 40, 94, (1952).

Los científicos han razonado incorrectamente basándose en los hechos conocidos hasta donde les era dado conocerlos en su época, produciendo teorías mas amplias que mas tarde resultaron ser falsas o insuficientes. Esto que sin duda habla de una cierta honestidad de la ciencia que ha ido en ocasiones corrigiendo sus errores, no siempre ha sido así, y que cuando los hombres de ciencia razonan sobre informaciones reunidas en el intento de desarrollar teorías sobre la naturaleza, nunca podemos decir que la ciencia ha comprobado una teoría, puesto que la historia ha demostrado que las teorías científicas son de corta duración e insuficientes.

Ultimamente, en relación a la evolución Danson ha dicho lo siguiente:

«La teoría de la evolución ya no está más con nosotros, a causa de que hoy en día se reconoce el Neo-Darwinismo como incapaz de explicar cualquier otra cosa que no sean cambios tribiales, y, a falta de otra teoría, no tenemos ninguna... a pesar de la hostilidad de los testimonios ofrecidos por el registro fósil, a pesar de la falta de una teoría creíble, la evolución sobrevive... ¿Puede haber, por ejemplo, otra área de la ciencia en la que se utilice un concepto intelectualmente tan estéril como el de la recapitulación embriológica como evidencia de una teoría?».[11]

La Revista *Mundo Científico,* en su edición en castellano, en un número casi monográfico que celebraba el Centenario de Darwin se explicaba así por el biólogo francés Marcel Blanc redactor de la *Recherche*:

«Así pues, si llevamos nuestra mirada hacia los especialistas actuales de la evolución, nos damos cuenta de que dicho consenso en torno al neodarwinismo dista hoy de ser homogéneo. Durante las tres últimas décadas, una pleyade de hallazgos no han cesado de poner en entredicho los fundamentos mismos de la teoría neo-darwinista de la evolución, situación que no ha llegado al extremo en que se cuestiona la necesidad de **rehacer** una nueva teoría, como apuntan los artículos del paleontólogo S.J. Gould o de los biólogos G. L. Stebbins y F.J. Ayala del otro lado del atlántico».[12]

En el mismo número de *Mundo Científico*, se dice así:

«En 1972, despues de haber observado la evolución de un trilobite (parecido a un crustáceo) del género Phacaops de la era primaria, los paleontólogos norteamericanos N. Eldredge y S.J. Gould, han estimado que la evolución no procede por transformación gradual de las especies, como había propuesto la teoría neo-darwinista. Al contrario, han propuesto que cada especie persiste sin evolución durante millones de años, siendo después bruscamente reemplazada por una nueva. Este modelo de evolución se dice de equilibrio intermitente».[13]

---

[11] En la revista *New Scientist*, 49, 35 (1971).
[12] Nº 12 Marzo 1982, p. 288.
La alusión aquí de Francisco Ayala es para mostrar cómo la teoría *darwinista* ha sido dejada de lado como inservible, pero al mismo tiempo ha sido sustituida por otra no menos ineficaz.
[13] Id., a pie de la página 299.

¿Qué significa esto?

Sencillamente, que lo que hasta ahora se decía un hecho científico, aunque nunca se presentaban auténticas pruebas, ahora la propia ciencia rechaza dichas teorías, y se proclama una como la de Eldredge y J. Gould que se ven obligados a copiar de la teoría creacionista lo fundamental:

> «Cada especie persiste sin evolución durante millones de años siendo reemplazada bruscamente por una nueva».

Como quiera que este señor no puede fundamentar ni cómo era la especie hace millones de años ni cómo será cuando sea reemplazada por otra, por cuanto no se ha dado (ni se dará nunca, dicho sea de paso), se inventa algo que aparentemente es más razonable, ante la ausencia de hechos para probar todas las implicaciones de la teoría *darwinista*.

Gould aunque sigue siendo un paleontologo evolucionista se ve obligado a reconocer que no hay evidencias de ninguna clase.[14]

En las mismas fechas Pierre Grassé de la Universidad de París hablaba de la falta de base para determinar que las opiniones cargadas de hipótesis sean correctas.[15]

2. Límites, presupuestos y paradojas de la Evolución

Es preciso reconocer, que la teoría de la evolución es una teoría profundamente limitada e inconcebible científicamente. No probada, con unos presupuestos que nada tienen de científicos sino que son de *pura fe*. Ha sido engendrada por dos dioses: El tiempo y la casualidad, por lo tanto forma parte de lo paradójico y de lo mítico.

Leo al famoso Jean Rostand:

> »Yo creo en la evolución, no la demuestro porque para mí, ateo, no hay otra explicación posible. La evolución es un acto de fe sin demostración, sin en el cual no puedo pasar porque no creo en Dios Creador; pero sin el cual se podría muy bien haber pasado Teilhard que cree en Dios, aunque sea de una manera cósmica. El Evolucionismo es un cuento de hadas para personas mayores.
>
> Yo creo firmemente, porque no veo otra salida, que los mamíferos han venido de los lagartos y que los lagartos han venido de los peces, pero cuando yo pienso y afirmo una cosa semejante, yo procuro no desconocer que es una indigesta enormidad; y prefiero dejar en la vaguedad el origen de estas escandalosas metamorfosis, antes de añadir a su inverosimilitud la de una explicación irrisoria».[16]

---

[14] Stephen Jay Gould, en *Evolución Eratic Pace*, *Natural History* 86, n° 5, mayo 1977, p. 14.

[15] *Evolution of Living Organisms*, Academic Press, New York 1977, p. 31.

[16] De *Le Figaró Littëraire* (20-4-1957).

Se trata de la pura fe. El científico secular tiene una fe a defender. La idea preconcebida de que todo tiene que ser explicado dentro de la estructura del universo natural. La fe de que Dios, como persona trascendente, no existe. Y esta fe, algunos la emplean y defienden contra toda evidencia.

El evolucionista científico Watson dice:

> «La teoría de la evolución misma es una teoría universalmente aceptada no a causa de que pueda ser probada cierta por evidencia lógicamente coherente, sino porque la única alternativa, la creación especial es claramente increíble».[17]

Se trata de una fe ciega, una fe en algo que realmente no existe.

Weizsäcker, que lo hemos citado antes, después de reconocer que no hay pruebas del origen inorgánico de la vida, de la primitiva ascendencia del hombre, ni siquiera de la evolución, añade:

> «Todavía no entendemos demasiado bien las causas de la evolución, pero tenemos muy pocas dudas en cuanto al hecho de la evolución... ¿Cuales son las razones para esta creencia general? En la última lección las formulé negativamente; no sabemos como podría la vida, en su forma actual, haber venido a la existencia por otro camino. Esa formulación deja silenciosamente a un lado cualquier posible origen sobrenatural de la vida; así es la fe en la ciencia de nuestro tiempo, que todos compartimos».[18]

Esa es la fe de la evolución. Preguntémonos de nuevo: ¿En qué se basa la evolución? En nada más que en fe; pero una fe sin certezas, sin soportes. Una fe reaccionaria como fruto de su negativa a aceptar el desafío de la Palabra de Dios. Negando la existencia de un Dios Creador, se cree en la creación de una idea, de la que no se ha encontrado lo que le daría consistencia y realidad: creencia en los fósiles que no se hallan por ninguna parte (en cuanto a formas y cadenas de transición), creencia en una evidencia embriológica que no existe, creencia en experimentos que rehusan dar resultados. Sí, se trata de la *fe*, pero de una fe *injustificada por las obras*.

Es así que el famoso biólogo L. Harrisson Matthews, en la introducción a la edición inglesa de 1971 del *Origen de las Especies de Darwin*, reconocerá:

> «La creencia en la teoría de la evolución queda así en un paralelo exacto a la creencia en la creación específica —ambos son conceptos que sus creyentes saben ser verdaderos, pero que ninguno de los cuales ha podido ser comprobado».

Ese paralelismo no es exacto, pues la teoría de la Creación es *probada*[19] del único modo posible: mediante la presencia de Dios en la historia, a la que

---

[17] D. M. S. Watson, *Nature*, 124, 233, (1929).

[18] Op. c., p. 131.

[19] También empleamos nosotros nuestra propia terminología, no se trata de una prueba científica. Pero no la necesitamos.

puede acceder todo aquel que se comprometa al análisis de la Revelación de ese Dios en la Palabra Profética y en Jesucristo.

El famoso intelectual español de la Real Academia Española, Torcuato Luca de Tena, dirá:

> «Pero el que esté extendida o no una creencia no es una prueba de su verdad sino de su verosimilitud. Digamos que es verosímil. Pero no es segura. No ha sido probada. Acontece con esto lo mismo que con la teoría de la evolución de las especies. Es ingeniosísima. Su verosimilitud es tanta que ha calado muy hondo en la creencia del vulgo y de muchos científicos. Se da como un hecho cierto que el bípiedo procede del cuadrúpedo (...). Pero no olvidemos que la teoría de la Evolución es eso: una teoría. Y que no ha sido probada».[20]

Todo esto es una razón fundamental por la que el científico no puede ser aceptado como una infalible autoridad. Sus convicciones se apoyan en la fe en sus propias suposiciones de un plan preconcebido. No queremos quitar con esto la autoridad a la ciencia; sí que la tiene, pero dentro de su propio campo, no en una esfera que no le pertenece.

3. Teología y Evolución frente a Frente

a) ¿Cumple la evolución dentro de su campo escogido?

Hemos comprobado, y bastante exhaustivamente, que no se somete al criterio científico. Mejor dicho, no puede someterse.

Una declaración que sobrepasa todo control, que está fuera del alcance de la fenomenología, no puede ante un hecho que no es repetitivo como es el del origen, asegurarnos y confirmarnos nada.

Los evolucionistas saben que la alternativa es o *generación espontánea*, o un acto previo sobrenatural. No hay tercera solución. Ellos han preferido hacerse sus propios dioses, el dios materia eterna, el dios generación espontánea, el dios movimiento continuo.

Todo ello responde a una necesidad filosófica no científica en base a su ateísmo, o a una única posibilidad: la de una explicación metafísica, con la cual no puede hablarse ciertamente de Ciencia. Sin percatarse han vuelto a la mitología, rechazando al único Dios creador, se han hecho politeístas.

Pero estos dioses permanecen mudos, no les han ofrecido ninguna prueba de su existencia. Una demostración de la existencia del movimiento continuo o de la eternidad de la materia, o de la generación espontánea, serían las pruebas que con tanto ahínco buscan, pero no se hallan.

b) ¿Cumple la teología dentro de su campo?

Completamente. La teología reconoce, al menos la que es deudora de la

---

[20] *ABC Dominical*, 28-1-79, pp. 7, 8.

Palabra de Dios, que no es con pruebas racionales ni científicas, desde el punto de vista positivista que se puede aprehender a Dios.

Tampoco es de su incumbencia el presentar un cuadro lógico del cómo de la Creación. Tan solo reconoce que Dios se ha revelado, y que de la única manera que podía ese Dios revelarse, era por medio de su Palabra, Palabra hecha histórica por el fruto de la inspiración que sufren ciertos hombres, y sobre todo por medio de la presencia de ese mismo Dios en la persona de su Hijo, llamado el Verbo, el **Logos** de Dios, Palabra de Dios.

b1. Las Ventajas de la teología son manifiestas

Primero, ni la ciencia, ni la llamada evolución de las especies han podido desmentir las enseñanzas de la Biblia sobre la creación. Por cuanto ni la evolución ha podido demostrar nada en contra de ésta; ni la ciencia ha podido observar el origen de la tierra, ni ha podido hacer pruebas una y otra vez acerca del acontecimiento de la creación (o del origen), ni ha podido corregir ni verificar sus hipótesis.

Segundo, la teología desafía a la evolución, y a los científicos que la forman, a que comprueben por medio del compromiso, si la Biblia es lo que pretende ser.

La teología, con su Dios creador que se ha revelado y ha dicho lo que concierne al origen, desafía a los dioses de la evolución que hablen, que griten, que gesticulen. Durante miles de años permanecieron mudos, ahora, durante mas o menos un siglo, se ha pretendido por medio de una nueva droga del pueblo y de teorías seudocientíficas, suscitar lo que nunca existió.

4. Teología y Evolución Teísta: Imposibilidad de armonizar Teología y Evolución[21]

La teología y la evolución de ningún modo pueden armonizarse. El intento de ciertos científicos, que se autodeterminan creyentes en Dios, de aceptar la teoría de la evolución, o no son verdaderos creyentes en el Dios Creador, o no son consecuentes con su creencia. Esto que puede parecer un juicio apresurado, vamos a intentar demostrar a continuación.

---

[21] Además de lo que digamos aquí puede verse nota 1 y 4.

El que se afilia a la evolución teísta, en el sentido de que Dios utiliza la estrategia de la evolución como método creativo, puede conocer diversas variaciones, las más importantes son las que se refieren o bien a una intervención divina puntual más que continua. Esta última representaría a la evolución llamada *creacionismo progresivo*.

Sin embargo los puntos comunes que contradicen frontalmente el relato de la Revelación Divina tienen que ver: 1) con el *tiempo de la creación*; la vida habría existido sobre la tierra desde hace cientos de miles o millones de años; 2) con el *proceso de la creación*: Dios usó los procesos evolutivos para crear nuevas especies a partir de los organismos simples hasta los descendientes más complejos; 3) con el *propósito de la creación*: el hombre procede de primates primitivos.

Para la defensa de esta teoría se lleva a cabo un proceso de reinterpretación bíblica de tal modo que lo que dice el texto no es lo que realmente sucedió. Donde *dice* **lo que dice** *querría afirmar otra cosa distinta* a lo que **realmente aseveraba**.

a) Evolución cual sea, y teología, son incompatibles por el Método Inicial

La Ciencia presupone sin demostrarlo con pruebas. No se somete al criterio científico.

La Teología admite la existencia de un Dios Creador que se revela, entre otras cosas, en la Biblia.

El origen demanda una pregunta al que lo ha originado. El es el único que puede responder **porque estaba allí.** La ciencia jamás podrá saber científicamente cómo fue el origen, porque admitir un origen implica la imposibilidad del proceso científico que hipotéticamente sería anterior a ese origen. El **origen** sólo puede ser explicado o *por conjeturas* o **por Revelación de Alguien que estuviera allí.**

En efecto, ¿ha dicho algo Dios? Si eres creyente ¿a quién preguntarás lo que era y fue en el principio? ¿al que existía y ha dejado escrito algo sobre el particular? o ¿al que no existía y especula ahora sobre hipótesis, teorías, etc.?

Dios es el único que existía. Pregúntale a El. Científicamente es imposible demostrar cómo fue ni qué fue, puesto que no había observadores humanos. Pregúntaselo a Dios. El lo sabe y nos lo ha revelado en la Biblia, aquello que le parece imprescindible.

Como quiera que la variación principal entre la evolución teísta y atea está en que la primera admite la intervención sobrenatural en el estadio inicial evolutivo, los mismos argumentos que se utilizan para la refutación de la evolución sirven igual para la llamada creación evolucionista. Nada ha sido probado ni se puede probar por lo irrepetible y singular del hecho de la creación.

Para ello se nos asegura: 1) que es el Dios Creador quien interviene en un proceso creativo que dura mientras existe lo que se ha producido en la creación inicial; 2) Se modifica el texto en el sentido de inventar o bien la *teoría del paréntesis* (ver A.C. Custance, *Without Form and Void*, Brockville-Cnada (por el propio autor), 1970; W.W. Fields, *Unformed and Unfilled: the GapTheory*, Presbyterian &Reformed Publishing Co., Philipsburg, Nueva Jersey 1976), según la cual Dios habría llevado a cabo dos creaciones, la una en un tiempo muy lejano, y la habría destruido, para una vez llegada la tierra a una devastación, procedería a llevar a cabo otra hipotética creación que la querrían ver indicada a partir del v. 3, separándola arbitrariamente de la presentada en el v. 1; o bien la de la creación progresiva (ver a Bernard Ramm, *Evolución, Biología y Biblia*, edic. *Certeza*, Buenos Aires 1968 {traducción de la edición inglesa *The Christian vew of Science and Scripture: Biology*, Wm. B. Eermands Publishing Co., Grand Rapids, Michigan, USA 1956, pp. 112, 215}; también E. K. Gedney, *Geology and the Bible* en The American Scientific Affiliatio; *Moderne Science and Christian Faith*, Van Kampen Press, Wheaton, Illinois, USA 1950, pp. 45-50; Fields, op. c., pp. 165-179) o la denominada propiamente evolución teísta (ver T.D.S. Key *The influence of Darwin on Biology* en R.L. Mixter ed., *Evolution and Christian Thought Today*, Wm.B. Eermands, Grand Rapids, Michigan, 1960, pp. 21, 22), ambas posiciones son insostenibles.

En el primer caso (la del paréntesis) no hay base ni científica ni en las Escrituras. La caída y el mal es posterior a una creación perfecta y bondadosa. Es una conjetura especulativa sin base que el contenido del v. 2 sea el resultado de una destrucción, y en la que tiene cabida la intervención de Satanás y sus ángeles con su condenación incluida. Nada de esto es posible. Ya hemos indicado en otro lugar que la expresión hebrea *tóhu wabóhu* (cf. Gn. 1:2), no encierra la idea de caos, la forma más simple y natural de entenderlo, es que "cuando Dios empezó a crear" y tras crear los cielos y la tierra (cf. Gn. 1:1), le faltaba todavía lo que después se expresa a partir de Génesis 1:3. De ahí que se indique la idea de vacío, y la ausencia de un *ordenamiento creativo* en Génesis 1:2.

b) Por la falta de perspectiva

Lo que hoy es aceptable, mañana no lo será, y te verás obligado a cambiar. Ejemplo: Dios crea en épocas.

Pero hoy en día esto es insostenible, y fue abandonado. Y ahora con las nuevas teorías de que las especies han permanecido fijas durante millones de años, y que han sido sustituidas por otras, bruscamente, aunque no se haya observado ninguna sustitución, todavía menos.

c) Por el método psicológico

"Si Dios no quería decir lo que dijo ¿por qué no dijo lo que sí quería decir?"

Cuando partimos de una perspectiva que dice ser creyente y decimos aceptar al Dios que se ha revelado, por qué ese Dios no dijo las cosas como realmente fueron. ¿Por qué hemos de suponer que no dijo lo correcto?

d) Por el método filosófico

Solamente existe el Dios de la Revelación (cf. Is. 44:8; 45:22), porque cualquier otra clase de Dios es irrazonable e indemostrable.

Sólo podemos creer en el Dios que se revela y que se hace presente. Y el Dios que se revela, se manifiesta únicamente en la Biblia. Por lo tanto los evolucionistas que dicen creer en Dios o creen en un dios distinto al verdadero Dios, o no creen aunque digan creer.

Respecto a lo que podríamos englobar dentro de una evolución teísta, en la que aceptan la escala de tiempo propuesta por la evolución naturalista o mecanicista se ven obligados a convertir cada día de la creación, que infiere ser de 24 horas, tal como ya hemos aclarado en otro lugar, en épocas que contienen largos períodos de tiempo (ver como se adscribe a esto último Gleason L. Archer en *Reseña Crítica de una Introducción al Antiguo Testamento*, op. c., pp. 204, 205, ss.). Pero el relato bíblico no contiene ninguna alusión a una creación ni progresiva ni de larga duración, y esto último ni continuamente ni intermitentemente: la creación aparece de modo directo, a la orden divina (cf. Sal. 33:6, 9), por el Verbo Creador o Palabra de Dios (Jn. 1:1-3; Col. 1:15-17 cf. He. 11:3), encontrándose ya en los seis días literales todas las especies y formas de vida realizadas (Éx. 20:11 cf. Gn. 1:1-31; 2:1-25) (puede verse nuestra exposición en un apartado anterior). No nos parece tampoco que haya ningún tipo de ambigüedad en la fraseología de la Escritura en este punto respecto a concebir el principio de la creación de los cielos y la tierra con el principio del primer día, como sugiere L.J. Gibson (en *MA.*, mayo-junio 1992, p. 5). Si queremos ser consecuentes con una lectura no prejuzgada por las teorías, ajenas a la Biblia, que posteriormente se han suscitado, el modo natural y normal de leer los versículos indicados, es la que proponemos.

Tanto la interpretación de ciertos datos científicos relativos a la datación radiométrica y a la velocidad de enfriamiento de las grandes masas magmáticas como la acumulación de los fósiles, reclaman largas edades, sin embargo una catástrofe de la envergadura del Diluvio (ver a John C. Whitcomb Jr.-Henri M. Morris, *El diluvio del Génesis*, Clie Terrassa-Barcelona 1982, por ahora, en el año 2000, irrefutable) junto "a la escasez de evidencias de erosión dependiente del tiempo, que se esperan hallar en los estratos separados por largas brechas en las sedimentaciones, denominadas paraconformidades" (ver MA, septiembre- octubre 1984, p. 12), implicaría un tiempo reducido para la vida sobre la tierra.

Una catástrofe de la magnitud del diluvio tuvo que generar grandes cantidades de sedimentos y fósiles, produciendo columnas geológicas, en un tiempo breve. Todos los fenómenos que pueden conseguirse en laboratorio en poco tiempo se pudieron dar en una catástrofe de las dimensiones del Diluvio.

Al tratarse de hechos irrepetibles (creación o diluvio) no podemos probar absolutamente nada en contra de lo que se nos describe como real y cierto en las Escrituras inspiradas.

Lo que hasta ahora se ha presentado no altera en absoluto el esquema cronológico y de contenido que nos transmite la Revelación bíblica, independientemente de la falta de pruebas por parte de la evolución y de poder explicar de distinto modo lo que pretende sugerir la hipótesis evolucionista, sea del signo que sea.

Si ellos han llegado a creer en Dios lo ha sido por medio de la revelación, por lo tanto deben sujetarse a esa revelación, y esa revelación no admite la Evolución.[22]

Aun cuando pueda parecer que con la evolución teísta no se minimiza a Dios[23] no es totalmente cierto, ya que sí que se desvaloriza cuando se escoge un método contrario al que se presenta en la Revelación. Cuando yo corrijo en la exposición que Dios efectúa en cuanto al origen estoy remarcando, que uno como ser humano ha logrado una mejor descripción de esos orígenes que Dios mismo.

Pero el hecho de que yo escoja un método que no se puede probar, y lo mantenga sin que el texto lo autorice implica colocar unas bases inadecuadas que exigirá ese mismo comportamiento en otros asuntos y lugares.

Todavía más, se está reclamando un Dios distinto, tan diferente como el dios o dioses que desde la mitología babilónica se nos ha estado proponiendo, tendiéndose una mano a la Nueva Era (*New Age*).[24]

Sería conveniente recordar aquí lo que nos dice el prestigioso exégeta Gerhard von Rad:

> «Hay algo que deberá tener bien claro quien acometa la exégesis de Gen 1: (...) Nada hay aquí que suene a "poco más o menos"; todo ha sido meditado y sopesado, y debemos recibirlo con precisión. Por ende es falso contar aquí –aunque sea sólo en ciertos puntos, con algún rudimieto arcaico o semi-mitológico (...) Cuanto ahí se dice, pretende ser por válido y exacto, tal como ahí está dicho. El lenguaje es extremadamente a-mítico; tampoco se dice nada

---

[22] En un artículo de *Ecclesia* (8-2-1986, pp. 24, 25) se admite:
«a la verdad sobre la creación del mundo visible –tal como es presentada en el Libro del Génesis– no se opone, en línea de principio, la teoría de la evolución natural, cuando es interpretada de forma que no excluya la causalidad divina» (p. 24).
Si bien en dicho artículo se salvaguarda tanto la creación a diferencia del panteísmo; y el Dios personal trascendente, no es menos cierto que se introduce un esquema contrario al que presenta las Sagradas Escrituras que entrará en conflicto con doctrinas fundamentales. Aquí se observa, una vez más, la mezcla de lo correcto y de lo incorrecto. No se niega todo, pero se rechaza un contenido en aras de un método interpretativo que producirá la renuncia de alguna de las dimensiones teológicas incluidas en el relato de la creación, repercutiendo después en toda una línea exegética programada en ese estudio de los orígenes. Ver sobre esto un poco más adelante.

[23] Así lo supone L.J. Gibson en *MA*, mayo-junio, 1992, p. 5 ss..
Aunque el autor realiza una exposición correcta en contra de la teoría de la evolución teísta, no creemos que sea necesario dar ninguna concesión cuando no la hay.

[24] La *New Age* es una defensora de la teoría de la Evolución.
No podía ser de otro modo para quien niega la existencia de Dios y de la Creación. Sin embargo, los científicos comprueban hoy día, no solamente las lagunas insalvables de la Evolución, de sus errores e imposibilidad, sino sobre todo el cómo la historia de la Tierra, con sus estratos y situación, lo que puede ser analizado sin prejuicios corresponde a la idea que nos propone el Génesis (Pueden consultarse los monográficos de *Servir* III y IV, 1985; y *MA*, Septiembre-Octubre de 1984).
La teoría de la evolución es para la *New Age*, una excusa inventada para no tener que creer en lo que los cristianos predican sobre un Dios Creador.
El teísmo evolucionista, además de su incoherencia y error, es la punta del iceberg de uno de los puntos de contacto que un día el ateísmo espiritualista de la *New Age* tenderá hacia una Cristiandad apóstata, que ávida de poder, no tendrá inconveniente en engancharse a la unión con todo aquello que le proporcione autoridad y supremacía.

que haya de ser entendido simbólicamente y cuyo sentido profundo tengamos que empezar por descifrar».[25]

El que quiera permanecer creyente en un Dios Creador, y ser coherente con esa creencia, o tendrá que modificar los primeros capítulos del Génesis, y tendría que explicarnos además con qué autoridad, con lo cual manifestaría creer en un Dios distinto al de la Revelación, o bien, no está creyendo en el mismo Dios que el que nos enseña esos primeros capítulos del Génesis. Así de simple.

e) Por el método bíblico

Es quizás el método bíblico el que más dificulta, y hace totalmente imposible, no sólo el armonizar Evolución y Teología, sino admitir la propia teoría de la evolución.

El Génesis escrito en un género descriptivo realista, nos ofrece una explicación clara del origen del problema del hombre: Autonomía, Independencia, Rebelión; una ética de comportamiento: Sumisión al concepto Dios-su ley, y unos contenidos teológicos que hacen incompatible la teoría de la Evolución con la Verdad revelada de la Creación e implicaciones.

e1) La Teología del Sábado frente a la Evolución Teísta

Hay una dedicación de un tiempo a Dios relacionado con el resto de los días: Se trata del sábado —el séptimo día— día que transcurre como cumplido por Dios, durante el lapso marcado por el texto. Ese primer sábado finalizó ya en el día siguiente de 24 horas (Gn. 2:2, 3).

El tiempo verbal es un pretérito definido, y no un presente continuo. Se trata de que Dios Reposó (He. 4:10).

El Sábado es una institución que recuerda constantemente la actividad creadora de Dios. Es una conmemoración que pretende inculcar semanalmente la condición de criatura del hombre y la de Dios como Creador (cf. Éx. 31:17; 20:11).

Pero los dos contenidos que estructuran y orientan al Sábado son los que le ligan de modo inseparable y permanente con el hombre (cf. Mc. 2: 27, 28): el de una medida temporal inscrita dentro de una semana literal que le introduce en un espacio de paz y de reposo, conveniente aquí, para una naturaleza humana que se gasta y que precisa descanso regular, y que le anticipa el sábado eterno celestial (cf. He. 4:3-11);[26] y el hecho de que el sábado al ser una

---

[25] En *El Libro del Génesis*, op. c., p. 56.

[26] Ya hemos visto que los días son de 24 horas —siempre que el término *"Yôm"* aparece con un numeral es un período de 24 horas, nunca un largo período. Los autores al realizar la exégesis de los días de la creación tal como aparecen en el relato bíblico se ven obligados a reconocer que se trata de días de 24 horas, y que no hay posibilidad de otra interpretación (ver a Antolín Diestre Gil, *Manual de Controversia ...* op. c., pp. 375-378) donde se recoge la opinión de diferentes exégetas; también a Karl Barth (en *Dogmatique* III, 1, op. c., p. 134); Gerhard von Rad (en *El Génesis*, op. c., p. 377).

Ver nuestra exposición más detallada en un capítulo anterior donde se trata este asunto.

conmemoración a la creación y ligado al hombre (cf. Mc. 2:27, 28) aluda a un hombre creado de modo directo[27] a imagen y semejanza de Dios (Gn. 1:26) (de modo puntual de principio a fin), **se hace irreconciliable** con una *teoría evolutiva* que suplantando a la Creación tal como se nos revela inspiradamente, precisa de millones de años para obtener, mediante un proceso mecanicista y materialista lo que el sábado conmemora al final de 6 días de 24 horas;[28] aludiendo además a un hombre *creado* a imagen y semejanza de Dios que sería fruto de un eslabón perdido y de un primate imaginado.

e2) *La Teología antropológica del origen y la Evolución Teísta*

La primera mención de la creación del hombre como imagen y semejanza de Dios lo distingue y separa de los animales (Gn. 1:26, 27 cf. 2:18 ss.). No hay ninguna posibilidad, de acuerdo al texto bíblico, y de esto se trata, de incluir al hombre en un proceso en el que ocuparía el final de una cadena. El texto quiere advertirnos de que el hombre surge directamente (Sal. 100:3), desde un primer instante (Sal. 33:9 cf. He. 11:3), dentro de una medida de tiempo valorada en un día de 24 horas (Gn. 1:26-31). Y que este ser que surge de este modo instantáneo no tiene ningún antecedente creativo más que Dios mismo que le crea (cf. Lc. 3:38; Mr. 10:6, 7).

Su dimensión espiritual, su concepción de agente moral y libre, le confiere una singularidad que le aparta el ser fruto de un engranaje en el que una ley evolutiva tenga su última palabra.

Según Génesis 2:7 el hombre es un auténtico ser en el instante de la creación directa por Dios, cuando le insufla el *espíritu*. Mostrándonos que no hay posibilidad de una evolución, por cuanto la existencia y la consciencia personal o se da en el mismo instante o no es un ser humano. La materialidad de la forma, que dará cuerpo cuando el espíritu se junte inseparablemente, se distingue de la de cualquier otro animal (Gn. 1:24, 25 cf. 1:26, 27); y está sin vida, sin movimiento, sin crecimiento, inerte, por lo tanto no puede haber evolución porque no hay *nada que evolucionar* ni lo ha habido. El texto lo impide.

En el texto aparece Dios utilizando tierra (se descarta una materia animal), el **âdâmá**, modelando una **forma**. En esos instantes, que no han precisado ningún tipo de evolución previa, no se puede hablar de ningún tipo de vida, ni animal ni biológica ni vegetal. Ya que para que se llegue a ser *alma* (**néphes**), **ser viviente**, *pensante*, **cuerpo animado**, es preciso que Dios le insufle el *aliento* (**nêsamá**) o el *espíritu* (**rûªh**). La llegada del ser consciente y personal

---

[27] Dios creó según su género, sin explicar lo que entiende Dios por género.
   1) La creación es instantánea. Realizada por el poder de la Palabra de Dios (Sal. 33:9 cf. Hb. 11:3).
   2) No de entre la materia o de entre nosotros sino de Dios directamente (Sal. 100:3).
   3) Dios es el inmediato después de Adán (Lc. 3:38; Mr. 10:6,7).
[28] La misma razón hay para aceptar el no matarás o el no adulterarás de Ex. 20 que lo que dice sobre la creación en seis días.

se produce entonces, ni antes ni después, por ese acto creativo definitivo, instantáneo y directo.[29]

e3) La Teología del Matrimonio y la Evolución Teísta

No solamente la evolución socava la institución del sábado sino también la del matrimonio. El quiasmo que ya hemos comprobado, y que une literaria, teológica y armónicamente con un mensaje unitario y complementario el relato de la creación que se describe en el capítulo 1 y 2 de Génesis, nos dice que la mujer, ser humano femenino, procede originalmente de la persona humana masculina, mediante una creación directa que Dios efectúa, en el mismo sexto día, tomando una parte viviente del hombre ya creado como tal (2:21-23). En ese instante se funda el matrimonio.

Pero la enseñanza es muy importante (Gn. 2:18-25).[30]

Es evidente por el texto, que la inspiración quiere grabar una vez más el modo directo de la creación por parte de Dios. La mujer no aparece como fruto de una evolución misteriosa e invisible sino en Adán mismo como fruto de una intervención directa e instantánea de Dios.

Y es en esa creación directa e instantánea tanto del elemento masculino y femenino (Gn. 1:27 cf. 2:21, 22) que Dios fundamenta el matrimonio.

Si se acepta la institución matrimonial, tal como el texto indica, la evolución teísta se ve obligada a tener que abandonar su posición. Si mantiene su postura, contra toda lógica, no puede aceptar la transcendencia divina en la sagrada institución matrimonial. No hay posibilidad de concordia. El evolucionista teísta no puede seguir las huellas evolutivas de esas parejas de simios y eslabones perdidos, y aunque lo hiciera igualmente rebajaría el hecho del matrimonio a algo puramente natural: en que a través de una corriente evolutiva irían apareciendo las chispas y brotes de las caricias, sentimientos y raciocinios cada vez más humanizados ¿se creerían este cuento?

Pero el Génesis nos expresa sin posibilidad de entenderlo de otra manera que ni la mujer ni el hombre son fruto de una evolución. Y esto no porque simplemente se guarde silencio sobre la teoría en cuestión sino sobre todo porque su contenido precisamente ataca, se opone a esta corriente de pensamiento que está ya en semilla en las culturas paganas desde la civilización babilónica.

En dichos pasajes aparece una diferenciación clara y radicalmente separada entre animales y el hombre-mujer. Nótese por el pluscuamperfecto (cf. 2:19 pp.) que los animales habían sido ya creados y acabados (cf. 1:24, 25; 2:19), cuando se inicia la creación del ser humano hombre-mujer (1:26, 27); la distinción de la naturaleza del hombre-mujer con los animales es evidente no sólo por lo que venimos diciendo sino porque la utilización del animal por

---

[29] El contenido teológico del texto imposibilita la teoría de que Dios colocara un **alma inmortal**. Ya hemos estudiado suficientemente este asunto antropológico.

[30] Ver nuestro estudio donde precisamos el quiasmo y su contenido.

el hombre (1:28 sp., 29) no alcanza el extremo de servir como ayuda idónea para el hombre (2:20), y cuya creación distinta, en momento diferente y de modo desigual (2:19, 20 cf. 1:24, 25) se evidencia sin ninguna posible salida, por evolución, del hombre respecto de algún animal precedente.

Por si fueran poco todos estos hechos que tienen como objetivo inculcar la idea de una creación directa sin procesos intermedios, sí que hay una salida de un ser de otro, y es la mujer respecto del hombre (2:21-23), pero no por evolución sino por creación. Se deja bien claro que la creación del hombre-mujer se realiza en el mismo sexto día (1:26, 27 cf. 5:1, 2).

e4) La Teología del Pecado y de la Salvación y Evolución Teísta

La Palabra de Dios nos afirma que el pecado, rebelión contra Dios, produjo la degeneración y la muerte (Gn. 3:1-6, 16-24 cf. Ro. 5:12; 6:23 pp. 3:10-12).

Sin embargo la corriente evolucionista entra en conflicto frontalmente con la descripción bíblica de los orígenes. Por un lado considera a la muerte fruto de un proceso natural necesario para que el desarrollo de selección se de y vaya obteniéndose una difusión de nuevos modos de vida. Y si la muerte ya no es fruto del pecado ¿en qué consistirá la salvación para ese hipotético evolucionista *creyente*? Hemos de ser salvados tanto del pecado como de la muerte, último enemigo (cf. 1ªCor 15:26). Tanto el uno como el otro han erosionado la naturaleza humana envejeciéndola y degenerándola.

Frente a la idea evolutiva de un punto de vista transformista de *menos a más* que sugieren sus muertes producidas a lo largo de millones de años, el Génesis contiene una idea *degenerativa* de *más a menos*, como consecuencia del pecado que produjo la muerte, por primera vez, en ocasión de sucumbir a la tentación experimentada por el ser humano real masculino-femenino.[31] El Génesis niega rotundamente que hubiera muerte anteriormente al hecho que la produjo: el momento histórico en que dos seres responsables y libres, que poseen el estado total y plenamente humano decidieron autoindependizarse de su Creador.

e5) Escatología y Evolución Teísta

La escatología cristiana tiende a un fin, y a no permitir que el mal se perpetúe. Es por medio de una nueva creación, y de la destrucción de lo que impide el establecimiento pleno de lo bueno que conseguirá la ausencia de la enfermedad, del sufrimiento, de la muerte y del mal.

La teoría de la evolución no concibe ninguna parada ni fin, todo ha de tender a una perfección que conllevaría la propia evolución. La escatología

---

[31] El llamado evolucionista cristiano, debe observar, que de acuerdo a su teoría, cuando el hombre llegó a su punto culminante de evolución (alcanzar ser hombre) es cuando se introduciría la muerte no antes sino entonces, lo cual contradice su propio predicamento al adscribirse a la teoría de la evolución, que precisa incluir a la muerte dentro del proceso natural evolutivo mucho antes de producirse el pecado, asunto que trajo la muerte, ya que hasta entonces era imposible.

cristiana insiste en la intervención sobrenatural, directa e histórica de Dios mediante su Reino en ocasión de la Segunda Venida de Jesucristo que paralizará drásticamente la existencia de los reinos de este mundo, con los que se adjuntan a ellos, consumándolos y consumiéndolos (Dn. 2:40-45; Ap. 11:18; 19:11-21 cf. 16), puesto que su ideología pretende mantener el mal y el sufrimiento, y no puede dar solución a la enfermedad ni a la muerte.

Si se niega la creación tal como nos indica el Génesis ¿cómo se va a aceptar la resurrección o la nueva creación? Es evidente que la teoría de la reencarnación, originada ya en la cultura babilónica, y que se va transmitiendo y matizando a través de las cabezas ideológicas de los imperios universales entronca con la teoría de la evolución. Sin embargo la Revelación Profética nos habla de una resurrección de los muertos en Cristo de modo puntual e instantáneo que se les otorgará definitivamente la vida eterna lograda por la vida y muerte de Jesucristo (cf. Jn. 5:28, 29; 6:39, 40, 44, 54; 1ª Ts. 4:13-17; Ap. 20:4-6), y niega la existencia inmortal de algún elemento constitutivo del ser humano (1ª Ti. 6:13-16 cf. Jn. 3:16, 36; Ro. 2:7).

La creación de los nuevos cielos y tierra que se nos anuncia (cf. 2ª Ped. 3:13 cf. Ap. 21:1 ss.), es fruto de la acción instantánea creadora de Dios tras la destrucción de los cielos y tierra (2ª P. 3:7, 10-12) que han sido contaminados y deteriorados por el pecado y por los que se han adscrito a él de modo voluntario, obteniendo un espacio inservible.

Conclusiones

No hay pruebas de la Evolución, ésta ha surgido por la indiferencia a investigar. En la actualidad la teoría de la Evolución se resquebraja

El consentimiento general obtenido en favor de la teoría de la evolución, no es el triunfo de la razón sobre la superstición sino mas bien el triunfo de una filosofía materialista y atea sobre la Fe. La apostasía y la indiferencia hacia los presupuestos bíblicos, es lo que ha provocado la aceptación aséptica de la teoría de la evolución elevada a la categoría de hecho científico, como fruto de una falta de análisis crítico.

El que los medios de comunicación orientados por unas consignas seculares hayan popularizado lo relativo a la Evolución, elevándola al rango de científica, junto a la indolencia e indiferencia de los responsables de la educación, ha supuesto una aceptación de dicha teoría, sin un análisis previo, y sin posibilidad de discutirla, por la presión ambiental que señalaría al tal como un retrógrado o un fanático.

La Teología y la Evolución son incompatibles porque los esquemas básicamente son totalmente divergentes. Se alude a la Ciencia sin querer someterse al criterio científico.

Aparece una contradicción manifiesta en cuanto al proceso del origen. La Biblia nos habla del acto creador como algo instantáneo y definitivo. La Evolución no ha podido demostrar que de lo inorgánico aparezca la vida, y que de las mutaciones provocadas hayan habido cambios de especie.[32]

Numerosos autores de gran envergadura científica han roto el *pacto* que a toda costa se quería mantener ocultando las posiciones insostenibles relativas a la evolución. El filósofo y científico Karl Popper quebró el silencio en la década del 70 afirmando que la teoría de la Evolución **no era científica**, sino una opinión puramente metafísica.[33]

En la del 80 numerosos científicos, tanto en Estados Unidos como en Europa, que presentamos en nota aparte, levantaban su voz en contra de una de las hipótesis que más fraudes y mentiras ha levantado.[34]

---

[32] Un estudio científico completísimo, y puesto al día, sobre El Concepto Creacionista de los Orígenes, y sobre el Génesis y la Geología, se encuentra en el *CBA*, vol. I, op. c. pp. 50-103, 1137-1140, 1141-144.

[33] Recogido y analizado por Russel Kranz, en *RAE*, octubre de 1980, pp. 10, 11.

[34] Aunque numerosos autores creacionistas han investigado de un modo profundo, y han intentado atraerse al hombre de ciencia hacia los postulados que **demuestran** la equivocada posición de la hipótesis evolucionista, han visto que han tenido que transcurrir numerosos años para que el científico hiciera caso.

En Estados Unidos, no obstante surgía un movimiento Creacionista formado por científicos en diferentes áreas: desde la biología hasta la paleontología. De un modo académico y sopesando todos los argumentos, e investigando todas las *pruebas* que se decía aportar como tales, eran analizadas una a una; con lo que se presentaban los resultados, provocando un debate intelectual a nivel nacional, y el desplome de los conceptos evolucionistas. Una información sobre este asunto puede consultarse a *Adventist Review*, 18 febrero 1982, pp. 4-7; también, aunque manipulada, Cambio 16 (30-3-1981, p. 83). Una publicación regular se está llevando a cabo desde el Geoscience Research Institute de la Universidad Andrews (Berrien Springs, Michigan; y Loma Linda (California) de Estados unidos, tanto en castellano (*Ciencia de los Orígenes*) como en inglés (*Origins*). Dicho organismo científico, se dedica a investigar, entre otras cosas, todo lo relativo a los orígenes.

El Geoscience Research Institute fue fundado en 1958 por la Iglesia Adventista del Séptimo Día como consecuencia de la inspiración y los trabajos que en solitario llevaba el adventista George M. Price que publicaba su primer libro en 1902 (*Outlines of Modern Science and Modern Christianity*, PPPA, Oakland-USA). En el último libro de Price (*Génesis Vindicated*, RHPA, Washington 1941) tal como nos comunica Loron Wade (en *La Evolución: una teoría en crisis*, Ce, septiembre 1996, p. 7) se lamentaba del poco eco que estaban teniendo sus investigaciones. Sin embargo la creación de la primera institución mencionada en todo el mundo era un primer premio póstumo. Pero no sería el único; el genetista protestante Walter Lammerts que reconoce haber aprendido los principios del creacionismo a través de Price (Ce, septiembre 1996, op. c., p. 7), establecería en 1963, la segunda institución (Creation Research Society). Más adelante se fundaría otro instituto de investigación creacionista (Institute for Creation Research) afiliado a una universidad bautista.

Pueden estudiarse tres libros ejemplares y provechosos, que de un modo científico se analizan las posturas evolucionistas y creacionistas Harold G. Coffin, *Creation –Accident or design?*, Review and Herald Publishing Association, Washington1969; John C. Whitcomb Jr.-Henry M. Morris, *El Diluvio del Génesis*, ed. CLIE, Terrassa-Barcelona 1982; *En el Principio*, ed. CLIE (colección andamio), Terrassa-Barcelona 1991.

En Europa, el gran biólogo francés, **Louis Bounoure**, fallecido ya, defendía, en solitario, desde su cátedra universitaria las posiciones antievolucionistas (referencia en *RAE*, diciembre de 1983, p. 24); ver su libro *Déterminisme et Finalité, double loi de la vie*, Flammarion 1957. Pero la mayoría de personalidades de renombre campeaban por sus fueros con patente de corso.

Sin embargo un giro comenzaba a darse en la década del 80, quizá influidos por la corriente norteamericana, y por una serie de pioneros que se atrevieron a investigar a fondo las bases de la teoría evolucionista.

En esta línea es preciso destacar un libro magnífico no superado, cuyos argumentos y documentación son válidos todavía: ¿*Evolución o Creación?* de Jean Flori y Henri Rasolofomasoandro, ed. Safeliz, Madrid 1979. Ha aparecido una nueva edición ampliada y renovada en 2000 por la misma editorial.

Pero los golpes que más han dolido al mundo científico europeo han sido los protagonizados por personalidades relevantes que no sólo pusieron en duda la teoría evolucionista sino que demostraron su falsedad. Primero fue **Jean Servier**, etnólogo, profesor de la universidad francesa que con un contenido netamente antievolucionista puso en solfa a la clase científica europea (ver sobre esto a Jean Servier, en su artículo *Pour*

En la década de 1990, la crisis de la Evolución se ha agudizado. Para que Ernan McMullin (director del programa de *Historia y Filosofía de la Ciencia* en la Universidad de Notre Dame en USA), defensor de la Evolución, se haya visto obligado a tener que afirmar del filósofo Alvin Plantinga que

> «vale la pena considerar el argumento de Plantinga, ya que él no es sólo un reconocido filósofo de religión, sino que también presenta una propuesta en defensa de la creación especial que es bastante sofisticada»,[35]

es preciso convenir que lo que ciertos críticos del creacionismo empezaban a intuir de los problemas que la creencia en el creacionismo estaba causando en el crédito sobre el evolucionismo[36] estaba siendo una realidad en la década del 90.

La calificación en 1991 al libro de Phillip E. Johnson *Darwin on Trial*[37] como "la mejor crítica al darwinismo producida hasta la fecha"[38] no ha sido lo que más ha impactado sino el hecho de que un académico, ajeno a una postura militante creacionista, sea profesor de la Universidad de California en Berkeley, y concluya diciendo que *"La evolución darviniana no se basa en hechos científicos sino en una doctrina filosófica llamada el naturalismo"*.

Pero el efecto del filósofo Alvin Plantinga que mereció en 1993 los comentarios ya aludidos de Ernan McMullin, junto a Philip E. Johnson, están provocando reacciones de intranquilidad respecto a la fe en la teoría de la evolución.[39]

Los evolucionistas teístas son los más perjudicados, por cuanto si bien ya es imposible sostener científicamente la conjetura de la evolución, qué no será para aquellos que la defienden siendo nominalmente creyentes en un Dios que crea de distinta manera a como revelan las Escrituras.

Entre estos últimos se encuentran Van Till y Hasker que se tuvieron que

nombre de savants, la création n'est pas un mythe) recogido en Servir, IV, 1985, pp. 17-21. Después vendría nada menos que la posición de **Giuseppe Sermonti**, conocido en los medios científicos mundiales por numerosos trabajos altamente especializados en Biología entre 1970 y 1980 (referencia en RAE, diciembre de 1983, p. 22), y que junto a **Roberto Fondi** (profesor de Paleontología en la Universidad de Siena), publicaron un libro, *Dopo Darwin: crítica del evoluzionismo*, ed. Rusconi, Roma 1980, donde se cargaban todos los postulados de la hipótesis evolucionista.

Más tarde haría su aparición **Alain Deschamps** (profesor de microbiología de la Universidad de Compiègne, Francia); **Ph. Michaut** (investigador de la Universidad de Dijon, Francia, y toda una pléyade más, difícil de reseñar (ver sobre esto Servir, IV, 1985).

[35] En *Evolution and Special Creation*, Zygon 28:3, septiembre de 1993, p. 300. La obra de Alvin Plantinga (*When Faith and Reason Clash: Evolution and the Bible, Christian Scholar's Review* 21, nº 1-1991

[36] Ver sobre el particular a Dorothy Nelkin, *The Creation Controversy*, Norton and Company, Nueva York 1982; Ernan McMullin, *Evolution and Creation*, University of Notre Dame Press, Indiana-USA 1985. También a Michael Denton, *Evolution a theory in Crisis*, The Hutchinson Publishing Group, Londres 1985 (todos recogidos por Loron Wade en *La Evolución una Teoría en Crisis*, Ce, septiembre 1996, p. 7).

[37] Downers Grove, Ill.: Inter-Versity Press, Chicago 1991.

[38] Así se expresa Michael Denton citado en *Christianity Today*, 19 de agosto de 1991, p. 33.

[39] Se trata del ensayo *When Faith and Reason Clash: Evolution and the Bible*, en *Christian Scholar's Review* 21 (1991).

escuchar primero de Johnson,[40] la incompatibilidad e inconsecuencia de la presunción de la *evolución teísta* y después de Michael Ruse (filósofo darwiniano) en febrero de 1993 que en apoyo de Johnson se atrevió a decir "que la evolución emparentada con la religión implica el hacer ciertas suposiciones a priori o metafísicas que a ciertos a niveles no pueden probarse empíricamente".[41]

Los golpes duros no han terminado pero se está permitiendo correr el velo de una seudociencia que apuntalaba a una hipótesis que nunca ha acabado de demostrarse ni siquiera como tal.

La ciencia por un lado, se está preguntando, como los matemáticos Sir Fred Holye y Chandra Wickramashinghe, cuando sometieron la teoría de Darwin a los principios de la teoría de probabilidades, y comprobar su falta de consistencia, que cómo había sido posible una dejadez de las proporciones implicadas, en algo tan a-científico, dando como única explicación la *perversidad intelectual*.[42]

Los biólogos *darwinianos* hace mucho que no responden, porque no pueden, a las críticas presentadas por académicos como Richard Dawkins y Kenneeth T. Gallagher,[43] respecto al ojo humano que socava la teoría *darwiniana*.

La vida y la conciencia humana no pueden reducirse a una ley puramente física o química. De ahí que cuando la investigación biológica se ve incapaz de dar razones causales a las diferentes formas biológicas estudiadas, o cuando los recursos materialistas no pueden traer, en ningún modelo evolutivo imaginable, el resultado del *pensamiento*, se está implicando la necesidad de una causalidad externa al paradigma *darwiniano*. El ser consciente y moral libre que lo vemos realizarse cada día, en el paréntesis breve que se nos ofrece desde el nacimiento hasta la niñez y como adulto pasando por la adolescencia, demanda una fe en la existencia de un ser personal, moral, libre y transcendente que se constituye en el Creador.

El alemán Bruno Vollmert, defensor de la química polimérica da su testimonio personal, en el marco precisamente de las ciencias exactas y en una consideración de la evolución biológica *neodarwiniana* como un proceso por probabilidad, presenta como una opción válida al *darwinismo* indemostrable,

---

[40] El debate se abrió en diferentes momentos entre Van Till y Hasker frente a Johnson: véase William Hasker, *Mr. Johnson for the Prosecution, Christian Scholar's Review* 22, n° 2-1992, pp. 177-186; Philip E. Johnson, *Response to Hasker, Christian Scholar's Review* 22, n° 3- 1993, pp. 297-304; Howard J. Van Tilll y Philip Johnson, *God and Evolution: An Exchange", First Things* 34, junio/julio 1993, pp. 32-43.

Hasker se ve obligado a reconocer que la indagación de Johnson "puede elaborar un creacionismo opcional auténticamente viable" (W. Hasker, en Reply to Johnson en el mismo número ya citado de *Christian Scholar's Review* 22, n° 3 de 1993, p. 308).

[41] En *Nonliteralist Evolution*, citado por *MA*, Marzo-Abril 1996, p. 26.

[42] En *Why Neo-Darwinism Does Not Work*, University College Cardif Press, Cardiff-Wales 1982, pp. 32, 33.

[43] En *Dawkins in Biomorph Land*, International Philosophical Quarterly 32, n° 4, diciembre de 1992, pp. 501-513.

una concepción del mundo como fruto de una creación por el Creador todopoderoso.[44]

Todo este giro que irá aumentando, si bien está sirviendo para que un día no muy lejano el mundo pueda ser informado debidamente de la verdad de la Creación por un Dios personal como la única segura frente a la inconsistencia, desde un punto de vista científico, de la teoría de la evolución, se está, al mismo tiempo programando una línea de pensamiento, patrocinada por la *New Age* que sabrá recoger los desencantos de la Ciencia en la Evolución, y propondrá, una nueva teoría de la Evolución que habrá pretendido aprender de las críticas que el Creacionismo, con razón, le ha propinado. Asistiremos estupefactos a una simbiosis de conceptos de tal naturaleza que únicamente con el escrito está se podrá identificar el error, y la repulsa de todo aquello que no coincida con la verdad revelada.

La verdadera causa de la evolución y sus consecuencias

Lo que ha originado este pensamiento es el rechazo del acto de hacerse presente el Dios personal y revelador en la historia humana.

Dios ha hablado y se ha manifestado ¿qué ha dicho y hecho?

Al ignorar las Escrituras se yerra (Mt. 22:29),[45] y se entra en la espiral de una sociedad despersonalizada, con una existencia humana *fortuita*, sin propósito ni origen ni destino. Esto es en definitiva, como ya indicábamos en otro lugar, a lo que conduce la *New Age*: a la Nada.

Su interés actual está motivado por la propia subsistencia, en una tierra que se acaba, y en una inspiración cuyo origen y naturaleza está en contraposición con el mensaje bíblico. Su objetivo, una vez alcanzado el poder, está claramente expuesto en sus escritos: la eliminación de todo aquello que se oponga a su plan de planetización, de Nuevo Orden Mundial.

La *New Age*, con su teoría de la Evolución y del Origen, propugna una sociedad deshumanizadora. Aparentemente esta filosofía de la *New Age* se traduce en una preocupación por los efectos deshumanizantes de nuestra tecnocracia moderna. Pero su Evolucionismo anclado en una gnosis y en una

---

[44] Verlo en *Das Molekül und das Leben: vom makromolekularen Ursprung des Lebens un der Arte: Was Darwin nicht wissen konnte und Darwinisten nicht wissen wollen* (Reinbek bei Hambrug, Rowohlt 1985).

[45] Dios ha sido muy claro en las primeras páginas del Génesis, si repasamos lo que ya hemos indicado junto con el capítulo en que explicamos la exégesis literaria y teológica, nos daremos cuenta que la única manera de concebir el origen de la existencia del mundo y del hombre es aceptar el relato de la Creación y del diluvio tal cual, como Jesucristo (Mt. 19:4; 24:37-39) y los apóstoles (2ª P. 3:3-6; 1ª Co. 15.22, 45; He. 11:7) confiesan.

La historicidad de los personajes Adán y Eva está fuera de toda duda, no solamente por su alusión sino porque se involucran con los mismos acontecimientos históricos ocurridos y mi propia historia personal (Ro. 5:12, 15). San Pablo ratifica que Adán fue creado primero y después Eva (1ª Ti. 2.13, 14) y que la mujer es la que procede del varón (1ª Co. 11:8, 9 cf. Gn. 2:21-23).

Podemos decir con Francis A. Schaefer (en *Génesis en el tiempo y en el espacio*, op. c., p. 47):

«El hombre no surgió simplemente de ninguna parte. Ni ha brotado de numerosos comienzos. Hubo un comienzo real, un comienzo en una verdadera unidad en un hombre, un individuo diferenciado de todo lo que le precedió, y luego diferenciado en términos de varón y hembra».

inspiración orientalista, y sus pretensiones de ser Dioses y no meras criaturas humanas, les obliga en última instancia a esclavizar al hombre, al despojarle de sus auténticas necesidades y de las soluciones.

En el relato de la Creación se exhibe incrustada la historia del Pecado. Cuando se niega dicha Creación se niega el Pecado, y cuando se niega el Pecado se inventan teorías que eximen al hombre de su propia obligación

Las teorías psicoanalíticas y de sicología transpersonal, las filosóficas con el Panteísmo y Mecanicistas, no pueden cumplir lo que la naturaleza humana caída demanda.

El tiempo dirá si nos equivocamos, al proferir, que la *New Age*, con su teoría cósmica, materialista y atea de la Evolución, a pesar de su cara bonita, esconde una política fascista y totalitaria, en la que la *lucha de clases* y la *selección natural*, que la propia teoría de la evolución encierra se convertirán un día en una máxima política.

En el principio creó Dios .... Adorad a Aquel que creó los Cielos y la Tierra

Dos llamamientos conmovedores. Por un lado un desafío que presenta el mismo Dios a través de la Palabra profética: "digamos lo que ha pasado desde el principio" o lo que ocurrirá al final (Isa. 41:22, 23).

Dios "lanza el guante": El que está en lo cierto es Aquel que sabe lo que ocurrió al principio y lo que sucederá al final, y lo ha dejado por escrito como testimonio.

Por otra parte, en el último libro de la Biblia, en el Apocalipsis se hace un llamamiento a adorar a Aquel que creó los Cielos y la Tierra (Ap. 14:6 ss.). El Mensaje se ubica en un contexto escatológico. Parecería como si en esos instantes la humanidad necesitara recordar la realidad de la historicidad del relato del Génesis. El paralelismo entre el Génesis y el Apocalipsis, alfa y omega, principio y fin, es impresionante. Lo cierto es que su alusión es completamente providencial. El hombre se ha olvidado de su Creador, y se le insta a volverse a Él con la urgencia que requiere el estar viviendo en una época de juicio.

Capítulo VII

La Nueva Era y sus contenidos sociales, políticos, económicos y el Nuevo Orden mundial

Hay *dos esquemas en nuestro mundo* que aparecen confrontados. **El uno** habla de *unión*, de globalización económica, de gobierno mundial liderado por el que tenga el poder y la autoridad suprema, a fin de poder llevar a cabo todo un programa a nivel mundial que precisa de un nuevo ordenamiento, y ejecutar toda una serie de planes: económico, ecológico, político, religioso. Todas tiende hacia este objetivo: la Unión Europea, la razón de ser de Estados Unidos y su elite, el Ecumenismo, el Catolicismo Romano o Sistema Papal, los programas de Globalización Económica que inciden en el comportamiento político y en una ideología. **El otro,** es una revelación de Jesucristo, contenido en el Nuevo Testamento y apoyado en las Escrituras del Antiguo. Se trata de una advertencia: Dios se enfrentará al final de la historia a un mundo coligado. En contra de su voluntad, las naciones se unifican y dictaminan leyes en oposición a su Pueblo. Al principio todo se reconduce a fin de encontrar una fórmula que favorezca el bienestar humano mediante el fin de las guerras y del control económico. Aparentemente todo es positivo, al menos en lo que se refiere a la teoría de los objetivos. Incluso se habla de Dios, y se propone como bien social y moral. Sin embargo la confrontación es evidente. La profecía nos muestra un final de los tiempos en que los sistemas que imperan, representados mediante símbolos son: el **Dragón**, al que se le llama Satanás, y actúa por medio de reinos e ideologías que él ha inspirado (cf. 2ª Ts. 2:7-10), y que se manifestará de modo presente y visible en ese final (cf. Ap. 12:3, 4, 7-12 cf. 16:13, 14 cf. 2ª Co. 11:14); la **Bestia** que simboliza al gobierno de este mundo y que representa al Dragón en la tierra (Ap. 13:2, 1 cf. 17:3, 8-13), acompañándole en esa política unionista (cf. Ap. 16:13, 14); y el **Falso**

Profeta (Ap. 16:13, 14) que tiene un protagonismo exclusivo para el final de los tiempos, identificándosele con la Bestia de Dos cuernos (cf. Ap. 19:20) que hace las señales y una imagen de la primera Bestia (cf. Ap. 13:14, 15-18) haciéndola revivir (Ap. 13:12 cf. 17:8) y sacándola del abismo (Ap. 17: 8, 7, 11) al que había caído (cf. Ap. 11:7), aun cuando su fin final sea el de la destrucción (Ap.17:11).

Cuando se lee este cuadro, se observa, por un lado una política de unión por parte de los poderes gobernantes representativos de esta tierra en la época final. Por otra parte, el Dios de la Revelación, aparece como un obstáculo a esa unión. Los poderes de este mundo, parecen decididos a una unidad que engloba y perpetúa todo. El mundo político quiere prolongar su existencia en la tierra a pesar de las injusticias, el sufrimiento, la enfermedad y la muerte. Dios, sin embargo quiere acabar con la muerte y la enfermedad. En ese objetivo el Dragón, la Bestia y el Falso Profeta que representan a la humanidad aparecen unidos confrontados contra Dios.

A. La Nueva Era y su objetivo de Unidad en un Gobierno Mundial y de Globalización

Al exponer lo anterior, comprenderemos que en el programa de la Nueva Era que recoge las tesis de la Serpiente antigua (cf. Gn. 3.1-6; Ap. 12:7-12) [1], hay un esfuerzo que busca conseguir: una sociedad que basada en el ocultismo, fenomenología parapsicológica, la asunción de la filosofía budista, y la promoción de una psicología conductista particular donde se promueva la emotividad frente a la reflexión racional, pretendiendo obtener una *Nueva Era*. La transformación de la sociedad se realiza tanto a nivel individual como planetario.

Partiendo del principio de que Todo es Uno se aplica al ordenamiento mundial de las naciones, de las ideologías y religiones, resultando en una cosmovisión y agenda donde se promueve una civilización global y un solo gobierno mundial:

---

[1] La Nueva Era reconoce, por medio de uno de sus más destacados dirigentes:

«(...) Lucifer actúa en cada uno de nosotros para introducirnos a un estado de perfección. Si entramos en una nueva era, la era de la perfección del hombre cada uno de nosotros llegará al punto que yo denomino "iniciación lucifórica (un acto de consagración a Lucifer). Esta es la particular puerta de entrada que debe atravesar el individuo para llegar plenamente a la presencia de su luz y su perfección» (citado por Constance E. Cumbey en *The Hidden Dangers of the Rainbow, the New Age Movement and our coming Age of Barbarism*, Huntington House, 1983.

Esta autora, antes perteneciente a la Nueva Era posteriormente crítica del movimiento, ha sido considerada por los autores como exagerada en sus planteamientos, con afirmaciones sin base ni documentación probatoria. Aun cuando no hemos podido comprobar este asunto y nos basamos para este aspecto en Russell Chandler, (*La Nueva Era*, ed. Mundo Hispano, op. c.) y en Elliot Miller (en *Le mouvement de la Nouvel Age*, op. c.), es preciso reconocer, no obstante que si bien algunas de sus declaraciones aparecen sin apoyo documental preciso, desde que se expresaran sus afirmaciones hasta la actualidad han pasado suficientes años para poder comprobar que los objetivos de la Nueva Era se están cumpliendo, constituyéndose en una fuerza político-espiritual de primera magnitud tal como estamos viendo en nuestro trabajo.

«La consciencia planetaria reconoce nuestra unión con toda la humanidad, y realmente con toda la vida, en todos los lugares, y con el planeta como un todo».

«El destino de la humanidad después de su largo período preparatorio de separación y diferenciación es finalmente convertirse en uno (...) esta unión es la razón de existir expresada políticamente en un gobierno mundial que unirá a las naciones y a las regiones en transacciones superiores a sus capacidades individuales».[2]

Otro dirigente de la Nueva Era comenta:

«Ciertamente, la política sinergética volverá a interpretar la relación de la humanidad con la naturaleza (...)

(...) En un grupo, y en un grupo de grupos, donde la consciencia de separación es disuelta y es sustituida por una consciencia de unión, de ser uno, de cooperación dinámica y de buena voluntad, todos los aspectos de la política nacional e internacional, según los conocemos, deben desaparecer y ser transformados en algo completamente desconocido de acuerdo con las normas de hoy».[3]

El físico perteneciente a la Nueva Era Fritjof Capra, escribe:

«Durante la segunda mitad de este siglo empezó a ser cada vez más evidente que la nación-estado ya no es factible como unidad eficaz de gobierno. Es demasiado grande para los problemas de su población local, y al mismo tiempo, se encuentra limitada por conceptos demasiado restringidos para los problemas de interdependencia mundial. En la actualidad, los gobiernos nacionales, altamente centralizados, no pueden ni actuar a nivel local ni pensar a nivel mundial. Así que la descentralización política y el desarrollo regional han sido necesidades urgentes de todos los grandes países».[4]

Aparentemente esto podría entenderse como una bravata. Sin embargo el tiempo ha dado la razón a lo que la Nueva Era promovía. Miles de millones de personas en la actualidad forman parte de las diferentes *redes* que se han ido creando partiendo de una base, consistente en una serie de creencias comunes que necesariamente no tienen porque ser interpretadas idénticamente. Lo importante es la transformación de la sociedad hacia a la Unidad dejando a un lado las diferencias interpretativas que pueden ser superadas por conceptos que los restringen a la universalidad, sin darles el fondo adecuado que haría mantener esa universalidad. Observen, en esa línea lo que el Dalay Lama, adscrito destacado a una de las redes de esa Nueva Era, expresa:

---

[2] Mark Satin, *New Age Politics*, Dell, New York, pp. 148, 142.
[3] David Spangler, *Explorations: Emerging Aspects of the New Culture*, Findhorn Publicatios, Forres-Scotlant 1981, p. 85.
[4] En *The Turning Point*, Simon and Schuster, New York 1982, p. 398.

«Las distintas religiones tienen cometidos especiales, pero todas ellas hacen hincapié en el perdón, la tolerancia, la fraternidad y la hermandad. Debemos desarrollar un respeto mutuo auténtico. No intentar propagar la propia fe de uno, sino preguntarnos ¿Cómo puedo contribuir a la humanidad? Nuestro orgullo en lo genuino de nuestra propia religión, nuestra fe en su virtud especial, ya no era algo para protegerlo de lo demás ni para imponer a los demás, sino un don que podíamos ofrecer para el bien general: frutos para el banquete».[5]

B. ¿Cómo realizar todo esto y de qué modo se está cubriendo el objetivo?

Marilyn Ferguson conocida conspiradora de la nueva era del Acuario, dice:

«Los conspiradores del Acuario se alinean a lo largo y a lo ancho de todos los niveles de renta y educación, desde los más humildes a los más elevados. Hay maestros y oficinistas, científicos de renombre, políticos, legisladores, artistas y millonarios, taxistas y primeras figuras en el campo de la medicina, la educación, el derecho, la psicología (...).

(...) Hay legiones de conspiradores. Los hay en corporaciones, en universidades y en hospitales, entre el profesorado escolar, en fábricas y en consultorios médicos, en instituciones estatales y federales, entre concejales de ayuntamientos y miembros de la Casa Blanca, en las Cámaras legislativas (...) y prácticamente en todos los centros de decisiones del país».[6]

1. El fenómeno de las Redes y de la actuación mundial de acuerdo a un programa Global

Desde mediados de la década del 70 como medio de confluir en el objetivo de un Nuevo Orden Mundial, se han movilizado toda una serie de *movimientos* que actúan como *redes* independientes pero unidas por un objetivo común, el de una **unidad mundial** coordinada por el propio programa que la pretende conseguir, y una especie de enlace que engloba todas las actuaciones y la filosofía e ideología que las sostiene. Este *enlace* es la **Nueva Era** surgida dentro de lo que ellos llaman la era del Acuario.[7]

«La conspiración del Acuario es (...) una red de muchas redes cuya meta es la transformación social».[8]

---

[5] Recogido en *Simposium sobre la Tierra*, de Anuradha Vitacho, Edit. Kairos (citado por Juan María Argudo, *La Conspiración Final*, op. c., p. 175).

[6] *La Conspiración de Acuario*, Kairós, Barcelona 1985, pp. 24, 25.

[7] Aun cuando puedan existir minorías que no saben que pertenecen propiamente a la Nueva Era su actuación idéntica a lo que la Nueva Era representa y promueve los hace ser contados como pertenecientes a ésta o como candidatos.

[8] Marilyn Ferguson, *The Aquarian Conspiracy*, ed. J.P. Tarcher, Los Angeles 1980, p. 217.

«(...) cualquiera que descubre la rápida proliferación de las redes y comprende su fuerza, puede ver el ímpetu que tienen para la transformación del mundo entero.[9]

«Las muchas perspectivas de una red se derivan de la autonomía de sus miembros. Todos tienen sus propios territorios y planes; sin embargo cooperan en la red porque también tienen algunos valores y sueños comunes».[10]

Una de las cosas más imprtantes de todas las que están ocurriendo es (...) la creación de redes (...) Muchos de nosotros somos parte de la Red de Paz (Peacenet) con nuestras computadoras personales (...)Tenemos consciencia de que no todos tendremos que hacer lo mismo, pero necesitamos saber lo que hacen los demás (...) Creo que finalmente esta consciencia ha llegado a ser realidad en este momento,y está tomando forma».[11]

2. El Programa

a) *Ámbito Político: ética, valores y motivos que lo sostienen*

Aparentemente no existe una partido político concreto, pero sus actividades políticas alcanzan al mundo entero mediante la existencia de diferentes organizaciones: el *Movimiento Verde* y el de *Ciudadanos Planetarios*, junto a su infiltración en diversos grupos como *Club Sierra* (*Sierra Club*), *Amnistía Internacional,* (*Amnesty International*), y *Crecimiento Cero de la Población* (*Zero Population Growth*), el *Club de Roma*, además de la coordinación de asociaciones como *Constitución Mundial y Asociación Parlamentaria* (CMAP) y una *Masonería* especial a las que asisten o forman parte numerosos dirigentes mundiales tanto dc la política como de las finanzas, con las cuales se está influyendo de modo determinante en el Nuevo Ordenamiento Mundial.

El partido verde, está en pleno desarrollo ofreciendo a la política tradicional una alternativa distinta en los campos de la ecología, feminismo, y desarme.[12]

Los contenidos y valores político-sociales están centrados en una teoría socio-política de clara orientación holística que persigue alcanzar una comunidad mundial unida. Para ello está nueva política se basa en un número de valores comunes que posee la humanidad con lo que consecuentemente se engendran preocupaciones sociales detectadas a nivel mundial, y a las que hay que solucionar con una acción social y política adecuada.

---

[9] Id., p. 213.

[10] Jessica Lipnack y Jeffrey Stamps, *Networking*, Doubleday&Company, Garden City, N.Y 1982, p. 227.

[11] Donald Keys y Willis Harman, *Sharing Personal and Planetary Security*, Conference Coordinating Company, San Anselmo, California, 1986 (contenido en cassette).

[12] Para una profundización respecto al partido verde, y a sus éxitos tanto en Estados Unidos como en Alemania y en otros lugares del mundo Occidental ver a Fritjof Capra y Charlene Spretna, *Green Politics: The Global promise*, ed. E.P. Dutton, New York 1984; Petra K. Kelly, *Luchar por la Esperanza*, ed. Debate, Madrid 1984. Para un conocimiento completo de la Ecología y Ecologismo, puede consultarse a Fernando Parra en *Diccionario de ecología, ecologismo y medio ambiente*, Alianza Editorial, Madrid 1984 (en esta obra aparecen organizaciones reguladas por la Nueva Era o relacionadas con ella).

La *supervivencia* es la característica principal que mueve a la política de la Nueva Era. El cuadro problemático y global que se nos presenta de nuestro mundo es evidente: la carrera de armamentos nucleares, la polución, el hambre y la pobreza inamovible, la superpoblación, la mala distribución de los recursos naturales y su disminución. Todo ello crea un presupuesto ideológico que está en la base del interés: se precisa producir una *supervivencia* tanto personal como colectiva, global. De ahí la gran solución, la llamada *planetización*, el desarrollo de un proceso de seguridad que abarque todos esos intereses. Para ello no basta una política de estado/nación sino más bien un sistema de organización planetaria:

> «En nuestra discusión sobre el futuro del planeta, de la planetización de la humanidad y del orden global que se acerca necesariamente (...) creo que podemos ver que, en un sentido mundial, habrá, y es preciso que haya, una nueva era, porque todo lo anterior ya no funciona más, y es en efecto contra productivo y sin utilidad para el futuro».[13]

El que algunos de los adeptos de la Nueva Era no tengan una visión clara de la estructura que pueda llegar a tener el sistema político mundial es irrelevante ante el objetivo primordial: lograrlo. Y una vez conseguido mediante todo el planteamiento que la Nueva Era propone, su influencia en unos y en otros habrá sido capital. Ya que la Nueva Era con su ideario e influencia pretende proyectarse en todo el espectro ideológico. El que fuera Secretario General Adjunto de la ONU, perteneciente a la Nueva Era comenta al respecto:

> «Por primera vez en la historia, hemos descubierto que éste es un planeta en el que todos vivimos. Ahora lo que falta es que descubramos que también somos una familia humana y que hemos superado todas las diferencias nacionales, lingüísticas, culturales, raciales y religiosas que han sido parte de nuestra historia. Tenemos la oportunidad de escribir una historia completamente nueva».[14]

Mathew Fox, otro abanderado de la Nueva Era expresa la misma idea:

> «El ecumenismo a fondo es el movimiento que libertará la sabiduría de todas las religiones del mundo: hinduismo y budismo, islamismo y judaísmo, taoísmo y sintoísmo, el cristianismo en todas sus formas, así como las religiones indígenas y de diosas en el mundo entero. Esta liberación de sabiduría es la última esperanza para la supervivencia de este planeta que llamamos hogar».[15]

---

[13] Donald Keys, *All About Planetary Citizens: A Seminar in Four Parts, seminar 2, part 1* (recogida en transcripción en Elliot Miller, en *Le Mouvement du Nouvel Age*, editions Béthel, Québec 1990, p. 135).
[14] *U.N.'s Robert Muller to Speak at Universal Peace Conference*, The Mouvement Newspaper, febrero de 1983, p. 21 (citado por Walter Martin, *La Nueva Era*, ed. Betania.Minneapolis, MN-USA 1991, p. 79).
[15] En *The coming of the Cosmic Christ* (Harper & Row, New York 1988, p. 288) (citado en íd.).

Dos de las *redes* más importantes de la Nueva Era *"Lucis Trust"* y la *"Unión Mundial"* de origen teosófico, están conectadas con las sociedades políticas para un gobierno mundial, y aportan a su vez a la *Constitución Mundial y Asociación Parlamentaria* (**CMAP**),[16] lo necesario a fin de organizar y colaborar en la formación del nuevo ordenamiento mundial. El plan del **CMAP** es la preparación de un Gobierno Mundial mediante una serie de propuestas a los dirigentes mas destacados de las naciones, donde incluyen un sistema mundial monetario y un programa sobre las condiciones ambientales. Las estrategias expuestas se identifican con las que propone el Club de Roma, incluida la división del gobierno mundial en 10 regiones con sus implicaciones. Lo importante a destacar de esta organización (la **CMAP**) de la Nueva Era son las conexiones con entidades del mundo financiero y de empresas multinacionales como el *Consejo de Relaciones Exteriores*[17] y la *Comisión Trilateral*.[18] Además está conexión se amplía con los afiliados a las diferentes

---

[16] Fundada en Lakewood (Colorado), cuya figura principal sera Philip Isely. (ver sobre esto a Gary H. Kah, *Rumbo a la Ocupación Mundial*, Editorial Unilit, Miami, FL-USA 1997).

[17] CRE o CFR (*Consejo de Relaciones Externas* o *Council on Foreing Relations*) se funda el 29 de julio de 1921, en ocasión de la presencia de unas delegaciones a la Conferencia de Paz de París (del 30 de mayo de 1919) con el propósito de aconsejar a sus respectivos gobiernos en asuntos internacionales (ver sobre esto a Gary H. Kah, *Rumbo a la Ocupación Mundial*, Editorial Unilit, Miami, FL-USA 1997, p. 45, 46).
La CRE o CFR se dedica a un gobierno mundial que controle el monopolio de la banca, está financiado por las más grandes organizaciones no lucrativas que son filiales de los poderes más grandes que dirigen las áreas más importantes de las finanzas, negocios, de lo militar, los medios de comunicación, la educación, etc.. Por otra parte la han dirigido diversas figuras prominentes del mundo político George Bush, Kissinger, David Rockefeller, etc.. En nuestra obra *La Necesidad de un Gobierno Mundial y la Vocación de Poder ¿Configuración Histórica del Anticristo?* estudiamos este fenómeno de organizaciones dedicadas a la creación de un nuevo ordenamiento mundial.

[18] Una organización supranacional fundada por David Rockefeller en 1973.
Después del **CFR**, creado por grandes magnates de las finanzas norteamericanas con la finalidad de prevenir cualquier situación crítica que pudiera repercutir negativamente en la buena marcha de la economía norteamericana, se dió origen al *Club Bildelberg* con representación europea, que influyó poderosamente en la creación de la unidad europea, a fin de hacer frente conjuntamente a los posible problemas políticos y económicos que pudieran surgir, preparando la posibilidad de un Gobierno único a nivel mundial, marcado por la economía y las diferentes multinacionales, y liderado por Los Estados Unidos.
El **CFR** (*Council on Foreing Relations* = *Consejo de Relaciones Exteriores*), es un club de ámbito norteamericano que inicia su aventura el 19 de mayo de 1919. El personaje clave fue Edward Mendel House amigo e influyente del presidente norteamericano Woodrow Wilson. Se trata de un cuerpo colectivo que procura salvaguardar los intereses económicos norteamericanos para ello es preciso interrelacionar a gobernantes, políticos, abogados importantes, a dueños de los medios de comunicación y a los grandes de la economía. El CFR después de su andadura en solitario en Estados Unidos se proyecta en Europa, al principio con Inglaterra, surgiendo de modo oficial dicho CFR en 1921 en Nueva York. En el año 1925 la organización CFR es *protegida* de los Rockefeller, y en 1929 se instala en un inmueble de esta dinastía de financieros. Después se apoyaría financieramente, además de los Rockefeller por las fundaciones Ford y Carnegie. El CFR posee una revista titulada Foreing Affairs, cuyas sugerencias publicadas sobre política intrnacional *"parecen convertirse* en norma para cumplir por las naciones".
En el consejo de dicho órgano de la CFR han habido personas que pertenecen o han pertenecido al Departamento de Estado, grandes influyentes de la prensa, banca, compañías petroleras, a la reserva federal, al *Pentágono*, a la *CIA*. Entre todos los posibles habría que mencionar por nombre a Theodore Hebsburg, presidente de la fundación Rockefeller y padre de la *Compañía de Jesús*.
El CFR hace posible la existencia del *Club Bildelberg* (Holanda), nombre obtenido del hotel donde se reúnen en 1954, con el fin de crear una corporación semejante en Europa que abarque al mundo norteamericano y europeo. El secretario general del *Club Bildelberg* para la zona de Los Estados Unidos es David Rockefeller. Dicha organización parece actuar a la sombra, ya que se caracteriza por ser hermética y secretista. No publica ningún tipo de informe. Nace "como un club privado" formado por "los hombres más poderosos del mundo financiero internacional y de los políticos más conservadores".

organizaciones relacionas entre sí: dirigentes o destacados políticos o dominadores de la economía mundial: Robert McNamara; Ronal Regan, Henry Kissinger, David Rockefeler, Paul Volcker y George Schultz. Junto a todo esto aparece otra de las grandes organizaciones que colabora con la CMAP: el

---

El hombre clave para este nuevo Club de Bildelberg asociado al CFR sería Joseph Retinger (hijo de un millonario judío) que entró en el círculo de Medel House (del CFR). No es casualidad que en el año 1947 se encuentra como presidente de la sección francesa de una asociación internacional para la unidad europea. Con dicha asociación organiza en 1948 un Congreso de Europa en la Haya, apoyado por Jean Monet y Robert Schuman (católicos *Vaticanistas*).

El *Club Bildelberg* influye poderosamente en esa asociación que propugna la unidad europea. Desde entonces se ha llegado a decir que dicho Club es "el club de los hombres más ricos, más poderosos e influyentes del mundo occidental que se reúnen secretamente para planificar acontecimientos que más tarde, simplemente, aparecen como sucedidos". El Club Bilderberg nace y permanece gracias a la confluencia de Mendel House y su sociedad (el CFR), a Retinger y sus influyentes contactos europeos, y al príncipe católico mutimillonario Bernardo de Holanda (la descripción realizada aquí con todos sus datos han sido tomados de *La Comisión Trilateral* de Luís Capilla, op. c.).

No obstante ante la nueva perspectiva neo-capitalista, en la que Japón ha demostrado tener cabida, hubo necesidad de ampliar el círculo: ya no únicamente el CFR y el *Club Bildelberg*. Ahora se hacía necesario extenderse y crear lo que se ha llamado la *Trilateral*:

«Y como el capitalismo seguía desarrollándose en neocapitalismo, las grandes empresas, los grandes *trusts* y monopolios, el boom de las comunicaciones, de los satélites, de la información, de la tecnología de vanguardia iban a transformar el mundo: el eje de la economía mundial y de la política mundial ya no iba a ser sólo el marco europeo-anglosajón. Habían entrado nuevos peones en juego. Cada vez menos, pero cada vez más fuertes: ahí estaban las multinacionales asentadas en tres puntales: Europa, EE.UU. y Japón» (Luís Capilla, *La Comisión Trilateral*, Madrid 1993, p. 30).

El País (22-4-1979) definía así a la Comisión *Trilateral*:

«La *Trilateral* es una asociación privada que pretende colaborar a un mejor entendimiento en todos los niveles, como base para un orden mundial más justo y equitativo, con especial preocupación por la defensa de los principios democráticos y pluralistas y los derechos humanos».

Herrero de Miñón contesta a lo que es la *Trilateral* y sus objetivos:

«Se trata de una institución típicamente transnacional (...)

»se autodefine como un grupo no gubernamental de debate político compuesto por más de 300 notables Norteamericanos, Japoneses, y de Europa Occidental, procedentes de diversos campos económicos, sociales, académicos, políticos (...)

»La finalidad de la Comisión es fomentar el mutuo entendimiento y la cooperación entre las tres áreas –Norteamericana, Europa Occidental y Japón– mediante el análisis de sus problemas comunes y la elaboración de propuestas para abordarlos, resolverlos, o más frecuentemente, conllevarlos» (En Luís Capilla, *La Comisión Trilateral*, op. c., p. 41).

La *Trilateral* es la que dicta el comportamiento a seguir desde un punto de vista político - económico. Es la que asesora a los principales gobiernos del mundo (Los Estados Unidos - Canada; Europa; Japón), en cuanto a las medidas a tomar. No olvidemos que las multinacionales tienen mucho que ver con esa *Trilateral*, ya que son las que dominan el espectro económico, y son vulnerables al descontrol de la inflación o a la inestabilidad política o económica. De ahí que los países generadores de esas multinacionales se ven involucrados y comprometidos, puesto que la buena o mala marcha de esa multinacionales repercute positiva o negativamente en el estado de bienestar de esos países, y se obligan a apoyar a esas multinacionales, de las que depende la economía de esos países.

Es evidente que por un lado Los Estados Unidos, han engendrado dicha Comisión con la finalidad de dar solución a todo aquello que les pueda perjudicar. Por otra parte Estados Unidos sigue la trayectoria marcada desde su fundación, aun cuando su actitud y objetivo no corresponda a lo que pretenden: un país dirigido por Dios.

Cuando uno tiene en cuenta lo esencial del discurso del presidente Kennedy en ocasión de su toma de posesión, uno comprende la trayectoria de los que gobiernan y gobernarán ese país. Kennedy dijo así:

«Finalmente, ya seáis ciudadanos norteamericanos o ciudadanos el mundo, solicitad de nosotros la misma medida de fuerza y sacrificio que solicitamos de vosotros. Con la conciencia tranquila como única recompensa segura, con la historia como juez final de nuestros actos, marchemos al frente de la patria que tanto amamos, invocando Su bendición y Su ayuda, pero conscientes de que aquí en la tierra la obra de Dios debe ser, en realidad la nuestra propia» (*Fragmentos del Discurso de toma de posesión* del presidente Kennedy (enero de 1961), recogidos por Fernando García Cortázar y José María Lorenzo Espinosa en *Historia del Mundo actual 1945-1995* (2. Imago Mundi), Alianza Editorial, Madrid 1996, vol. II, p. 63).

Concilio Mundial de las Iglesias (CMI). La promoción que sobre el ecumenismo realiza lleva otro propósito complementario: facilitar el nuevo orden mundial.[19]

Pero el gran inconveniente surge: ¿quién dirigirá esa planetización? ¿quién tomará las riendas políticas de un nuevo ordenamiento mundial que intente, no solamente solucionar esos asuntos sino el de proteger a una economía que está ya globalmente ligada a los intereses de los países más ricos e influyentes, y a un conjunto de multinacionales que precisan de un nuevo ordenamiento mundial dada su influencia global?

En resumen, se ha llegado a una situación mundial, que para que el mundo funcione, para que la economía de las grandes potencias que contienen a las multinacionales permanezca inalterable, y para que esas multinacionales puedan repercutir positivamente en la economía y estado de bienestar de las

---

J. Warburg, asociado a los Rotschild y a los Rockefeller, anunció en el senado américano:

«Nos guste o no, tendremos un Gobierno Mundial Unico. La cuestión es si se logrará mediante consentimiento o por conquista» (Recogido en *Más Allá*, número monográfico, junio de 1993, p. 14).

Y Franklin Delano Roosevelt declaró que:

«en política nada es casual. Si algo sucede estad seguros de que se planeó así» (Íd., p. 12).

Es conveniente transmitir lo que la revista *Code* publicaba en noviembre de 1987, y que recoge la revista *Mas Allá* (Id., p. 14):

«(...) se denunciaba cómo hombres de la talla de Warburg, Rotschild, Rockefeller, Morgan, Kissinger o los jefes de Estado Roosevelt, Churchill o Bush, fueron -o son todavía- miembros de una logia hebrea conocida como B'Naí B'Rit, que viene a significar "Hijos de la Alianza".

»La élite de la B'Nai B'Rit, son los iluminados, herederos de la "Liga de los Hombres", y fundadores del Club de Roma y la *Trilateral*. Su poder se extiende y se infiltra como una mancha de aceite por todas partes (...) a través de corporaciones y sociedades interpuestas como el "Lyons International", el Club de Roma, el "Council of Foreign Relations o CFR, o la *Trilateral*. Detrás de todas ellas se encuentran los Rotschild y los Rockefeller. Su meta es consolidar un gobierno único para la humanidad» (Id., pp. 14, 15).

<<un puñado de personas de la *Trilateral* y el CFR toman las decisiones. Es un poderoso club privado que domina todos los gobiernos del mundo>> (Id., p. 17).

«En sucesión ascendente siguen los *Bildelberg*, un club formado en Mayo de 1954 e integrado por los quinientos hombres y organizaciones más ricas e influyentes del mundo, y que se propone la instauración de un "Nuevo Orden Mundial"» (Id.)

Uno de los informes de la Comisión *Trilateral* recogido por Luís Capilla (Titulado "*La reforma de las instituciones internacionales*" y recogido en La Comisión *Trilateral*, op. c.. p. 75) afirma:

«El objetivo más importante es hacer del mundo un lugar seguro para la interdependencia, protegiendo los beneficios que ésta da a cada país contra las amenazas internas y externas, que surgirán constantemente de aquellos dispuestos a pagar un precio por lograr un mayor grado de autonomía nacional».

«El público y los dirigentes de la mayoría de los países continúan viviendo mentalmente en un universo que ya no existe –un mundo de naciones separadas– y tienen, grandes dificultades para pensar en términos de perspectivas globales y de interdependencia» (En el informe de la *Trilateral* de 1977 (citado en la *Comisión Trilateral*, op. c., p. 75).

Para ello es preciso que la *Trilateral* se convierta en una auténtica coordinadora de las multinacionales. Y esto es lo que se ha conseguido (Ver *La Comisión Trilateral*, op. c., p. 74; y a José Luís Rubio en *La Comisión Trilateral, coordinadora de las Multinacionales*).

El ideólogo de la *Trilateral* John Diebol afirma:

«El desarrollo lógico y consecuente -a la aumentada participación de las Corporaciones multinacionales- sería el fin de la nacionalidad y los gobiernos nacionales tales como los conocemos» (En su publicación oficial *Foreing Policy*, otoño 1973 (citado en *La Comisión Trilateral*, op. c., p. 77).

«El Estado-nación, en cuanto unidad fundamental de la vida organizada del hombre ha dejado de ser la principal fuerza creativa: los bancos internacionales y las corporaciones multinacionales actúan y planifican en términos que llevan mucha ventaja sobre los conceptos políticos del Estado-nación» (citado en *La era tecnocrática*, p. 102, y recogido por Luís Capilla en *La Comisión de la Trilateral*, op. c., p. 77).

[19] Esta es la idea que se expresa con documentación precisa en *Rumbo a la ocupación mundial*, op. c.,. pp. 123, 124.

grandes potencias (USA-Canada; Europa, Japón), es preciso un control ejercido por esas corporaciones de multinacionales orientadas y protegidas por el CFR, *Club de Bildelberg* y la *Trilateral*, relacionadas con el movimiento de la Nueva Era mediante el CMAP y sus conexiones, que dictaminan la conducta a seguir desde un punto de vista de político-económico, a los respectivos gobiernos. La creación de un estatus a nivel global se hace imprescindible. Un nuevo ordenamiento mundial para proyectar el programa económico que exige la subsistencia de un mundo que se ha convertido en interdependiente. En estos momentos se ha llegado a una posición, en la que la subsistencia de cualquier país pasa por el sometimiento obligado a ese nuevo ordenamiento mundial que conlleva inevitablemente a un Gobierno único. Es esa *supervivencia*, la que da motivación y visos de autenticidad a los objetivos de la Nueva Era ¿Quién va a atreverse a *obstaculizar* esta trayectoria hacia un Gobierno Mundial cuando aparece tan necesario ante la problemática global que nos envuelve a todos?[20] Sin embargo es preciso investigar el método con que se lleva el Nuevo Ordenamiento Mundial, y quiénes lo propician, con qué propósito y con qué filosofía. Cualquier unión humana realizable está en oposición al esquema que en nuestra introducción a este capítulo presentábamos. Las necesidades que se hayan podido crear como fruto de la existencia sobre este planeta responden a un origen y trayecto ajeno al interés del Reino de Dios. Los asuntos, por otra parte involucrados por las potencias interesadas, están promovidos por lo que implica el dominio y el poder. Y las posiciones espiritualistas, como la de la Nueva Era, están promocionadas en base a una concepción que directamente rechaza al Dios Creador y Revelador.

Arnold Toynbee, citado en otro lugar, y que vaticinó en su *Estudio de la Historia* la necesidad de un Gobierno Mundial liderado por los Estados Unidos se expresa del siguiente modo en relación a la *supervivencia*:

> «Es dudoso, yo lo temo, que esto (*se está refiriendo a un estado mundial*), pueda ser establecido por voluntad, o incluso con la aprobación de la mayoría del género humano. Lo más probable es que sea impuesto a la humanidad por una minoría implacable, eficaz y fanática, bajo la inspiración de una ideología o de una religión. Supongo que la humanidad aceptará una dictadura (...) como un mal menor antes que la auto exterminación o una anarquía continua a la que se le podría conducir.
>
> Pero aunque así fuera el que la mayoría vacilante aceptase esa dictadura, yo pienso que tendría razón de ser puesto que aseguraría la supervivencia de la raza humana».[21]

Es evidente que la *dictadura* de la que habla Toynbee podría ser la situación alcanzada actualmente mediante lo que marcan las leyes económicas aun cuando se canalicen de acuerdo a una democracia impuesta por las necesidades

---

[20] Ver a Arnold Toynbee en su *Estudio de la Historia* (ed. Planeta Agostini, Barcelona 1985, pp. 177-182), donde se justifica ese Nuevo Orden Mundial en base a su *necesidad*.

[21] En *Surviving the Future*, Oxford University Press, New York 1971, pp. 113, 114.

engendradas por lo que rige el sistema monetario, económico y empresarial multinacional; y el aspecto religioso, la ideología de los sistemas que existen en nuestro mundo con un protagonismo universalista y de vocación de poder. Aquí, aunque sin omitir otras fuerzas con vocación de poder que configuran al Anticristo, la Nueva Era encaja perfectamente. Motivada por una revelación transmitida por lo que supone ser espíritus de muertos o de extraterrestres o de ángeles han configurado toda una trama que colabora en la creación de un Gobierno Mundial que facilitará la expresión de toda su ideología. Ideología con unos contenidos, que en lo esencial, son comunes a miles de millones de seres que habitan este planeta.

Como cristiano también me preocupa el estado de este planeta. Reconozco que el mal uso de la tecnología, y las actitudes lucrativas han generado una manera de existir interesada y perjudicial para la humanidad. Sin embargo como cristiano debo colaborar a fin de que nuestro hábitat sea mejor, pero siempre con una metodología que no traiga la perpetuidad de la injusticia. Las palabras no bastan. No quiero decir con ello que ciertas redes de la Nueva Era no lleve a la práctica programas que favorecen un equilibrio más adecuado en lo que se refiere al funcionamiento de nuestro mundo. Nadie pondrá en duda los alcances obtenidos por Hitler en su período en el poder, pero ¿a costa de qué? Y también buscaba la *supervivencia* de *su* pueblo. El problema está en el proceso y objetivo que se genera adjunto con ciertos programas aparentemente beneficiosos. **Mi ayuda responde a dos motivos** que están inseparablemente unidos: *el uno* tiene que ver con mi persona humana sacada de la tierra por creación de un Dios personal. Esto hace surgir una conciencia *terrestre*; me empuja hacia el encuentro con el equilibrio de una naturaleza maltratada por el propio ser humano. Descubro que mi *felicidad* únicamente tiene sentido si los demás son también *felices*. De ahí mi entrega hacia la prosecución de logros que hagan de esta tierra un lugar mejor para vivir. Pero mi ser tampoco puede olvidar mi origen y destino impreso en mi creación y redención. Esto me hace ser subsidiario de Dios, responder a un diseño y a un designio.

Él es el que al revelarme cuál ha de ser mi conducta, me hace comprender cuando lo compruebo, que mis actos en cumplimiento a lo que El me explica favorecen mi persona. Por eso no puedo hacer caso a algo contrario a lo que El me indica: que ciertas metodologías que procuran un objetivo de *unión* de toda la humanidad basada en la *supervivencia* sin que se tenga en cuenta Su método, no son aconsejables. El método divino de *supervivencia* es distinto a la propuesta de la Nueva Era de un Gobierno Mundial. Dios nos muestra la imposibilidad de que el hombre pueda arreglar a esta tierra y se opone a cualquier prolongación que eternice el pecado y la maldad. Se trata, según Dios, de una supervivencia al pecado, a la transgresión de sus leyes reveladas (cf. Isa. 24 cf. Éx. 20 cf. Mt. 5:17-19-37 cf. He. 8:8-12), y de *sobrevivir*, mediante la conversión total del ser humano que se efectúa con el prototipo Jesucristo (cf. Jn. 3), a una tierra desolada (cf. Ap. 20); y que ha de sustituir con Su Poder, tras un paréntesis cósmico celestial (Ap. 20), por una Tierra y

Cielos Nuevos (Ap. 21 y 22 cf. Is. 66:22, 23), donde la muerte, la enfermedad no existirán ni tampoco los recuerdos de un pasado negativo (Is. 65:17 cf. Ap. 21:4).

El **otro** es consecuencia del anterior. Ese Dios que me ha hecho conocer la alteración sufrida en esta tierra como consecuencia de la independencia del hombre respecto a su Creador, me asegura que la solución a los problemas que la tierra presenta, independientemente de los posibles remiendos y de actitudes correctas para con ella, únicamente puede traerse con Su intervención directa e históricamente literal en un proceso que se inaugurará en ocasión de la Segunda Venida de Jesucristo (cf. Ap. 16:12-16; 19: 11-21; caps. 20, 21, 22).

La *unidad e interdependencia* es lo más sagrado para la Nueva Era. Su postulado de que *todo es uno* reposa en sus experiencias místicas procedentes de sus creencias ocultistas y del misticismo oriental. Pero no puede haber verdadera unidad si no hay dependencia de unas partes con otras. Es esa interdependencia la que hace buscar la supervivencia mutua: las diferentes regiones del globo deben establecer una relación orgánica y funcional si se quiere que el planeta sobreviva.[22]

Ni que decir tiene que como cristiano me doy cuenta que la *unidad* es importante para Dios. Pero esa *unidad* surge en base de una genuina conversión al plan de Dios. Desde Babilonia, tal como ya hemos visto en los capítulos introductorios, se ha pretendido la unidad de la humanidad. No es nada nuevo. Una Unidad que no se conforme a la voluntad de Dios es desobedecerle. La *unidad mundial* que propone la Nueva Era reposa en el *humanismo* y es antagónica a la *unidad* que Dios propone, de ahí que el cristiano no pueda aceptarla.

Otro de los valores que orienta a la actividad política del miembro de la Nueva Era es su *autonomía*. La base de su autosuficiencia está en la soberanía del *yo* en contraposición a la soberanía de Dios. No hay ningún absoluto moral ni criterios que Dios haya revelado pues ellos no creen en un Dios personal. Este rechazo de los valores bíblicos produce una política incompatible en sus medios, desarrollo y resultados con la actividad social y moral del cristiano, y muy distinta en el resultado final: Una concepción en la que el hombre consigue la unión por un esfuerzo personal y colectivo, mientras que para el cristiano, Dios interviene en última instancia de modo histórico y personal en la persona de su Hijo en una finalización de un mundo al borde de su autodestrucción, como fruto de la acumulación de errores y desordenes (Ap. 11: 18 cf. 16:1-11, 12-16, 17-21).

---

[22] Ver sobre esta idea al adepto de la Nueva Era Robert E. Cummings, *Global Communitiy Network: Living Locally/Thinking Globally*, Transnational Perspectives , 8, 2.15 (citado por Elliot Miller, op. c., p. 138.

b) En lo Educativo: Concepción de Escuela, libros de texto, y programa de estudios; humanismo secular, relativismo e imaginación dirigida, meditación orientalista, yoga y fenomenología parapsicológica, espiritismo y música especial

Las actividades políticas son importantes para forzar la puesta en práctica de una ideología, y conseguir un objetivo deseado. Pero la educación posee un valor estratégico que va preparando el terreno para todos aquellos que se han convencido de una filosofía determinada. Abraham Lincoln había afirmado que *"la filosofía de la educación en una generación sería la filosofía del gobierno en la próxima".*[23] Se ha dejado constancia de que la educación pública es un primer objetivo en toda contienda ideológica por la *supremacía.*[24] La Nueva Era desde el primer momento ha dejado testimonio de ello. Ferguison en su libro *La Conspiración del Acuario* hace notar que la mayoría de los propagadores de la Nueva Era estaban en el campo de la educación.

La efectividad del uso que la Nueva Era realiza respecto a la educación es *total*, y con un alcance y auge que está abarcando lo esencial a fin de influir en las generaciones actuales de estudiantes.

Un primer concepto a tener en cuenta respecto al ideario educativo de la Nueva Era es la idea de *Globalidad*. La lealtad global que promueve la Nueva Era, a fin de que el *mundo sea una cosa*, lleva consigo romper con el esquema clásico de país particular. Para conseguir una economía global con un sistema monetario, gobierno y religión común a todos, se necesita promover, lo que la Nueva Era llama, la armonía y la cooperación, y superar la **barrera** de los *absolutos.*[25] Los absolutos, según la Nueva Era, crean conflictos, y va a ser precisa la *ambigüedad* como valor en alza. Pero ¿cómo inculcar este asunto?

En **primer lugar** teniendo acceso a lo que se debe proponer como enseñanza y como exclusión. En un país como Estados Unidos se ha comprobado tras un estudio minucioso del contenido de los libros de texto que la religión, las posturas políticas conservadoras y los valores familiares tradicionales habían desaparecido.[26]

En **segundo lugar**, mediante una educación *holística* o totalista y *transpersonal*. Para ello debe ejercerse una influencia en la propia escuela y presentar un plan de *educación confluente* que consiste en desarrollar *el potencial completo de la persona*, partiendo de la suposición de la posesión de *poderes síquicos y parapsicológicos* que aflorarían tras la puesta en práctica de técnicas orientalistas y de una experiencias metafísica. Mediante una

---

[23] Citado por Walter Martin, *La Nueva Era*, op. c., p. 61.

[24] Ver sobre el alcance de la educación a Brooks Alexander en *The Rise of Cosmic Humanism*: *What Is Religion? SCP Journal*, vol 5, invierno de 1981-1982, p. 4.

[25] Ver sobre esto a Eric Buehrer, *The New Age Masquerade*, Wolgemuth&Hyatt Publishers, Brentwood, Tennesse 1990, p. 42.

[26] Un estudio sistemático de los libros de texto en la escuelas públicas fue dirigido por Paul Vitz, *Censorship: Evidence of Bias in Our Children's Texbooks*, ed. Servant, Ann Arbor - Michigan 1986, p. 1.

imaginación dirigida, la *meditación transcendental*, y la práctica del *yoga*, se le despertaría al ser humano a imaginar otros mundos como el de los ángeles o extraterrestres, además del propio, explorando el consciente, buscando significados y profundizando en el yo, a fin de descubrir la autonomía de su divinidad y su interrelación con el resto del universo.[27]

En **tercer lugar** se enseña y se propaga una *ética situacional*, a fin de establecer la ambigüedad respecto a lo que está bien o mal. El ser humano se ha acostumbrado a una moral en la que sobresale lo relativo frente a lo absoluto que habría que erradicar de acuerdo a la filosofía de la Nueva Era. De ahí la gran importancia del ofrecimiento de la Nueva Era enseñando a que cada uno valore su conducta de acuerdo a la situación y no a una moral que se le presenta como revelada y de acuerdo a la naturaleza del propio individuo conocida por el Dios Creador. El rechazo de esto último convierte al individuo en la propia fuente de su moralidad. Mediante la práctica de una sicología más bien conductista aun cuando a veces se emplee también la psicoanalítica, se intenta justificar la conducta personal como la única válida sin necesidad de Dios.

La educación que concibe la Nueva Era es guiar hacia fuera desde dentro de uno mismo[28] mediante toda la gama del ocultismo. Es descubrir las cualidades inherentes a uno mismo creyéndose un dios. Esta condición irreal e ilusoria pero que al adepto de la Nueva Era se le ha inculcado como premisa real, únicamente puede creerse con los estados alterados de conciencia que promueve y promociona la Nueva Era. Pero cuando esto se da, la persona que ha perdido su autoconciencia ya no es él. Es otra cosa. La realidad del valor del interior del hombre independiente de Dios es la nada sin siquiera un origen materialista. Las Sagradas Escrituras declaran la condición de minusvalía y de corrupción del ser humano (cf. Jer. 17:9; Mt. 15:9; Ro. 3:10-18).

Con la práctica de una *Medicina holística y de alternativa* se educa a la población hacia una direccionalidad. El motivo principal es colaborar en el mismo objetivo, el de alcanzar un Nuevo Orden Mundial. Crear una sicosis de curación y milagrería que iniciaría esa Nueva Era que se pretende proclamar. Ya hemos criticado suficientemente este aspecto. Insistir que dadas las mezclas de verdad con error que aparece en el planteamiento de esa medicina, no siempre se comprueba en un primer momento los perjuicios que dicha filosofía de curar posee. Si ciertas aplicaciones tiene en cuenta lo que la

---

[27] Bonito ¿verdad? En otros lugares ya hemos expuesto los peligros y perjuicios que se ocasiona a la mente con semejantes prácticas. Desde un punto espiritual se da pie a la intromisión de espíritus angélicos caídos que se presentan como benefactores. La palabra de Dios nos advierte de la existencia de seres que se revelaron contra el Dios Creador y Redentor (2ª Cor. 11:14; Ef. 2:1, 2; 6:1-6; Ap. 12:7-9). Desde un punto de vista físico y síquico, aparece una alteración de la conciencia con posibles desordenes psicológicos y físicos que no suelen atribuirse a las prácticas que se están realizando. Comoquiera que no siempre los deterioros se evidencian en una primera etapa sino que llevan un proceso que tendrá en cuenta la situación personal, el individuo continuará hasta que su propio convencimiento le dificulte el dar marcha atrás.

[28] Ver Jack Canfield-Paula Klimek, *Education in the New Age*, New Age (febrero 1978, p. 270).

naturaleza ofrece y el modo con que se efectúa coincide con la exigencia de la necesidad en cuestión, encontrará la persona un alivio a pesar de los otros aspectos erróneos o místicos, que tardan más en proyectar la nocividad. Mientras tanto se proporcionaría una propaganda adicional a favor de este sistema, especialmente en aquellos que no poseen un conocimiento adecuado de los planteamientos contrarios a la naturaleza humana, y que se conforman con experimentar sin medir previamente las consecuencias. Dios nos previene en su Palabra a fin de protegernos de cualquier malignidad que pudiera producirse en lo que resulta de aceptar los postulados, en cualquier área, de la Nueva Era.

Numerosos centros tanto propios como las escuelas o colegios ya establecidos, utilizan programas relativos a la alteración de la conciencia mediante el *Yoga* propagando la fe de la Nueva Era. No hace falta que nos volvamos a repetir respecto a los perjuicios de esta práctica. Pero sirve en una primera etapa de iniciación para captar el interés del prosélito. Cuando la nocividad llegue, la persona habrá sido enganchada por lo que resulta de la alteración de la conciencia.

La **música** *New Age* es otro elemento de primera magnitud para popularizar a la Nueva Era y ayudarle a lucrarse.

El propio músico de la Nueva Era nos dice que el objetivo de dicha música sería "el de construir un puente entre el consciente y el inconsciente. Tenemos necesidad de excitar nuestra espiritualidad".[29]

Hay dos categorías de música a las que se le pueden apropiar el término Nueva Era: Una música basada en los ritmos y melodías populares pero con letra que promueve la filosofía de la Nueva Era, y otra realizada a fin de inspirar estados alterados de conciencia o de meditación mística. Además de que ciertas músicas Nueva Era (*New Age*) carecen de alguno de los elementos de la música *normal* melodía o armonía o ritmo o tiempo, se componen de sonidos místicos del espacio exterior: las frecuencias sonoras corresponderían a ciertos niveles de conciencia mística provocando ciertas sensaciones de relajación con estados místicos y de trance sirviendo para la meditación mística o la pérdida de la autoconsciencia.

El peligro de este tipo de música, no está simplemente en los perjuicios reales que se pueden dar, bien por escuchar letra propagandística, o por el intento de provocar una situación alterada de la conciencia o de cualquiera de sus fases previas, sino por el mero hecho de mostrar indiferencia. Cuando se conoce la ideología de la Nueva Era y sus propósitos la negación debería de ser la norma. Hacer lo contrario significaría hacer de menos las advertencias divinas, y rechazar la protección divina.

---

[29] Ver sobre esta opinión a los miembros de la Nueva Era Bill Barol, Mark D. Uehling y George Racine, en *Muzak for a New Age* (*Newsweek*, 13 de mayo de 1985, p. 68)

Conclusión

El activismo político de la Nueva Era es una realidad. Nadie hubiera pensado que en un período de 40 años el avance hubiera sido tan extraordinario. Los cristianos que hacen caso a la Palabra profética, sabían que la Nueva Era estaba identificada y ocupaba un papel importante en esta última etapa de la historia. La estrategia de la Nueva Era está dando sus frutos, y no debe sorprendernos una subida e influencia notable en la política norteamericana. De acuerdo a las premisas, a la filosofía y puesta en práctica de sus contenidos ideológicos se puede comprobar el empuje y los objetivos logrados, siendo una evidencia clara que lo que le falta por conseguir lo alcanzará. El tiempo será testigo.

SECCIÓN CONCLUSIVA

Conclusiones y valoraciones finales

El origen idéntico de la Nueva Era y del Sistema Papal con sus objetivos y contenidos fundamentales comunes

A. Un mismo origen el de la Nueva Era y del Sistema Papal: diferencias, naturaleza y puntos comunes

Partiendo de la ideología política y religiosa del ideario imperial Romano en el que influyó Babilonia junto a los imperios que le sucedieron a ésta, fue engendrada por Constantino una Iglesia en la que sobre el tejido bíblico se bordó hábilmente los elementos y directrices fundamentales de la apostasía Romana. De esa mezcla surgió el Catolicismo Romano o el Sistema Papal.

Nuestro análisis pone al descubierto que la sociedad actual occidental, incluso enmarcada dentro de un Catolicismo Romano orientador, hunde sus raíces en Babilonia. Esta confluencia entre Nueva Era y una Cristiandad reconducida por el Catolicismo Romano se diferencia en el tiempo y en el prototipo escogido como mezcla, y en el modo de llevar a cabo dicha combinación. En efecto, el Catolicismo Romano es el resultado de fusionar la ideología babilónica que se transmite desde Babilonia a través de los imperios universales, con lo que estos aportan hasta Roma, y lo que se utiliza de concepción cristiana adaptada a ese nexo de unión provocando la matización correspondiente.

Mientras que la Nueva Era siendo el mismo resultado escoge, en esta época, como modelo de fusión el Budismo y toda una ciencia que se ve libre de la injerencia de postulados religiosos dogmáticos. Por otra parte considera a todo aquello que ha sobrevivido desde Babilonia como válido sin verse obligada a rechazar ni a matizar.

1. Confluencia entre Nueva Era y Sistema Papal por la aceptación de la hipótesis científica de la Evolución

El origen creativo del ser humano y del cosmos es irrepetible. Esto lo vimos en uno de nuestros capítulos donde se mostraba la incompatibilidad de la teoría de la Creación y de la hipótesis científica de la Evolución. Si se acepta la hipótesis de la Evolución es en detrimento de la Creación.

Teóricamente el Papado acepta la Creación, y considera que la naturaleza del hombre fue creada por un Dios personal y trascendente, sin embargo la orientación babilónica le otorgó al inspirador, una matización del endiosamiento del hombre, sin que tuviera que recurrir al panteísmo. El Papa goza de atributos que pertenecen a la Divinidad como el de la infalibilidad, y sus actitudes en cuanto a la Autoridad asumida, a través de la historia lo identifica como una representación de Dios en la tierra en la que todos le deben obediencia. Su persecución religiosa le hacía autoerigirse como Juez, sus declaraciones magisteriales tienen un valor divino. Su comportamiento ha sido y sigue siendo como el de un dios,[1] aun cuando a veces asuma gestos y palabras aparentemente humildes.

---

[1] La Teocracia Pontificia y la Deificación del Papa se comprueba a lo largo de la historia.

En esa época de omnipotencia pontificia, se comprueba sin impedimentos de ninguna clase, que la idea de la Supremacía Papal arrastra consigo la 'deificación', la persecución religiosa, y el poder sobre el Estado. Es casi imposible de creer que se hayan podido expresar palabras y acciones del género indicado. Y como veremos a continuación no podemos limitarlo a la que hemos expuesto, a un contexto temporal como el de la Edad Media (Así se describe en *Historia Universal*, Espasa Calpe, op. c., Vol IV, p. 44)..

Podemos recordar a recordar a Gregorio IX, y a Bonifacio VIII, y a las actitudes de Supremacía por la que se arrogan atributos divinos.

Se puede consultar en *Historia Universal* de Espasa Calpe, vol. IV, op. c., p. 70 respecto a lo que Agustín Triunfo de la época de Inocencio III dice de este Papa bajo su beneplácito: palabras que sólo se pueden dirigir a Dios.

En una Glosa acerca de las 'Extravagantes' del Papa Juan XXII (1316-1334) (251), se deja aplicar: "Señor Dios el Papa" (Título XIV, cp. 4, citado en Apéndice del *Conflicto de los Siglos*, op. c., pp. 57, 739).

En el discurso de Christofer Marcellus se le dice al Papa, en el inicio de la celebración del 5º Concilio de Letrán (1512-1517):

«Porque tú eres el pastor, tú eres el médico, tu eres el director, tu eres el labrador; finalmente tu eres otro Dios en la tierra» (Recogido por Mansi, *Sacrorum Conciliorum... Collectio*, Vol. 32, col. 761.Citado en *Las Hermosas Enseñanzas de la Biblia*, op. c., p. 220).

En un discurso dirigido al Papa Inocencio X (1644-1655) se dice:

«Santísimo y bendito padre, cabeza de la Iglesia, gobernante del mundo, (...), a quien reverencian los ángeles del cielo (...) y quien todo el mundo adora, nosotros especialmente te veneramos, adoramos y alabamos, y nos sometemos, nosotros y todo lo que nos pertenece a tu paternal y más divina disposición» (Recogido por el Dr. C. Wordsworth, en *Unión With Rome*, p. 55. Citado por W.H. Wakehan, *Daniel y Apocalipsis*, op. c., p. 46).

El cardenal Sforza Pallavicino, S.J. (1607-1667), miembro de casi todas las congregaciones de la corte Papal:

«Tiene la señoría de todo el mundo, él es el monarca y el Señor.

(...) le adoran como Santísimo en esta cualidad, y como mediador entre el cielo y la tierra.

(...) Es una potencia más que humana que debe ser adorada como tal, (...)».

(En *Politique et Intriges de la Cour de Rome*, pp. 93-95, 98, 99. Citado en *A L'Ecoute de la Bible*, op. c., p. 256).

En el siglo XVIII, Lucios Ferraris se manifiesta así respecto del Papa:

«Es tan grande la dignidad y elevación del papa, que no es simplemente un hombre, sino casi Dios ...(...).

El posee en efecto, una dignidad y un poder tales que constituye con Cristo una sola y misma autoridad judicial, (...). (...), el rey supremo de todos los reyes, que posee la plenitud de poder, y que el Dios Todopoderoso

El Papa representa a todo el mundo cristiano. Mediante su persona institucionalizada como divina encarna la divinidad; y cada ser humano al obedecerle y aceptarle como tal, y participar de sus atributos recibe en esa representatividad su condición de hijo del dios papal

2. Una misma concepción básica Antropológica entre la Nueva Era y el Sistema Papal

Cuando se estudia la concepción antropológica aplicada al origen y naturaleza del hombre se observan **siete** aspectos importantes:

1) **Hay una concepción antropológica paralela y divergente a otra.** En efecto, cuando analizas la **antropología bíblica** compruebas un contenido plenamente contrario e incompatible con una *antropología* que remontándose a Babilonia se transmite, creando una direccionalidad, a Medo-Persia, Grecia, Roma, el sistema Papal, y la *New Age* con el Movimiento Potencial Humano.

2) **La antropología moderna, que parte de Descartes no supo zafarse**

le ha dado el gobierno de su imperio terrestre y celeste (...)» (En *Prompta Biblioteca*, Venise, 1763, Vol. VI, Art. Papa II, 1,8,13,16,18: pp. 17, 18; citado en *A L'Ecoute de la Bible*, op. c., p. 256).

En el siglo XIX, era lógico que el Concilio Vaticano I pudiera declarar como un principio de fe el dogma de la Infalibilidad, un atributo de la Divinidad, aplicado al romano Pontífice. La doctrina del *ministerium petrinum*, tiene aquí su máxima consecuencia. Todas las declaraciones del pasado, interpretadas, de acuerdo al itinerario propuesto por la 'Supremacía Papal' tenían que desembocar en una afirmación como la estipulada por el Concilio Vaticano I en 1870. A nadie debe sorprenderle, es el justo resultado de un empeño histórico. La 'deificación' del emperador cobra aquí su equitativa medida. Véase el instructivo capítulo 'La mayor herejía de la historia' de Jose Mª Diez Alegría, en *Rebajas Teológicas de Otoño* (Desclée de Brouwer, Bilbao 1980, pp. 19-23). En dicho cp. se indica sin ambages que se ha tenido una actitud hacia el papado idólatra.

Sobre el tema de la Infalibilidad en la historia, puede estudiarse a Hans Küng, *¿Infalible?*, Herder, Buenos Aires, 1972. August Bernhard Hasler, *Cómo llegó el Papa a ser infalible*, Planeta, Barcelona 1980. P. Leon Dehon, S.C.J., *Diario del Concilio Vaticano I*, edit. el Reino del Corazón de Jesús, Madrid 1962.

La Civilta Católica, órgano oficial de la Iglesia Católica decía en 1871:
«El papa (...), (...) no es solamente un Sacerdote eterno sino también Rey de reyes y Señor de señores>> (18-3-1871. Citado en *Las Hermosas Enseñanzas de la Biblia*, op. c., p. 221).

En una 'carta apostólica' del Papa Leon XIII se dice:
«Nos ocupamos en esta tierra el lugar de Dios, de este Dios Todopoderoso (...)» (*praeclara gratulationis* del 20 de junio de 1894. Citado en *La Santa Sede y la Unión de las Iglesias* de Roger Aubert, ed. Estela, Barcelona 1959, p. 30).

En 1950, un órgano oficial del episcopado católico español dice de Pío XII:
«Nuestro Señor Pío XII (...)
«Creer en el papa expresa: más que creer en la Iglesia. Más que creer en la divinidad de Jesucristo. Más que creer en la existencia de Dios» (*Perseverancia*, Revista O.E.P. del Boletin Oficial del Obispado de Barcelona. Barcelona 1950, nº 111).

El autor católico Père Domanico Bertetto, S.D.B. expresaba en 1954:
«(...) el papa es Dios sobre la tierra...
«Jesús ha colocado al papa: por encima de los profetas, porque ellos anuncian a Jesús, mientras que el papa es la voz de Jesús ...
Por encima de los ángeles ...
Jesús ha colocado al papa al nivel mismo de Dios» (Bosco, *Meditazioni* per la novena: Libreria Dottrina christiana San Giovanni, Turin, 2ª edic. 1957, pp. 89, 90. Citado en *A L'Ecoute de la Bible*, op. c., p. 280.

Jean Delimau dice de Juan Pablo II, y en relación a una postura práctica sobre el ecumenismo:
«Pero el culto a su persona, que tolera, y el centralismo romano, contradicen las más sinceras intenciones enuménicas».
(En *Selecciones de Teología*, nº 117, 1991, op. c., p. 52).
Este asunto del culto a la persona ha sido manifestado por varios autores y en diferentes medios. Véase de Peter de Rosa, *Vicarios de Cristo*, ed. Martinez Roca, Barcelona 1989.

de esa influencia, y en uno de sus resultados fundamentales final confluye en un mismo sentir.

3) Hay una antropología bíblica que se desmarca totalmente de esa otra direccionalidad aludida, con unas consecuencias determinadas por las características de la asunción.

Se experimenta que la antropología bíblica lleva consigo toda una ideología subyacente que repercute en una forma de pensar determinada, y en todos los órdenes.

4) No podemos prescindir, en ningún momento de la relación Dios o dioses con el hombre, tanto si cree o no o si se cree erróneamente, para la concreción de la *antropología*.

Esta relación supone siempre una conducta y trayectoria.

5) Se nota y se experimenta en la antropología ajena a la Revelación Bíblica unos cambios sustanciales en la manera de pensar y en la ideología que se aplica tanto en la conducta del hombre (*ántropos*) individual como en el colectivo.

Hemos visto que desde el comienzo de la humanidad la concepción política parte de la concepción *teocrática* que se relaciona e influye en la **antropología**, proyectándose por ambas una manera de ser social, ética, política y espiritualmente.

6) Las raíces de las antropologías paganas han pervivido hasta nuestros días en la teología y filosofía tanto Católico Romana como en la *New Age* (aglutinadora del humanismo ateo, agnóstico, espiritista, filosofías orientales o del Movimiento del Potencial Humano, Cienciología, etc.), con una proyección popular, por la que millones de personas aparecen realizando técnicas en las que están envueltas la fenomenología parapsicológica, el yoga, la meditación transcendental o *zen*, con las que se ha comprobado los perjuicios que a todos los niveles se constata con su puesta en práctica, y que responden a conceptos antropológicos distintos e incompatibles con lo que nos proporciona la Revelación bíblica.

7) Resumamos las bases de una antropología hebrea o judeo - cristiana que tiene en cuenta la sola Escritura, cómo podemos racionalizarla, y en contraposición a la antropología no bíblica.

El Monismo Bíblico

La "imagen de Dios" que es el hombre no puede concebirse de otra manera más que como un ser de perfecta unidad e indisoluble: cuerpo, alma y espíritu. Esto es lo que define el monismo bíblico.

Los estudiosos de la doctrina hebrea sobre el hombre han llegado a esta conclusión: Ven *"la continua representación del todo por la parte como un ejemplo de esa comprensión de totalidad"*.[2]

---

[2] En Aubrey R. Johnson, *The Vitality of the Individual in the Thouht of Ancient Israel*, Cardiff 1949, p. 8. Sobres esto puede consultarse a J. Pedersen, *Israel, Its Life and Culture*, Oxford and Copenhagen 1946-1947, pp. 99-181; John A. T. Robinson, *El Cuerpo*, edic. Ariel, Barcelona 1968, p. 20).

J. Zurcher se explica de este modo:

> «(...) el hombre aparece siempre como un todo de una perfecta unidad (...)
> el autor del Génesis define el ser humano tanto desde el punto de vista me-
> tafísico como existencial: "El Dios Eterno formó al hombre del polvo de la
> tierra e insufló en sus narices un aliento de vida, y llegó a ser un alma viviente"
> (2:7). Es posible distinguir aquí los dos elementos constitutivos del ser: el polvo
> de la tierra o cuerpo, y el aliento de vida o espíritu. Pero ante todo el hombre
> es considerado en su conjunto; las partes componentes no tienen sentido más
> que en función de la totalidad del ser, presentada aquí no sólamente como una
> perfecta unidad sino como una viviente unidad: **el alma viviente**».[3]

Cuando Cristo habla del amor a Dios y a nuestro prójimo (cf. Lc. 10:27
y paralelos) el énfasis no está puesto en las diversas manifestaciones posibles
sino en el hecho de que cada una de ellas está representando, en su expresión
más completa, a la totalidad del ser. Lo mismo sucede con el texto de Pablo
en 1ª Tesalonicenses 5:23. Nótese que a pesar de las diferentes manifestaciones, tanto por el cuerpo, alma y espíritu, el escritor sagrado no habla de una
estructura metafísica del hombre sino de los tres órdenes de manifestación del
ser entero: *"Todo vuestro ser"*, plenamente entero debe quedar santificado
en cualquiera de sus manifestaciones, puesto que cada una de ellas supone el
hombre completo.

El teólogo católico C. Spicq, O.P.,[4] afirma:

> «El problema de sus componentes es secundario. El hombre bíblico es un
> todo indisoluble, manifestándose bajo tal o cual aspecto. No hay "compuesto
> humano" sino un "monismo"».[5]

Exégesis del contenido antropológico del texto de Génesis 2:7: El proceso de la creación del ser humano y una valoración del significado implicado en los conceptos que intervienen

En principio nótese que la creación del hombre pasa en primer lugar por
la *'modelación'* o realización de *algo* que se obtiene de la tierra, del *âdâmá*.
Fijémonos que en esa formación ese compuesto una vez hecho está inerte.

Es importante que reseñemos, por la importancia antropológica que tendrá,
que aquí no aparece el término que se consagra para cuerpo o carne. Es decir
no aparece *bâsâr* sino *âdâmá*.[6]

---

[3] Ver *Essai D'Anthropologie Biblique, Servir*, 1er. trimestre 1973, p. 31.

[4] En *Dieu et l'homme selon le N.T.*, editions du Cerf, Paris 1961, p. 161, nota 3. Esta misma idea puede
verse en la edición española (op. c.. pp. 151 y ss.).

[5] Queremos destacar de la cita el concepto de monismo con que se define a la naturaleza humana. Ahora
bien no nos parece secundario el asunto de la constitución humana.

[6] El término **cuerpo** (*bâsâr*) designa al ser, a su expresión, *"a la vida corporal*, y aparece por primera
vez en Génesis. 2:21. Es a partir del momento en que aparece constituido el ser, cuando el *âdâmá* se ha asociado
al *nêsamá*, es decir cuando se llega a poseer vida que aparece el término cuerpo o carne (*bâsâr*) como
representativo de la persona humana completa (cf. Gn. 2:21-24). Esto lo estudiaremos más adelante junto a
las posibles variantes que enriquecerán nuestra comprensión antropológica.

En **segundo** lugar Dios otorga su *hálito* (*nêsamá*). El 'aliento' de vida "no tiene" consciencia, es una fuerza vital que la poseen también los animales (cf. Gn. 7:21-22, entre otros). Reflexiónese en el hecho, de que el elemento material obtenido de la tierra por sí sólo no es nada más que una masa con una forma estática y estética determinada, con una posible capacidad de actividad pero totalmente paralizada. Del mismo modo ese *hálito* o *espíritu*, aunque inmaterial, por sí mismo y por separado no posee ningún principio humano preexistente, es una "fuerza", una energía sin personalidad ni consciencia propia.

En **tercer** lugar es en la unión, y tan sólo en ello, de la 'forma' de la materia terrena con el 'hálito' o 'aliento' (*nêsamá*) o 'espíritu' (*rûªh*)[7] que resulta el 'ser' o **alma** (*néphes*) viviente (*'ghah'y*), es decir, el hombre como persona real existente, a lo que también se le llamará cuerpo.

Gerard von Rad[8] hace el siguiente comentario respecto al asunto que estamos tratando:

> «Pero el hombre formado de la materia terrena no se convierte en ser vivo hasta que recibe el divino aliento en la cara (...) Se personifica, se individualiza esta divina potencia vitalizadora pero sólo por su entrada en el cuerpo material; únicamente este aliento que se une a un cuerpo hace del hombre un ser vivo».

Si queremos no equivocarnos a la hora de hacer aplicaciones en cuanto a nuestro destino, es preciso que no olvidemos este primer pasaje: el ser o la persona humana existente **no ha recibido un alma** sino que *llega a ser un alma*, tal como se expresa J. Zurcher:

> «Esta alma viviente no es divina, no preexiste a la creación del hombre; ella no es una sustancia inmaterial (...) Ella es simplemente el resultado de la acción creativa de Dios, y designa al hombre en la totalidad de su persona».[9]

En una palabra el **alma**, al ser el producto de la unión de la sustancia material y del espíritu no es un componente constitutivo del hombre, se identifica con la vida personalizada puesto que es lo que resulta de la asociación de esa sustancia material y el espíritu.

Lo mismo se puede decir cuando se habla de **cuerpo**: es el resultado de que el **espíritu** (*rûªh*) se haya integrado en el *âdamá* o **sustancia material**.

La realidad del ser humano o alma viviente, viene dada a partir del momento en que podemos hablar de "*cuerpo*" que resultaría de la creación

---

[7] Tampoco aparece el término *rûªh* en Gn. 2:7, pero en Gn. 7:2, 3 aparece por primera vez para aplicarse al hombre mostrando ser un sinónimo de aliento o *nêsamá*. Recogiendo no obstante el valor de la representatividad de la individualidad. Analizaremos este asunto más adelante.

[8] En el *Libro del Génesis*, op. c., p. 92.

[9] *Servir* IV-1976, p. 19.

de la sustancia material a partir del *âdamá*, **orientada** con todas las posibilidades potenciales de acción y que es activada por el espíritu que Dios envía a esa sustancia material (todavía inerte) o *cuerpo inerte*, hasta que el espíritu se introduce.

Medítese en el hecho de que es en la **sustancia material** con sus órganos, entre los que se encuentran el corazón y el cerebro, que una vez que entre el espíritu, hacen posible la vida y el pensamiento; resultando al mismo tiempo el **cuerpo** propiamente dicho.[10] Es decir si se deteriora el cerebro o el corazón, se altera el pensamiento y la calidad de vida. Lo que significa de que el *'espíritu'* separado de la **sustancia material** o *âdamá* no posee ninguna función relativa al fenómeno de 'pensar', y por lo tanto *no habría cuerpo* en su totalidad expresiva. Su misión es la de poner en movimiento y funcionamiento al *cuerpo* inerte que posee la capacidad de pensar.

El cuerpo destruido, a pesar de la inmaterialidad e indestructibilidad del *espíritu* impersonal e inconsciente, imposibilitaría que siga dándose la vida, el **alma**; y del mismo modo, cuando este mismo hecho se expresa en términos de que Dios *"retira su aliento el hombre recae en la materialidad sin vida"* (cf. Sal. 104:29),[11] puesto que de acuerdo a Gn. 2:7 es imprescindible el *concurso* **inseparable** de la **sustancia material** y **espíritu** o *aliento,* expresándose corporalmente.

Un último aspecto del texto: en ningún lugar se menciona la expresión inmortal en relación al alma. Esto es imposible por cuanto únicamente Dios es inmortal (cf. 1ª Ti. 6:16, 17), y el hombre es mortal puesto que se trata de un ser creado que ha tenido un principio, que ha recibido la *vida* como un don (cf. Gn. 3:22-24), perdiéndola por su desobediencia, teniendo que retornar de nuevo a la no existencia (Ecl. 3:19-21). De ahí que el creyente esté buscando esa inmortalidad que no posee (cf. Ro. 2:7) y que le concederá Dios por Jesucristo mediante la resurrección del ser completo en el último día (cf. 1ª Co. 15:51-55).

Ahora bien, una vez que se ha dado como resultado el alma a consecuencia de la unión del cuerpo y el espíritu, y mientras la vida se dé, ya están tan íntimamente unidos el cuerpo y el espíritu que junto con la manifestación de esa unión (que es el alma) forman un bloque integrado, de tal manera que cada uno, sin perder la integración, puede ser mencionado representando al ser completo y unitario en diversas manifestaciones, sin que nada de esto repercuta en la naturaleza esencial descrita del modo que las Escrituras nos han mostrado.

a) *La realidad corporal o el hombre como* bâsâr *o* sôma

Tanto el Antiguo Testamento en su versión hebrea y griega de la

---

[10] Tendremos oportunidad de comprobar cuando analicemos el término hebreo *bâsâr*, y compararemos unos pasajes con otros, que es preciso distinguir entre la *bâsâr* cadavérica (cuerpo inerte) o la que todavía no ha sido resultado del integrante *rûªh* (espíritu), y la *bâsâr* resultado de haber sido puesto el espíritu o *ruªh*.

[11] Ver G. von Rad, *El Libro del Génesis*, op. c., p. 92.

Septuaginta como el griego del Nuevo Testamento responden a una concepción y a un pensamiento puramente hebreo en relación a la naturaleza y destino del ser humano [12].

Bâsâr es el término hebreo que sirve para determinar al cuerpo o a la carne (en el sentido corporal).[13] Es un término que aparece aplicado, tanto de forma sinónima, a las personas humanas en sus diferentes estados (Éx. 30:32; Lv. 16:4; Nm. 19:7; Ez. 11:19; Dn. 1:15; Pr. 14:30; Job 7:5; Pr. 5:11) como a los animales (Job. 41:14; Lv. 17:14).

La expresión *toda bâsâr* (carne, cuerpo) tiene diferentes significados que marcan la representatividad de todo el ser humano, o de todo el ser vivo animal, mediante la *bâsâr*: todo el cuerpo tanto el del hombre como el del animal (Lv. 13:3; Nm. 8:7; Lv. 4:11; 17:14); todos los seres vivientes, incluyendo a hombres y a animales (Gn. 6:17; 9:11, 15ss; Nm. 18:15; Sal. 136:25; Dn. 4:9); todos los hombres o toda la humanidad (Is. 40:5s; 49:26; Jr. 25:31; 45:5; Ez. 20:4, 10; Joel 3:1; Zac. 2:17; etc.); toda persona (Is. 66:16, 23s; Jr. 12:12).

Lo que está claro para los exégetas son dos cosas fundamentales que permiten ser coherentes con el criterio antropológico manifestado en la creación del hombre (cf. Gn. 2:7), y que se desarrolla consecuentemente a lo largo de toda la Sagrada Escritura.

Lo primero es (tanto sirve para *bâsâr* como para el término griego *'sôma'*) que en ningún lugar de la Biblia se establece una distinción entre la sustancia material y la forma del organismo corporal. John A.T. Robinson, obispo anglicano, en su estudio especializado de teología sobre "El Cuerpo"[14] se expresa así:

>«Básica en el pensamiento griego, se concebía una primera oposición entre materia y forma (...) (...) Los hebreos, en cambio, no concebían semejante oposición (...) *bâsâr* significa toda la sustacia (realidad) viviente de los hombres o animales, en cuanto organizada en una forma corporal».

Si nosotros tenemos en mente lo estudiado en relación a las posibilidades del texto de Génesis 2:7, habremos descubierto que la expresión corporal o *bâsâr* sólo es una realidad viviente cuando se le ha integrado el 'aliento' o **'espíritu'** (*ruʻh*) a la **sustancia material**, y la misión del espíritu en cuanto a concretar la existencia humana se pierde en ese objetivo si no se realiza corporal o somáticamente. En efecto, si a lo que resulta como cuerpo (como consecuencia de poseer el espíritu) no tuviera el espíritu integrado, ya no se hablaría con propiedad de cuerpo, sino que estaría muerto, y entonces ya no sería un cuerpo sino un cadáver (Stg. 2:26; Ez. 37:6, 8). Pero el 'aliento' o

---

[12] Ver, por ejemplo, John A.T. Robinson: «ha de buscarse la especificación veterotestamentaria del uso paulino de *sôma*» (cuerpo) (en *El Cuerpo*, op. c., p. 18).

[13] Ver *Diccionario Teológico del Antiguo Testamento* de G.J. Botterweck-H. Ringgren, Edic. Cristiandad, Madrid 1973, vol. I, op. c., pp. 866, 867.

[14] Op. c., pp. 19, 20.

'espíritu' sin **la** *"forma"* **corporal** no mantiene ningún tipo de vida permitiendo que se produzca la destrucción del ser humano (Sal. 104, 29, 30; 146:4). ¿Por qué? Porque el cuerpo es cuerpo en tanto que el espíritu se ha asociado a la **sustancia material** *âdamá*.[15]

---

[15] Es muy instructivo repasar los textos en los que aparece el término hebreo *bâsâr*. La primera vez que se menciona es en Gn. 2:21, 23. Se trata ya de una *bâsâr* **resultado de la integración del** espíritu o aliento (*nêsamá*). Aquí se presentan dos mensajes: que la sustancia material o *âdâmá* se la describe como a una *bâsâr* pero adicionándole como sobreentendido lo que implica el *nêsamá* (cf. Gn. 2:7); por otra parte, Dios es capaz de crear de un modo directo de una parte de *bâsâr* viviendo (no inerte) todo un ser completo: la mujer.

Los cuatro aspectos subyacentes fundamentales se van a desarrollar a través de las Escrituras:

1) *bâsâr* como una parte de *bâsâr*; 2) *bâsâr* como resultado de haber integrado el espíritu en la sustancia material *humana* y *que* representaría a todo el ser equivaliendo a la persona humana completa; 3) *bâsâr* inerte o *bâsâr* muerto o cadáver, y que como tal no representa al ser humano viviente; 4) *bâsâr* como aspecto exterior del ser.

En efecto, es muy importante ver el término hebreo *bâsâr* (cuerpo o carne) expresar un concepto resultante que se identifica o apunta al ser completo. El paralelismo hebreo es concluyente en diferentes pasajes: "de todo lo que vive" o viviente (*'ghah'y*) se iguala a "de toda carne" (*bâsâr*) (Gn. 6:19).

Si ahora se comparan los pasajes 7:15, 16, 21, 22 y 23 nos daremos cuenta que se identifican e igualan carne o *bâsâr* con "**lo que tiene** *espíritu o aliento*" es decir con el **ser completo.**

Veamos esto un poco mejor y saquemos conclusiones:

Toda *bâsâr* (carne o cuerpo) en la que se ha integrado el **espíritu** (*rûªh*) de vida (*'ghah'y*) (Gn. 7:15) es sólo ser o *bâsâr* (carne) (7:16 cf. 7:21 pp.; 7:23 úp.). Nótese que esta *bâsâr* tiene sobreentendido el espíritu integrado (Gn. 7:15) que ya no se menciona posteriormente (cf. 7:16; 7:21).

"Morir toda carne (*bâsâr*)" (7:21) = "**todo** lo que tenía aliento (*nêsamá*) de espíritu (*rûªh*) de vida (*'ghah'y*), por lo tanto todo animal o ser humano (Gn. 7:22) = destrucción de todo ser (7:23).

"Todo ser (*néphes*) = viviente (*'ghah'y*) = cuerpo o carne (*bâsâr*) (Gn. 9:15, 16).

Es evidente el mensaje claro que se nos ofrece en estos pasajes, y que es preciso mantener dentro del contexto de la naturaleza y constitucionalidad del ser humano: la *bâsâr* o **cuerpo** o **carne** equivale al **alma** (*néphes*) que es **vida** (*'ghah'y*) o **ser.**

Aquí vemos identificado el *nêsamá* con el *rûªh* (7:21). Por otra parte, la *néphes* (alma) que es **vida** (*'ghah'y*) se identifica con el ser completo que es "**lo que tiene** *aliento* (*nêsamá*) *de espíritu* (*rûªh*) *de vida* (*'ghah'y*)" (Gn. 7:22, 23 cf. 9:15, 16).

Los escritores bíblicos son fieles a esta concepción antropológica. En Job, la *bâsâr* (carne o cuerpo) es representativa del ser, y el paralelismo poético entrecruzado característico de la literatura hebrea lo identifica con la *néphes* (el alma) (14:22) (la traducción de este texto la justificamos y documentamos en otro lugar). La (o el) *bâsâr* (la carne o el cuerpo) es igual al ser que verá a Dios (Job. 19:26); estremecerse "mi carne" es como decir "estremecerse mi ser" (Job 21:6). En Job 34:14, 15, cuando se nos explica el proceso contrario a la vida, incluye una descripción exacta de la concepción antropológica coincidente con Génesis 2:7 complementándolo con la valoración e inclusión de la *bâsâr*: "recoger su **espíritu** (*rûªh*) o su aliento (*nêsamá*) (cf. Gn. 7: 22), es lo mismo que decir que toda (o todo) *bâsâr* (**carne** o **cuerpo**) *perecerá*, volviendo el hombre al *âdâmá* (al polvo, a la tierra).

En los Salmos esta concepción se ratifica una vez más: "mi carne (**mi *bâsâr***) reposará confiadamente" ¿por qué?: porque mi alma o mi *corazón están alegres*, que es tanto como decir "mi ser" (Sal. 16:9), y porque no dejarás mi **alma** -*néphes* (**mi ser, mi vida**) en el sepulcro, no habrá lugar de corrupción del ser (del santo) (Sal. 16.10).

"Mi *néphes* (alma) es lo mismo que decir mi *bâsâr* (mi cuerpo o mi carne) (Sal. 63:1; 65:2, de ahí que pueda servir terminológicamente para sustituir al **hombre** (cf. Sal. 56:4), o al **yo** (119:120), o representar al **ser** (Sal. 109:24; 136:25; 38:3, 7). De ahí que cuando el alma (*néphes*), la vida personal, anhela a Dios, la carne (*bâsâr*), el ser personal canta a Dios (Sal. 84:2).

En Proverbios y Eclesiastés la *bâsâr* (carne o cuerpo) se identifica con todo el **ser** (Prov. 5:11; 14:30; Ecle. 2:3; 11:10; 12:12).

Los profetas siguen la misma línea de pensamiento: La *bâsâr* corresponde al **ser**, al **hombre**, a la humanidad genéricamente (Isa. 40:5, 6; 66:16, 23, 24; Jer. 12:12; 25:31; 32:27; 45:5; Ezq. 20:48; 2:4, 5, 10; Joel 2:28; Zaq. 2:13). Ezequiel aporta dos elementos importantes que completan y ratifican la noción antropológica que estamos analizando: Identifica a los **muertos espirituales** con el pronombre personal **nosotros** y ambos con la *bâsâr* (cuerpo o carne) (cf. Ez. 11.3, 7, 11); del mismo la renovación espiritual de la persona completa que pasa por la *"colocación"* **en ellos**, de un nuevo **espíritu** (*ruªh*) es paralela a poner **en la carne** (*bâsâr*) un corazón nuevo (Ezq. 11:19 cf. 36:26).

R. Bultmann,[16] se expresa categoricamente:

«la única existencia humana que existe –y también en la esfera del '*pneûma*' (espíritu)– es la somática (corporal)».[17]

Lo segundo a tener en cuenta es, que el cuerpo se considera como tal, cuando el invisible e inmaterial 'aliento vital' o '**espíritu**', dado por Dios, se ha fundido de tal manera con la sustancia material (*âdâmá*), que entonces puede decirse con toda propiedad '**cuerpo**, y que dicho cuerpo es entonces la expresión más completa de la personalidad humana entera.

R. Bultmann[18] se explica en este sentido:

«(...) *sôma* no significa la forma corporal o únicamente el cuerpo, sino que, más bien, con *sôma* se designa a la persona entera (...)»

«(...) El *sôma* no es algo "colgado" externamente al yo auténtico del hombre (...) sino que pertenece esencialmetne a él de manera que puede decirse: el hombre no tiene un *sôma* sino: el hombre es un *soma*. Con frecuencia se puede traducir *soma* por "yo" (o por el pronombre personal que corresponda dentro del contexto)».

«De todo ello se deduce: por medio de *sôma* puede designarse al hombre, a la persona como totalidad».

Wheler Robinson:[19]

Pero lo que convierte en original a Ezequiel es su descripción del proceso de la recreación o resurrección (cf. 37:1-14). Destinada a demostrar la resurrección de Israel postrado en el exilio babilónico, utiliza a los huesos secos como representativos del polvo, del *âdâmá* (cf. 37: 1-5). De esa sustancia material, directamente de los huesos secos (nótese 37:4, 5), pondría espíritu y habría vida o ser. Los huesos secos reciben primeramente una modelación llegando a la *bâsâr* (carne o cuerpo), enfatizándose la realidad de la *bâsâr* mediante los tendones y piel (37:6). Pero se trata de una *bâsâr* inerte, en este caso cadavérica, *ya que no tiene todavía* **espíritu** (*rûᵃh*) (Ez. 37:6, 8). De ahí que sea preciso distinguir entre la *bâsâr* sin **espíritu** (*rûᵃh*), y la *bâsâr* resultado de haber sido puesto el *rûᵃh* o **espíritu**.

Esta distinción añade un elemento más para comprender la *bâsâr*, puesto que la *bâsâr* que **no** resulta de haberse integrado el **espíritu**, puede ser considerada como un componente del ser humano que correspondería para traducir la sustancia material **modelada**. Por ejemplo, cuando un animal se ha matado, de acuerdo a Génesis 9:4, o se va a consumir o a sacrificar de acuerdo al rito (ver Levítico), se va a tener que matar, entonces su *bâsâr* entra en un contexto de muerte y cadáver. Se trata de carne muerta o de cuerpo cadavérico, sin vida, y por lo tanto ya no representa al ser (cf. Ex. 12:8; 16:3, 8, 12; Prv. 23:20; Isa. 44:16, 19; 66:17; Jer. 7:21; Ezq. 4:14; 3917, 18; 40:43; Dn. 10:3, etc., ver todos los textos relativos al sacrificio de animales). Del mismo modo se puede decir del hombre muerto: la carne viene a representar la sustancia material inerte (cf. Sal. 79:2; Jer. 11:15; 19:9; Ezq. 32:5; Miq. 3:3; Zaq. 11:9, 16). De ahí que sirva también para representar el **aspecto exterior** o la **forma de expresión corporal** de la sustancia material (Gn. 17:11, 14; Ex. 4:7; Job. 7:5; 10:4, 11; Sal. 27:2; 102:5; Lam. 3:4; Zaq. 14:12).

Podemos concluir esta nota diciendo que la expresión **cuerpo** o **carne** que viene indicada en hebreo por *bâsâr* puede señalar al **ser completo**. Podemos hablar entonces de un **resultado**, y no un componente constitutivo, como consecuencia de haberse integrado a la *sustancia material*, el *espíritu* o *rûᵃh*. Por añadidura, como consecuencia de no estar el *espíritu* o *rûᵃh*, *bâsâr* o cuerpo o carne no se identifica con el ser sino con la sustancia material inerte. En ese sentido tiene un valor constitutivo. Y por extensión: al describir el aspecto exterior del hombre se presta atención a *bâsâr* como siendo un elemento constitutivo.

[16] En *Teología del Nuevo Testamento*, Edic. Sígueme, Salamanca 1981, p. 247.

[17] Ver sobre esto también a H. Mehl-Koehnleïn, *L'homme selon l'apôtre Paul*, Delachaux et Niestlé, Neuchâtel-París 1950, p. 10.

[18] En *Teología del Nuevo Testamento*, op. c., pp. 247, 248, 249.

[19] En *The People and the Book ['Hebrew Psycology']* ed. A.S. Peake 1925, p. 362.

«el concepto hebreo de la personalidad es el de un cuerpo animado, no el de un alma encarnada».

John A.T. Robinson:[20]

«No tenemos un cuerpo; somos un cuerpo (...) "El cuerpo es el alma en su forma exterior". No hay ningún indicio de que el alma sea la personalidad esencial; ni de que el alma (nefes) sea inmortal, mientras que la carne (*bâsâr*) es mortal. El alma no sobrevive al hombre –simplemente desaparece, derramándose con la sangre».

No olvidemos que es gracias al cerebro corporal que podemos pensar y razonar. Que la memoria, el entendimiento, la inteligencia y la voluntad que entran dentro de la esfera tanto síquica como espiritual pueden efectuarse gracias a ese **cerebro corporal**, y que cuando el cerebro 'viene' deteriorado o se lastima, esas funciones cerebrales se alteran hasta el extremo de perder la 'normalidad'.

Pero ese cerebro no hubiera podido funcionar si Dios no hubiera colocado el aliento o espíritu. Y el **alma** o la **vida** o el **ser humano** o el **cuerpo**, *no podrían ser referencias resultantes si el âdamá* (**sustancia material**) *y el* **espíritu** *no se hubieran unido* y no permaneciesen integrados en un bloque homogéneo. Y cuando el cerebro alcanza lo que se llama la **muerte clínica** real, la actividad pensante desaparece a la nada provocando la muerte del paciente.

Esto nos evidencia el hecho indiscutible de que cada uno de los elementos constitutivos (el material y el espíritu) y el resultante (el alma o vida o el cuerpo animado), no tiene existencia más que en función del todo. De ahí que, en numerosos pasajes bíblicos, la totalidad del ser pueda expresarse por cada uno de los conceptos por separado que representan al ser entero.

Todo esto explicaría en relación al *bâsâr* o al *sôma* (cuerpo) que la realidad corporal no se manifiesta únicamente mediante lo sensible y material sino también en lo sicológico, moral o espiritual:

«En oposición radical con el dualismo, el pensamiento bíblico va hasta ligar las funciones síquicas y espirituales a esta realidad corporal o como escribe H. Wheeler Robinson: "las funciones síquicas y morales son consideradas como dependiendo tanto de los órganos del cuerpo como de las funciones fisiológicas". Designando al hombre todo entero, la persona humana en su totalidad, ésta realidad es pues también de orden síquico y mental, de ahí el empleo de **psiché**, alma, y de **pneuma**, espíritu».[21]

C. Spicq[22] dice respecto del cuerpo:

---

[20] *El Cuerpo*, op. c., p. 21.

[21] J. Zurcher, *Servir* 1er. trimestre 1973, p. 32.

[22] *Dieu et l'homme selon le N.T.*, edic Secretariado Trinitario, Salamanca 1979, p. 162, nota 5.

«*Sôma* expresa la idea de totalidad: multiplicidad de los miembros en la unidad de un solo organismo».

Concluyamos este apartado diciendo que el *sôma* o *bâsâr* (el cuerpo) designa a la persona y "define una manera de ser esencial y constitutiva de la realidad humana"[23] (cf. 1ª Cor. 13:3; 9:27; 7:4; Filp. 1:20; Rom. 12:1).

b) El hombre como realidad síquica o la noción de rûah o pneûma

Si bien en la creación del hombre aparece el **aliento** o *nesâmâ* (Gn. 2:7) como uno de los componentes (que en unión de la sustancia material {*âdâmá*}) es como únicamente se produce el cuerpo o el **alma** o el ser humano), es sustituido para representar a ese **hálito vital** por un sinónimo: el *rûah*. Precisamente en textos tan antiguos como Génesis 7:22 y Job 34:14, 15, y en el mismo contexto de la creación aunque describiéndose en el proceso contrario de la muerte: el **espíritu** (*ru^ah*) se asocia con el *aliento* (*nesâmâ*) igualándose, y permaneciendo como elemento constitutivo en lugar de 'aliento' (*nesâmâ*):[24]

> «El significado básico de *ru^h* es simultáneamente, "viento" y "aliento", pero entendidos ambos no como algo que existe por naturaleza, sino como la fuerza que se produce en el golpe de respiración y de viento (...)».[25]
>
> «*ru^h* como designación del viento es, necesariamente, algo que está en movimiento y que tiene la fuerza de poner otras cosas en movimiento».[26]

Este principio universal destaca en su origen la impersonalidad (Gn. 2:7).[27] La existencia pensante no está en el *ru^h* (ni en el *âdâmá* {sustancia material}) por separado, y aunque metafísicamente constituye un elemento esencial del "Ser" (Lc. 8:55; 23:46; Jn. 19:30; Hech. 7:59; Stg. 2:26) y sirve (como representando al hombre completo, "como sinónimo de 'yo'")[28] para describir las manifestaciones de la vida espiritual, la sede de la inteligencia, de los estados de ánimo, y de las tendencias hacia el bien o el mal (cf. Ez. 18:31; 36:26; 11:19; Ex. 31:1-5; Is. 29:24; Sal. 51: 12-14, 19), cuando el espíritu se disocia del *âdâmá* o sustancia material, ya no hay cerebro que piense ni cuerpo, puesto que el ser deja de existir tornando al polvo (Job 34:14, 15; Sal. 104:29 cf. 146:4), y de la misma manera que el **'aliento'** o **espíritu** otorgado al hombre en el origen era un poder impersonal, sin consciencia, vuelve a Dios, aunque 'individualizado', del mismo modo: sin personalidad ni consciencia (Ecl. 12:9; Lc. 23:46; Hch. 7:59 cf. Gn. 2:7).

---

[23] Ver a H. Mehl-Koehnleïn, op. c., p. 10.

[24] Sobre el uso como sinónimo ver *Diccionario Teológico Manual del Antiguo Testamento*, Edic. Cristiandad, Madrid 1978, vol. II, op. c., p. 925.

[25] Id., p. 917.

[26] Id..

[27] Ver *Diccionario Teológico Manual del A.T.*, vol. II, op. c., p. 931.

[28] Id., *Diccionario Teológico* II, op. c., p. 932.

Para que la existencia personal pensante y consciente pueda realizarse de nuevo es preciso que el espíritu (*ru*ᵃ*h*) vuelva a unirse indisolublemente con la sustanica material **surgiendo así** el cuerpo (*bâsâr*) propiamente dicho o la *nephes* o alma (la vida) (cf. Ez. 37: 5, 8, 9).

R. Bultmann nos explica cómo entender el término *ru*ᵃ*h* o *pneûma*, cuando aparece aislado y asumiendo características como si fuera una "personalidad propia":

Para él "*sôma* y *pneûma* describen complexivamente la totalidad del hombre" (o alma).[29] Pero al igual que sucede, en algunos textos, con el *sôma* (cuerpo) y con la *psiché* (alma), el *pneûma* o *ru*ᵃ*h* o espíritu puede significar a la persona y adquirir las veces de un pronombre personal.[30] Varios textos ejemplifican el sentido del comentario de Bultmann:[31] cuando en 1ª de Corintios 16:18 se dice que los enviados "han tranquilizado vuestro espíritu y el mío" se está queriendo transmitir la idea: "a mí y a vosotros". En 2ª Corintios 7:13, el que el "*pneûma*" (espíritu) de Tito haya sido reconfortado, no se nos quiere indicar otra cosa sino el que Tito ha sido reconfortado. En 2ª Corintios 2:13 donde se expresa "mi espíritu no tuvo punto de reposo" no significa otro asunto que Pablo no encontró paz interior alguna, el mismo sentido que 2ª Corintios 7:5 recoge, refiriéndose en esta ocasión a la carne: "no tuvo sosiego nuestra carne", es decir: no encontré descanso ni paz. Romanos 1:9, ("Dios, a quien sirvo en mi espíritu"), subraya únicamente que Pablo se ha entregado con toda su persona al evangelio. Con Filipenses 1:27 que se manifiesta que había que "permanecer en un mismo espíritu compartiendo una misma 'alma'" (cf. 1ª Co. 1:10) se está queriendo emitir que han de ser de un mismo pensar y de un mismo sentir; de este modo cuando Pablo pregunta en 2ª Corintios 12:18 ¿no hemos obrado según el mismo espíritu? se está reflejando interrogativamente ¿no nos hemos (Tito y yo) conducido teniendo idéntica voluntad?

La ausencia en cuerpo pero presente en espíritu (1ª Co. 5:3-5) no puede significar que el elemento constitucional "espíritu" de Pablo abandonara el cuerpo para estar presente (esto significaría la muerte) sino que aunque ausente físicamente toda su persona (cuerpo y espíritu unidos) estará presente mediante su fuerza y pensar operante. Su pensamiento, opinión, manera de tratar este asunto de Corinto estará con ellos reunido (cf. 1ª Co. 5:4).

Cuando se parte de la concepción antropológica bíblica, uno descubre que tanto el espíritu como el cuerpo (considerado como sustancia material), y el alma (resultado de la unión de los dos anteriores) no son por separado ningún principio que tenga autonomía "personalizada" sino que cada uno de estos elementos representa a la totalidad del ser, o al yo individual, o a la persona. De ahí que cuando se dice en 1ª Corintios 2:11 "que el espíritu del hombre

---

[29] *Teología del N.T.*, op. c., p. 260.
[30] Id..
[31] Id., pp. 260-263.

conoce el interior de éste, el *pneûma* se aproxima al moderno sentido que tiene 'ser consciente'".[32] Y es que el hombre puede

> «tomarse como **objeto** de su acción, verse tanto desde fuera como desde dentro, de experimentarse como sujeto de un acontecimiento. En todas estas situaciones donde el "yo" proyecta su "mi" a alguna distancia, su vida parecería que se cristalizara en una sustancia separada de lo que él llamará "mi cuerpo", "mi alma", "mi espíritu", siendo que se trata de su vida física, síquica o mental».[33]

En efecto, como nos dirá H. Mehl-Koehleïn[34] que lo que distingue realmente al ser humano es su calidad de persona permitiéndole entrar en diálogo consigo mismo, y colocar a su "yo" frente "a sí mismo" para poderlo juzgar, asumirlo o perderlo. Pero con ello no se esta poniendo en cuestión la unidad funcional del hombre ni se está concibiendo al espíritu, como en la filosofía griega, un principio en sí mismo con existencia propia e independiente, sino que es un ejercicio mental provechoso, en el que el espíritu esta representando al **ser consciente** al 'yo' personal, permitiendo un desdoble, una elección consigo mismo, una objetivación del propio yo, y cuando en el diálogo aparece nuestro "interior", el "espíritu", como siendo juzgado o asumido, no es otra cosa que juzgarse a sí mismo o aceptarse como persona total. Porque en definitiva el soporte que da vida al hombre interior es la sustancia corporal mientras esté animada e indisolublemente unida al espíritu como principio divino inmaterial e impersonal, metafísico y vital. Puesto que si el diálogo es posible, si la consciencia y el pensamiento se dan, es porque existe un **cerebro corporal** que hace viable lo que se atribuye, como representativo, al **espíritu**. La voluntad, la inteligencia del sujeto pensante, el "yo" que sabe, que comprende, conoce (que a veces en el Nuevo Testamento tiene el sentido de *nous* {intelecto, 1ª Co. 2:11; 5:3-5; 7:34; 2ª Co. 7:1; Col. 2:5cf. Fil.,4:7; 1ª Co. 14:14-19; Ro. 7:23; 14:5}), a pesar de este carácter activo es inimaginable e imposible de comprender como algo descolgado del ser o como una entidad diferenciada; ya que si la inteligencia, la voluntad, la memoria, el entendimiento, el intelecto pueden manifestarse es gracias al *sôma*, al **cuerpo** que con sus múltiples órganos y elementos en una unidad anatómica fisiológica y biológica, es el que hace posible con el **espíritu** (*ru"h, pneûma*) integrado, haciendo bloque, que la inteligencia, voluntad, memoria, entendimiento, intelecto, sean una realidad viviente, y si el cuerpo se intoxica o deteriora en demasía, perjudicando a ciertas neuronas esenciales, ya no es posible **querer** en el sentido de **decidir, ni saber ni conocer.**

R. Bultmann[35] resume todo esto diciendo:

---

[32] Bultmann, *Teología del N.T.*, op. c., p. 261.
[33] J. Zurcher, en *Servir*, 1er. Trim. 1973, p. 34.
[34] *L'homme selon l'apôtre Paul*, op. c., p. 11.
[35] *Teología del N.T.* op. c., p. 263, 264.

«las diversas posibilidades de ver al hombre, al yo, se hacen presentes en el empleo de los términos antropológicos: *sôma*, psuché y *pneûma*. El hombre no está compuesto de dos o tres partes; tampoco psiché y *pneûma* son dos órganos especiales o principios de una vida superior por encima de la animal que se encuentra dentro del marco del *sôma*, sino que el hombre es una unidad viviente, el yo puede objetivarse a sí mismo, que tiene una relación consigo mismo (*sôma*), y que se halla viviente en su intencionalidad, proyectado hacia algo, en querer y saber (psiché, *pneûma*)».

c) El ser humano como alma viviente o la noción de néphes o psiché

C. Westermann:[36]

«De acuerdo con la concepción integral del hombre en el A.T., la *nephés* no está separada como una parte especial del hombre (Gn. 2:7: "así el hombre se convirtió en una *nephés* hayyâ" (...); "el alma es el ser del hombre, no su posesión (...)

Por ello se comprende fácilmente que en numerosos pasajes haya que traducir *nephés* por "ser viviente" (animal u hombre), pero también (...) por hombre, persona, individuo, sujeto, alguien (...)».

Estamos comprobando tanto en el Antiguo Testamento como en el Nuevo, que el *sôma* o *bâsâr* (cuerpo) manifiesta al hombre en su aspecto humano más común, el de hombre humanidad, al fin y al cabo es una manera de expresar el resultado de la unión de la sustancia material y el espíritu.[37] Del mismo modo con la **nephés** se pretende singularizar el elemento individual y personal por cuanto es el resultado que se obtiene tras la unión de la sustancia material o del cuerpo considerado como elemento puramente material) y el espíritu. Y de la misma manera que cuando hablábamos del cuerpo (*bâsâr*, *sôma*) como una expresión "corporal" de la vida completa del hombre común a todos ellos, de igual modo ahora, el **alma**, con que se denomina al ser completo resultante de la asociación del cuerpo y el espíritu, es utilizada por los escritores bíblicos como representativa de la persona completa bajo la forma síquica e individual.

Tanto el Antiguo como el Nuevo Testamento nos remite en su enseñanza sobre el **alma** al texto que marca la pauta para su comprensión: Génesis 2:7.

Al estudiar el pasaje, tal como ya aludíamos anteriormente en otro apartado, descubrimos que el **alma** con que se llama al efecto producido por el ensamble sustancia material y espíritu es la manifestación de la **unidad viviente humana e indivisible** conseguida desde que la sustancia material y el espíritu se juntan, y mientras permanezcan indisolublemente galvanizados, el **alma será** la vida total del ser.

---

[36] *Diccionario Teológico Manual del Antiguo Testamento*, vol. II, op. c., p. 124.

[37] Ver lo que hemos dicho en otra nota anterior para complementar el sentido de cuerpo o *bâsär* o *soma* en los respectivos contextos.

Teniendo en cuenta esto no es difícil que el **ser viviente** o **alma** sirva para designar cualquiera de las funciones de una persona humana, tanto en su concepción de vida individualizada en el sentido fisiológico de un cuerpo todavía animado (Gn. 35:18) como en el psicológico (1º S. 1:10).

Tal como ya hemos indicado *Nephés* se identifica con la vida en general a la que se puede destruir y la que es preciso respetar (Éx. 4:19; 21:23; Dt. 19:21; 1ª R. 19:2; Job 2:6). De ahí que también aparezca como la vida que señala localmente ciertos componentes corporales que poseen todo "ser animado", tanto animales como humanos (Job. 14:14:13; Ex. 33:12; 31:17; Gn. 35:18; 9:4; Lv. 17:11; Dt. 12:23; Sal. 141:8).

El alma o la vida se presenta en las diversas funciones de la persona humana, tanto en lo puramente síquico (2º Sa. 3:21; Sal. 24:4; 41:3; Pr. 23:2; Is. 26:8; Ez. 24:25) como en las de cualquier otra índole (Gn. 14:21; 46: 18, 26, 27; Nm. 5:6; Ez. 33:6).

Al consultar el Nuevo Testamento la palabra griega empleada por alma (*psuché*) tiene el mismo significado. Se trata de una creación de Dios que ha venido a ser como consecuencia de la creación del cuerpo y haber dado aliento, una vida o alma viviente (1ª Co. 15:45 pp; Hch. 17:25; Mt. 6:25-30).

El **alma** en el Nuevo Testamento como en el Antiguo señala al hombre en las diversas manifestaciones del ser pero aquí se enfatiza más "la vida humana en tanto que vida individual de un sujeto consciente dotado de voluntad" (Mt. 10:28; 16:26; Lc. 9:56; 12:19, 20; Jn. 12:27; 2ª Co. 1:23; 12:15; Fil. 1:27; 1ª Ts. 2:8).[38]

Después de este estudio el conocimiento adecuado de un ser particular revelado nos lleva a la conclusión de que este ser no es simple sino que lleva consigo una **estructura.**

¿Cómo se define un ser particular?

Un ser particular se define por *"que es"*, y que *"él es esto"*, es decir por **"lo que es"**.

La primera de estas proposiciones enuncia su valor absoluto de ser: **él es.** La segunda proposición afirma que el ser particular comporta un modo de ser que es relativo: *él es esto, lo que es.*

Lo que se señala entre *el ser que es* y *lo que es* sirve para enunciar el **ser** concreto **todo entero.**

La afirmación de la dualidad **alma-cuerpo** se encuentra en el enunciado de los principios que forman la estructura íntima del ser particular. Pero este enunciado, harto habitual, tanto en el lenguaje filosófico como en el coloquial, es erróneo cuando los transformas en partes o en elementos constitutivos.

Estamos de acuerdo en admitir que hay dos principios fundamentales.[39] Uno: el principio real del ser, expresado por la idea transcendental y valor absoluto, de carácter ilimitado; el otro, principio real de limitación con carácter

---

[38] Ver J. Zurcher, en *Servir*, 1er. Trimestre, 1973, p. 33.
[39] Ver sobre esto a Zurcher, en *L'Homme...*, op. c., p. 134.

relativo y limitado del modo particular del ser. En ningún momento, los dos términos constitutivos del ser particular (materia y espíritu) designan dos partes cuantitativas del ser. "El que es" y "lo que es" constituye una unidad inseparable. **Yo no puedo *ser* un instante sin ser un *hombre*.** *Yo no puedo ser sin lo que soy.* **Porque lo que soy es fruto de ser, de existir.** *Y existo, en base a que se manifiesta lo que soy.*

Podemos aceptar la nomenclatura, tanto aristotélica como de Tomás de Aquino de considerar al ser como siendo **materia** y *forma*.[40] Materia = a ser en potencia; la forma = a ser en acto.

Ahora bien la materia y la forma no pueden existir separadamente la una de la otra.

Materia y forma sólo tienen sentido y realidad en la medida en que ellas constituyen *por y en* su unión **el ser** particular. **Lo que es *no es ni la forma ni la materia*** sino la unión de ambas cuando permanecen inseparablemente.

El ser es lo que es y vive, y esto no es la suma de dos partes sino que es igual a la síntesis de dos *situaciones correlativas*. No hay sentido ni de lo uno ni de lo otro **más que en su conjunción íntima.**

"La vida no está jamás donde el ser está ausente" "El ser cesa de existir tan pronto como la vida falta".[41]

La estructura de todo ser conduce a una correlación de tipo *materia-forma* o *potencia-acto*. Y esto, una vez más, no tiene realidad y sentido más que en esa correlación.

El hombre es la conjunción de dos situaciones correlativas.

1) La materia o ser en potencia, ofreciendo la capacidad y posibilidad de existir: cerebro, corazón, otros órganos y aparatos que esperan su funcionamiento.

2) La forma o ser en acto que demuestra la presencia de lo que hace posible poner en funcionamiento la **materia**, a la cual presencia, la Biblia denomina **espíritu.**

El hombre es **corporal** cuando también es **espiritual.** Por cuanto hablar del *cuerpo* es hablar por un lado de la **materia** *del no ser* o *del ser en potencia,* y además del **espíritu.** Esos dos sentidos los hemos estudiado ya en otro lugar: *bâsâr* o soma o cuerpo sin espíritu integrado sería la materia del no ser o del ser en potencia; *bâsâr* o soma o cuerpo como resultado de haberse integrado a la sustancia material inerte, el espíritu. En este último caso el **cuerpo** es la evidencia de que el alma, la vida, el ser en acto ha hecho presencia gracias a que el cuerpo es la materia con el espíritu integrado. El cuerpo es otro modo de contemplar *al ser* en acto. De ahí que digamos que los dos principios

---

[40] Aquí empleamos el término forma en sentido filosófico. Anteriormente lo hemos usado en el sentido llano y popular: forma, en cuanto a modo o manera. Nos hemos referido a la forma corporal, teniendo los contornos y el ordenamiento de la materia. Ahora lo empleamos en el sentido de ser en acto, en su manifestación.

[41] Zurcher, *L'Homme* ..., op. c., p. 138.

constitutivos de la estructura metafísica del hombre, son, por un lado un principio material, y por otra parte un principio espiritual.

En este último sentido sería un error seguir manteniendo la designación habitual de esos dos principios constitutivos como siendo el **cuerpo** y el **alma.** Puesto que ninguno de los dos son ni principios ni elementos constitutivos del ser. Ellos ya son **ser,** y es el modo distinto con que la Biblia denomina al ser en acto. El cuerpo es el ser. El cuerpo es la manifestación del ser. Podemos hablar de cuerpo cuando están integrados la materia y el espíritu.

Cuando un *cuerpo* no tiene *espíritu*, ya no sería un cuerpo propiamente dicho, sería un *cuerpo* **cadáver o inerte** que vuelve hacia el *polvo* o es sustancia material modelada pero sin vida ni consciencia.

El ser consciente implica la unión inseparable del espíritu y la sustancia material o ser en potencia, que alcanza con el espíritu otorgado la manifestación del ser o ser en acto. No puede haber consciencia de ninguna clase si la materialidad del cerebro conjuntado con todo el ordenamiento material no recibe la integración del espíritu. La evidencia de que todo esto es así será la existencia de la expresión corporal en su totalidad y el resultado que se obtiene de la unión: el alma, la vida.

La consciencia y alma o existencia vital no pueden desligarse. El Núcleo de lo personal que reside tanto en el cerebro material como en la manifestación corporal y anímica no pueden faltar si se quiere seguir hablando de persona humana o de ser consciente. Al darnos cuenta de nuestro propio darnos cuenta denota nuestra consciencia personal, dotada de la noción del tiempo y del espacio, del existir y de la libertad.

No podemos desligar la existencia del yo con la propia consciencia que uno tiene de si mismo. Es imposible separar la existencia de la consciencia de sí mismo. Y si bien la consciencia descubre nuestra existencia, la consciencia es nuestro propio ser mismo, y si no hubiera ser no habría consciencia porque la consciencia que tenemos de nosotros mismos, es, que nosotros somos y nosotros mismos, y esto lo hemos recibido por creación de acuerdo a lo que ya hemos estudiado en las Escrituras.

Zurcher dirá:

> «(...) cualquiera que sea el aspecto considerado, la consciencia de sí mismo es siempre esencialmente la consciencia de una potencia en acción que no se agota más que con la conciencia misma. Ella no es jamás "una reflexión que en lugar de suponer el objeto al cual ella se aplica, lo engendra aplicándoselo. Es por ello que tampoco es una cosa o un soporte sino una actividad».[42]

¿Y en qué consiste esa actividad?

Hemos mostrado que no podría haber consciencia si no hubiera existencia, y no habría existencia si no hubiera habido creación en la forma que la

---

[42] *L'Homme, sa Nature et sa Destinée,* op. c., p. 151.

Revelación del Dios personal de Jesucristo nos enseña. Y hemos visto que el resultado de la existencia, es decir de la asociación indisoluble de la sustancia material y el espíritu, es el **alma**. Luego entonces tener consciencia de sí mismo, de que uno existe pensando, es precisamente revelarte de que el **alma**, con lo que implica, se ha dado, ha resultado. La **actividad** de la consciencia consiste fundamentalmente en dar a conocer que se es consciente y que se ha dado el **alma** que es la vida, por cuanto eres consciente de que vives y piensas:

> «(...) la consciencia es (...) no sólamente inseparable de la experiencia interior, la condición misma de la existencia del alma, sino además la posibilidad de cosntituirse en su propia esencia (...).
>
> (...).
>
> «La experiencia íntima propiamente dicha, lejos de revelarnos un **alma-sustancia trascendente** a la consciencia, nos muestra al contrario un alma cuya existencia y esencia dependen en todo instante de la actividad misma de la consciencia. No solamente la consciencia no existe sin el alma, sino sobre todo el alma no se realiza jamás sin la actividad de la consciencia, ya que esta actividad produce la consciencia que es el alma haciéndose ella misma (...) el alma y la consciencia son inseparables (...) Es absolutamente imposible concebir la una sin la otra (...) la consciencia nos hace asistir de algún modo al origen del alma al mismo tiempo que ella nos entrega al alma en el acto espiritual por el cual ella llegó a ser».[43]

3. El Neopaganismo de la Nueva Era y del Sistema Papal

El paganismo que florece en ciertas posturas doctrinales del Sistema Papal le relacionan estrechamente con su cuna babilónica. Pretender que consigue por la pronunciación de ciertas palabras mágicas la conversión del vino en sangre y del pan en un cuerpo real, es el colmo de un acto brujo sin precedentes en la alquimia.

El espiritismo y la reencarnación no son palabras gratas en la exposición doctrinal del Catolicismo Romano. Sin embargo, la Serpiente antigua, el Dragón sabe matizar y variar de formas con tal de conseguir sus objetivos. En efecto, todo el culto a los santos, ángeles y a la virgen; su invocación y comunicación con ellos no es más que una variante del espiritismo. Y su creencia en el purgatorio, donde las **almas** se purifican a través del sufrimiento y la penitencia, es una reminiscencia pagana cuyo objetivo es esencialmente el mismo que el de la reencarnación.[44]

Todo esto tiene implicaciones tanto en lo que se refiere a la posición que se adopta respecto a la Salvación por la sola gracia y la sola fe, como a lo

---

[43] Id., pp. 152, 153.

[44] Algunos de los llamados Padres de la Iglesia creyeron en la reencarnación (Orígenes por ejemplo), y sirvió de base para la doctrina del purgatorio del Catolicismo Romano.

relativo a la Palabra Profética y a Dios. Todas las doctrinas fundamentales cristianas se ven alteradas. El concepto de naturaleza del hombre, como el valor de Jesucristo se truecan por palabras humanas contradiciendo la Palabra de Dios.

Al creyente católico se le ha enseñado a creer en la obra redentora de Cristo, pero no directa ni exclusivamente. Una vez más la mezcla babilónica aparece. En efecto, es preciso tener fe en lo que la Iglesia enseña. Aquí la Iglesia posee el protagonismo principal; no se trata de que el individuo necesitado de la salvación de Dios tenga acceso directo y personal con Dios en Jesucristo (cf. 1ª Ti. 2:5; He. 4:14-16; 10:19-25). La Iglesia, «la cual como administradora de la redención, distribuye y aplica con autoridad el tesoro de las satisfacciones de Cristo y de los santos. Así pues, existe el tesoro de la Iglesia que se "distribuye" a través de las indulgencias».[45] Y esto lo hace la Iglesia «(...) en consideración de los méritos de Cristo y, por su don, también de los de la Virgen y los santos».[46]

El tema de la Justificación por la sola fe, queda totalmente oscurecido, y se mantiene una salvación por obras ¿Dónde dice la palabra de Dios de que la Iglesia sea administradora de algo que no existe? ¿A quién le ha sobrado algo? (cf. Ro. 3:10-12, 22-7).

Al igual que la Nueva Era que precisa de una realización de técnicas y comportamientos para alcanzar lo que ellos denominan la salvación del nirvana, el Sistema Papal, considera imprescindible para la Salvación la purificación mediante el sufrimiento en el Purgatorio de la mayoría de las almas que han ido allí después de lo que ellos denominan muerte del cuerpo, y dentro de una escala de más a menos, de acuerdo a las obras que hayan podido realizar, además de la aplicación de obras meritorias que los Santos y la Virgen han podido hacer que al aplicárselas disminuiría la estancia en ese lugar de *"purgación"*.

4. La Gnosis de la New Age con las Comunicaciones de espíritus o de extraterrestres, y el Sistema Papal con las revelaciones de vírgenes y santos frente a la Palabra de Dios

El arquetipo bíblico es la sola defensa, y lo único que puede desenmascarar a la *New Age*.

No hay otra alternativa, o la Biblia dice la verdad, y en su defecto la *New Age* afirma la mentira, o viceversa. En cualquier caso no hay punto intermedio ni compatibilidad posible. Son dos bocetos divergentes, con unos

---

[45] En *Ecclesia* (órgano oficial de la Iglesia Católica), 23-10-1999, pp. 25, 26.
[46] Id..

contenidos discrepantes y hostiles el uno al otro; que van abriendo sus líneas en polos antípodas sin ningún magnetismo por cuanto no se trata de imanes, sino de ideologías que tienen un origen distinto fruto de la enemistad (cf. Mt. 13:25).

Por lo tanto si la Biblia es reconocida por el Budismo o la *New Age* como un libro válido e inspirado, deben saber que Ella no los acepta a ellos como sistemas legítimos y veraces.

Ante la profusión de publicaciones o de mensajes que dicen haber sido dictadas por espíritus, extraterrestres, o por experiencias místicas o de conocimiento (gnosis), y dado de que la Biblia también dice haber sido inspirada por Dios ¿por que no se comparan y se lleva a cabo una comprobación?

La Biblia nos presenta un mensaje profético que actúa como canónico frente a cualquier otro mensaje que pretende imponerse como verídico. La Gnosis aspira a través del propio conocimiento, de la interiorización más profunda, encontrar las respuestas a las inquietudes humanas. Pero esta Gnosis no reconoce ni el deterioro sufrido por nuestra mente o por el cerebro, ni la contaminación que se produjo en base a ese contacto con la *Serpiente antigua*. La mente, a partir de entonces, si persiste en su desconexión de Dios, es programada y moldeada según el pensamiento y el objetivo de la *Serpiente antigua*.

La única escapatoria de salir de este dilema, es aceptar el planteamiento de la Biblia: centrar nuestros pensamientos y conocimiento **no en nosotros mismos** sino en Jesucristo (Col. 2:2 úp. 3), y no ir más allá de lo que está escrito (1ª Co. 4:6).

El sistema Papal, dado su origen babilónico, está basado en la mezcla de la verdad y de lo que no es verdad. También acepta la Biblia pero no única ni exclusivamente. El magisterio católico por medio del atributo de la infalibilidad lo considera complementario a la Revelación. El principio de la sola Escritura queda quebrado y se añaden ideas filosóficas y religiosas ajenas a la Palabra de Dios.

5. No hay solución humana al problema humano. La Biblia con el Reino de Dios contradice radicalmente la sociopolítica optimista de la New Age

Mientras que la *New Age* nos presenta un Nuevo Orden Mundial basado en la cordura humana, que por fin ha aprendido de sus errores y se presta a conseguir un **mundo unido**, un reino de dios en esta tierra maltrecha gobernado por las premisas humanas que la *New Age* predica –la Biblia nos ofrece una conclusión drásticamente distinta–: Este mundo jamás podrá solucionar sus problemas; y Dios ha decidido intervenir al final de esta historia, de acuerdo a su plan, e imponer su Reino o Gobierno en **sustitución** de todos los reinos de este mundo existentes, en ocasión de la Segunda Venida y literal del mismo Jesucristo que resucitó y ascendió a los Cielos (cf. Dn. 2:44, 45;

Ap. 19:11-21), finalizar el juicio (Ap. 20:1-4, 11-15 cf. Mt. 25:31-46); purificar con fuego esta tierra (2ª P. 3:9-12), y dar lugar a una nueva Creación de la Tierra (2ª P. 3:13; Ap. 21:1 ss.).

6. La Biblia nos advierte de una falsa predicación sobre las características y contenidos del Retorno de Cristo, que incluye, en algunas de sus formas, el modelo que nos señala el escaparate New Age

La promesa de la Palabra de Dios respecto al retorno de Cristo no podemos desvalorizarlo. En una sección posterior estudiamos en profundidad este asunto tan importante para la esperanza cristiana.

Al estudiar dicha segunda venida de Cristo en el contexto de la *New Age* hemos comprendido que será literal e intransferible.

Conclusión

Hemos llegado a una situación, en la que todo reclama una economía y política global. Y que cualquiera que se opone a una posición de este tipo es o bien un enemigo o un ignorante que no comprende nada de la necesidad. Todavía más: la unión aparece como imprescindible.

Como un intento último de mejorar el estatus de la humanidad ¿quién se atreverá a decir lo contrario? No olvidemos, no obstante que durante el período en que Hitler pudo aplicar ciertas ideas consiguió mejorar la situación de Alemania, pero ¿a costa de qué?

Una vez más, el mantenimiento del estatus de bienestar occidental es lo que obliga a una política económica global. En efecto las repercusiones en el sistema monetario y en el de la multinacional, exige a los países ricos intervenir a fin de que sus economías y estatus no experimente mermas considerables. En realidad la unión traerá el perpetuar la injusticia, la pobreza, el sufrimiento, la enfermedad, y la muerte. Es ante esta eternización del mal que Dios intervendrá en la historia.

La **Unidad** es lo que ha obsesionado a lo largo de la historia al Papado, lo hemos estudiado con documentación profusa, estaba impreso en su origen y naturaleza. El alcanzar la supremacía universal fue y es uno de los objetivos más codiciados.

Pero esa **unidad** y esa **supremacía** es ajena a la voluntad del Dios que se revela en su Palabra Profética.

La unidad de los contrarios que se remonta al Edén con la Serpiente antigua, aparece a partir del siglo IV en el sistema Papal. Su pretensión de unirse con el Estado, con el **reino de este mundo** es una demostración de una aplicación de la filosofía que se originó en Babilonia. La Palabra de Dios no hace excepciones con los reinos o gobiernos de este mundo que existirán cuando la Piedra de Daniel, al final de los tiempos destruya a **todos** los reinos de este mundo que pretenden perpetuar la injusticia del sufrimiento y de la muerte en esta tierra (Dn. 2:44, 45). Es el mismo esquema que aparece en el Apocalipsis (Ap. 16: 12-16 cf. 19:11-21) bajo el símbolo de la Bestia, de la Babilonia mística y del Falso profeta que coincide con la bestia de dos cuernos.

Por último está el objetivo de alcanzar la Unión con el país más importante de esta tierra, los Estados Unidos y contribuir a ese Nuevo Orden Mundial, en el que pretenderá autoerigirse como la autoridad Suprema.

Por su parte la *New Age* con una ideología igualmente de origen babilónico con los aportes que ha supuesto la evolución de las creencias y prácticas budistas, ocultistas, científico-agnósticas, presenta un paralelismo, en lo esencial a ese Sistema Papal, aunque este último haya sido matizado por sus mezclas con el cristianismo.

También se obsesiona con la **unidad de todo** aunque sea a costa de aceptar todo, tanto lo bueno como lo malo, la verdad como lo contrario. Todo es válido si se consigue la Unión. Su influencia en los Estados Unidos, y su programa político en cuanto a contribuir al Nuevo Orden Mundial, son verdaderamente asombrosos.

La Revista Estandarte de la Verdad, publicada por la Fundación de literatura Reformada de los Países Bajos,[47] nos presenta en un número monográfico, las conexiones de varios grupos representativos del movimiento carismático estadounidense con la filosofía y las formas de la *New Age* influyendo en amplios sectores del protestantismo. Por otra parte nos presenta dicha revista la influencia y conexión afín entre el movimiento carismático protestante y el neopentecostal católico.

Por otra parte, se nos presenta en ese mismo número el Movimiento Ecuménico junto al Ecumenismo Papal aglutinar a un amplio sector del Protestantismo tanto liberal como conservador con el Catolicismo Romano.

Todas estas fuerzas poseen elementos comunes y objetivos comunes, pero por encima de todo está la Unión y el Nuevo Orden Mundial ¿El bienestar de la humanidad, las presiones de ese Nuevo Orden mundial, y la de la propia Unidad será suficiente motivo como para no prestar atención a la Verdad, y dejarse arrastrar hacia lo que el destino de la historia exige, tras haber sembrado las pautas que lo hacen posible?

Tras el análisis de las claves históricas que se nos proponen para una interpretación, se llega a la conclusión que el destino de la historia, de acuerdo a lo que ésta nos presenta, es alcanzar la Unión de todo bajo una Autoridad Suprema. La historia confluye hoy con unas circunstancias sociales, políticas, religiosas, económicas que permiten esa realidad.

---

[47] Nº 14, octubre de 1993.

El proyecto está lanzado, ¿se conseguirá?, ¿será transitorio?, ¿hasta qué punto y de qué manera? Todo lo que sea preciso llevar a cabo para conseguirlo se hará, se está haciendo. Se intentará, pero ¿cuál serán las actitudes en un proceso definitivo de realización?, ¿cómo lograrán estas fuerzas limar los obstáculos de ciertas creencias y actitudes que son ahora dispares?, ¿se podrá llegar a un entendimiento que suponga la tan añorada Unión, y la posesión de la Autoridad suprema que reclama vehementemente el Papado?, ¿qué ocurrirá con el Pueblo de Dios que aparece en la profecía bíblica como al margen de uniones con los poderes de este mundo y con ideologías que no se atienen a un "así dice el Señor"?

Bibliografía

NUEVA ERA (New Age) Y CONTENIDOS: Evolución-Creación y Parapsicología; Religiosidad iniciática y Secularización

ABBAGNANO Nicolás; *Historia de la Filosofía*, Montaner y Simón, Barcelona 1978.

ANKERBERG John-WELDON John; *The Secret Teachings of the Masonic Lodge*, Moody Press, Chicago 1990.
____*Los Hechos acerca de El Movimiento de la Fe*, ed. Unilit, Miami-Fl-USA 1995.
____*Los Hechos acerca de La Enseñanza Falsa en la Iglesia*, ed. Unilit, Miami-Fl-USA 1994.

ARGUDO, Juan María; *Nueva Era, conspiración final*, ed. CLIE,Terrassa-Barcelona 1992 (Tomo I).

BALDUCCI, Conrado; *La Posesión Diabólica*, ed. Martínez Roca 1976.

BERZOSA Martinez, Raúl; *New Age y Cristianismo*, en la Revista de los PP. Agustinos Religión y Cultura (Enero-Marzo, Madrid 1994, pp. 17-43).

BOGS, Wade H.; *Faith Headling and the Christian Faith*, John Knox Press, Richmond, Va, 1956.

BONIN Werner F.; *Diccionario de Parapsicología* (2 vols.), Alianza editorial, Madrid 1983.

BRAND, Paul y YANCEY, Philip; *Headling: What does God Promise?* Portland OR: Multnomah Press, 1984 (Guide posts reimpresión, Carmel NY).

BRENNAN J.H. - CAMPBELL Eileen, *Guía del Acuario de la Nueva Era*, ed. Robinbook, Barcelona 1996

BROCH, Henri; *Los Fenómenos Paranormales (una reflexón crítica)*, ed. Críttica del grupo Grijalbo, Barcelona 1987.

CAMPA, Ricardo; *Las Nuevas Herejías*, edic. Istmo, Madrid 1980.

CERULLO Morris; *5 Crisis Mayores y olas Mayores del Espíritu Santo que vienen en la década de los 90*, Evangelismo Mundial del autor, USA 1991.

CIENCIOLOGÍA INTERNACIONAL, Iglesia de; *Guía de Referencia a la Religión de Cienciología (Respuestas a las Preguntas más Comunes de los Medios de Comunicación)*, presentada por la Iglesia de la Cienciología, Madrid 1995.

CLABAINE Denis; *Radiographie chrétienne du Yoga, de la méditation transcendentale et de la réincarnation*, editions Ligue pour la lecture de la Bible; Lausane 1982.

CLEAVE Nathaniel Van; *La Salud que nos da Dios, Sanidad Divina por el poder del Espíritu Santo*, ed. Caribe, Miami-Fl-USA 1995.

COLECCIÓN ANDAMIO; *En el Principio*, ed. CLIE,Terrassa-Barcelona 1991.

COLECTIVO DE AUTORES; *Satán*, ed. Labor, Barcelona 1975.

CONN, Charles W; *Pillars of Pentecost*, Cleveland, Tenn. The Pathway Press, 1956

COPELAND, Kenneth; *The Trublemarker*, Fort Worth, TX, Kenneth Copeland Publications, CA, 1970.
___-*Mealed...to be or not to be*, Fort Worth, TX: Kenneth Copeland, Ministres, USA, 1979

COPELAND, Kenneth-GLORIA COPELAND; *From Faith to Fait*, Kenneth Copeland Publications, Fort Worth, Texas 1990.

CORNELIUS VAN DAM, Dr. Willhelm; *Ocultismo y Fe Cristiana*, ed. CLIE, Terrassa-Barcelona 1992.

CROUZET Marurice; *Historia General de las Civilizaciones*, edic. Destino, Barcelona 1983.

CUMBEY Constance E.; *A Planned Deception The Staging of a New Age "Messiah"*, Panta Publishers-East Detroit, Michigan 1985.

CURSO GENERAL DE PARAPSICOLOGIA; del Inapp, Madrid s/f,

CHAIJ, Fernando; *Fuerzas Superiores que actúan en la vida humana*, Ed. Safeliz, Madrid 1982.

COWAN, Marvin W.; *Los Mormones*, CBP, 1986.

CHANDLER Russell; *La Nueva Era*, ed. Mundo Hispano, El Paso, TX, USA 1991.

CHANT, Kent; *Sanidad en la Biblia*, ed. Clie, Terrassa, Barcelona, 1990.

DALE BRUNER, Frederick; *A theology of the Holy Spirit: The Pentecostal Experience and the New Testament* Witness, Grand Rapids, 1970.

DAMBORENEA, Prudencio; *Tongues as of fire: Pentecostalism in Contemporany Cristianity*, Corpus Books, Washington y Cliveland, 1969.

DANYANS Eugenio; *¿Enigmas o Milagros?*, ed. CLIE, Terrassa-Barcelona 1998.

DECKER, De- y -HUNT Dave; *Los Fabricantes de Dioses*, ed. Betania, Minneapolis-USA 1984.

DEMAR Gary-LEITHART Peter; *The Reduction of Christianity* (A Biblical Response to Dave Hunt), Dominion Press-Ft. Worth, Texas American Vision Press, Atlanta, Georgia USA 1988.

DEPARRIE Paul-PRIDE Mary; *Ancient Empires of the New Age*, Published by Crossway Book, Westchester, Illinois-USA 1990.

DETRÉS C., Hector; *Nueva Era*, ed. CLIE, Terassa-Barcelona 1999.

EDWIN MARRELL, Jr.; *Oral Roberts, an American life*, Blomington, Indiana University Press, USA, 1985.

ELIADE Mircea; *Historia de las Creencias y de las Ideas Religiosas* (4 vols.), edic. Cristiandad, Madrid 1978-1980.

EPPERSON Ralph; *The Unseen Hand (A Introduction to the Conspiratorial View of History* Published by Publius Press, Tucson Arizona, USA 1992.

ESSLEMONT, John E.; *Bahá'u'lláh y la Nueva Era* (Una introducción a la Fe Bahá'í, ed. Baha'í de España, Tarrasa 1976.

ESTANDARTE DE LA VERDAD (Publicación Reformada), Monográfico sobre la Nueva Era (New Age), nº 14, octubre de 1993.

FLAVIO Farias; *Los Ovnis, una de las Señales del Fin*, ed. CLIE, Terrassa-Barcelona 1984.

FERGUSON Marilyn; *La Conspiración del Acuario*, ed. Kairos, Barcelona 1985.

FERNANDEZ, Marcel; «*Vous avez dit ... Nouvel Age?*», en Servir I, 1992, pp. 15-36.
___ "*Derriere le Masque du Serpent!*", Institute Adventiste du Salève, Colonges sous Salève, France 1993.

FIELDING SMITH, Joseph; *Doctrina de Salvación* (3 vols.), publicado por

"La Iglesia de Jesucristo de los Santos de los Ultimos Días" (1990, 1979, 1979).

FIELDING SMITH, Joseph (compilador); *Enseñanzas del Profeta José Smith*, publicado por "La Iglesia de Jesucristo de los Santos de los Ultimos Días", 1982.

FLORI Jean - RASOLOFOMASOANDRO Henri; *En Busca de los Orígenes ¿Evolución o Creación?*, Ed. Safeliz, Madrid 2000.

FOSTER Richard J.; *Dinero, Sexo y Poder*, ed. Betania, Minneapolis USA 1989.

GADNER Rex; *A Doctor Investigate Healing Miracles*, Longman and Todd, Darton 1986.

GEER, Telma de; *El Mormonismo y Yo*, ed. Vida, Miami, Florida-USA 1989.

GLEN, Clark; *How to find Health Through Prayer*, Harper and Brothers, Nueva York 1940.

GRAEF, Hilda; *María, la mariologia y el culto mariano a través de la historia*, Herder, Barcelona 1968.

GUERRERO Guerrero, Manuel; *La Biblia y los Extraterrestres*, Restauración, Abril 1979, pp. 26-28.

HAGIN, Kenneth; *Rught and Wisng Thinking*, Tulsa, OR Kenneth Hagin Ministries, USA 1966.

HEREDIA Carlos M.; *Fraudes Espiritistas y Fenómenos Metapsíquicos*, ed. Acervo, Madris 1993.

HILL Napoleón; *Piense y Hágase Rico*, ed. Grijalbo, México 1985.

HOEKMA, Antonio A.; *What about tongue speaking*, The Paternoster Press, London 1966.

HANEGRAFP; *Cristianismo en Crisis*, ed. Unilit, Harvest house publishers, Miami, 1993.

H.L., H.; *Les Guerisons par la Priére-Le Don de Langues-Les signes et les Miracles*, Éditions Bibles et Traités Chrétiens, Vevey, Suisse 1978

HINN, B.; *Rise & Be Healed*, Orlando, Fl. Celebration Publishers, 1991.
___¡*Levántate y se Sano*!, ed. Carisma, Miami-Fl.-USA 1993.
___*Buenos días Espíritu Santo*, ed. Unilit, Miami Fl.-USA 1990.

HISLOP, Alexandre; *Les Deux Babylones*, Librairie Fischbacher, Paris 1972.

HOEKMA, Antonio A.; *What about tongue speaking*, The Paternoster Press, London 1966.
___-*Qué de las Lenguas*, publicado por Subcomisión de Literatura Cristiana de la Iglesia Cristiana Reformada, Grand Rapids, Michigan-USA 1977.

HORNUS Jean - Michel; *Evangile et Labarum*, Genève 1960.

HORTON, W.H; *The Gifts of the Spirit*, London 1954.

HUNT Dave-McMahon, T.A.; *La Seducción del Cristianismo*, ed. Portavoz. Grand Rapids, Michigan 1988.

HUNT Dave; *Más Allá de la Seducción*, ed. Portavoz. Grand Rapids, Michigan 1994.

IJMANS, A.; *La curación por la fe*, ed. Mithopress, Junta de Publicaciones de las Iglesias Reformadas, Buenos Aires 1967.

JAMES, E.O.; *Introducción a la Historia Comparada de las Religiones*, edic. Cristiandad, Madrid 1973.

KEE Alistair; Constantino contra Cristo, edic. Martínez Roca, Barcelona 1990.

KEHL, Medard; *Nueva Era frente al Cristianismo*, ed. Herder, Barcelona 1990.

KOCH, Kurt E.; *Ocultismo y Cura de Almas*, ed. Clie, Terrassa-Barcelona 1968.

KUHLMAN, Kathryn; *Hija del Destino*, ed. Betania, Puerto Rico 1980. ___Yo creo en los Milagros, ed. CLIE, Terrassa-Barcelona 1987.

LEÓN DUFOUR, Xavier; *Los Milagros de Jesús*, edic. Cristiandad, Madrid 1979.

LEVITT, Zola; *El Espíritu de Sun Myung Moon*, ed. CLIE, Terrassa-Barcelona 1978.

LÓPEZ-GAY, Jesús; *La Mística del Budismo*, BAC, 1974.

MAGGREGOR MATHERS, S.L.; *The Kabbalah Unveiled*, Samuel Weiser, Inc., York Beach, Maine-USA 1988.

MANDINO, O. G.; *El Vendedor más grande del mundo*, ed. Diana, México 1995.

MARSHALL David; *New Age Versus the Gospel* (Autumn House, Grantham, England 1993. ___*The Devil Hides Out: New Age and the Occult: A Christian Perspective* (Autumn House, Grantham, England 1991.

MARTIN Walter; *Mormonismo*, ed. Betania, Caparra Terrace, Pto. Rico, 1985. ___ *El Culto de la Nueva Era*, ed. Betania, USA 1993.

MASTERS Peter; *The Healing Epidemic*, Wakeman, London 1988.

MATLICK, Jack; *Entendiendo al Movimiento Carismático*, Ediciones Las Américas (ELA), USA 1993.

McARTHUR Jr., John; *Los Carismáticos, una perspectiva doctrinal*, Editorial Bíblico Dominicano, USA 1984.

McKINTOSH, Donald; *La Glosolalia ¿un auténtico don de lenguas?* ACES, Buenos Aires 1976.

McMILLAN, S.I.; *Ninguna enfermedad*, ed. Vida, Miami-Florida 1986.

"Medicina Holística" de la Asociación de Medicinas Complementarias, Madrid 1997, nº 46.

MENZIS William W.-HORTON Stanley M.; *Doctrinas Bíblicas* (Una perspectiva pentecostal), de. Vida, Dewerfield-Fl.-USA 1996.

MESLIN Michel; *Aproximación a una Ciencia de las Religiones*, edic. Cristiandad, Madrid 1978.

MILLER Calvin; *La Servidumbre del Yoga y la Filosofías orientales*, Clie, Terrassa-Barcelona 1977.

MILLER, Elliot; *Le Mouvement du Nouvel Age* (con prefacio de Walter Martin), editions Béthel, Québec-Canada 1990 (originalmente en inglés «a Crash Course on a New Age», Baker Book House, Grand Rapids, MI. 49516, USA 1989).

MONOGRÁFICO «Más Allá»; «*Más Allá del año 2000*», nº 8, Abril 1994.

MONROY, Juan Antonio; *El Neopaganismo*, en Cuadernos de la Revista evangélica Alternativa 2000 (nº 25, Marzo-Abril, Madrid 1994).

MOODY, Raymond A.; *Vida después de la vida*, ed. Edaf, Madrid 1981.

MOORE, L. David; *Christianityand the New Age Religion*, Pendulum Plus Press, Atlanta, GA-USA 1993.

OATES Joan; *Babilonia*, edic. Martínez Roca, Barcelona 1989.

O'CONNOR, Edward D.; *La Renovación Carismática en la Iglesia Católica*, Lasser Press Mexicana, México 1973.
___*The Pentecost in the Modern World* 1972.

OLMOS, Ballester-GUASP, Miguel, *Los Ovnis y la Ciencia*, Plaza-Janes, Barcelona 1981.

ONCKEN Guillermo; Historia Universal, (47 vols.), Muntaner y Simón, Barcelona 1917-1922.

PAREJA Felix; *La Religiosidad Musulmana*, BAC, 1975.

RESTAURACIÓN (Revista); *La Gran Mentira*, Junio 1981, pp. 10, 11.

RIAZA MORALES, J.Mª; *Azar, Ley y Milagro*, BAC, Madrid 1964.

RIBERA, Antonio; *Treinta Años de Ovnis*, Plaza Janes, Barcelona 1982.

RICHARDSON, Alan; *Las Narraciones Evangélicas sobre Milagros*, edic. Fax, Madrid 1974.

ROBERTS, Oral; *The baptism of the Holy Spirit and the Value of Speaking with tongues*, Tulsa, Okla 1960.
____*Life Story*, Tulsa.
____*The Fourth Man*, Tulsa.

RODRÍGUEZ, Pepe; *La Conspiración Moon*, Edic. B, Grupo Zeta, Barcelona 1987.

SALA, Antonio (varios dirigida por); *El Fenómeno de la New Age*, en "Biblia y Fe" (Rev. Teología), n° 64, Madrid (enero-Abril 1996).

SARAVÍ, Fernando; *La Trampa de las Medicinas Alternativas*, ed. Clie, Terrassa-Barcelona 1993.
____*Parapsicología*, ed. CLIE, Terrassa-Barcelona 1993.
____*Necromancia* ed. CLIE, Terrassa-Barcelona 1992.
____*Los Horóscopos y la Biblia*, ed. CLIE, Terrassa-Barcelona 1992.
____*Invasión desde Oriente*, CLIE, Terrassa-Barcelona 1995.

SAVELLE, J.; *If Satan can't Steal your Joy....* Tulsa, OK, Harrison House 1982.

SCHOLEM Gershom; *On the Kabbalek and Its Symbolism*, Schocken Books Inc., 1965.

SERMONTI, Giuseppe-FONDI, Roberto; *Dopo Darwin: crítica del evoluzionismo*, ed. Rusconi, Roma 1980.

SHALLIS, R.; *Le Don de parler diverses Langues*, Editions du C.C.B.P., Liginiac, France 1982.

STAMATEAS Bernardo; *Ocultismo y Sanidad Interior*, ed. CLIE, Terrassa-Barcelona 1998
____ Endemoniados, ed. CLIE, Terrassa Barcelona 1997.

STEED, Ernest H.J.; «*Dos=Uno*», ed. Clie, Terrassa-Barcelona 1981.

STEGAL, Carrol y HARWOOD, Carl; *The Modern Tongues and Healing Movement*, Shalamar, Florida s/f.

TANNER, Jerald and Sandra; *The Changing World of Mormonism*, The Moody Institute Chicago, Chicago 1981.

«THE INSTITUTE of Religious Knowledge (USA 1983), titulado «*The New Age Movement; and The Illuminati 666*», compilado por William Josiah Sutton e introducido por Roy Allan Anderson D.D.

TITTERINGTON, E.J.G.; *The Gift of Tongues*, Faith and through 90, USA, 1958.

TOVAR Antonio; *Historia del Antiguo Oriente*, ed. Muntaner y Simón, Barcelona 1970.

UNGER, Mersil F.; *Los Demonios según la Biblia*, edic. Las Américas, México 1974.
___*El Don de lenguas y el N.T.*, Publicaciones Portavoz Evangélico, Barcelona 1974.

VASQUEZ Manuel; *El Crecimiento Explosivo de la Nueva Era*, Pacific Press, USA 1999.
___*¡Peligro al Acecho!*, PPPA, USA 1994.

VERNETTE, Jean; *Le Nouvel Age: à l'aube de l'ère du Versau*, ed. Tequi, París 1990.

VILA, Samuel; *Espiritismo y Fenómenos Metapsíquicos*, ed. Clie, Terrassa-Barcelona 1978.

WARNER, Marina; *Tú sola entre las mujeres, el mito y el culto de la Virgen María*, Taurus Madrid, 1991

WARNS, J.; *Baptism* The Paternoster Press, London 1957.

WASHINGTON Peter; *Madame Blavatsky's Baboon, Theosophy and the Emergence of the Western Guru* (Secker 1993).

WEBSTER, Douglas; *Pentecostalism and speaking with tongues*, London 1964.

WHI KIM, Young; *El Principio Divino Guía de Estudios*, Holy Spirit Association of the Unification of World Christianity, Madrid 1974.

WHITCOMB, John C.-MORRIS Henry M.; *El Diluvio del Génesis*, ed. CLIE, Terrassa-Barcelona 1982.

WIDENGREN Geo; *Fenomenología de la Religión*, edic. Cristiandad, Madrid 1976.

WRIGHT, G.E.; *Arqueología Bíblica*, , edic. Cristiandad, Madrid 1975.

WÜRZBURG Gabriele; *Esta es mi Palabra* (a y w). *El Evangelio de Jesús, la manifestación de Cristo que el mundo no conoce a través de su profetisa e instructora Gabriele Würzburg, con una introducción apologética de Alfred Schulte*, Universelles Leben, 2ª edi. 1994.

YANCEY Philip; *Where is God When it Hurts?*, Marshall Pitkering 1991.
___*Disappointment With God*, Zondervan Publishing House, Grand Rapids MI–USA, 1988

NUEVA ERA (New Age) y antropología

ANTOMARCHI-DORIA, A.; *Aux écoutes de L'Esprit*, Privas 1952.

BARTH Karl; *Inmortalité*, Delachaux et Niestlé, Neuchâtel 1958.
___*Dogmatique*, II, 1 y III, tomo 2º {2}, Labor et Fides, Genève 1960.

BRUNNER Emil; *Dogmática*: en 'Eternal Hope' (a. 1954).

BLACKBURNE, Francis; *Short historical View of the Controversy concerning and Intermediate State de 1765.*

CULLMANN, Oscar; *La Inmortalidad del Alma o La Resurrección de los Muertos*, Stvdivm, Madrid 1970.

GABAS, R.; *Escatología Protestante en la actualidad*, ed. Eset, Vitoria-España 1964.

GRESHAKE, G.-LOHFINK, G.; *Naherwartung-Ausferstehung-Unsterblichkeit. Untersuchungen zur cristlichen Eschatologie*, Friburgo-Basilea-Viena, 1982 {4ª edición}

GRESHAKE, G.; *Stärker als der Tod. Zukunft-Tod-Auferstehung-Himmel-Hölle-Fegefeuer*, Maguncia 1976.

HARTMANN, F.-PLESSNER, H.-WEBER, O.-PRENTER, R.; *Antropologie*, RGG Y, Tubinga 1957.

«HERDER-Korrespondenz» (n° 33, 1979, pp. 437 ss.)

KÜNG Hans; *¿Vida Eterna?*, edic. Cristiandad, Madrid 1983.

LAIN ENTRALGO, Pedro; *El Cuerpo Humano*, Espasa-Universidad, ed. Espasa Calpe, Madrid 1989.
___*Cuerpo y Alma*, Espasa-Universidad, ed. Espasa Calpe, Madrid 1991.

MEHL, H,-KOEHNLEÏN, *L'homme selon l'apôtre Paul*, Delachaux et Niestlé, Neuchâtel-París 1950.

MOURLON BEERNAERT, Pierre; *El Hombre en el Lenguaje Bíblico*, ed. Verbo Divino, Estella-Navarra-España, 1988.

ROBINSON, John A. T.; *El Cuerpo*, edic. Ariel, Barcelona 1968.

ROBINSON Wheler; *The People and the Book* {'Hebrew Psycology'} ed. A.S. Peake 1925,

ROSTAGNO, S.; *Inmortalitá dell'anima o risurrezione?*, en Adventus (Revista Italiana) n° 7/1-1994, pp. 5-19.

SPICQ O.P., C.; *Dios y el Hombre en el Nuevo Testamento*, edic. Secretariado Trinitario, Salamanca (España) 1979.

STEVENSON Leslie; *Siete Teorías de la Naturaleza Humana*, Cátedra, Madrid 1990.

TEMPLE, William; *Christians Faith and Life*, McMillan, NY 1931.

THIELICKE, H.; *Tod und Leben, Studien zur christlichen Anthropologie*, 2ª ed., Tubingen 1946.

THOMAS Pascal; *La Reencarnación*, ed. San Pablo, Madrid 1995.

TRESMONTANT, Claude; *Essai sur la pensée hebraique*, Lectio Divina 12, ed. Cerf, Paris 1962

VAUCHER, Alfred; *Le Problème de L'Inmortalité*, Editions S.D.T., Dammarie-les Lys, France 1957.
___*L'Homme, son origine et sa destinée*, SDT, 1974.

ZURCHER, Jean; *L'Homme sa Nature et sa Destinée*, Delachaux & Niestlé, Neuchatel (Suisse) 1953.
___*Essai d'Anthropologie biblique* Servir I y II-III (1973-pp. 30-40; 1974-pp. 6-12)
___*Nature et Destine de l'homme selon la Bible* (Servir IV 1976, pp. 13-28). Clases
impartidas, en presencia de la Reina, a los estudiantes de la Universidad autónoma de Madrid.
___*Antropología Bíblica*, AEGUAE, en San Lorenzo del Escorial (Madrid), 6-8 diciembre de 1980.